# O Guardião
# · de ·
# Memórias

*Kim Edwards*

# O Guardião de Memórias

Título original: *The Memory Keeper's Daughter*


TRADUÇÃO: Vera Ribeiro
PREPARO DE ORIGINAIS: Jorge Sussekind
ASSISTENTE EDITORIAL: Alice Dias
REVISÃO: Luis Américo Costa e Sérgio Bellinello Soares
PROJETO GRÁFICO E DIAGRAMAÇÃO: Marcia Raed
CAPA: Victor Burton
PRÉ-IMPRESSÃO: ô de casa
IMPRESSÃO E ACABAMENTO: Geográfica e Editora Ltda.

CIP-BRASIL. CATALOGAÇÃO-NA-FONTE.
SINDICATO NACIONAL DOS EDITORES DE LIVROS, RJ

---

E26g

Edwards, Kim, 1958-
O guardião de memórias / Kim Edwards; tradução de Vera Ribeiro. – Rio de Janeiro: Sextante, 2007.

Tradução de: The memory keeper's daughter
ISBN 978-85-99296-14-1

1. Ficção americana. I. Ribeiro, Vera. II. Título.

07-1002 CDD: 813
CDU: 821.111.(73)-1

---


Editora Sextante Ltda.
Rua Voluntários da Pátria, 45/1.407 – Botafogo
22270-000 – Rio de Janeiro – RJ
Tel.: (21) 2286-9944 – Fax: (21) 2286-9244
E-mail: atendimento@esextante.com.br
www.sextante.com.br

PARA ABIGAIL E NAOMI

# AGRADECIMENTOS

EU GOSTARIA DE EXPRESSAR MINHA PROFUNDA GRATIDÃO AOS PASTORES DA Igreja Presbiteriana Hunter, por anos de sabedoria sobre questões visíveis e invisíveis; agradeço especialmente a Claire Vonk Brooks, que carregou a semente desta história e a confiou a mim.

Jean e Richard Covert compartilharam generosamente suas impressões e também leram um rascunho inicial deste manuscrito. Sou grata a eles, assim como a Meg Steinman, Caroline Baesler, Kallie Baesler, Nancy Covert, Becky Lesch e Malkanthi McCormick, por sua franqueza e orientação. Bruce Burris convidou-me a conduzir um seminário do Minds Wide Open;[1] meus agradecimentos a ele e aos participantes daquele dia, que escreveram do fundo do coração.

Sou muito grata à Fundação Mrs. Giles Whiting, por seu apoio e incentivo excepcionais. O Conselho de Artes de Kentucky e a Fundação de Kentucky para Mulheres também forneceram verbas de apoio para financiar este livro, e eu lhes agradeço.

Como sempre, ofereço minha imensa gratidão a minha agente, Geri Thoma, por ser tão sensata, calorosa, generosa e firme. Sou também muito grata a todo o pessoal da editora Viking, especialmente à minha revisora, Pamela Dorman, que contribuiu com grande inteligência e dedicação para a revisão deste livro e cujas perguntas sagazes me ajudaram a me aprofundar mais na narrativa. O toque editorial seguro e perspicaz de Beena Kamlani também foi inestimável, e Lucia Watson, com bom humor e precisão, manteve mil coisas em funcionamento.

---

[1] Criado em fevereiro de 1999, o programa Minds Wide Open [Mentes Abertas] foi desenvolvido pela organização Arc of the Bluegrass, Inc. (fundada em Lexington, no Kentucky, em 1954) para ajudar pessoas com deficiências cognitivas através do incentivo à sua criatividade nas artes plásticas, cênicas e literárias, promovendo sua maior integração social. (N. da T.)

Às escritoras Jane McCafferty, Mary Ann Taylor-Hall e Leatha Kendrik, que leram o manuscrito com olhos rigorosos e amorosos, obrigada de coração. Um agradecimento especial também para meus pais, John e Shirley Edwards. A James Alan McPherson, cujos ensinamentos ainda inspiram os meus, minha perene gratidão. E a Katherine Soulard Turner e seu pai, o falecido William G. Turner, pela amizade generosa, pelos papos literários e pelo conhecimento abalizado de Pittsburgh, obrigada com alegria.

Carinho e gratidão a toda a minha família, próxima e distante, especialmente a Tom.

# 1964

# MARÇO DE 1964

## I

A NEVE COMEÇOU A CAIR HORAS ANTES DE ELA ENTRAR EM TRABALHO DE parto. Primeiro alguns flocos, no céu cinzento e opaco do fim de tarde, depois volteios e redemoinhos impelidos pelo vento ao redor das quinas da ampla varanda frontal. Ele parou ao lado da mulher, à janela, observando as rajadas abruptas de neve sucederem-se em ondas, rodopiarem e caírem no chão. Em todo o bairro acenderam-se as luzes e os galhos nus das árvores embranqueceram.

Depois do jantar, ele acendeu a lareira, aventurando-se na nevasca para buscar lenha do monte que empilhara junto à garagem no outono anterior. O ar penetrante e frio bateu-lhe no rosto, e a neve na entrada da garagem já chegava a meia altura de seus joelhos. Ele juntou algumas toras, sacudindo a camada macia e branca que as cobria, e as levou para dentro. Os gravetos sobre a grelha pegaram fogo imediatamente e, por algum tempo, ele ficou sentado junto à lareira, pernas cruzadas, acrescentando toras e observando o saltitar das chamas, azuladas e hipnóticas. Lá fora a neve continuava a cair silenciosamente na escuridão, tão brilhante e densa como estática nos cones de luz formados pelos postes de iluminação. Quando se levantou e olhou pela janela, seu carro se transformara numa colina branca e fofa à beira da calçada. Suas pegadas na entrada da garagem já tinham desaparecido.

Ele sacudiu as cinzas das mãos e se sentou no sofá ao lado da mulher, que tinha os pés apoiados em almofadas, cruzando os tornozelos inchados, e um exemplar do livro do Dr. Spock equilibrado sobre a barriga. Absorta, ela lambia a ponta do dedo indicador, distraída, a cada vez que virava uma página. Tinha mãos delgadas, de dedos curtos e firmes, e mordiscava o lábio inferior, concentrada, enquanto lia. Ao observá-la, ele sentiu uma onda de amor e deslumbramento: por ela ser sua esposa e pelo fato de seu bebê, esperado dali a apenas três semanas, estar prestes a nascer. Seria o primeiro filho. Fazia só um ano que estavam casados.

Ela ergueu os olhos, sorridente, quando o marido ajeitou o cobertor em volta de suas pernas.

– Sabe, andei pensando em como deve ser... – disse. – Quero dizer, antes de nascermos. É uma pena a gente não se lembrar.

Abriu o roupão e levantou o suéter que usava por baixo, revelando uma barriga redonda e dura como um melão. Passou a mão pela superfície lisa, enquanto a luz do fogo brincava em sua pele, lançando em seu cabelo um tom de ouro avermelhado.

– Você acha que é como estar dentro de uma grande lanterna? O livro diz que a luz atravessa minha pele, que o bebê já consegue enxergar.

– Não sei – disse ele.

A mulher riu.

– Por que não? – perguntou. – O médico é você.

– Sou apenas um cirurgião ortopedista – lembrou-lhe o marido. – Poderia explicar o padrão de ossificação dos ossos fetais, mas só isso.

Levantou o pé da mulher, delicado e inchado dentro da meia azul-clara, e começou a massageá-lo de leve: o tarso possante do calcanhar, os metatarsos e as falanges, escondidos sob a pele e sob a densa camada de músculos, como um leque prestes a se abrir. A respiração dela enchia a sala silenciosa, o pé aquecendo-se nas mãos do marido, e ele imaginou a simetria perfeita, secreta, dos ossos. Na gravidez, sua mulher lhe parecia linda, mas frágil, com as finas veias azuis transparecendo vagamente na pele alva e pálida.

Tinha sido uma gestação excelente, sem nenhuma restrição médica. Mesmo assim, já se iam vários meses sem que ele conseguisse fazer amor com a mulher. Em vez disso, descobria-se querendo protegê-la, carregá-la nas escadas, envolvê-la em cobertores, levar-lhe xícaras de creme de ovos. *Não estou inválida,* ela sempre protestava, rindo. *Não sou um filhote de passarinho que você tenha encontrado na grama.* Apesar disso, gostava das gentilezas do marido. Às vezes, ele acordava e a observava durante o sono: o tremor das pálpebras, o movimento lento e ritmado do peito, a mão estendida, tão miúda que ele conseguia envolvê-la completamente com a sua.

Ela era 11 anos mais moça. Fazia pouco mais de um ano que ele a vira pela primeira vez, subindo uma escada rolante de uma loja de departamentos no centro da cidade, num sábado cinzento de novembro em que saíra para comprar gravatas. Ele tinha 33 anos e era novo em Lexington, no Kentucky, e a moça havia emergido da multidão como uma espécie de visão, com o cabelo louro penteado para trás e preso num coque elegante, pérolas reluzindo no pescoço e nas orelhas. Ela usava um mantô de lã verde-escuro e tinha a pele clara e pálida. Ele subiu a escada, abrindo caminho pela aglomeração e se esforçando para não perdê-la de vista. A moça foi para o quarto andar: lingerie e meias. Quando ele tentou segui-la por entre os corredores repletos de araras cheias de anáguas, sutiãs e calcinhas, todos com um brilho suave, uma vendedora de vestido azul-marinho com gola branca o deteve, sorrindo, perguntando em que poderia servi-lo. *Um roupão*, disse ele, vasculhando os corredores até avistar o cabelo da moça, um ombro verde-escuro e a cabeça inclinada, que revelava a curva elegante e pálida de sua nuca. *Um roupão para minha irmã que mora em Nova Orleans*. Ele não tinha irmã, é claro, nem qualquer parente vivo que conhecesse.

A vendedora desapareceu e voltou um instante depois, com três roupões de tecido felpudo e grosso. Ele escolheu às cegas, quase sem baixar os olhos, pegando o do topo da pilha. *Temos três tamanhos*, dizia a vendedora, *e haverá uma variedade maior de cores no mês que vem*. Mas ele já seguia pelo corredor, com um roupão cor de coral pendurado no braço e os sapatos rangendo no piso de lajotas, enquanto se deslocava com impaciência por entre os outros clientes, em direção ao local em que ela havia parado.

A moça estava examinando as pilhas de meias caras, cujas cores transparentes reluziam pelas aberturas brilhosas de celofane: castanho, azul-marinho, um marrom-escuro como sangue de porco. A manga de seu casaco verde tocou-o de leve e ele sentiu seu perfume, suave mas penetrante, como as pétalas densas e pálidas dos lilases fora da janela do quarto de estudante que ele um dia ocupara em Pittsburgh. As janelas de seu apartamento no porão estavam sempre sujas, cobertas pela fuligem e pelas cinzas da siderúrgica, mas na primavera havia lilases em flor, borrifos brancos e purpúreos no vidro, e o aroma invadia o aposento como a luz.

Ele pigarreou – mal conseguia respirar – e levantou o roupão felpudo, mas a vendedora atrás do balcão estava rindo, contando uma piada, e não o notou. Quando tornou a pigarrear, a mulher o olhou de relance, irritada, e fez sinal com a cabeça para sua freguesa, que nesse momento segurava nas mãos três embalagens finas de meias, como cartas de baralho gigantes.

– Creio que a Srta. Asher chegou aqui primeiro – disse a vendedora, fria e altiva.

Foi quando os olhos dos dois se encontraram, e ele ficou surpreso ao ver que os da jovem eram do mesmo tom verde-escuro de seu mantô. Ela o estava avaliando – o sólido sobretudo de tweed, o rosto escanhoado e avermelhado pelo frio, as unhas bem aparadas. Sorriu, divertida e meio desdenhosa, apontando para o roupão em seu braço.

– Para sua mulher? – indagou. Falava com o que ele reconheceu ser um sotaque refinado do Kentucky, numa cidade de velhas fortunas em que essas distinções tinham peso. Depois de apenas seis meses na cidade, ele já sabia disso. – Está tudo bem, Jean – prosseguiu a jovem, tornando a se virar para a vendedora. – Pode atendê-lo primeiro. Esse pobre homem deve estar se sentindo perdido e sem graça com toda essa renda aqui.

– É para minha irmã – disse ele, aflito por desfazer a má impressão que estava causando. Isso já lhe acontecera várias vezes na cidade; era afoito ou direto demais e ofendia as pessoas. O roupão caiu e ele se abaixou para pegá-lo, enrubescendo ao levantar. As luvas da moça estavam sobre o vidro do balcão e suas mãos se cruzavam de leve ao lado delas. O constrangimento do homem pareceu abrandá-la, pois, quando os olhos voltaram a se encontrar, os dela se mostraram gentis.

Ele tentou de novo:

– Desculpe. Parece que não sei o que estou fazendo. E estou com pressa. Sou médico. Estou atrasado para o hospital.

Nesse momento, o sorriso dela se modificou, tornou-se sério.

– Entendo – disse, e se voltou de novo para a vendedora. – Jean, por favor, atenda-o primeiro, sim?

Concordou em vê-lo de novo, escrevendo seu nome e telefone com a letra perfeita que aprendera na terceira série, cuja professora era uma ex-freira que havia imprimido em seus pequenos pupilos as regras da caligrafia. Toda letra tem um formato, ela lhes dizia, um único formato no mundo, e nenhum outro, e é sua responsabilidade fazer com que ele seja perfeito. Aos oito anos, pálida e magrela, a mulher de mantô verde que viria a ser sua esposa havia agarrado a caneta entre os dedinhos e praticado a letra cursiva, sozinha em seu quarto, hora após hora, até escrever com a fluência requintada da água corrente. Tempos depois, ao ouvir essa história, ele a imaginaria com a cabeça inclinada sob o abajur, com os dedos dolorosamente apertados em volta da caneta, e se admiraria com a perseverança dela, com sua crença na beleza e na voz autoritária da ex-freira. Nesse primeiro dia, porém, não sabia de nada disso. Carregou o pedaço de papel no bolso do jaleco branco, de um quarto de doente para outro, rememorando as letras dela a fluírem até desenhar a forma perfeita de seu nome. Telefonou-lhe na mesma noite, levou-a para jantar na seguinte e, três meses depois, os dois estavam casados.

Agora, nesses últimos meses de gravidez, o roupão coral macio a vestia perfeitamente. Ela o havia encontrado, desembrulhado e levantado para mostrá-lo ao marido. *Mas faz tanto tempo que a sua irmã morreu!*, exclamara, subitamente intrigada, e por um instante ele tinha congelado, sorrindo, enquanto a mentira de um ano antes zunia como uma ave escura pelo quarto. Ele encolheu os ombros na ocasião, sem jeito. *Eu tinha que dizer alguma coisa*, argumentara. *Tinha que descobrir um jeito de saber seu nome.* Ela sorriu então, atravessando o quarto para abraçá-lo.

A neve caiu. Nas horas seguintes, os dois leram e conversaram. Às vezes ela pegava a mão do marido e a punha sobre sua barriga para que ele sentisse o bebê se mexer. De tempos em tempos, ele se levantava para atiçar o fogo e dar uma olhada pela janela para ver oito centímetros de neve no chão, depois doze ou quinze. As ruas estavam macias e silenciosas, e havia poucos carros.

Às 11 horas, ela se levantou do sofá e foi para a cama. Ele continuou no térreo, lendo o último número do *Jornal de Cirurgia Óssea e Articular*. Era reconhecido como um ótimo médico, com talento para o diagnóstico e fama de ser habilidoso no trabalho. Formara-se em primeiro lugar em sua turma. No entanto, era tão moço e – embora o escondesse com muito cuidado – tão inseguro de suas aptidões que estudava em todas as horas vagas, colecionando cada sucesso que obtinha como mais uma prova a seu favor. Sentia-se uma aberração, por ter nascido com sede de saber numa família absorta na simples luta pela sobrevivência, dia após dia. Eles viam a instrução como um luxo desnecessário, um meio que não levava a um fim seguro. Pobres, sempre que iam ao médico, quando chegavam a fazê-lo, era na clínica de Morgantown, a 80 quilômetros de distância. Eram vívidas as lembranças que ele guardava dessas raras viagens, chacoalhando na traseira da caminhonete emprestada, com a poeira voando em sua esteira. A estrada dançante, dizia sua irmã, que ocupava a cabine com os pais. Em Morgantown, os cômodos eram sombrios, do tom verde ou turquesa-escuro da água dos lagos, e os médicos eram apressados, ríspidos com eles, distraídos.

Passados todos esses anos, ele ainda vivia momentos em que sentia o olhar daqueles médicos e se achava um impostor, prestes a ser desmascarado por um único erro. Sabia que sua escolha da especialidade fora um reflexo disso. Para ele, nada da agitação caótica da clínica geral nem da tubulação arriscada e delicada do coração. Ele lidava sobretudo com membros quebrados, esculpindo moldes de gesso e examinando radiografias, enquanto observava as fraturas se consolidarem, lenta mas milagrosamente. Agradava-lhe o fato de os ossos serem coisas sólidas, que sobreviviam até mesmo à incandescência da cremação. Os ossos duravam; era-lhe fácil depositar confiança em algo tão sólido e previsível.

Leu até bem depois da meia-noite, até as palavras tremeluzirem sem nenhum sentido nas páginas luminosamente brancas, depois jogou a revista na mesa de centro e se levantou para cuidar do fogo. Bateu nas toras queimadas e envoltas em chamas até que virassem borralho, abriu inteiramente o regulador da chaminé e fechou a tela de metal da lareira. Depois que apagou as luzes, as pequenas brasas luziram suaves por entre camadas de cinzas, delicadas e brancas como a neve, que agora se empilhava, alta, sobre o gradil da varanda e as moitas de rododendros.

A escada rangeu sob seu peso. Ele parou junto à porta do quarto do bebê, estudando as formas sombreadas do berço e do trocador de fraldas, os bichos de pelúcia dispostos em prateleiras. As paredes estavam pintadas de um verde-água pálido. Sua mulher tinha feito a colcha de retalhos da Mamãe Ganso que pendia da parede em frente, costurando-a com pontos minúsculos, desfazendo pedaços inteiros quando notava a mais ligeira imperfeição. Uma borda de ursinhos fora desenhada logo abaixo do teto; também isso fora feito por ela.

Num impulso, ele entrou no quarto e parou diante da janela, afastando a cortina transparente para olhar a neve, que agora atingia quase 20 centímetros sobre os postes de iluminação, as cercas e os telhados. Era o tipo de nevasca que raramente acontecia em Lexington, e os flocos brancos e contínuos, aliados ao silêncio, encheram-no de uma sensação de paz. Foi um momento em que todos os retalhos díspares de sua vida pareceram costurar-se, com todas as tristezas e decepções passadas, todos os segredos e incertezas angustiantes escondendo-se sob as camadas brancas e macias. O dia seguinte seria quieto, com o mundo abrandado e frágil, até que a meninada da vizinhança saísse para romper a calma com sua correria, seus gritos e sua alegria. Ele se lembrou de dias assim em sua própria infância na montanha, raros momentos de fuga em que ele entrava nos bosques, com a respiração amplificada e a voz de algum modo abafada pela neve densa que vergava os galhos até o chão e se espalhava pelas trilhas. O mundo, por algumas breves horas, transformava-se.

Ficou muito tempo parado ali, até ouvi-la mexer-se, quase sem barulho. Encontrou-a sentada na beira da cama, com a cabeça inclinada e as mãos agarradas ao colchão.

– Acho que estou em trabalho de parto – ela disse, erguendo os olhos.

Estava com o cabelo solto, uma mecha presa no lábio. Ele ajeitou-a de volta para trás da orelha de sua mulher. Ela balançou a cabeça quando o marido sentou-se a seu lado.

– Não sei. Estou me sentindo estranha. Uma sensação de câibra que vem e vai.

Ele a ajudou a deitar-se de lado e se deitou também, massageando-lhe as costas.

– Provavelmente é só um alarme falso – garantiu-lhe. – Ainda faltam três semanas, afinal, e o primeiro filho costuma se atrasar.

Era verdade, ele sabia; acreditou nisso ao dizê-lo e, a rigor, teve tanta certeza que, passado algum tempo, adormeceu. Acordou com a mulher em pé junto à cama, sacudindo-lhe o ombro. O roupão e o cabelo dela pareciam quase brancos na estranha luz da neve que se infiltrava no quarto.

– Estou contando o tempo. Intervalos de cinco minutos. São dores fortes, e estou com medo.

Nesse momento, uma onda o percorreu por dentro; o nervosismo e o medo tomaram seu corpo como a espuma empurrada pela onda. Mas ele fora treinado a manter a calma nas emergências, a controlar as emoções, de modo que pôde levantar-se sem nenhuma urgência, pegar o relógio e caminhar com ela, devagar e serenamente, de um lado para outro do corredor. Quando vinham as contrações, ela lhe apertava a mão com tamanha força que ele tinha a sensação de que os ossos de seus dedos se fundiriam. As contrações vinham como a mulher tinha dito, a cada cinco minutos, depois quatro. Ele tirou a mala do armário, subitamente entorpecido pelo caráter decisivo daqueles acontecimentos, tão esperados mas ao mesmo tempo tão surpreendentes. Continuou a se movimentar, tal como sua mulher, mas o mundo entrou numa lenta calmaria a seu redor. Ele tinha aguda consciência de cada gesto, do modo como a respiração se precipitava por sua língua, do modo como sua esposa calçou incomodamente os únicos sapatos que ainda lhe serviam, com os pés inchados formando uma crista sobre o couro cinza-escuro. Ao segurar o braço dela, teve a estranha sensação de estar suspenso no quarto, em algum ponto próximo do lustre, observando os dois de cima, notando cada nuance e cada detalhe: a maneira como ela tremia a cada contração e como seus próprios dedos se fechavam, firmes e protetores, em torno do cotovelo da mulher. E como, lá fora, a neve continuava a cair.

Ajudou-a a vestir o mantô de lã verde, que pendeu desabotoado, escancarado na altura da barriga. Achou as luvas de couro que ela também havia usado no dia em que os dois tinham se visto pela primeira vez. Parecia-lhe importante cuidar desses detalhes. Os dois pararam na varanda um instante, perplexos com aquele mundo branco e macio.

– Espere aqui – disse ele, e desceu os degraus, abrindo caminho por entre os montes de neve. As portas do velho carro estavam congeladas e foram precisos vários minutos para abrir uma delas. Uma nuvem branca voou, cintilante, quando enfim a porta se abriu, e ele tateou o piso do banco traseiro à procura do raspador e da escova de neve. Quando emergiu do carro, sua mulher estava apoiada numa pilastra da varanda, com a testa sobre os braços. Nesse momento, ele compreendeu a dor imensa que ela sentia e também que o bebê ia mesmo chegar, chegar exatamente naquela noite. Resistiu à ânsia intensa de correr para ela e, em vez disso, empenhou todas as suas forças em liberar o carro, aquecendo alternadamente uma das mãos e a outra sob as axilas, quando a dor da friagem se acentuava, aquecendo-as, mas sem parar um instante, escovando a neve do pára-brisa, das janelas e do capô e vendo-a se espalhar e desaparecer no fofo mar branco que lhe cercava as panturrilhas.

– Você não me contou que ia doer tanto assim – disse ela, quando o marido chegou à varanda. Ele lhe passou o braço em volta dos ombros e a ajudou a descer a escada.

– Eu posso andar – insistiu ela. – É só quando vem a dor.

– Eu sei – retrucou ele, mas não a soltou.

Quando chegaram ao carro, ela o tocou no braço e apontou para a casa, encoberta pela neve e luzindo como uma lanterna na escuridão da rua.

– Quando voltarmos, traremos nosso bebê conosco – disse. – Nosso mundo nunca mais será o mesmo.

Os limpadores de pára-brisa estavam congelados e a neve deslizou pelo vidro traseiro quando ele arrancou em direção à rua. Foi dirigindo devagar, pensando em como Lexington estava bonita, com as árvores e sebes carregadas de neve. Quando entrou na rua principal, as rodas deslizaram no gelo e o carro derrapou no cruzamento, fluido, por um breve instante, e parou junto a um banco de neve.

– Está tudo bem – anunciou ele, com a cabeça a mil. Por sorte, não havia nenhum outro carro à vista. O volante estava duro e frio feito pedra entre suas mãos nuas. De vez em quando, ele limpava o pára-brisa com as costas da mão e se inclinava para olhar pelo buraco que tinha feito. – Liguei para o Bentley antes de sairmos – informou, referindo-se a seu colega obstetra. – Disse para ele nos encontrar no consultório. É para lá que nós vamos. É mais perto.

Ela ficou calada por um momento, com a mão agarrada ao painel de instrumentos, enquanto respirava para enfrentar outra contração. – Desde que eu não tenha meu bebê neste carro velho – conseguiu dizer, tentando brincar. – Você sabe que eu sempre o detestei.

Ele sorriu, mas sabia que o medo da mulher era real, e o compartilhava.

Metódico, objetivo: nem mesmo numa emergência ele modificava sua natureza. Parou em todos os sinais luminosos, usou as setas para sinalizar nas ruas desertas. A intervalos de minutos, ela tornava a firmar uma das mãos no painel e se concentrava na respiração, o que o fazia engolir em seco e olhá-la de soslaio, mais nervoso nessa noite do que se lembrava de jamais ter estado. Mais nervoso do que em sua primeira aula de anatomia, com o corpo de um rapazinho escancarado para revelar seus segredos. Mais nervoso do que no dia do casamento, com a família dela enchendo um dos lados da igreja e, no outro, apenas um punhado de colegas seus. Os pais dele haviam morrido, sua irmã também.

Havia um único carro no estacionamento da clínica – o Fairlane azul-claro da enfermeira, conservador, pragmático e mais novo que o dele. O médico também a havia chamado. Parou em frente à entrada e ajudou sua mulher a descer do carro. Agora que tinham chegado ao consultório em segurança, estavam ambos animados, rindo ao avançarem para as luzes brilhantes da sala de espera.

A enfermeira veio a seu encontro. No instante em que a viu, ele percebeu que havia algo errado. A mulher tinha grandes olhos azuis, num rosto pálido que poderia ter 40 ou 25 anos, e, sempre que alguma coisa não lhe agradava, uma linha vertical fina formava-se em sua testa, bem entre os olhos. A linha estava lá e ela lhes deu a notícia: o carro de Bentley saíra de traseira na estrada rural em que ele morava, cuja neve não fora retirada, rodara duas vezes no gelo sob a neve e tinha caído numa vala.

– Você está dizendo que o Dr. Bentley não vem? – perguntou a esposa.

A enfermeira fez que sim. Era alta, tão magra e angulosa que os ossos pareciam prestes a lhe perfurar a pele a qualquer momento. Os grandes olhos azuis eram solenes e inteligentes. Durante meses houvera boatos e piadas, dizendo que ela estaria meio apaixonada pelo médico. Ele os havia descartado como mexericos de trabalho, aborrecidos mas naturais quando um homem e uma mulher solteira trabalham numa proximidade tão estreita, dia após dia. E então, uma noite, ele havia adormecido em sua escrivaninha. Sonhara com os tempos de sua casa da infância, com a mãe arrumando potes de frutas que brilhavam como jóias na mesa coberta de oleado, embaixo da janela. Sua irmã de cinco anos estava sentada, segurando uma boneca com a mãozinha fraca. Fora uma imagem passageira, talvez uma lembrança, mas que o enchera simultaneamente de tristeza e saudade. Agora a casa era dele, mas estava vazia, deserta desde a morte de sua irmã e a mudança de seus pais, abandonados os cômodos que a mãe havia esfregado até deixá-los com um brilho opaco, ocupados apenas pelo farfalhar dos esquilos e dos camundongos.

Havia lágrimas em seus olhos quando ele os abriu, levantando a cabeça da escrivaninha. A enfermeira estava parada no vão da porta, com o rosto enternecido de emoção. Estava bonita naquele momento, com um meio sorriso, e não tinha nada da mulher eficiente que trabalhava todos os dias a seu lado, silenciosa e competente.

Seus olhos se encontraram e, para ele, foi como se a conhecesse – como se eles conhecessem um ao outro – de uma forma profunda e segura. Por um instante, absolutamente nada se interpôs entre os dois; foi uma intimidade de tal magnitude que ele ficou imóvel, siderado. Depois, ela enrubesceu intensamente e desviou o olhar. Pigarreou e se empertigou, dizendo ter feito duas horas extras e estar de saída. Por muitos dias, seus olhos não cruzaram com os dele.

Depois disso, quando as pessoas implicavam com ele por causa da enfermeira, ele as fazia parar. *Ela é uma excelente enfermeira*, dizia, erguendo uma das mãos para barrar as piadas, em homenagem ao momento de comunhão que os dois haviam compartilhado. *Ela é a melhor com quem já trabalhei*. Era verdade, e, nesse momento, ele ficou muito contente por tê-la a seu lado.

– Que tal o pronto-socorro? – perguntou a enfermeira. – Vocês conseguem chegar lá?

Ele abanou a cabeça. As contrações tinham intervalos de apenas um minuto, mais ou menos.

– Esse bebê não vai esperar – disse, olhando para sua mulher. A neve derretera no cabelo dela e reluzia como uma tiara de brilhantes. – Esse bebê está chegando.

– Tudo bem – disse sua mulher, estóica. Tinha a voz mais dura nesse momento, decidida. – Será uma história melhor para contar quando ele crescer, ele ou ela.

A enfermeira sorriu, com a linha entre os olhos ainda visível, porém mais tênue.

– Então, vamos levar você para dentro – disse. – Vamos ajudá-la um pouco com a dor.

Ele foi buscar um jaleco em seu consultório e, quando entrou na sala de exames de Bentley, sua mulher estava deitada na cama, com os pés nos suportes. O cômodo era azul-claro, repleto de cromados, esmaltados brancos e instrumentos delicados de aço reluzente. Ele foi até a pia e lavou as mãos. Sentia-se extremamente alerta, cônscio dos mais ínfimos detalhes, e, ao executar esse ritual corriqueiro, notou que o pânico diante da ausência de Bentley começava a diminuir. Fechou os olhos, obrigando-se a se concentrar em sua tarefa.

– Está tudo evoluindo – disse a enfermeira, quando ele se virou. – Parece tudo bem. Eu diria que ela está com 10 centímetros; veja o que acha.

Ele se sentou na banqueta e introduziu a mão na caverna morna e macia do corpo de sua mulher. O saco amniótico ainda estava intacto e, através dele, foi possível sentir a cabeça do bebê, lisa e dura como uma bola de beisebol. Seu filho. Ele deveria estar andando de um lado para outro numa sala de espera qualquer. Do outro lado da sala, a persiana estava fechada sobre a única janela e, ao retirar a mão do calor do corpo de sua mulher, ele pensou na neve, se ela continuava a cair, silenciando a cidade e o campo mais além.

– Sim – concordou. – Dez centímetros.

– Phoebe – disse sua mulher. Ele não lhe via o rosto, mas a voz era clara. Fazia meses que os dois discutiam nomes, e não haviam chegado a nenhuma conclusão. – Se for menina, Phoebe. E, se for menino, Paul, em homenagem ao meu tio-avô. Eu lhe contei isso? – perguntou. – Pretendia lhe contar que eu tinha decidido.

– São nomes bonitos – disse a enfermeira, tranqüilizadora.

– Phoebe e Paul – repetiu ele, mas estava concentrado na nova contração que se avolumava no corpo da mulher. Fez um gesto para a enfermeira, que aprontou o gás anestésico. Durante seus anos de residência, a norma era anestesiar completamente a mulher em trabalho de parto, até terminar a expulsão, mas os tempos haviam mudado – era 1964 – e Bentley, ele sabia, usava o gás de modo mais seletivo. Era melhor que ela ficasse acordada para fazer força; ele a anestesiaria nas contrações piores, na etapa da coroação e na expulsão. Sua mulher ficou tensa e gritou, e o bebê se deslocou no canal vaginal, rompendo o saco amniótico.

– Agora – disse o médico, e a enfermeira posicionou a máscara. As mãos da parturiente relaxaram e os punhos se abriram, à medida que o gás anestésico fez efeito, e ela permaneceu imóvel, tranqüila e inconsciente, enquanto seu corpo era perpassado por mais uma contração, depois outra.

– Está vindo rápido, para um primeiro filho – comentou a enfermeira.

– É – assentiu o médico. – Até aqui, tudo bem.

Assim se passou meia hora. Sua mulher despertava, gemia e fazia força e, quando ele achava que tinha sido o bastante – ou quando ela gritava que a dor era insuportável —, fazia sinal para a enfermeira, que aplicava o gás. Exceto por essa troca silenciosa de instruções, os dois não falavam. Lá fora, a neve continuava a cair, descendo pelos lados das casas, enchendo as ruas. O médico sentou-se numa cadeira de aço inoxidável, reduzindo o foco de sua concentração aos fatos essenciais. Fizera cinco partos durante o curso de medicina, todos bem-sucedidos e com bebês saudáveis, e nesse momento se concentrou neles, buscando na memória os detalhes do atendimento. Ao fazê-lo, sua mulher, deitada com os pés nos estribos e a barriga tão alta que ele não conseguia ver seu rosto, fundiu-se aos poucos com aquelas outras mulheres. Seus joelhos redondos, as panturrilhas lisas e estreitas, os tornozelos, tudo tão conhecido e amado, diante dele. Mas ele não pensou em lhe afagar a pele nem em pôr a mão reconfortante sobre seu joelho. Foi a enfermeira quem segurou a mão dela enquanto a mulher fazia força. Para o médico, concentrado no que tinha imediatamente pela frente, ela se tornou não apenas ela mesma, porém mais do que ela: um corpo como os outros, uma paciente cujas necessidades ele precisava atender com todas as suas habilidades técnicas. Era necessário, mais necessário que de hábito, manter as emoções sob controle. Com o correr do tempo, o estranho momento que ele vivenciara no quarto dos dois voltou-lhe à lembrança. Ele começou a se sentir como se, de algum modo, estivesse distante daquela cena de parto, ao mesmo tempo presente, mas também flutuando noutro lugar, observando de uma distância segura. Observou-se fazendo a incisão cuidadosa e precisa da episiotomia. Bem-feita, pensou consigo mesmo, enquanto o sangue brotava num filete perfeito, e não se permitiu rememorar as vezes em que tocara aquela mesma carne com paixão.

A cabeça começou a despontar. Com mais três impulsos, emergiu e, em seguida, o corpo escorregou para suas mãos expectantes e o bebê chorou, com a pele azul tornando-se rosada.

Era um menino, de rosto vermelho e cabelos escuros, olhos alertas, desconfiado das luzes e do impacto frio e vivo do ar. O médico amarrou e cortou o cordão umbilical. *Meu filho*, permitiu-se pensar. *Meu filho*.

– É lindo – disse a enfermeira. Ela aguardou enquanto o médico examinava o menino, observando as batidas regulares do coração, rápidas e seguras, as mãos de dedos longos e a cabeleira escura. Depois, ela levou o bebê até o cômodo ao lado para banhá-lo e pingar nitrato de prata em seus olhos. Os gritinhos chegaram até eles e a esposa se mexeu. O médico ficou onde estava, com a mão sobre o joelho dela, respirando fundo várias vezes, à espera da expulsão da placenta. *Meu filho*, tornou a pensar.

– Onde está o bebê? – perguntou sua mulher, abrindo os olhos e afastando o cabelo do rosto enrubescido. – Está tudo bem?

– É menino – disse o médico, sorrindo para ela. – Temos um filho. Você vai vê-lo assim que ele estiver limpo. É absolutamente perfeito.

O rosto de sua esposa, suavizado pelo alívio e pelo cansaço, de repente tensionou-se com outra contração, e o médico, esperando a placenta, voltou para a banqueta entre as pernas dela e fez uma leve pressão em seu abdômen. Ela deu um grito e, no mesmo instante, ele compreendeu o que estava acontecendo, tão perplexo quanto se de repente aparecesse uma janela numa parede de concreto.

– Está tudo bem – disse-lhe. – Tudo ótimo. Enfermeira! – chamou, enquanto se acentuava a contração seguinte.

A enfermeira veio de imediato, carregando o bebê, agora envolto em mantas brancas.

– Nota nove no Apgar – anunciou. – Isso é ótimo.

A parturiente estendeu os braços para o bebê e começou a falar, mas foi apanhada pela dor e tornou a reclinar o corpo.

– Enfermeira – disse o médico. – Preciso de você aqui. Já.

Após um momento de confusão, a enfermeira pôs dois travesseiros no chão, acomodou o bebê sobre eles e se aproximou do médico junto à mesa.

– Mais gás – disse ele. Percebeu a surpresa da moça e seu aceno rápido de compreensão, já obedecendo. O médico estava com a mão pousada no joelho de sua mulher e sentiu a tensão nos músculos dela relaxar-se sob o efeito do gás.

– Gêmeos? – indagou a enfermeira.

O médico, que se deixara relaxar após o nascimento do menino, sentia-se abalado nesse momento e não confiou em fazer nada além de um aceno com a cabeça. *Firme*, disse a si mesmo, quando a cabeça seguinte despontou. *Você está num lugar qualquer*, pensou, observando de um ponto tênue no teto, enquanto suas mãos trabalhavam com método e precisão. *Isto é um parto qualquer*.

O segundo bebê era menor e saiu com facilidade, deslizando tão depressa para suas mãos enluvadas que ele inclinou o tronco para a frente, usando o peito para se certificar de que a criança não caísse.

– É uma menina – disse, e aninhou-a como uma bola, de bruços, dando-lhe tapinhas nas costas até ela chorar. Em seguida, virou-a para ver seu rosto.

O âmnio branco e cremoso envolvia sua pele delicada e ela estava escorregadia, por causa do líquido amniótico e dos vestígios de sangue. Os olhos azuis eram nublados e o cabelo negro feito piche, porém ele mal notou esses detalhes. O que viu foram os traços inconfundíveis, os olhos repuxados como que numa risada, a prega epicântica entre as pálpebras, o nariz achatado. *Um caso clássico*, lembrou-se de um professor dizendo, anos antes, ao examinarem uma criança similar. *Mongolóide. Sabe o que significa isso?* E ele, compenetrado, recitara os sintomas que havia decorado de um livro: tônus muscular flácido, retardo no crescimento e no desenvolvimento mental, possíveis complicações cardíacas, morte prematura. O professor assentira com a cabeça, pondo o estetoscópio no peito liso e nu do bebê. *Pobre criança. Não há nada que eles possam fazer, exceto procurar mantê-la limpa. Deviam poupar-se e mandá-la para uma instituição.*

O médico sentiu-se transportar para o passado. Sua irmã tinha nascido com uma malformação cardíaca e crescera muito devagar, com a respiração entrecortada em pequenos arquejos toda vez que tentava correr. Durante muitos anos, até a primeira viagem à clínica de Morgantown, eles não tinham sabido qual era o problema. Então souberam, e não houve nada que pudessem fazer. Todas as atenções da mãe tinham ido para a menina, mas, mesmo assim, ela havia morrido aos 12 anos. Na época, o médico tinha 16 e morava na cidade para freqüentar o científico, já a caminho de Pittsburgh, da faculdade de medicina e da vida que levava agora. No entanto, lembrava-se da intensidade e da persistência da tristeza de sua mãe, de seu jeito de subir a colina todas as manhãs para ir até o túmulo, com os braços cruzados no peito, em qualquer temperatura que fizesse.

A enfermeira parou a seu lado e examinou o bebê.

– Sinto muito, doutor – disse.

Ele segurou a criança, esquecendo-se do que devia fazer a seguir. As mãos minúsculas eram perfeitas. Mas ali estava o espaço entre o dedão do pé e os outros, como um dente faltando, e, ao olhar fundo nos olhos da menina, ele viu as manchas de Brushfield, minúsculas e nítidas como salpicos de neve na íris. Imaginou o coração dela, do tamanho de uma ameixa e, muito possivelmente, malformado, e pensou no quarto do bebê, tão cuidadosamente pintado, com seus bichos macios e um único berço. Pensou na esposa parada na calçada, diante da casa coberta pelo véu luminoso de neve, dizendo: *Nosso mundo nunca mais será o mesmo.*

A mão do bebê roçou na sua e ele se assustou. Sem vontade, começou a executar os procedimentos conhecidos. Cortou o cordão e verificou o coração e os pulmões. Pensava o tempo todo na neve, no carro prateado deslizando para uma vala, na profunda quietude da clínica deserta. Mais tarde, ao pensar nessa noite – e pensaria nela muitas vezes, nos meses e anos seguintes: o momento decisivo de sua vida, em torno de cujos instantes sempre giraria todo o resto —, o que lembrou foi o silêncio da sala e a neve caindo lá fora, ininterrupta. O silêncio era tão profundo e envolvente que ele se sentiu flutuar para uma nova altura, um ponto acima e além daquele cômodo, onde ele se fundia com a neve e a cena da sala era algo que se desdobrava numa vida diferente, uma vida de que ele era um espectador fortuito, como uma cena vislumbrada por uma janela muito iluminada quando se anda por uma rua escura. Era isso que ele recordaria, essa sensação de espaço infinito. O médico na vala e as luzes de sua própria casa brilhando ao longe.

– Muito bem. Limpe-a, por favor – disse, depositando o frágil bebê nos braços da enfermeira. – Mas deixe-a na outra sala. Não quero que minha mulher saiba. Não de imediato.

A enfermeira fez que sim. Desapareceu e retornou para colocar o menino no moisés que havia trazido. A essa altura, o médico estava dedicado à expulsão das placentas, que saíram lindamente, escuras e densas, cada qual do tamanho de um pratinho. Gêmeos fraternos, masculino e feminino, um visivelmente perfeito, a outra marcada por um cromossomo extra em cada célula do corpo. Que probabilidade havia de acontecer uma coisa dessas? Seu filho estava no moisés, mexendo as mãos de quando em quando, fluidas e aleatórias, como os rápidos movimentos aquáticos do útero. O médico injetou um sedativo em sua mulher e se abaixou para suturar a episiotomia. Estava quase amanhecendo, com uma luz tênue a se infiltrar pelas janelas. Ele observou os movimentos das próprias mãos, pensando em como os pontos estavam sendo bem-feitos, minúsculos como os dela, igualmente caprichados e uniformes. Ela havia arrancado um painel inteiro da colcha de retalhos por causa de um erro, invisível para o marido.

Ao terminar, o médico encontrou a enfermeira sentada numa cadeira de balanço na sala de espera com a menininha no colo. Ela o fitou sem dizer palavra e ele se lembrou da noite em que a moça o observara durante seu sono.

– Existe um lugar – disse ele, escrevendo o nome e o endereço no verso de um envelope. – Eu gostaria que você a levasse para lá. Quando houver clareado, quero dizer. Vou emitir a certidão de nascimento e telefono para avisar que você está a caminho.

– Mas, e a sua mulher... – disse a enfermeira, e ele ouviu, do local distante em que se achava, a surpresa e a reprovação na voz dela.

Pensou na irmã, pálida e magra, tentando recobrar o fôlego, e na mãe voltada para a janela para esconder as lágrimas.

– Você não percebe? – perguntou, com voz suave. – O mais provável é que essa pobre criança tenha uma grave malformação cardíaca. Um problema fatal. Estou tentando poupar-nos a todos de uma aflição terrível.

Falou com convicção. Acreditava em suas próprias palavras. A enfermeira continuou sentada, olhando-o fixamente, com uma expressão de surpresa, mas, afora isso, indecifrável, enquanto ele aguardava sua resposta afirmativa. No estado de ânimo em que se encontrava, não lhe ocorreu que ela pudesse responder de outro modo. Ele não imaginou, como faria mais tarde nessa noite, e em muitas noites subseqüentes, a que ponto estava pondo tudo em risco. Em vez disso, impacientou-se com a lentidão da enfermeira e sentiu um grande e súbito cansaço, e a clínica, tão familiar, pareceu-lhe estranha a seu redor, como se ele andasse num sonho. A moça o estudou, com seus olhos azuis indecifráveis. Ele retribuiu o olhar, resoluto, e por fim ela acenou com a cabeça, num movimento tão leve que foi quase imperceptível.

– A neve – murmurou ela, baixando os olhos.

• • •

Mas a tempestade começou a se abrandar ali pelo meio da manhã, e os sons distantes das pás arranharam o ar quieto. Da janela do segundo andar, ele viu a enfermeira bater a neve de seu carro azul-claro e partir para o mundo branco e macio. O bebê estava escondido, adormecido numa caixa forrada de cobertores, no banco ao lado dela. O médico a viu virar à esquerda na rua e desaparecer. Em seguida, foi sentar-se com sua família.

Sua mulher dormia, com o cabelo dourado derramando-se sobre o travesseiro. De tempos em tempos, o médico cochilava. Acordando, olhou para o estacionamento vazio e observou a fumaça que subia das chaminés do outro lado da rua, enquanto preparava as palavras que diria. Que não era culpa de ninguém, que a filha deles estaria em boas mãos, com pessoas iguais a ela e com atendimento ininterrupto. Que seria melhor assim para todos.

No fim da manhã, quando parou inteiramente de nevar, seu filho chorou de fome e sua mulher acordou.

– Cadê o neném? – perguntou ela, apoiando-se nos cotovelos e afastando o cabelo do rosto. Ele segurava o filho, quente e leve, e se sentou ao lado da esposa, acomodando o bebê em seus braços.

– Oi, meu amor – disse-lhe. – Olhe o nosso lindo filho. Você foi muito valente.

Ela beijou o neném na testa, abriu o roupão e lhe ofereceu o seio. O menino o pegou no mesmo instante, e a mulher ergueu os olhos e sorriu. O médico segurou sua mão livre, lembrando-se da força com que ela o havia apertado, imprimindo os ossos dos dedos em sua carne. Lembrou-se do quanto havia desejado protegê-la.

– Está tudo bem? – perguntou ela. – Querido? O que foi?

– Nós tivemos gêmeos – ele lhe disse devagar, pensando nas cabeleiras pretas, nos corpos escorregadios movendo-se em suas mãos. As lágrimas lhe encheram os olhos. – Um casal.

– Oh! – fez a mulher. – Uma menininha também? Phoebe *e* Paul. Mas onde está ela?

Seus dedos eram tão finos, pensou o marido, pareciam ossos de passarinho.

– Minha querida – começou. A voz falhou e as palavras que ele ensaiara com tanto cuidado desapareceram. Ele fechou os olhos e, quando conseguiu falar novamente, vieram outras palavras, não planejadas.

– Ah, meu amor – disse-lhe. – Eu sinto muito, muito. A nossa filhinha morreu no parto.

# II

CAROLINE GILL ATRAVESSOU O ESTACIONAMENTO COM CUIDADO, chapinhando desajeitadamente. A neve subia até suas panturrilhas; em alguns pontos, até os joelhos. Ela carregava o bebê, envolto em mantas, dentro de uma caixa de papelão antes usada para entregar no consultório amostras de leite para recém-nascidos. A caixa trazia estampas de letras vermelhas e rostos angelicais de bebês, e as abas subiam e desciam a cada passo. Havia uma quietude crescente e antinatural no estacionamento quase deserto, um silêncio que parecia originar-se no próprio frio, expandir-se no ar e se espalhar como as ondulações de uma pedra atirada na água. Uma rajada de neve fustigou seu rosto quando ela abriu a porta do carro. De forma instintiva, protetora, ela se curvou sobre a caixa e a colocou no banco traseiro, onde as mantas cor de rosa caíram, macias, sobre o vinil branco do estofamento. A neném dormia, um sono intenso e absorto de recém-nascido, com o rosto contraído, os olhos parecendo simples ranhuras, o nariz e o queixo meras protuberâncias. Ninguém diria, pensou Caroline. Se não soubesse, não diria. A enfermeira lhe dera nota oito no Apgar.

As ruas da cidade tinham sido mal desobstruídas pelos limpa-neves e estavam difíceis de trafegar. Por duas vezes o carro derrapou e por duas vezes Caroline quase deu meia-volta. Mas a estrada interestadual estava mais livre e, ao chegar a ela, a enfermeira seguiu num ritmo regular, passando pelos arredores industriais de Lexington e entrando nas elevações e depressões suaves da zona rural onde ficavam os haras. Ali, quilômetros de cercas brancas produziam sombras nítidas na neve e os cavalos postavam-se escuros nos campos. O céu carregado parecia ter vida, com suas nuvens gordas e cinzentas. Caroline ligou o rádio, procurou uma estação em meio à estática e o desligou. O mundo passava célere do lado de fora, corriqueiro e profundamente mudado.

Desde o instante em que balançara a cabeça, num vago aceno de concordância com o surpreendente pedido do Dr. Henry, Caroline tinha a sensação de estar despencando no ar em câmera lenta, à espera de bater no chão e descobrir onde se encontrava. O que ele lhe pedira – que levasse embora sua filha recém-nascida, sem contar à mulher sobre o nascimento da menina – parecia-lhe inominável. Mas Caroline se comovera com a dor e a confusão estampadas no rosto dele ao examinar a filha, com a maneira lenta e entorpecida como ele passara a se mover daquele momento em diante. O Dr. Henry não tardaria a cair em si, disse a si mesma. Estava em choque, e quem poderia censurá-lo? Afinal, fizera o parto de seus próprios gêmeos em meio a uma nevasca – e, agora, isso.

Caroline aumentou a velocidade, enquanto as imagens da madrugada a perpassavam como uma corrente. O Dr. Henry, trabalhando com serena habilidade, seus gestos concentrados e precisos. Os pêlos escuros entre as coxas alvas de Norah Henry e sua imensa barriga, ondulando-se com as contrações como um lago sob o vento. O sibilar quase silencioso do gás anestésico e o instante em que o Dr. Henry a chamara, com a voz clara, mas tensa, e o rosto tão abalado que ela tivera certeza de que o segundo bebê era natimorto. Caroline havia esperado que o médico se mexesse, que tentasse ressuscitar o bebê. E, quando ele não o tinha feito, viera-lhe a idéia súbita de que devia aproximar-se, ser testemunha, para que depois pudesse atestar: *Sim, o bebê estava cianótico, o Dr. Henry tentou, nós dois tentamos, mas não havia nada a fazer.*

Mas então o bebê havia chorado, e o choro a atraíra para o lado dele. Caroline tinha olhado e compreendido.

Ela continuou a dirigir, rechaçando as lembranças. A estrada cortou o calcário e o céu se afunilou. Caroline atingiu o topo da pequena colina e começou a longa descida em direção ao rio lá embaixo. Atrás dela, na caixa de papelão, a neném continuava a dormir. Ela a olhava por cima do ombro de vez em quando, ao mesmo tempo tranqüila e aflita por perceber que a menina não se mexia. Esse sono, lembrou a si mesma, era normal depois do esforço de vir ao mundo. Ela pensou em seu próprio nascimento e se perguntou se teria dormido tão profundamente nas horas seguintes, mas fazia muito tempo que seus pais estavam mortos; não havia ninguém que se lembrasse daqueles momentos. Sua mãe já passara dos 40 na época de seu nascimento, e seu pai tinha 52 anos. Fazia muito que os dois haviam desistido de esperar um filho e aberto mão de qualquer esperança ou expectativa, e até do pesar. Levavam uma vida ordeira, calma, satisfeita.

Até que, num susto, Caroline havia chegado, uma flor brotando da neve.

Eles a haviam amado, com certeza, mas fora um amor apreensivo, circunspecto e intenso, entremeado de cataplasmas, meias quentes e óleo de rícino. Nos verões quentes e parados, quando havia o temor da poliomielite, Caroline era obrigada a ficar dentro de casa, com o suor brotando em gotas das têmporas quando ela se deitava para ler no sofá-cama do corredor de cima, junto à janela. As moscas zumbiam no vidro e caíam mortas no parapeito. Lá fora, a paisagem tremeluzia sob a luminosidade e o calor, e as crianças da vizinhança, crianças cujos pais eram mais moços e, portanto, menos familiarizados com a possibilidade da desgraça, gritavam umas com as outras ao longe. Caroline encostava o rosto e as pontas dos dedos na tela, ouvindo. Ansiando. No ar parado, o suor encharcava os ombros de sua blusa de algodão e o cós bem passado de sua saia. Lá embaixo, no jardim, de luvas, avental comprido e chapéu, sua mãe arrancava ervas daninhas. Mais tarde, ao anoitecer, seu pai voltava a pé do escritório da companhia de seguros e tirava o chapéu ao entrar na casa quieta, de persianas fechadas. Sob o paletó, tinha a camisa manchada e úmida.

Caroline cruzou a ponte sobre os meandros do rio Kentucky, cantando os pneus, enquanto a alta carga de energia da noite anterior ia se desfazendo. Tornou a olhar para o bebê. Norah Henry com certeza iria querer segurar essa criança, mesmo que não pudesse ficar com ela.

E, com certeza, isso não era da conta de Caroline.

Mas ela não deu meia-volta. Tornou a ligar o rádio – dessa vez, achou uma estação de música clássica – e continuou dirigindo.

Passados uns 30 quilômetros de Louisville, consultou as instruções do Dr. Henry, escritas em sua letra miúda e nítida, e saiu da auto-estrada. Ali, bem pertinho do rio Ohio, os galhos mais altos das árvores resplandeciam com o gelo, embora as estradas estivessem desobstruídas e secas. Cercas brancas bordejavam os campos cobertos de neve e cavalos moviam-se feito sombras atrás delas, formando nuvens no ar com seu bafo. Caroline entrou numa estrada ainda menor, onde a terra se estendia sem barreiras. Logo adiante, após um quilômetro e meio de pálidas colinas, avistou o prédio de tijolos vermelhos, construído na virada do século, com duas incongruentes alas modernas e baixas. De quando em quando, ele desaparecia, à medida que Caroline seguia as curvas e descidas da estradinha rural, e, de repente, surgiu à sua frente.

Ela parou na entrada circular para automóveis. Vista de perto, a casa antiga parecia levemente decrépita. A pintura descascava nos acabamentos de madeira e, no terceiro andar, uma janela tinha sido coberta com compensado – vidros partidos, escorados por tábuas de madeira. Caroline desceu do carro. Usava um par de velhos sapatos rasos, de sola fina e desgastada, guardados no armário e calçados às pressas, no meio da madrugada anterior, quando ela não conseguira encontrar suas botas. O cascalho a espetava através da neve e seus pés se enregelaram de imediato. Ela pendurou no ombro a bolsa que havia preparado, com fraldas e uma garrafa térmica com leite aquecido, pegou a caixa com o bebê e entrou no prédio. Lampiões de vitral, que há muito não eram polidos, ladeavam a porta de entrada. Havia uma porta interna de vidro fosco e, em seguida, um vestíbulo de carvalho escuro. O ar quente, recendendo aos aromas que vinham da cozinha – cenouras, cebolas e batatas –, rodopiava apressado à sua volta. Caroline foi andando, hesitante, com as tábuas do piso rangendo a cada passo, mas não apareceu ninguém. Uma passadeira puída cruzava um piso de tábuas corridas e levava, nos fundos da casa, a uma sala de espera com janelas altas e cortinas pesadas. Ela se sentou na beirada de um sofá de veludo surrado, com a caixa junto de si, e aguardou.

O cômodo estava superaquecido. Ela desabotoou o casaco. Ainda usava seu uniforme branco de enfermeira e, ao pôr a mão no cabelo, percebeu que ainda estava também com sua touca branca e dura. Na véspera, ela se levantara de imediato com o telefonema do Dr. Henry, vestira-se depressa e saíra pela nevasca noturna, e ainda não tinha parado desde então. Soltou a touca, dobrou-a com cuidado e fechou os olhos. Ao longe havia um barulho de talheres e vozes cantarolando. Acima dela ressoavam passos. Caroline devaneou a mãe a preparar uma refeição num dia festivo, enquanto o pai trabalhava em sua oficina de marcenaria. Ela tivera uma infância solitária, às vezes até demais, porém ainda guardava algumas lembranças: uma colcha de retalhos especial, segurada com força, um tapetinho com rosas sob os pés, a teia de vozes que só a ela pertenciam.

Ao longe, uma sineta soou duas vezes. *Preciso de você aqui, já*, dissera o Dr. Henry, com tensão e urgência na voz. E Caroline tinha se apressado, improvisando a desajeitada cama de travesseiros e segurando a máscara sobre o rosto da Sra. Henry, enquanto o segundo gêmeo, essa menininha, deslizava para o mundo e punha alguma coisa em movimento.

Em movimento. Sim, era impossível detê-lo. Mesmo sentada ali, naquele sofá, na quietude daquele lugar, mesmo enquanto aguardava, Caroline perturbava-se com a sensação de que o mundo bruxuleava, de que as coisas se recusavam a ficar imóveis. *É isto*?, dizia o refrão em sua mente. *É isto, depois de todos esses anos?*

Caroline Gill tinha 31 anos e há muito esperava que sua vida real começasse. Não que algum dia ela houvesse formulado efetivamente essa idéia. Desde a infância, no entanto, sentira que sua vida não seria banal. Chegaria um momento – ela o reconheceria ao vê-lo – em que tudo se modificaria. Ela havia sonhado ser uma grande pianista, mas a iluminação do palco da escola secundária era por demais diferente das luzes de casa, e ela tinha congelado sob seu brilho ofuscante. Depois, por volta dos 20 anos, enquanto suas amigas da escola de enfermagem começavam a se casar e construir família, Caroline também havia encontrado rapazes a quem admirar, em especial um deles, de cabelo preto, pele clara e riso gutural. Durante um período onírico havia imaginado que ele – e, quando ele não telefonou, alguma outra pessoa – transformaria sua vida. Com o passar dos anos, aos poucos ela voltara sua atenção para o trabalho, também sem desespero. Tinha confiança em si e em sua capacidade. Não era pessoa de ir a meio caminho de um destino e parar, perguntando a si mesma se teria deixado o ferro ligado e se a casa estaria pegando fogo. Ela continuara a trabalhar. E a esperar.

Também tinha lido, primeiro os romances de Pearl Buck e, depois deles, tudo o que conseguira encontrar sobre a vida na China, na Birmânia e no Laos. Às vezes, deixava o livro escorregar das mãos e olhava sonhadora pela janela de seu apartamento, pequeno e despojado, nos limites da cidade. Via-se levando uma outra vida, uma vida exótica, difícil e gratificante. Sua clínica seria simples, instalada numa floresta exuberante, talvez perto do mar. Teria paredes brancas e luziria como uma pérola. As pessoas fariam fila do lado de fora, agachadas sob os coqueiros, esperando. Ela, Caroline, cuidaria de todos; curaria essas pessoas. Transformaria a vida delas e a sua.

Consumida por essa visão, tinha se candidatado, num grande surto de empolgação e fervor, ao cargo de missionária médica. Num radioso fim de semana de final de verão, tomara o ônibus com destino a St. Louis para ser entrevistada. Seu nome tinha sido incluído numa lista de espera para a Coréia. Mas o tempo havia passado e a missão fora adiada, depois cancelada. Caroline tinha sido incluída noutra lista, dessa vez para a Birmânia.

E então, quando ainda verificava sua correspondência e sonhava com os trópicos, o Dr. Henry havia chegado.

Apenas um dia comum, nenhuma indicação em contrário. Final de outono, a estação dos resfriados, e a sala de espera apinhada de gente, repleta de espirros e tosses abafadas. A própria Caroline sentia um vago arranhar no fundo da garganta ao chamar o paciente seguinte, um senhor idoso cujo resfriado viria a se agravar nas semanas posteriores, transformando-se na pneumonia que acabaria por matá-lo. Rupert Dean. Estava sentado na poltrona de couro, lutando com um sangramento nasal, e se levantou devagar, enfiando no bolso o lenço de tecido com seus pontos vívidos de sangue. Ao chegar ao balcão da recepção, entregou a Caroline uma fotografia numa moldura de papelão azul-marinho. Um retrato em preto-e-branco, levemente colorizado. A mulher retratada usava um suéter claro, cor de pêssego. Tinha ondas suaves no cabelo e olhos de um tom azul-escuro. Emelda, a mulher de Rupert Dean, já então falecida fazia 20 anos.

– Ela foi o amor da minha vida – anunciou ele a Caroline, falando tão alto que as pessoas levantaram os olhos.

A porta externa do consultório se abriu, fazendo chacoalhar a porta interna de vidro.

– Ela é um encanto – disse Caroline. Tinha as mãos trêmulas. Por se comover com o amor e a tristeza do homem e porque ninguém jamais a amara com a mesma paixão. Por estar com quase 30 anos e saber que, se morresse no dia seguinte, não haveria ninguém para chorar sua ausência como Rupert Dean ainda chorava a da mulher, passados mais de 20 anos. Com toda certeza, ela, Caroline Lorraine Gill, devia ser tão única e tão digna de amor quanto a mulher da fotografia do ancião, mas nunca havia descoberto um modo de revelar isso, nem pela arte nem pelo amor, e nem mesmo pela bela e altiva vocação de seu trabalho.

Ainda tentava se recompor quando a porta do vestíbulo para a sala de espera escancarou-se. Um homem de sobretudo marrom hesitou por um instante no vão da porta, segurando o chapéu e observando o papel de parede de tonalidade amarela, a samambaia no canto, o porta-revistas metálico cheio de revistas velhas. Tinha cabelos castanhos, com um toque avermelhado, o rosto fino e uma expressão atenta, de avaliação. Não era imponente, mas havia alguma coisa em seu porte, seu jeito – uma vivacidade serena, uma certa capacidade de escuta –, que o distinguia. O coração de Caroline acelerou-se e ela sentiu na pele um formigamento ao mesmo tempo agradável e irritante. Os olhos dos dois se cruzaram – e ela soube. Antes que o homem atravessasse a sala para apertar sua mão, antes que abrisse a boca e dissesse seu nome, *David Henry*, com um sotaque neutro que o situava como forasteiro. Antes de tudo isso, Caroline teve certeza de um fato simples: a pessoa por quem estivera esperando havia chegado.

Ele não era casado nessa ocasião. Nem casado nem noivo, nem tinha nenhum relacionamento, ao que ela pudesse averiguar. Caroline escutara com atenção, tanto nesse dia, quando ele percorreu a clínica, quanto depois, nas recepções e reuniões de boas-vindas. Ouviu o que os outros, absortos no fluxo da conversa refinada, distraídos com o sotaque pouco conhecido do médico e com suas gargalhadas súbitas e inesperadas, não ouviram: que, afora uma ou outra menção ocasional ao período passado em Pittsburgh, informação que já era conhecida por seu currículo e seu diploma, ele nunca fazia referência ao passado. Para Caroline, essa reticência lhe conferia um ar de mistério, e o mistério acentuava sua sensação de conhecê-lo de um modo que os outros não conheciam. Para ela, cada contato dos dois era tenso, como se ela lhe dissesse, por cima da escrivaninha, da mesa de exames e dos corpos belos e imperfeitos de um ou outro paciente: *Conheço você; eu o compreendo; enxergo o que escapou aos outros.* Quando entreouvia as pessoas fazendo pilhérias a respeito de sua paixão pelo novo médico, ela enrubescia de surpresa e constrangimento. Mas também ficava secretamente satisfeita, porque talvez os boatos chegassem ao médico de um modo que ela, com sua timidez, não conseguiria transmitir.

Num fim de noite, após dois meses de trabalho sossegado, ela o havia encontrado adormecido à escrivaninha. Tinha o rosto apoiado nas mãos e respirava com a cadência leve e ritmada do sono profundo. Caroline se encostara no batente da porta, com a cabeça inclinada, e, naquele momento, todos os sonhos que havia alimentado durante anos tinham se fundido. Os dois iriam juntos, ela e o Dr. Henry, para algum lugar remoto do mundo, onde trabalhariam o dia inteiro, com o suor brotando na testa e os instrumentos ficando escorregadios nas palmas das mãos, e onde, à noite, ela tocaria para ele um piano que teria sido mandado por mar, subido um rio caudaloso e atravessado a terra exuberante até chegar ao local em que os dois moravam. Caroline estava tão imersa nesse sonho que, quando o Dr. Henry abriu os olhos, sorriu-lhe abertamente, de um jeito franco, como nunca sorrira para ninguém até então.

A clara surpresa do médico a fizera cair em si. Ela havia empertigado o corpo, passado a mão no cabelo e murmurado uma desculpa qualquer, com um intenso rubor nas faces. E tinha desaparecido, constrangida, mas também vagamente emocionada. É que agora ele teria que saber, agora finalmente a veria tal como ela o via. Por alguns dias, sua expectativa do que iria acontecer tinha sido tão grande que lhe fora difícil estar no mesmo aposento que ele. No entanto, quando os dias se passaram sem que nada ocorresse, Caroline não ficara desapontada. Havia relaxado e inventado desculpas para a demora, e continuara esperando, sem se deixar perturbar.

Três semanas depois, ela havia aberto o jornal e deparado com a fotografia do casamento na página da coluna social: Norah Asher, agora Sra. David Henry, fotografada ao virar a cabeça, com seu pescoço elegante e suas pálpebras ligeiramente curvas, feito conchas...

Caroline sobressaltou-se, transpirando dentro do casaco. A sala estava quente demais e, por pouco, ela não perdeu a noção das coisas. A seu lado, a neném continuava a dormir. Ela se levantou e foi até as janelas, sentindo as tábuas do piso mexerem-se e ranger sob o tapete desgastado. As cortinas de veludo roçavam o chão – restos da era longínqua em que aquele lugar tinha sido uma residência elegante. Pôs a mão na borda de uma das cortinas de *voile* que serviam de forro: amareladas, quebradiças, elas se inflavam de poeira. Lá fora, meia dúzia de vacas fuçava o campo nevado à procura de pastagem. Um homem de paletó xadrez vermelho e luvas escuras abriu caminho para o celeiro, balançando baldes nas mãos.

Aquela poeira, aquela neve. Não era justo, não era nada justo que Norah Henry tivesse tanta coisa, tivesse aquela vida feliz, impecável. Chocada com essa idéia e com a intensidade de seu rancor, Caroline largou a cortina e saiu da sala, em direção ao som das vozes humanas.

Entrou num corredor em que as lâmpadas fluorescentes zumbiam junto ao teto alto. O ar estava carregado, com cheiro de detergente, legumes cozidos e um vago odor amarelado de urina. Carrinhos chacoalhavam; vozes chamavam e murmuravam. Ela dobrou um corredor, depois outro e desceu um único degrau, entrando numa ala mais moderna, com paredes de um turquesa pálido. Ali, o piso de linóleo afrouxava-se sobre as tábuas embaixo. Caroline passou por várias portas, tendo vislumbres de momentos na vida das pessoas, imagens suspensas como fotografias: um homem olhando por uma janela, com o rosto envolto em sombras e uma idade indeterminável. Duas enfermeiras fazendo uma cama, com os braços levantados e o lençol claro flutuando por um instante perto do teto. Dois quartos vazios, com encerados estendidos sobre os móveis e latas de tinta empilhadas num canto. Uma porta fechada e, por fim, a última, aberta, onde uma jovem de camisola branca de algodão sentava-se numa beirada de cama, com as mãos cruzadas de leve no colo e a cabeça abaixada. Outra mulher, uma enfermeira, postava-se atrás dela, fazendo movimentos rápidos com uma tesoura prateada. O cabelo escuro caía em cascata sobre os lençóis brancos, descobrindo o pescoço nu da moça: fino, gracioso, pálido. Caroline parou à porta.

– Ela está com frio – ouviu-se dizer, o que fez as duas mulheres erguerem os olhos. A que estava na cama tinha olhos grandes, que luziam escuros. Seu cabelo, antes muito comprido, agora se projetava, irregular, na altura do queixo.

– É – fez a enfermeira, e estendeu a mão para espanar os fios de cabelo dos ombros da moça; eles flutuaram na luz opaca e caíram nos lençóis e no linóleo pontilhado de cinza. – Mas era preciso – disse, e espremeu os olhos, examinando o uniforme amarrotado de Caroline e sua cabeça descoberta. – Você é nova aqui? – perguntou.

Caroline acenou com a cabeça.

– Nova – disse. – Isso mesmo.

Mais tarde, ao relembrar esse momento – uma mulher com uma tesoura e a outra sentada, de camisola de algodão, em meio aos destroços de seu cabelo –, pensaria nele em preto-e-branco, e a imagem a encheria de um vazio e uma saudade desvairados. De quê, não tinha certeza. O cabelo estava espalhado, irrecuperável, e uma luz fria entrava pela janela. Caroline sentiu os olhos se encherem de lágrimas. Vieram ecos de vozes noutro corredor e ela se lembrou do bebê, que ficara dormindo numa caixa, no sofá superestofado de veludo da sala de espera. Deu meia-volta e se precipitou para lá.

Encontrou tudo como havia deixado. A caixa, com seus querubins alegres e rosados, continuava no sofá; a neném, com os punhozinhos fechados junto ao queixo, ainda dormia. *Phoebe*, dissera Norah Henry, pouco antes de apagar com a anestesia. *Se for menina, Phoebe.*

Phoebe. Caroline desdobrou delicadamente as cobertas e pegou-a no colo. Era minúscula – dois quilos e meio, menor que o irmão, embora tivesse a mesma cabeleira escura e farta. Caroline verificou a fralda – o mecônio escuro manchava o tecido úmido –, trocou-a e tornou a agasalhar a menina. Ela não tinha acordado, e a enfermeira a segurou por um instante, sentindo como era leve, pequenina e quente. Rostinho muito miúdo, volátil. Mesmo durante o sono, as expressões moviam-se por suas feições feito nuvens. Caroline vislumbrou o cenho franzido de Norah Henry numa delas, a escuta concentrada de David Henry em outra.

Repôs Phoebe na caixa e ajeitou de leve as cobertas em torno de seu corpo, pensando em David Henry, tenso de cansaço, comendo um sanduíche de queijo em sua escrivaninha, terminando uma xícara de café meio frio e se levantando para reabrir as portas do consultório nas noites de terça-feira – atendimento gratuito para os pacientes que não podiam pagar. A sala de espera ficava sempre cheia nessas noites e, muitas vezes, ele ainda estava lá quando Caroline finalmente ia embora, à meia-noite, ela mesma tão exausta que mal conseguia raciocinar. Era por isso que passara a amá-lo, por sua bondade. No entanto, ele a mandara para esse lugar com sua filha recém-nascida, esse lugar em que uma mulher se sentava numa beirada de cama, com seu cabelo caindo em tufos macios na luz fria e dura do piso.

*Isso a destruiria*, dissera o médico sobre Norah. *Não vou deixar que ela seja destruída.*

Ouviu-se um som de passos e, em seguida, uma mulher de cabelo grisalho e uniforme branco, muito parecido com o de Caroline, postou-se no vão da porta. Era de estrutura sólida, ágil para seu tamanho, pragmática. Numa outra situação, Caroline teria tido boa impressão dela.

– Em que posso servi-la? – perguntou a mulher. – Está esperando há muito tempo?

– Sim – respondeu Caroline, devagar. – Faz muito tempo que estou esperando, sim.

Exasperada, a mulher abanou a cabeça.

– É, olhe, sinto muito. É essa neve. Estamos com o pessoal reduzido hoje, por causa dela. Aqui no Kentucky bastam três centímetros de neve para o estado inteiro parar. Por mim, fui criada no Iowa e não entendo o motivo de todo esse espalhafato, mas deixa pra lá. Bem, enfim. Que posso fazer por você?

– Você é a Sylvia? – perguntou Caroline, esforçando-se para lembrar o nome escrito no papel, abaixo do endereço. Ela o deixara no carro. – Sylvia Patterson?

A expressão da mulher carregou-se.

– Não, não sou. Meu nome é Janet Masters. A Sylvia não trabalha mais aqui.

– Ah – fez Caroline, e parou. Essa mulher não sabia quem ela era; estava claro que não havia falado com o Dr. Henry. Ainda segurando a fralda suja, Caroline baixou as mãos junto ao corpo, para não deixar que ela fosse vista.

Janet Masters plantou firmemente as mãos nas cadeiras e espremeu os olhos.

– Você é representante dessa empresa de leite para recém-nascidos? – indagou, apontando com a cabeça para a caixa em cima do sofá, na qual os querubins vermelhos sorriam seu sorriso benigno. – A Sylvia tinha um arranjo qualquer com aquele vendedor, nós todos sabíamos disso, e, se você é da mesma empresa, pode pegar suas coisas e cair fora – e balançou a cabeça com força.

– Não sei do que você está falando – respondeu Caroline. – Mas já vou indo – acrescentou. – Isso mesmo. Estou de saída. Não voltarei a incomodá-la.

Mas Janet Masters não havia terminado.

– Trapaceiros, é isso que vocês são. Vão deixando amostras grátis e na semana seguinte mandam a conta. Isto aqui pode ser um asilo para débeis mentais, mas não é dirigido por eles, sabe?

– Eu sei – sussurrou Caroline. – Realmente sinto muito.

Uma sineta soou ao longe e a mulher tirou as mãos das cadeiras.

– Trate de estar fora daqui em cinco minutos – disse. – Fora daqui, e não volte mais.

E se foi.

Caroline fitou o vão deserto da porta. Uma corrente de ar roçou suas pernas. No instante seguinte, ela depositou a fralda suja no centro da mesinha bamba ao lado do sofá, que mais parecia uma forma de torta. Depressa, antes que pudesse pensar no que estava fazendo, entrou no corredor espartano, cruzou as duas portas e a rajada de ar frio do mundo lá fora foi tão espantosa quanto nascer.

Tornou a acomodar Phoebe no carro e foi embora. Ninguém tentou detê-la, ninguém prestou a menor atenção. Mesmo assim, Caroline acelerou ao chegar à rodovia interestadual, com o cansaço escorrendo pelo corpo feito água ao descer das rochas. Nos primeiros 50 quilômetros, discutiu consigo mesma, por vezes em voz alta. *O que você fez?*, perguntou-se em tom severo. Também discutiu com o Dr. Henry, imaginando as rugas a se aprofundarem em sua testa e o músculo que lhe saltava no rosto sempre que ele se aborrecia. *O que você tem na cabeça?*, ele exigiria saber, e Caroline teria de confessar que não fazia a mínima idéia.

Mas a energia não tardou a se esgotar nessas conversas e, já na rodovia interestadual, ela dirigiu mecanicamente, sacudindo a cabeça de vez em quando para se manter acordada. Era final de tarde; fazia quase 12 horas que Phoebe estava dormindo. Logo seria preciso alimentá-la. Quase sem esperança, Caroline desejou que as duas estivessem em Lexington quando isso acontecesse.

Tinha acabado de passar pela última saída, em Frankfort, a 51 quilômetros de casa, quando as luzes de freio do carro à sua frente se acenderam. Ela reduziu, depois reduziu um pouco mais e teve que pisar firme no freio. A noite já começava a cair e o sol era um brilho opaco no céu encoberto. Quando Caroline ia chegando ao alto da subida, o trânsito parou por completo – uma longa fila de luzes traseiras que terminava num aglomerado, onde o vermelho e o branco piscavam. Um acidente: um engavetamento. Ela sentiu vontade de chorar. O marcador de gasolina pairava abaixo de um quarto de tanque, o bastante para voltar a Lexington, porém nada mais, e aquela fila de carros... bem, eles poderiam passar horas ali. E ela não podia correr o risco de desligar o motor e perder o aquecimento, não com uma recém-nascida no carro.

Conservou-se imóvel por vários minutos, paralisada. A última rampa de saída ficara 400 metros atrás, separada dela por uma fileira reluzente de carros. O calor subia do capô do Fairlane azul-claro, bruxuleando de leve à luz crepuscular e derretendo os poucos flocos de neve que tinham começado a cair. Phoebe deu um suspiro e seu rosto tensionou-se de leve, depois relaxou. Caroline, seguindo um impulso que depois a deixaria admirada, girou o volante e deslocou o Fairlane da pista asfaltada para o acostamento de cascalho miúdo. Engatou marcha a ré e começou a recuar, passando lentamente pela fileira estanque de carros. Era estranho, como se ela passasse por um trem. Havia uma mulher de casaco de pele; três crianças fazendo caretas; um homem de jaqueta de lona, fumando. Caroline recuou lentamente na penumbra suave, pelo trânsito imóvel como um rio congelado.

Chegou à saída sem nenhum incidente. A rampa a levou à Rota 60, onde as árvores estavam de novo carregadas de neve. As campinas eram pontilhadas de casas, a princípio poucas, depois numerosas, com as janelas já reluzindo no anoitecer. Pouco depois, Caroline passava pela avenida principal de Versailles, encantada com as fachadas de tijolos das lojas, à procura de placas de sinalização que lhe indicassem o caminho de casa.

Um letreiro azul-marinho do supermercado Kroger ergueu-se a um quarteirão de distância. Essa visão conhecida, com os folhetos de ofertas decorando as vitrines iluminadas, foi reconfortante para Caroline e a fez perceber, subitamente, como estava faminta. E agora era o quê: sábado, e ainda por cima à noite? Todas as lojas estariam fechadas no dia seguinte e havia pouquíssima comida em seu apartamento. Apesar da exaustão, ela entrou no estacionamento e desligou o motor.

Phoebe, quentinha e leve, com 12 horas de nascida, estava mergulhada no sono. Caroline pendurou a sacola das fraldas no ombro e enfiou a neném embaixo do casaco, miúda, bem enroscadinha e aquecida. O vento se deslocava pelo asfalto, espanando os restos de neve e alguns flocos novos e os fazendo rodopiar para os cantos. Caroline abriu caminho pela neve suja e parcialmente derretida, com medo de cair e machucar a neném, e ao mesmo tempo pensando em como seria fácil simplesmente largá-la numa caçamba de lixo, na escadaria de uma igreja ou em qualquer lugar. Seu poder sobre aquela vida minúscula era absoluto. Ela se sentiu invadir por um profundo sentimento de responsabilidade que a deixou meio zonza.

A porta de vidro se abriu, liberando uma onda de luz e calor. O mercado estava cheio. Os clientes iam sendo cuspidos para fora, com pilhas de compras nos carrinhos. Na porta havia um empacotador.

– Só estamos abertos até agora por causa do mau tempo – avisou, quando Caroline entrou. – Vamos fechar daqui a meia hora.

– Mas a nevasca passou – disse ela, e o rapazinho riu, animado e incrédulo. Tinha o rosto enrubescido pelo calor que descia sobre as portas automáticas e se derramava na noite.

– A senhora não está sabendo? Deve vir outra esta noite, mas das grandes.

Caroline acomodou Phoebe num carrinho de metal e percorreu os corredores desconhecidos. Refletiu sobre marcas de leite em pó, aquecedores de mamadeira, fileiras de mamadeiras com seu sortimento de bicos e babadores. Começou a se encaminhar para a caixa, mas percebeu que era melhor comprar leite para ela própria, mais algumas fraldas e algum tipo de alimento. As pessoas passavam por ela e, ao verem Phoebe, todas sorriam; algumas até paravam para afastar a manta e olhar seu rostinho. E diziam *Ah, que gracinha!* e *Quanto tempo?*. Caroline mentia sem nenhum remorso. Duas semanas, dizia.

– Oh, você não devia estar com ela na rua num tempo desses – repreendeu-a uma senhora de cabelos grisalhos. – Onde já se viu! Devia levar esse bebê para casa.

No corredor 6, enquanto Caroline escolhia latas de sopa de tomate, Phoebe se mexeu, com as mãozinhas sacudindo furiosamente, e começou a chorar. Caroline hesitou por um instante, depois pegou a neném e a sacola volumosa e foi para o banheiro no fundo da loja. Sentou-se num canto, numa cadeira de plástico laranja, escutando a água pingar da torneira, equilibrou a recém-nascida no colo e derramou numa mamadeira o leite da garrafa térmica. A neném levou vários minutos para se acomodar, porque estava muito agitada e tinha um reflexo de sucção precário. Mas acabou pegando o bico e então bebeu como havia dormido: ferozmente, intensamente, com os punhos cerrados junto ao queixo. Quando relaxou, saciada, o alto-falante anunciava que a loja ia fechar. Caroline precipitou-se para a caixa, onde um único funcionário esperava, entediado e impaciente. Pagou depressa, aninhando o saco de papel num dos braços e Phoebe no outro. Quando saiu, as portas se fecharam atrás dela.

O estacionamento estava quase vazio, com os últimos carros aquecendo o motor ou saindo lentamente para a rua. Caroline descansou a sacola de compras no capô e acomodou Phoebe em sua caixa no banco traseiro. As vozes indistintas dos empregados ecoavam pelo estacionamento. Alguns flocos dispersos de neve rodopiavam nos cones de luz dos postes de iluminação, nem mais nem menos do que antes. A meteorologia muitas vezes se enganava. A neve que começara a cair antes do nascimento de Phoebe – *foi só ontem à noite,* lembrou-se Caroline, embora parecessem séculos – nem tinha sido prevista. Ela enfiou a mão no saco de papel pardo, abriu um pacote de pão e tirou uma fatia, pois não havia comido o dia inteiro e estava faminta. Foi mastigando enquanto fechava a porta, pensando, com uma saudade cansada, em seu apartamento despojado e arrumado, na cama de solteiro com a colcha branca de chenile, tudo em ordem e nos devidos lugares. Estava dando a volta por trás do carro quando percebeu que suas luzes traseiras tinham um pálido brilho vermelho.

Estancou, olhando fixo. Durante todo aquele tempo, enquanto ela se alvoroçava pelos corredores do mercado, enquanto se sentava no banheiro desconhecido, alimentando Phoebe calmamente, aquela luz se derramara pela neve.

Quando Caroline experimentou a ignição, ela não fez mais do que um clique, com a bateria tão arriada que o motor nem gemeu.

A enfermeira desceu do carro e parou junto à porta aberta. Agora o estacionamento estava deserto; o último automóvel se fora. Ela desatou a rir. Não era um riso normal, até Caroline pôde perceber: a voz alta demais, a meio caminho de um soluço.

– Eu estou com um bebê – exclamou em voz alta, atônita. – Tenho um bebê neste carro!

Mas o estacionamento se estendia silencioso à sua frente, com as luzes das vitrines do mercado desenhando grandes retângulos na neve enlameada.

– Estou com um bebê aqui! – repetiu Caroline, com a voz sumindo depressa no ar. – Um bebê! – gritou para o vazio.

# III

NORAH ABRIU OS OLHOS. LÁ FORA, O CÉU EMPALIDECIA COM O ALVORECER, mas a lua ainda estava presa nas árvores, derramando uma luz esmaecida sobre o quarto. Ela estivera sonhando, procurando alguma coisa perdida no chão congelado. As folhas de relva, afiadas e quebradiças, despedaçavam-se ao seu toque e deixavam cortes minúsculos em sua pele. Ao acordar, ela levantou as mãos, momentaneamente confusa, mas não havia qualquer marca, apenas as unhas cuidadosamente lixadas e pintadas.

A seu lado, no berço, seu filho chorava. Num movimento suave, mais de instinto que de intenção, Norah o levantou e o pôs na cama. Os lençóis a seu lado eram de um frio branco ártico. David tinha saído, atendendo a um chamado da clínica, enquanto ela dormia. Norah puxou o filho para a curva morna de seu corpo e abriu a camisola. As mãozinhas do menino agitaram-se sobre seus seios intumescidos, feito asas de mariposa; ele pegou o bico. Uma dor aguda, que cedeu numa onda quando o leite veio. Ela afagou o cabelo do filho, seu couro cabeludo frágil. Era espantosa a força do corpo. As mãos dele se acalmaram, repousando como estrelinhas sobre a aréola do seio.

Norah fechou os olhos, oscilando lentamente entre o sono e a vigília. Um poço em suas entranhas abriu-se e foi liberado. O leite fluiu e, misteriosamente, ela se sentiu transformar num rio ou no vento, abarcando tudo: os narcisos na cômoda e a grama que crescia lá fora, delicada e silenciosa, com as folhas novas fazendo pressão para se abrir contra os brotos das árvores. Larvas minúsculas, brancas como pérolas e escondidas no solo, transformavam-se em lagartas, mede-palmos e abelhas. Pássaros em vôos ligeiros, piando. Tudo isso era dela. Paul cerrou os punhos minúsculos sob o queixo. Suas bochechas moviam-se ritmicamente enquanto ele mamava. Ao redor dos dois, o universo cantarolava, primoroso e exigente.

O coração de Norah transbordava de amor, com uma felicidade e uma tristeza grandes e difíceis de controlar.

Ela não tinha chorado de imediato pela filha, embora David o houvesse feito. *Um bebê cianótico*, ele lhe dissera, com as lágrimas engastadas nos fios da barba de um dia por fazer. Uma menininha que nunca chegou a respirar. Paul estava no colo de Norah e ela o havia estudado: o rostinho miúdo, muito sereno e enrugado, a touquinha de lã listrada, os dedos de bebê, rosados, delicados e curvos. As unhinhas minúsculas, ainda moles, transparentes como a luz durante o dia. Norah não podia absorver o que David dissera, não realmente. Suas lembranças da noite anterior eram nítidas, depois embotadas: houvera a neve e o longo trajeto para a clínica pelas ruas desertas, com David parando em todos os sinais luminosos, enquanto ela lutava contra a ânsia ondulada, sísmica e intensa de fazer força para expulsar. Depois disso, ela só lembrava de coisas dispersas, coisas estranhas: o silêncio inusitado da clínica, a sensação macia de um tecido azul colocado sobre seus joelhos. O frio da mesa de exames açoitando suas costas nuas. O relógio de ouro de Caroline Gill cintilando toda vez que ela estendia a mão para aplicar o gás anestésico. Depois, ela havia acordado e Paul estava em seus braços, e David chorava a seu lado. Norah erguera os olhos, fitando-o com preocupação e com um desapego interessado. Era a medicação, o pós-parto, um pico hormonal. Outro bebê, um bebê cianótico – como era possível? Ela se lembrava da segunda ânsia de fazer força e da tensão na voz de David, como pedras sob uma corredeira. Mas o bebê em seus braços era perfeito, lindo, mais do que suficiente. *Está tudo bem*, ela dissera a David, afagando-lhe o braço, *está tudo bem*.

Só quando eles saíram do consultório, pisando hesitantes no ar frio e úmido da tarde seguinte, é que a perda enfim se fizera sentir. Quase havia anoitecido, e o ar estava cheio de neve derretendo e terra úmida e fria. O céu nublado era branco e granuloso por trás dos galhos totalmente nus das árvores. Norah carregava Paul, leve como um gato, pensando em como aquilo era estranho – levar uma pessoa inteiramente nova para casa. Ela havia decorado com extremo cuidado o quarto do bebê, escolhido o berço e a cômoda, lindos, colado o papel de parede cheio de ursinhos espalhados, feito as cortinas e costurado à mão a colcha de retalhos. Estava tudo em ordem, tudo preparado, e ela levava o filho no colo. Na entrada do prédio, porém, parou entre as duas pilastras pontiagudas de concreto, incapaz de dar outro passo.

– David – disse. O marido se virou, pálido, com sua cabeleira escura, parecendo uma árvore recortada contra o céu.

– Que é? O que foi? – perguntou ele.

– Eu quero vê-la – disse Norah com a voz sussurrada, mas de algum modo imperiosa, no silêncio do estacionamento. – Só uma vez. Antes de irmos embora. Tenho que vê-la.

David enfiou as mãos nos bolsos e estudou a calçada. Durante o dia inteiro haviam caído pedaços de gelo dos beirais ziguezagueantes do telhado, e agora eles jaziam perto da escada.

– Ah, Norah – disse o médico, baixinho. – Vamos para casa, por favor. Nós temos um filho lindo.

– Eu sei – disse ela, porque era 1964, David era seu marido e ela sempre se submetera completamente a ele. Mas parecia incapaz de se mexer, não enquanto sentisse, como sentia, que estava deixando para trás uma parte essencial dela mesma. – Ah, só por um instante, David. Por que não?

Seus olhos se encontraram e a angústia presente nos dele fez com que os dela se enchessem de lágrimas.

– Ela não está aqui – disse a voz magoada de David. – É por isso. Há um cemitério na fazenda da família do Bentley. No condado de Woodford. Pedi que ele a levasse para lá. Podemos ir lá depois, na primavera. Oh, Norah, por favor. Você está me deixando arrasado.

Norah fechou os olhos, sentindo algo drenar-se de seu corpo, ao pensar num bebê, sua filhinha, sendo depositado na terra fria de março. Seus braços, que seguravam Paul, estavam rígidos e firmes, porém o resto de seu corpo parecia líquido, como se também ela pudesse escorrer pelos bueiros e desaparecer com a neve. David tinha razão, pensou, ela não precisava saber disso. Quando ele subiu a escada e lhe envolveu os ombros, Norah assentiu com a cabeça e os dois atravessaram o estacionamento vazio, na luz do crepúsculo. Ele firmou o banco do carro; levou-os para casa com cuidado, metodicamente; os dois carregaram Paul pela varanda da frente, cruzaram a porta e então o puseram em seu quarto, adormecido. Norah sentiu um certo consolo pelo modo como David havia cuidado de tudo, o modo como cuidara dela, e não voltou a discutir com ele sobre seu desejo de ver a filha.

Agora, porém, sonhava toda noite com coisas perdidas.

Paul adormeceu. Para lá da janela, os ramos das cerejeiras, apinhados de brotos novos, balançavam contra o céu de um anil pálido. Norah virou-se, passou Paul para o outro seio e tornou a fechar os olhos, divagando. Acordou de repente com a umidade e o choro, com o sol batendo em cheio no quarto. Seus seios já começavam a se encher de novo; três horas haviam passado. Ela se sentou, sentindo-se pesada, oprimida, com a pele da barriga tão mole que se acumulava em dobras toda vez que ela se deitava, os seios duros e intumescidos de leite, as articulações ainda doloridas do parto. No corredor, as tábuas do piso rangeram sob seu peso.

No trocador, Paul chorou ainda mais alto, adquirindo uma raivosa coloração salpicada de vermelho. Norah tirou-lhe as roupas úmidas e a fralda de algodão encharcada. A pele do menino era muito delicada; as pernas, magricelas e vermelhas como asas de frango depenadas. Num canto da mente da mãe pairava a filha perdida, vigilante e silenciosa. Ela limpou com álcool o cordão umbilical de Paul, jogou a fralda no balde para deixá-la de molho e tornou a vestir o filho.

– Meu bebezinho – murmurou, pegando-o no colo. – Meu amorzinho. – E desceu com ele para o térreo.

Na sala, as persianas ainda estavam fechadas, assim como as cortinas. Norah foi para a confortável poltrona de couro num canto e abriu o roupão. O leite tornou a afluir, com seus irresistíveis ritmos de maré – uma força tão intensa que parecia eliminar tudo o que ela fora até então. *Eu acordo para dormir*, pensou consigo mesma, recostando-se, perturbada por não conseguir lembrar quem tinha escrito isso.

A casa estava em silêncio. O aquecedor dava estalos e as folhas farfalhavam nas árvores do lado de fora. Ao longe, a porta do banheiro abriu e fechou, com um vago som de água corrente. Bree, a irmã de Norah, desceu a escada pisando de leve, usando uma velha camisa cujas mangas lhe desciam até a ponta dos dedos. Tinha as pernas brancas, e seus pés estreitos estavam descalços no piso de madeira.

– Não acenda a luz – disse Norah.

– Está bem.

Bree aproximou-se e tocou de leve no couro cabeludo de Paul.

– E como vai meu sobrinhozinho? – perguntou. – Como vai o meu doce Paul?

Norah olhou para o rosto pequenino do filho, surpresa, como sempre, ao ouvir seu nome. O menino ainda não crescera o bastante para assimilá-lo, ainda o usava como uma pulseira que poderia soltar-se facilmente e desaparecer. Ela havia lido sobre pessoas – também não se lembrava onde – que se recusavam a dar nome aos filhos durante várias semanas por acharem que eles ainda não faziam parte da Terra, ainda estavam suspensos entre dois mundos.

– Paul – repetiu em voz alta, um nome sólido e claro, quente como uma pedra sob o sol. Uma âncora.

Em silêncio, de si para si, acrescentou: *Phoebe.*

– Ele está com fome – disse ainda. – Está sempre com muita fome.

– Ah! Então, saiu à tia. Vou pegar umas torradas com café. Quer alguma coisa?

– Talvez um pouco de água – disse Norah, vendo Bree sair da sala, com seus membros longos, graciosa. Era muito estranho que sua irmã, que sempre fora seu oposto, sua nêmesis, fosse a pessoa com quem ela queria estar, mas era verdade.

Bree tinha apenas 20 anos, mas era tão voluntariosa e segura de si que, muitas vezes, parecia a Norah ser a mais velha. Três anos antes, na penúltima série do curso médio, tinha fugido com o farmacêutico que morava do outro lado da rua, um solteirão com o dobro de sua idade. As pessoas haviam condenado o farmacêutico, que já era velho o bastante para ter mais juízo. Atribuíram a impetuosidade de Bree ao fato de ela haver perdido o pai, subitamente, nos primeiros anos da adolescência – uma idade vulnerável, todos concordavam. E previram que o casamento duraria pouco e acabaria mal, como tinha acontecido.

Mas, se elas imaginavam que o casamento fracassado de Bree a amansaria, estavam enganadas. Alguma coisa começara a se modificar no mundo desde quando Norah era pequena, e Bree não tinha voltado para a casa dos pais, como seria de esperar, emendada e constrangida. Em vez disso, matriculara-se na universidade e trocara seu nome, Brigitte, por Bree, porque gostava desse som: arejado, dizia ela, e livre.

A mãe das duas, mortificada com o casamento escandaloso e o divórcio mais escandaloso ainda, casara-se com um piloto da TWA e se mudara para St. Louis, deixando as filhas por sua própria conta. *Bem, pelo menos uma de minhas filhas sabe se comportar*, tinha dito, erguendo os olhos do caixote de louça que estava embalando. Isso fora no outono, com seu ar revigorante, repleto de douradas folhas cadentes. O cabelo louro esbranquiçado da mãe estava enrolado como uma nuvem fofa, e suas feições tinham se abrandado com a emoção repentina. *Ah, Norah, fico muito grata por ter uma filha direita, você nem pode imaginar. Mesmo que nunca se case, querida, você sempre será uma dama*. Norah, guardando um retrato emoldurado do pai numa caixa, ficara rubra de aborrecimento e frustração. Também ela se havia chocado com a desfaçatez de Bree, com seu atrevimento, e sentia raiva de as normas parecerem ter se modificado, de Bree ter mais ou menos se safado – do casamento, do divórcio e do escândalo.

Detestava o que Bree fizera com toda a família.

Desejava desesperadamente ter sido a primeira a fazê-lo.

Mas isso nunca lhe teria ocorrido. Ela sempre fora boazinha, era essa a sua tarefa. Tinha sido muito apegada ao pai, um homem desorganizado e afável, perito em ovelhas, que passava os dias no quarto fechado no alto da escada, lendo publicações especializadas, ou no centro de pesquisas, parado em meio ao rebanho, os olhos amarelos estranhos e oblíquos. Norah o adorava e, durante toda a sua vida, sentira uma compulsão de compensar de algum modo a desatenção dele para com a família e a decepção de sua mãe por ter se casado com um homem que, afinal, era tão alheio a ela. Com o falecimento do pai, essa compulsão de retificar as coisas, de consertar o mundo, só fizera intensificar-se. E, assim, Norah seguira em frente, estudando sossegada e fazendo o que se esperava dela. Depois da formatura, trabalhara seis meses na companhia telefônica, num emprego que não lhe agradava e do qual ficara muito feliz em abrir mão ao se casar com David. O encontro dos dois no setor de lingerie da loja de departamentos Wolf Wile, assim como seu casamento secreto, impetuoso e acelerado, tinham sido o máximo que ela havia se aproximado da irreflexão.

A vida de Norah, Bree gostava de dizer, parecia um seriado de televisão. *Para você está ótimo*, dizia ela, jogando os longos cabelos para trás, com os braços cheios de pulseiras prateadas quase até o cotovelo. *Eu não agüentaria. Ficaria maluca em uma semana. Em um dia!*

Norah fervilhava por dentro, desdenhava Bree e a invejava, e mordia a língua; Bree fizera um curso sobre Virginia Woolf, fora morar com o gerente de um restaurante natural em Louisville e parara de visitá-la. No entanto, estranhamente, tudo havia mudado com a gravidez de Norah. Bree recomeçara a aparecer, levando-lhe botinhas de renda e minúsculas pulseiras de prata para o tornozelo, importadas da Índia; estas ela havia encontrado numa loja em São Francisco. E também levara folhas mimeografadas com instruções sobre o aleitamento materno, ao tomar conhecimento de que Norah planejava abrir mão das mamadeiras. E Norah ficara feliz em vê-la nessa ocasião. Feliz com os presentes meigos e sem utilidade prática, feliz com o apoio da irmã; em 1964, amamentar no seio era uma idéia radical, e Norah tivera dificuldade para encontrar informações sobre o assunto. A mãe se recusara a discutir a idéia; as mulheres de seu círculo de costura tinham lhe dito que poriam cadeiras nos banheiros para garantir sua privacidade. Para seu alívio, Bree tinha zombado disso tudo, em alto e bom som. *Que bando de pudicas!*, insistira. *Não preste atenção nelas.*

No entanto, embora se sentisse grata pelo apoio de Bree, às vezes Norah também ficava secretamente constrangida. No mundo de Bree, que parecia existir sobretudo noutros lugares, na Califórnia, em Paris ou em Nova York, as jovens andavam em casa com os seios à mostra, tiravam fotos com seus bebês mamando nos seios enormes e escreviam colunas que defendiam os benefícios nutricionais do leite materno. *Isso é completamente natural, está na nossa natureza de mamíferos*, explicava Bree, mas a própria idéia de si mesma como um mamífero movido por instintos, uma idéia descrita por palavras como *lactante* (que tanto se aproximava de *cio*, a seu ver, reduzindo uma coisa bonita ao nível de um celeiro), fazia Norah corar e ter vontade de sair da sala.

Nesse momento, Bree voltou com uma bandeja de café e pão fresco com manteiga. Seus longos cabelos lhe caíram sobre os ombros quando ela se inclinou para colocar um copo alto de água gelada na mesa, ao lado de Norah. Ela empurrou a bandeja na mesinha de centro e se acomodou no sofá, cruzando as longas pernas brancas embaixo do corpo.

– O David saiu?

Norah fez que sim:

– Eu nem o ouvi levantar.

– Você acha bom ele estar trabalhando tanto?

– Acho – respondeu Norah, com firmeza. – Acho, sim – repetiu.

O Dr. Bentley havia conversado com os outros médicos da clínica, e eles ofereceram uma licença a David, mas este havia recusado.

– Acho que ficar ocupado é bom para ele neste momento.

– É mesmo? E quanto a você? – indagou Bree, dando uma mordida no pão.

– Eu? Sinceramente, estou ótima.

Bree balançou sua mão livre.

– Você não acha... – começou, mas Norah a interrompeu antes que ela pudesse criticar David outra vez.

– É muito bom você estar aqui – comentou. – Ninguém mais quer conversar comigo.

– Isso é birutice. A casa tem estado cheia de gente querendo conversar com você.

– Eu tive gêmeos, Bree – retrucou Norah, baixinho, consciente de seu sonho, da paisagem deserta e congelada, de sua busca frenética. – Ninguém mais quer dizer uma palavra sobre ela. Todos agem como se, já que tenho o Paul, eu devesse ficar satisfeita. Como se as vidas fossem intercambiáveis. Mas eu tive *gêmeos*. Também tive uma filha...

Parou, interrompida pelo nó repentino na garganta.

– Estão todos tristes – disse Bree, delicadamente. – Muito felizes e muito tristes, tudo ao mesmo tempo. Eles não sabem o que dizer, é só isso.

Norah ajeitou Paul, já adormecido, apoiando-o em seu ombro. A respiração do filho era quente em seu pescoço; ela lhe afagou as costas, não muito maiores do que a palma de sua mão.

– Eu sei – concordou. – Eu sei. Mas, mesmo assim...

– O David não devia ter voltado tão depressa ao trabalho – disse Bree. – Faz apenas três dias.

– Para ele o trabalho é um consolo – contrapôs Norah. – Se eu tivesse um emprego, iria trabalhar.

– Não – retrucou Bree, abanando a cabeça. – Não, você não iria, Norah. Sabe, detesto dizer isso, mas o David só está se fechando, trancafiando todos os sentimentos. E você continua tentando preencher o vazio. Consertar as coisas. E não pode.

Observando a irmã, Norah se perguntou que sentimentos o farmacêutico teria mantido isolados; a despeito de toda a sua franqueza, Bree nunca havia falado de seu breve casamento. E, embora Norah se inclinasse a concordar com ela nesse momento, sentia-se na obrigação de defender David, que, enfrentando sua própria tristeza, havia cuidado de tudo: do enterro sigiloso, sem a presença de ninguém, das explicações aos amigos, do remendo rápido das pendências esfarrapadas do luto.

– Ele tem que fazer as coisas a seu modo – continuou Norah, estendendo a mão para abrir as persianas. O céu havia adquirido um azul vivo e os brotos pareciam ter se multiplicado nos galhos, mesmo nessas poucas horas. – Eu só queria tê-la visto, Bree. As pessoas acham que isso é macabro, mas eu queria, sim. Gostaria de tê-la tocado, nem que fosse só uma vez.

– Não é macabro – disse Bree em voz baixa. – A mim me soa perfeitamente sensato.

Seguiu-se um silêncio, que Bree rompeu sem jeito, hesitante, oferecendo a Norah um pedaço de pão com manteiga.

– Não estou com fome – mentiu Norah.

– Você tem que comer – insistiu Bree. – O peso vai sumir, de qualquer jeito. Esse é um dos benefícios não decantados do aleitamento.

– Decantados sim – repetiu Norah. – Você não pára de falar a respeito.

– Acho que sim – riu Bree.

– Sinceramente – disse Norah, pegando o copo de água –, fico feliz por você estar aqui.

– Ei – fez Bree, meio sem graça –, onde mais eu estaria?

A cabeça de Paul era um peso morno, com seu cabelo fino e farto roçando o pescoço da mãe. *Será que ele sente falta da gêmea,* perguntou-se Norah, *daquela presença desaparecida, da companheira íntima de sua curta vidinha? Será que sempre vivenciaria uma sensação de perda?* Ela afagou a cabeça do filho, olhando pela janela. Para além das árvores, tênue em seu contraste com o céu, vislumbrou a esfera longínqua e esmaecida da Lua.

• • •

Mais tarde, enquanto Paul dormia, Norah tomou um banho. Experimentou e descartou três roupas diferentes – saias que apertavam na cintura, calças espichadas nos quadris. Sempre fora miúda, esbelta e bem-proporcionada, e a deselegância de seu corpo a deixava surpresa e deprimida. Por fim, em desespero, acabou vestindo sua velha jardineira da gravidez, gratificantemente solta, que ela havia jurado nunca mais usar. Vestida, mas descalça, perambulou pela casa, de um cômodo para outro. Tal como seu corpo, os aposentos transbordavam de coisas, desarrumados, caóticos, sem controle. Havia poeira fina acumulada em toda parte, roupas espalhadas por todas as superfícies e cobertas caídas das camas por fazer. Havia uma trilha riscada na poeira da cômoda, onde David tinha posto um vaso de narcisos, já escurecidos nas pontas; as janelas também estavam embaçadas. Dentro de mais um dia, Bree iria embora e chegaria a mãe delas. Ao pensar nisso, Norah sentou-se em desamparo na beira da cama, com uma gravata de David pendendo das mãos. A desordem da casa a oprimia como um peso, como se a própria luz do sol houvesse adquirido substância, gravidade. Ela não tinha forças para combatê-la. Pior, e ainda mais aflitivo, não parecia se incomodar.

A campainha tocou. Os passos nítidos de Bree moveram-se pelos cômodos, fazendo eco.

Norah reconheceu prontamente as vozes. Por mais um instante, permaneceu onde estava, sentindo-se com as energias esgotadas e pensando em como poderia fazer Bree mandá-las embora. Mas as vozes se aproximaram, perto do vão da escada, e tornaram a diminuir quando entraram na sala de estar; era o grupo noturno de sua igreja, trazendo presentes e ansiando por uma espiada no novo bebê. Dois conjuntos de amigas já a tinham visitado, um de seu grupo de costura, outro do clube de pintura em porcelana, enchendo sua geladeira de comida e passando Paul de mão em mão, feito um troféu. Norah tinha feito essas mesmas coisas, repetidas vezes, por outras novas mamães, e nesse momento ficou chocada ao descobrir que experimentava mais ressentimento do que gratidão: as interrupções, o ônus dos cartões de agradecimento, e ela nem dava importância à comida; nem sequer a queria.

Bree a chamou. Norah desceu sem se dar ao trabalho de pôr batom ou mesmo escovar o cabelo. Continuava descalça.

– Estou com uma aparência péssima – anunciou, desafiadora, ao entrar na sala.

– Oh, não – contrapôs Ruth Starling, dando um tapinha no sofá a seu lado, embora Norah observasse, com estranha satisfação, a troca de olhares entre as demais.

Sentou-se obedientemente, cruzando as pernas na altura dos tornozelos e descansando as mãos no colo, como costumava fazer na escola, quando menina.

– Paul acabou de adormecer – disse. – Não vou acordá-lo.

Havia raiva em sua voz, agressão de verdade.

– Está tudo certo, meu bem – disse Ruth. Era uma mulher de quase 70 anos, com o cabelo branco e fino, cuidadosamente penteado. Seu marido, de um casamento de 50 anos, falecera no ano anterior. *Quanto lhe teria custado,* pensou Norah, *quanto lhe custaria agora manter sua aparência, sua postura animada?*

– Você passou por um mau pedaço – disse Ruth.

Norah tornou a sentir a presença da filha, uma presença pouco além da visão, e reprimiu uma ânsia repentina de subir correndo para ver como estava Paul. *Estou ficando maluca,* pensou, e olhou fixo para o chão.

– Que tal um chá? – perguntou Bree vivamente para disfarçar o embaraço. Antes que alguém pudesse responder, desapareceu na cozinha.

Norah fez o melhor que pôde para se concentrar na conversa: algodão ou cambraia para os travesseiros do hospital, o que as pessoas achavam do novo pastor, se elas deviam ou não doar cobertores ao Exército da Salvação. E, então, Sally anunciou que o bebê de Kay Marshall, uma menina, tinha nascido na noite anterior.

– Exatos três quilos e duzentos – disse. – A Kay está maravilhosa. A neném é linda. Deram-lhe o nome de Elizabeth, por causa da avó. Dizem que foi um parto tranqüilo.

Fez-se silêncio, enquanto todas percebiam o que havia acontecido. Norah teve a sensação de que o silêncio se expandia de algum ponto no centro de seu corpo, abrindo-se em ondas pela sala. Sally ergueu os olhos, rubra de arrependimento.

– Oh – disse. – Ah, Norah, eu sinto muitíssimo.

Norah teve vontade de falar e repor as coisas em andamento. As palavras certas pairaram em sua cabeça, mas ela pareceu não conseguir encontrar a voz. Permaneceu calada, e o silêncio transformou-se num lago, num oceano em que todas poderiam afogar-se.

– Bem – disse Ruth, finalmente, em tom animado. – Você é uma santa criatura, Norah. Deve estar exausta – e pegou um pacote volumoso, embrulhado em papel colorido, com uma porção de fitinhas estreitas e encaracoladas. – Fizemos uma vaquinha, achando que, provavelmente, você já tinha todos os alfinetes de fralda que uma mãe pode querer.

As mulheres riram, aliviadas. Norah também sorriu e abriu a caixa, rasgando o papel: um andador com armação de metal e assento de tecido, parecido com o que ela havia admirado na casa de uma amiga, certa vez.

– É claro que ele não vai poder usá-lo por alguns meses – disse Sally. – Mesmo assim, não conseguimos pensar em nada melhor, quando ele começar a rodar por aí!

– E tome – disse Flora Marshall, levantando-se, com dois embrulhos macios nas mãos.

Flora era mais velha que as outras do grupo, mais até do que Ruth, porém era rija e ativa. Tricotava mantas para todos os novos bebês da igreja. Desconfiando, pelo tamanho de Norah, que ela poderia ter gêmeos, havia tricotado dois cobertores de enrolar, trabalhando neles durante as reuniões vespertinas e na hora do café, na igreja, com os novelos de lã brilhantes e macios saltando de sua sacola. Os amarelos e verdes pastéis, os azuis-claros e o cor-de-rosa misturavam-se – Flora não estava ali para apostar se seriam meninos ou meninas, brincava. Mas que seriam gêmeos, disso tinha certeza. Ninguém a levara a sério na ocasião.

Norah aceitou os dois embrulhos, reprimindo as lágrimas. A lã macia e conhecida cascateou em seu colo quando ela abriu o primeiro, e sua filha perdida pareceu-lhe muito próxima. Norah sentiu uma onda de gratidão a Flora, que, com a sabedoria das avós, soubera exatamente o que fazer. Abriu o segundo embrulho, ansiosa pela outra manta, tão colorida e macia quanto a primeira.

– É meio grande – desculpou-se Flora, quando o macacão caiu no colo de Norah. – Mas eles crescem muito depressa nessa idade.

– Onde está o outro cobertor? – exigiu Norah. Ouviu sua voz ríspida, como um grito de pássaro, e ficou perplexa; durante a vida inteira, ela fora conhecida por sua calma, orgulhara-se de seu temperamento tranqüilo e de suas escolhas criteriosas. – Onde está a manta que você fez para a minha filhinha?

Flora enrubesceu e correu os olhos pela sala em busca de ajuda. Ruth pegou a mão de Norah e a apertou com força. Norah sentiu-lhe a pele macia, a pressão surpreendente dos dedos. David lhe dissera o nome desses ossos, um dia, mas ela não conseguia lembrar quais eram. Pior, estava chorando.

– Vamos, vamos. Você tem um menininho lindo – disse Ruth.

– Ele tinha uma irmã – sussurrou Norah, decidida, olhando para todos os rostos. As mulheres estavam ali por bondade. Sentiam-se tristes, sim, e ela as deixava mais tristes a cada segundo. O que estava acontecendo com ela? Durante toda a vida, tentara com enorme esforço fazer as coisas certas. – O nome dela era Phoebe. Quero que alguém diga o nome dela. Estão me ouvindo? – E se levantou. – Quero que alguém se lembre do nome dela.

Vieram então a toalha fria sobre sua testa e mãos ajudando-a a se deitar no sofá. Disseram-lhe para fechar os olhos, e Norah os fechou. As lágrimas continuavam a deslizar sob as pálpebras – uma nascente que se avolumava e que ela parecia incapaz de conter. As pessoas haviam recomeçado a falar, vozes rodopiando como neve ao vento, discutindo o que fazer. Não era incomum, disse alguém. Mesmo nas melhores circunstâncias, não era nada estranho haver essa depressão súbita uns dias depois do parto. Elas deviam ligar para David, outra voz sugeriu, mas nesse momento apareceu Bree, calma e afável, para conduzi-las todas à porta. Depois que elas se foram, Norah abriu os olhos e topou com Bree usando um de seus aventais, cujo cós de acabamento de sianinha amarrava-se frouxo em sua cintura fina.

A manta de Flora Marshall estava no chão, em meio aos papéis de presente, e Bree a apanhou e entrelaçou os dedos nos fios macios. Norah enxugou os olhos e falou.

– O David disse que o cabelo dela era preto. Como o dele.

Bree lançou-lhe um olhar atento.

– Você disse que ia mandar celebrar um ofício fúnebre, Norah. Por que esperar? Por que não fazê-lo agora? Talvez isso lhe traga um pouco de paz.

Norah abanou a cabeça.

– O que o David diz, o que todos dizem, aquilo faz sentido. Devo me concentrar no bebê que eu tenho.

Bree deu de ombros.

– Só que não é o que você está fazendo. Quanto mais tenta não pensar nela, mais pensa. O David é apenas um médico – acrescentou. – Ele não sabe tudo. Não é Deus.

– É claro que não – concordou Norah. – Eu sei disso.

– Às vezes, não tenho tanta certeza.

Norah não respondeu. Desenhos brincavam no piso de madeira polida, sombras de folhas que cavavam buracos na luz. O relógio sobre o console da lareira tiquetaqueava baixinho. Ela achou que devia ficar com raiva, mas não ficou. A idéia de um ofício fúnebre parecia haver suspendido a drenagem de energia e vontade que tivera início na escadaria da clínica e não havia parado até esse momento.

– Talvez você tenha razão – disse. – Não sei. Pode ser. Uma coisa bem pequena. Uma coisa discreta.

Bree entregou-lhe o telefone.

– Tome. Comece a fazer perguntas.

Norah respirou fundo e começou. Ligou primeiro para o novo pastor e se descobriu explicando que queria fazer uma cerimônia, sim, e ao ar livre, no pátio. Sim, com chuva ou com sol. *Para a Phoebe, minha filha, que morreu no parto*. Nas duas horas seguintes, ela repetiu as palavras, uma vez após outra: para o florista, para a mulher dos anúncios classificados de *The Leader*, para suas amigas do grupo de costura, que concordaram em fazer as flores. A cada telefonema, Norah sentia sua calma ampliar-se e crescer, algo parecido com o alívio de ver Paul pegar o seio e mamar, religando-a com o mundo.

Bree saiu para sua aula e Norah andou pela casa silenciosa, avaliando o caos. No quarto, a luz vespertina inclinava-se pela vidraça, mostrando cada desatenção. Ela vira essa desordem todos os dias, sem se incomodar, mas agora, pela primeira vez desde o parto, sentiu forças, em vez de inércia. Esticou os lençóis nas camas, abriu as janelas, tirou o pó. Foi-se a jardineira dos tempos da gravidez. Ela vasculhou o armário até encontrar uma saia que coubesse e uma blusa que não ficasse esticada nos seios. Franziu o cenho para sua imagem no espelho, ainda muito gorducha, muito volumosa, mas se sentiu melhor. Também se demorou no cuidado com o cabelo: 100 escovadelas. Quando terminou, a escova estava cheia de fios, uma densa rede dourada – era toda a exuberância da gravidez caindo, à medida que seus níveis hormonais se readaptavam. Norah sabia que isso aconteceria. Mesmo assim, a perda lhe deu vontade de chorar.

*Já chega*, disse severamente a si mesma, passando o batom e piscando para conter as lágrimas. *Já chega, Norah Asher Henry*.

Vestiu um suéter antes de descer e encontrou os sapatos rasos de cor bege. Pelo menos os pés estavam magros de novo.

Foi ver como estava Paul – ainda dormindo, com a respiração leve, mas real, ao toque de seus dedos –, colocou um dos pratos congelados no forno, pôs a mesa e abriu uma garrafa de vinho. Estava jogando fora as flores murchas, cujas hastes lhe deixavam uma sensação fria e pastosa nas mãos, quando a porta de entrada se abriu. Seu coração se acelerou ao som dos passos de David – e logo ele parou no vão da porta, com o terno escuro pendendo frouxo em sua estrutura fina e o rosto enrubescido pela caminhada. Estava cansado, e ela o viu registrar com alívio a casa limpa, a roupa familiar da mulher e o aroma da comida assando. Segurava outro ramo de narcisos, colhido no jardim. Quando Norah o beijou, sentiu seus lábios frios contra os dela.

– Oi – disse David. – Parece que você teve um bom dia por aqui.

– É. Foi bom – respondeu Norah, e quase lhe contou o que tinha feito, mas, em vez disso, serviu-lhe um drinque: uísque puro, como ele gostava. David encostou-se na bancada enquanto ela lavava a alface.

– E você? – perguntou Norah, fechando a torneira.

– Não foi muito ruim. Atarefado. Desculpe por ontem à noite. Um paciente com um infarto. Não fatal, felizmente.

– Houve ossos envolvidos?

– Ah, sim, ele caiu da escada. Quebrou a tíbia. O neném está dormindo?

Norah olhou para o relógio e deu um suspiro.

– Eu deveria acordá-lo, provavelmente – respondeu –, se algum dia quiser fazê-lo entrar no horário.

– Eu faço isso – disse David, levando as flores para o segundo andar. Ela o ouviu movimentar-se lá em cima e o imaginou curvando-se para tocar de leve a testa de Paul, para segurar sua mãozinha. Em poucos minutos, porém, David desceu sozinho, de calças jeans e suéter.

– Ele parecia muito sossegado – explicou. – Vamos deixá-lo dormir.

Foram para a sala e sentaram-se juntos no sofá. Por um momento foi como antes, apenas os dois, e o mundo a seu redor era um lugar compreensível, cheio de promessas. Norah havia planejado contar seus projetos a David durante o jantar, mas nesse momento, de repente, viu-se explicando a cerimônia simples que havia organizado e o anúncio que mandara pôr no jornal. Enquanto falava, notou que o olhar de David foi ficando tenso, profundamente vulnerável, de algum modo. A expressão do marido a fez hesitar; era como se ele houvesse tirado uma máscara e Norah estivesse conversando com um estranho, cujas reações não sabia prever. Os olhos dele estavam mais escuros do que ela jamais os vira, e Norah sentiu-se incapaz de dizer o que lhe passava pela cabeça.

– Você não gostou da idéia – comentou.

– Não é isso.

Norah tornou a ver a tristeza em seus olhos, a ouvi-la em sua voz. No desejo de aplacá-la, quase desistiu de tudo, mas sentiu sua inércia anterior, que com enorme esforço ela pusera de lado, espreitando na sala.

– Fazer isso foi bom para mim – disse. – Não está errado.

– Não, não está errado – concordou David.

Pareceu prestes a dizer mais alguma coisa, porém se conteve e, em vez disso, levantou-se, foi até a janela e fitou a escuridão lá fora, no jardinzinho do outro lado da rua.

– Mas, que diabo, Norah – disse, com voz grave e áspera, num tom que nunca havia usado antes. Aquilo a assustou, a raiva subjacente às palavras do marido. – Por que você tem que ser tão teimosa? Por que não falou comigo, pelo menos, antes de ligar para os jornais?

– Ela morreu – retrucou Norah, agora também enraivecida. – Não há nenhuma vergonha nisso. Não há por que guardar segredo.

David, com os ombros rígidos, não se voltou. Na época em que tinha sido um estranho, carregando no braço um roupão cor de coral na loja de departamentos Wolf Wile, ele parecera estranhamente familiar, como alguém que Norah um dia houvesse conhecido bem e que tivesse passado anos sem ver. Mas agora, após um ano de casamento, ela mal o conhecia.

– David, o que está acontecendo conosco? – perguntou.

Ele não se virou. O aroma de carne com batatas enchia o aposento; Norah lembrou-se do jantar que estava aquecendo no forno e seu estômago se agitou, com a fome que ela havia negado o dia inteiro. No andar de cima, Paul começou a chorar, mas ela continuou onde estava, à espera de uma resposta.

– Não há nada acontecendo conosco – disse ele, afinal.

Quando se virou, a tristeza ainda era vívida em seus olhos, e havia mais alguma coisa – uma espécie de determinação – que ela não compreendeu.

– Você está fazendo uma tempestade em copo d'água, Norah. O que é compreensível, imagino.

Frio. Indiferente. Condescendente. Paul chorava com mais vigor. A intensidade da raiva de Norah a fez girar nos calcanhares e ela irrompeu escada acima, pegou o bebê e lhe trocou a fralda, com muita, muita delicadeza, tremendo de ódio o tempo todo. Depois vieram a cadeira de balanço, os botões e o alívio abençoado. Ela fechou os olhos. Lá embaixo, David andava pelos cômodos. Ele, pelo menos, havia tocado a filha, tinha visto seu rosto.

Norah estava decidida a realizar o ofício fúnebre, houvesse o que houvesse. Faria isso por si mesma.

Bem devagar, enquanto Paul mamava e a luz ia esmaecendo, Norah se acalmou, tornando-se mais uma vez um rio tranqüilo e largo, que aceitava o mundo e o carregava com facilidade em sua correnteza. Lá fora, a grama continuava seu crescimento lento e silencioso, casulos de ovos de aranhas rompiam-se e as asas dos pássaros pulsavam em vôo. *Isto é sagrado*, Norah pensou, ligada, através da criança em seu colo e da criança na terra, a tudo o que era vivo e que um dia já vivera. Demorou muito a abrir os olhos e, quando o fez, assustou-se com a escuridão e a beleza a seu redor: uma pequena forma oblonga de luz, reflexo da maçaneta de vidro, estremecia na parede. A nova manta de Paul, amorosamente tricotada, cascateava do berço em ondas. E, na cômoda, os narcisos de David, delicados como a pele e quase luminosos, colhiam a luz que vinha do corredor.

# IV

QUANDO SUA VOZ SE ESVAIU ATÉ UM NADA NO ESTACIONAMENTO deserto, Caroline bateu a porta do carro e começou a andar pela neve enlameada. Depois de alguns passos, parou e voltou para buscar o bebê. O choro agudo de Phoebe elevou-se na escuridão, impelindo Caroline a atravessar o asfalto e passar pelos largos quadrados brancos de luz, até chegar às portas automáticas do supermercado. Trancadas. Ela gritou e bateu, entremeando sua voz com os gritos de Phoebe. Lá dentro, os corredores feericamente iluminados estavam vazios. Um balde com um esfregão fora largado num canto, enquanto as latas reluziam no silêncio. A própria Caroline ficou calada por vários minutos, ouvindo o choro de Phoebe e o farfalhar distante do vento nas árvores. Depois, recompôs-se e andou até os fundos da loja. A porta rolante de metal da plataforma de carga e descarga estava fechada, mas mesmo assim ela foi até lá, consciente do cheiro de frutas e legumes apodrecidos no concreto frio e engordurado onde a neve tinha derretido. Chutou a porta com força, tão satisfeita com o eco estrondoso que tornou a chutá-la várias outras vezes, até perder o fôlego.

– Se eles ainda estiverem lá dentro, o que eu duvido, provavelmente não vão abrir essa porta tão cedo.

Uma voz de homem. Caroline virou-se e o viu parado mais abaixo, na espécie de rampa que permitia às carretas entrarem de marcha a ré na área de carga e descarga. Mesmo àquela distância, ela percebeu que se tratava de um homem grande. Usava um sobretudo pesado e um gorro de lã. Tinha as mãos enfiadas nos bolsos.

– Meu bebê está chorando – disse ela, como se fosse necessário. – A bateria do meu carro pifou. Há um telefone do lado de dentro, bem perto da porta de entrada, mas não consigo chegar lá.

– Que idade tem o seu bebê? – perguntou o homem.

– Ela é recém-nascida – disse Caroline, quase sem pensar, com um toque de lágrimas e pânico na voz. Aquilo era ridículo, uma idéia que sempre lhe fora abominável, e, no entanto, ali estava ela: uma donzela em perigo.

– É noite de sábado – observou o homem, cuja voz cruzou o espaço cheio de neve entre os dois. Para lá do estacionamento a rua estava quieta. – É provável que todas as oficinas da cidade estejam fechadas.

Caroline não respondeu.

– Escute, moça – começou ele, devagar, com a firmeza da voz parecendo uma espécie de âncora. Caroline percebeu que ele se mostrava deliberadamente calmo, deliberadamente tranqüilizador; talvez até achasse que ela era louca. – Deixei por acaso meus cabos de carregar bateria com outro caminhoneiro, na semana passada, de modo que não posso ajudá-la nisso. Mas está frio aqui fora, como a senhora disse. Eu penso o seguinte: por que não vem sentar-se comigo no caminhão? Lá dentro está quente. Entreguei uma carga de leite aqui, há umas duas horas, e estava esperando para ver como ficava o tempo. A senhora é bem-vinda para se sentar na cabine comigo. Talvez isso lhe dê algum tempo para pensar.

Quando Caroline não respondeu de imediato, ele acrescentou:

– Estou pensando no bebê.

Ela olhou nessa hora para o outro lado do estacionamento, bem na extremidade, onde um caminhão-baú de cabine escura e reluzente estava parado em ponto morto. Caroline o vira antes, mas não o tinha assimilado, com sua longa carroceria de prata fosca, sua presença que lembrava um prédio no limite do mundo. Em seu colo, Phoebe arquejou, recobrou o fôlego e recomeçou a chorar.

– Está bem – decidiu. – Pelo menos por enquanto.

Contornou com cuidado uns restos de cebolas. Quando chegou à beira da rampa, lá estava ele, estendendo a mão para ajudá-la a descer. Ela a aceitou, aborrecida, mas também grata, pois já sentia a camada de gelo sob os legumes estragados e a neve. Ergueu os olhos para o rosto do homem, com sua barba espessa, um boné puxado até as sobrancelhas e, abaixo destas, olhos escuros: olhos bondosos. Ridículo, disse a si mesma, enquanto os dois cruzavam o estacionamento. Maluquice. Idiotice também. Ele podia ser um assassino que matava pessoas a machadadas. Mas a verdade é que Caroline estava cansada demais para se incomodar.

Ele a ajudou a buscar algumas coisas no carro e a se acomodar na cabine, segurando Phoebe enquanto Caroline subia para o assento alto e, depois, entregando-lhe a neném. Caroline pôs mais leite da garrafa térmica na mamadeira. Phoebe estava tão agitada que levou alguns momentos para perceber que a comida havia chegado e, mesmo nessa hora, teve de se esforçar para sugar. Caroline afagou-lhe gentilmente a bochecha e, por fim, ela segurou firme o bico e começou a mamar.

– É meio estranho, não é? – disse o homem, quando a criança se acalmou. Havia subido para o banco do motorista. O motor zumbia na escuridão, reconfortante como um gato gigantesco, e o mundo se estendia para o horizonte escuro. – Quero dizer, esse tipo de neve no Kentucky.

– Acontece com alguns anos de intervalo – disse Caroline. – O senhor não é daqui?

– Sou de Akron, no Ohio. Originalmente, bem entendido. Agora faz cinco anos que estou na estrada. Gosto de pensar em mim mesmo como sendo do mundo, nestes últimos tempos.

– Não se sente solitário? – perguntou Caroline, pensando em si mesma numa noite qualquer, sentada sozinha em seu apartamento. Mal podia acreditar que estava ali, falando com tanta intimidade com um estranho. Era esquisito, mas também emocionante, como confiar numa pessoa que se conheceu num trem ou num ônibus.

– É, um pouco – admitiu ele. – É um trabalho solitário, com certeza. Mas muitas vezes também me acontece conhecer uma pessoa inesperada. Como esta noite.

A cabine estava quentinha e Caroline se sentiu entregando-se a ela, acomodando-se no banco alto e confortável. A neve continuava a borrifar os postes de luz. O carro dela estava parado no meio do estacionamento, como uma sombra escura e solitária, salpicada de neve.

– Para onde a senhora estava indo? – perguntou o homem.

– Só até Lexington. Houve uma batida na estrada interestadual, uns quilômetros atrás. Pensei em poupar tempo e aborrecimento.

O rosto dele era suavemente iluminado pela luz da rua e o homem sorriu. Para surpresa de Caroline, ela fez o mesmo, e ambos caíram na risada.

– Os planos mais perfeitos... – disse ele.

Caroline assentiu com a cabeça.

– Escute – disse o homem, após um silêncio. – Se é só de Lexington que estamos falando, posso lhe dar uma carona. Tanto posso estacionar o caminhão aqui quanto lá. Amanhã... bom, amanhã é domingo, não é? Mas na segunda-feira, logo cedo, a senhora pode chamar um reboque para buscar seu carro. Ele ficará seguro aqui, com certeza.

A luz do poste da rua caía sobre o rostinho minúsculo de Phoebe. O homem se aproximou e, com muita delicadeza, afagou-lhe a testa com sua mão enorme. Caroline gostou de seu jeito canhestro e de sua calma.

– Está bem – decidiu. – Se não for atrapalhá-lo.

– Ah, não – fez ele. – Claro que não. Lexington fica no meu caminho.

Ele foi buscar o resto das coisas no carro de Caroline, as sacolas de compras e os cobertores. Chamava-se Al, Albert Simpson. Tateou o piso e encontrou uma xícara extra embaixo do banco. Limpou-a cuidadosamente com um lenço, colocou um pouco de café da garrafa térmica e o serviu à enfermeira. Ela o bebeu, contente por estar escuro, contente pelo calor e pela companhia de alguém que não sabia coisa alguma a seu respeito. Sentia-se segura e estranhamente feliz, embora o ar fosse abafado e cheirasse a meias sujas, e houvesse um bebê que não lhe pertencia dormindo em seu colo. Enquanto dirigia, Al conversou, contando-lhe histórias de sua vida na estrada, dos restaurantes para caminhoneiros onde havia chuveiro e dos quilômetros que deslizavam sob as rodas enquanto ele avançava, noite após noite.

Embalada pelo zumbir dos pneus, pelo calor e pela neve que atingia os faróis, Caroline resvalou para um sono leve. Quando eles pararam no estacionamento de seu condomínio, o caminhão ocupou cinco vagas. Al saltou para ajudá-la a descer e deixou o motor em ponto morto, enquanto carregava as coisas dela pela escada externa. Caroline o seguiu, com Phoebe no colo. Uma cortina abriu e fechou rapidamente numa janela inferior – Lucy Martin, espiando, como sempre. Caroline fez uma pausa, momentaneamente tomada por uma espécie de vertigem. É que tudo estava exatamente igual, mas ela, com certeza, não era a mesma mulher que saíra dali no meio da noite anterior, andando com dificuldade pela neve até o carro. Com certeza, sofrera uma transformação tão completa que deveria entrar em aposentos diferentes, sob uma luz diferente. No entanto, sua chave conhecida encaixou-se na fechadura e emperrou no lugar de praxe. Quando a porta se abriu, ela levou Phoebe para um cômodo que conhecia de cor: o tapete marrom-escuro, o sofá e a poltrona em tecido xadrez que ela comprara numa liquidação, a mesa de centro com tampo de vidro, o romance que ela estivera lendo antes de se deitar – *Crime e castigo* –, com o marcador cuidadosamente posicionado. Ela deixara Raskolnikov confessando-se a Sônia, sonhara com os dois em sua mansarda fria, e fora acordada pelo toque do telefone e a neve enchendo as ruas.

Al hesitou, sem jeito, ocupando todo o vão da porta. Poderia ser um assassino em série, um estuprador ou um vigarista. Poderia ser qualquer coisa.

– Tenho um sofá-cama – disse Caroline. – Você é bem-vindo para usá-lo esta noite.

Após um momento de relutância, Al entrou.

– E o seu marido? – perguntou, dando uma olhada em volta.

– Não tenho marido – disse ela, e se deu conta de seu erro. – Não tenho mais.

Al a estudou, parado com o gorro de lã na mão, seus cachos surpreendentemente escuros a se projetar da cabeça. Caroline sentia-se lerda, mas alerta por causa do café, e de repente pensou em como pareceria aos olhos dele – ainda com o uniforme de enfermeira, o cabelo sem pentear há horas, o casaco escancarado, aquele bebê no colo e os braços exaustos.

– Não quero lhe causar nenhum problema – disse Al.

– Problema? Eu ainda estaria presa num estacionamento, se você não tivesse aparecido.

Ele sorriu, foi até o caminhão e voltou minutos depois com uma mochilinha de lona verde-escura.

– Havia alguém espiando por uma janela lá embaixo. Tem certeza de que não vou lhe criar nenhum aborrecimento aqui?

– Aquela era Lucy Martin – respondeu Caroline. Phoebe estava irrequieta, de modo que ela tirou a mamadeira do aquecedor elétrico, verificou a temperatura do leite no braço e se sentou. – Ela é uma fofoqueira terrível. Confie em mim. Você a fez ganhar o dia.

Phoebe, porém, não quis mamar, começou a chorar alto, e Caroline se levantou e andou de um lado para outro na sala, murmurando. Enquanto isso, Al pôs mãos à obra. Em dois tempos abriu e forrou o sofá-cama, com rígidas dobras militares em cada canto. Quando Phoebe finalmente se acalmou, Caroline fez um aceno de cabeça para ele e sussurrou um boa-noite. Fechou com firmeza a porta do quarto. Havia lhe ocorrido que Al era o tipo de pessoa que notaria a falta de um berço.

No trajeto, Caroline tinha feito alguns planos e, nesse momento, tirou uma gaveta da cômoda e pôs seu conteúdo bem arrumado numa pilha no chão. Depois, dobrou duas toalhas no fundo e as envolveu com um lençol dobrado, aninhando Phoebe entre as cobertas. Quando deitou em sua cama, a fadiga atravessou-a como uma sucessão de ondas e ela dormiu de imediato, um sono pesado e sem sonhos. Não ouviu Al roncando alto na sala, o barulho dos limpa-neves deslocando-se no estacionamento nem o estardalhaço dos caminhões de lixo na rua. Quando Phoebe se mexeu, entretanto, mais ou menos no meio da madrugada, Caroline pôs-se de pé num instante. Moveu-se na escuridão como se estivesse na água, esgotada, mas com deliberação, trocou-lhe a fralda e aqueceu a mamadeira, concentrando-se no bebê em seu colo e nas tarefas que tinha pela frente, todas urgentes, absorventes e imperiosas – tarefas que, dali em diante, só ela poderia executar, tarefas que não poderiam esperar.

• • •

Caroline acordou com uma inundação de luz e o cheiro de ovos com bacon. Levantou-se, fechou o roupão e se curvou para tocar o rosto tranqüilo da neném. Depois foi até a cozinha, onde Al passava manteiga nas torradas.

– Olá! – fez ele, levantando os olhos. Havia penteado o cabelo, ainda meio desgrenhado. Al tinha um ponto de calvície na parte posterior do couro cabeludo e usava no pescoço um medalhão de ouro, pendurado numa corrente. – Espero que você não se incomode por eu ter tomado a liberdade. Perdi o jantar ontem à noite.

– Está com um cheiro bom – disse Caroline. – Também estou com fome.

– Bem, nesse caso, que bom que fiz bastante – comentou ele, entregando-lhe uma xícara de café. – Você tem um belo lugarzinho aqui. Muito bem arrumado.

– Você gosta? – perguntou ela. O café estava mais forte e mais preto do que costumava prepará-lo. – Estou pensando em me mudar.

Suas próprias palavras a surpreenderam, mas, uma vez proferidas e soltas no ar, soaram verdadeiras. Uma luz comum incidia sobre o tapete marrom-escuro e o braço do sofá. Lá fora, a água caía dos beirais. Fazia anos que Caroline vinha economizando dinheiro, imaginando-se numa casa ou numa aventura, e agora ali estava: com um bebê no quarto, um estranho à mesa e o carro preso em Versailles.

– Estou pensando em ir para Pittsburgh – disse, tornando a se surpreender.

Al mexeu os ovos com uma espátula, depois os serviu nos pratos.

– Pittsburgh? Ótima cidade. O que a levaria para lá?

– Ah, minha mãe tinha parentes por lá – respondeu Caroline, enquanto Al punha os pratos na mesa e se sentava em frente a ela. Parecia não haver fim para as mentiras que uma pessoa era capaz de dizer, depois de começar.

– Sabe, andei pensando em lhe dizer que sinto muito... – comentou Al, com seus bondosos olhos escuros. – Pelo que quer que tenha acontecido com o pai do seu bebê.

Caroline quase se esquecera de ter inventado um marido, e por isso ficou surpresa ao ouvir na voz de Al que ele não acreditava que um dia tivesse havido algum. Ele a tomava por mãe solteira – deslumbrou-se. Os dois comeram sem falar muito, tecendo comentários de vez em quando sobre o tempo, o trânsito e o destino de Al, que era Nashville, no Tennessee.

– Nunca estive em Nashville – disse Caroline.

– Não? Bom, é só embarcar, você e a sua filhinha também – sugeriu Al. Era brincadeira, mas na brincadeira havia um oferecimento. Um oferecimento não a ela, realmente, mas a uma mãe solteira em apuros. Apesar disso, por um momento Caroline se imaginou saindo porta afora com suas caixas e cobertores e nunca mais olhando para trás.

– Da próxima vez, quem sabe – disse ela, pegando o café. – Tenho umas coisas para resolver aqui.

Al fez que sim.

– O.k. Sei como é isso.

– Mas obrigada. Agradeço pela idéia.

– É um enorme prazer – disse Al, a sério, e se levantou para ir embora.

Da janela, Caroline o viu andar até o caminhão, subir os degraus da cabine e se virar uma vez, para dar adeus da porta aberta. Ela retribuiu o aceno, feliz por ver-lhe o sorriso fácil e espontâneo e surpresa com o aperto em seu peito. Teve um impulso de correr atrás dele, ao lembrar a cama estreita na traseira da cabine, onde ele às vezes dormia, e de seu jeito de tocar a testa de Phoebe, com tanta delicadeza. Um homem que levava aquela vida solitária certamente seria capaz de guardar seus segredos e acolher seus sonhos e temores. Mas o motor pegou, a fumaça subiu do cano prateado da cabine e logo ele saiu com cuidado do estacionamento, entrou na rua sossegada e se foi.

• • •

Nas 24 horas seguintes, Caroline dormiu e acordou conforme os horários de Phoebe, ficando de pé apenas o tempo suficiente para comer. Era estranho: ela sempre fora criteriosa com as refeições, temendo os lanches indisciplinados como um sinal de excentricidade e solidão egocêntrica, mas, nessa ocasião e em horas disparatadas, comeu cereal direto da caixa e sorvete tirado da embalagem às colheradas, em pé, junto à bancada da cozinha. Era como se houvesse entrado numa zona crepuscular própria, num estado a meio caminho entre o sono e a vigília, no qual ela não tinha que considerar com muito rigor as conseqüências de suas decisões, o destino da neném que dormia na gaveta de sua cômoda nem tampouco o seu.

Na manhã de segunda-feira, ela levantou a tempo de ligar para o trabalho e dizer que estava doente. Ruby Centers, a recepcionista, atendeu o telefone.

– Tudo bem com você, querida? – perguntou ela. – Você está com uma voz terrível.

– É gripe, eu acho – disse Caroline. – É provável que eu falte uns dias. Alguma novidade por aí? – perguntou, tentando dar um tom displicente à voz. – A mulher do Dr. Henry teve o bebê?

– Bem, eu é que não sei – respondeu Ruby. Caroline a imaginou franzindo o cenho, pensativa, sua escrivaninha arrumada e pronta para o dia de trabalho, com um vasinho de flores de plástico num canto. – Ainda não chegou mais ninguém, exceto uns 100 pacientes. Parece que estão todos com o seu resfriado, Srta. Caroline.

No instante em que ela desligou o telefone houve uma batida na porta da frente. Lucy Martin, sem dúvida. Caroline ficou surpresa por ela haver demorado tanto.

Lucy usava um vestido com flores cor-de-rosa grandes e vivas, um avental com babados debruados de cor-de-rosa e chinelos felpudos. Quando a enfermeira abriu a porta, foi entrando direto, carregando metade de um pão de banana envolto em plástico.

Lucy tinha um coração de ouro, diziam todos, mas sua simples presença deixava Caroline com aflição nos dentes. Os bolos, tortas e pratos quentes de Lucy eram seu bilhete de entrada para o centro de todos os dramas: mortes e acidentes, nascimentos, casamentos e velórios. Havia qualquer coisa de errado com sua sofreguidão, uma estranha espécie de voyeurismo em sua necessidade de más notícias, e Caroline costumava procurar mantê-la à distância.

– Vi sua visita – disse Lucy, dando um tapinha no braço de Caroline. – Nossa! Que sujeito bonitão, hein? Mal pude esperar para saber do furo.

Lucy sentou-se no sofá-cama, já fechado. Caroline acomodou-se na poltrona. A porta do quarto, onde Phoebe dormia, estava aberta.

– Você não está doente, está, meu bem? – dizia Lucy. – Porque, pensando bem, nesse horário você costuma já ter saído há muito tempo, de manhã.

Caroline estudou o rosto ávido de Lucy, cônscia de que o que quer que dissesse correria rapidamente a cidade – de que, em dois ou três dias, alguém se aproximaria dela no mercado ou na igreja e perguntaria pelo estranho que passara a noite em seu apartamento.

– Aquele que você viu ontem à noite foi meu primo – disse ela prontamente, de novo surpresa com a facilidade súbita que tinha desenvolvido, com a fluência e a desenvoltura de suas mentiras. Elas lhe ocorriam completas, nem sequer a faziam pestanejar.

– Ah, eu estava *intrigada* – disse Lucy, com ar meio desapontado.

– Eu sei – fez Caroline. E então, num golpe preventivo que a deixou admirada, ao rememorá-lo depois, acrescentou: – Coitado do Al. A mulher dele está hospitalizada – e inclinou o corpo, chegando um pouco mais perto e baixando a voz. – É muito triste, Lucy. Ela só tem 25 anos, mas estão achando que talvez esteja com câncer no cérebro. Andava levando muitos tombos, e aí o Al a trouxe de Somerset para consultar o especialista. E eles têm uma nenenzinha. Por isso eu falei para ele ficar com ela no hospital dia e noite, se for preciso, e deixar a menina comigo. E acho que eles se sentiram à vontade com isso, por eu ser enfermeira. Espero que o choro dela não a tenha incomodado.

Por alguns instantes, a perplexidade emudeceu Lucy, e Caroline compreendeu o prazer – o poder – de um golpe desferido de supetão, vindo do nada.

– Coitados, coitadinhos do seu primo e da mulher dele! Que idade tem a neném?

– Só três semanas – disse Caroline, e então, inspirada, levantou-se. – Espere aqui.

Foi até o quarto e tirou Phoebe da gaveta da cômoda, mantendo-a bem enrolada nas cobertas.

– Não é linda? – perguntou, sentando-se ao lado de Lucy.

– Ah, é, sim. É uma gracinha! – falou Lucy, tocando uma das mãozinhas de Phoebe.

Caroline sorriu, sentindo uma onda inesperada de orgulho e prazer. Os traços que ela havia notado na sala de parto – os olhos rasgados, o rosto ligeiramente achatado – tinham se tornado tão familiares que ela mal os notava. Lucy, que não tinha o olhar treinado, nem sequer os enxergou. Phoebe se parecia com qualquer outro bebê – delicado, adorável, feroz em suas exigências.

– Adoro olhar para ela – confessou Caroline.

– Ah, aquela pobre mãezinha! – murmurou Lucy. – Eles têm esperança de que ela sobreviva?

– Ninguém sabe. O tempo dirá – respondeu Caroline.

– Eles devem estar arrasados.

– É. Estão, sim. Perderam completamente o apetite – confidenciou Caroline, prevenindo com isso a chegada de um dos famosos pratos de Lucy.

• • •

Nos dois dias seguintes, Caroline não saiu. O mundo chegava até ela sob a forma de jornais, entregas de compras, leiteiros e o som do trânsito. O tempo mudou e a neve se foi, tão súbito quanto havia chegado, cascateando pelas laterais dos prédios e desaparecendo nos ralos. Para Caroline, esses dias entrecortados fundiram-se vagamente numa sucessão de imagens e impressões ao acaso: a visão de seu Ford Fairlane, de bateria recarregada, sendo trazido para o estacionamento; a luz do sol vazando pelas janelas embaçadas; o cheiro penetrante de terra molhada; um tordo no comedouro dos pássaros. Ela teve seus momentos de preocupação, mas muitas vezes, sentada com Phoebe, surpreendeu-se ao se descobrir em perfeita paz. O que dissera a Lucy Martin era verdade: ela adorava olhar para a neném. Adorava sentar-se sob o sol e segurá-la no colo. Não, não podia se enamorar de Phoebe: ela era apenas uma parada temporária. Na clínica, Caroline havia observado David Henry um número suficiente de vezes para confiar em sua compaixão. Naquela noite em que ele levantara a cabeça da escrivaninha e a fitara, ela vira em seus olhos uma capacidade infinita de bondade. Não tinha dúvida de que o médico faria a coisa certa, uma vez que superasse o choque.

Toda vez que o telefone tocava, ela levava um susto. Mas três dias se passaram sem uma única palavra dele.

Na manhã de quinta-feira bateram na porta. Caroline apressou-se a atender, ajeitando o cinto do vestido e o cabelo. Mas era apenas um entregador, trazendo um vaso de flores: tons de vermelho-escuro e rosa pálido, em meio a uma nuvem de cravos-de-amor. Vinham de Al. *Muito obrigado pela hospitalidade*, escrevera ele no cartão. *Talvez eu a reveja em minha próxima passada.*

Caroline levou-as para dentro e as colocou na mesinha de centro. Agitada, pegou o exemplar de *The Leader*, que passara dias sem ler, tirou o elástico e folheou as matérias, sem realmente entender nenhuma delas. Uma escalada da tensão no Vietnã, notícias sociais sobre quem oferecera recepções a quem na semana anterior, uma página com mulheres do lugar servindo de modelos para os novos chapéus de primavera. Caroline estava prestes a largar o jornal quando um quadrado de bordas pretas captou sua atenção.

*Ofício fúnebre em homenagem*
*à nossa amada filha,*
*Phoebe Grace Henry,*
*nascida e falecida em 7 de março de 1964.*
*Igreja Presbiteriana de Lexington,*
*sexta-feira, 13 de março de 1964, às 9h.*

Caroline sentou-se, devagar. Releu as palavras uma vez, depois outra. Chegou até a tocá-las, como se, de algum modo, isso pudesse torná-las mais claras, explicáveis. Ainda com o jornal na mão, levantou-se e foi até o quarto. Phoebe dormia em sua gaveta, com um bracinho pálido estendido sobre as cobertas. Nascida e falecida. Caroline voltou à sala e telefonou para o consultório. Ruby atendeu ao primeiro toque.

– Imagino que você não venha, não é? – perguntou ela. – Isto aqui está um hospício. Parece que todas as pessoas da cidade estão gripadas – e baixou a voz. – Você soube, Caroline? Sobre o Dr. Henry e os bebês? Eles tiveram gêmeos, afinal. O garotinho está ótimo, é um encanto. Mas a menina morreu no parto. Uma tristeza.

– Li a notícia no jornal – disse Caroline, com o queixo e a língua enrijecidos. – Será que você pode pedir ao Dr. Henry para me telefonar? Diga-lhe que é importante. Eu vi o jornal – repetiu. – Diga isso a ele, sim, Ruby?

Desligou e ficou sentada, olhando fixo para o estacionamento lá fora.

Uma hora depois, ele bateu na porta.

– Bem – fez a enfermeira, convidando-o a entrar.

David Henry entrou e se sentou no sofá, com as costas encurvadas, girando o chapéu na mão. Caroline sentou-se na poltrona em frente, observando-o como se nunca o tivesse visto.

– Foi a Norah quem pôs o anúncio – explicou ele. Quando David ergueu os olhos, Caroline sentiu-se invadir por uma onda de comiseração, a despeito de si mesma, pois ele tinha o cenho franzido e os olhos injetados, como se não dormisse fazia dias. – Ela fez isso sem falar comigo.

– Mas ela pensa que a filha morreu – contrapôs Caroline. – Foi isso que o senhor lhe disse?

Ele assentiu com um lento aceno da cabeça.

– Eu pretendia contar-lhe a verdade. Mas, quando abri a boca, não consegui. Naquele momento, achei que a estava poupando do sofrimento.

Caroline pensou em suas próprias mentiras, fluindo uma após outra.

– Não a deixei em Louisville – informou, baixinho. Acenou com a cabeça para a porta do quarto. – Ela está ali. Dormindo.

David Henry ergueu os olhos. Caroline inquietou-se, porque o rosto dele ficou branco; ela nunca o vira tão abalado assim.

– Por que não? – perguntou o médico, à beira da raiva. – Por que é que não?

– O senhor já esteve naquele lugar? – retrucou ela, recordando a moça pálida cujo cabelo caía no linóleo frio. – Já viu aquele lugar?

– Não – foi a resposta. David franziu o cenho. – O lugar foi muito bem recomendado, só isso. Já encaminhei outras pessoas para lá, no passado. Não tive nenhuma informação negativa.

– Era terrível – disse Caroline, aliviada. Então, ele não sabia o que estava fazendo. Ela continuava com vontade de odiá-lo, mas se lembrou das muitas noites em que ele ficara na clínica para cuidar de pacientes que não podiam pagar pelo atendimento de que precisavam. Pacientes vindos do interior, das montanhas, que faziam a árdua viagem para Lexington, com pouco dinheiro e grandes esperanças. Os outros sócios da clínica não gostavam, mas o Dr. Henry sempre os atendia. Não era um homem mau, ela sabia. Não era um monstro. Mas aquilo – um ofício fúnebre para uma criança viva –, aquilo era monstruoso.

– O senhor tem que contar a ela – insistiu.

O rosto de David estava pálido, imóvel, mas resoluto.

– Não – retrucou. – Agora é tarde demais. Faça o que tiver que fazer, Caroline, mas não posso contar a ela. Não vou contar.

Era estranho: Caroline sentiu enorme aversão por ele depois dessas palavras, mas, naquele momento, também sentiu a maior intimidade que já tivera com qualquer pessoa. Agora os dois estavam juntos numa coisa colossal e, houvesse o que houvesse, sempre estariam. Ele pegou a mão da enfermeira, o que lhe pareceu natural, correto. Levou-a aos lábios e a beijou. Caroline sentiu nos nós dos dedos a pressão de seus lábios e, na pele, o calor de sua respiração.

Se houvesse uma expressão calculista no rosto de David quando ele ergueu os olhos, se houvesse algo menor que uma confusão sofrida quando ele lhe soltou a mão, ela teria feito a coisa certa. Teria apanhado o telefone e ligado para o Dr. Bentley, ou para a polícia, e teria confessado tudo. Mas havia lágrimas nos olhos do médico.

– Está em suas mãos – disse ele, soltando-a. – Deixo a seu critério. Acho que o asilo em Louisville é o lugar certo para essa criança. Não tomei essa decisão levianamente. Ela vai precisar de uma assistência médica que não poderá receber em outro lugar. Mas, o que quer que você tenha que fazer, eu respeitarei sua decisão. E, se optar por chamar as autoridades, assumirei a culpa. Não haverá nenhuma conseqüência para você, eu prometo.

Ele tinha a expressão carregada. Pela primeira vez, Caroline pensou além do imediato, além do bebê no quarto ao lado. Até aquele momento, não lhe ocorrera realmente que a carreira de ambos corria perigo.

– Não sei – disse ela, devagar. – Tenho que pensar. Não sei o que fazer.

David puxou a carteira e a esvaziou. Trezentos dólares. Caroline ficou chocada ao ver que ele carregava uma soma tão grande.

– Não quero seu dinheiro – disse.

– Não é para você. É para a menina.

– Phoebe. O nome dela é Phoebe – disse Caroline, afastando as notas. Pensou na certidão de nascimento, que ficara em branco, a não ser pela assinatura de David Henry, em sua pressa naquela manhã de nevasca. Seria muito fácil datilografar o nome de Phoebe e o dela própria.

– Phoebe – ele repetiu. Levantou-se para sair, deixando o dinheiro na mesa. – Por favor, Caroline, não faça nada sem primeiro me dizer. É a única coisa que eu lhe peço. Que você me avise, seja qual for a sua decisão.

Em seguida, retirou-se, e tudo voltou a ser como antes: o relógio no console da lareira, o quadrado de luz no chão, as sombras nítidas dos galhos nus. Em poucas semanas haveria folhas novas, abrindo-se em plumas nas árvores e modificando as formas nos pisos. Ela já vira tudo aquilo inúmeras vezes, mas, nesse momento, o cômodo lhe pareceu estranhamente impessoal, como se ela nunca houvesse morado ali. Ao longo dos anos, Caroline comprara pouquíssimas coisas para si, sendo frugal por natureza e sempre imaginando que sua verdadeira vida aconteceria noutro lugar. O sofá de tecido xadrez, a poltrona combinando – sim, ela gostava bastante desses móveis, escolhera-os pessoalmente, mas percebeu então que os deixaria sem dificuldade. Deixaria tudo, supôs, correndo os olhos pelas gravuras emolduradas de paisagens, pelo porta-revistas de vime junto ao sofá, pela mesinha baixa de centro. De repente, seu apartamento pareceu-lhe tão impessoal quanto uma sala de espera de qualquer clínica da cidade. E, afinal, o que mais ela fizera ali, em todos aqueles anos, senão esperar?

Tentou silenciar os pensamentos. Com certeza, devia haver outro caminho menos dramático. Era o que teria dito sua mãe, balançando a cabeça e lhe dizendo para não bancar a Sarah Bernhardt. Caroline passara anos sem saber quem era Sarah Bernhardt, mas entendia com bastante clareza o que a mãe queria dizer: qualquer excesso de emoção era ruim, perturbava a ordem serena de seus dias. E, assim, Caroline havia guardado todas as suas emoções, como quem guarda um casaco. Deixara-as de lado e imaginara que depois as recuperaria, mas é claro que nunca o tinha feito, não até receber a neném dos braços do Dr. Henry. E assim havia começado alguma coisa, e agora ela não podia detê-la. Duas sensações gêmeas a perpassaram: medo e excitação. Ela poderia deixar esse lugar nesse mesmo dia. Poderia começar vida nova em algum outro local. Teria que fazê-lo, de qualquer modo, independentemente do que decidisse a respeito do bebê. A cidade era pequena; Caroline não poderia ir ao mercado sem deparar com um conhecido. Imaginou os olhos de Lucy Martin arregalados, seu prazer secreto em relatar as mentiras de Caroline, em falar de sua afeição por essa criança descartada. *Pobre solteirona*, diriam as pessoas a seu respeito, *tão desesperada para ter seu próprio filho*.

*Está em suas mãos, Caroline.* E o rosto dele envelhecera, crispado como uma noz.

• • •

Na manhã seguinte, Caroline acordou cedo. Fazia um lindo dia e ela abriu as janelas, deixando entrar o ar fresco e o aroma da primavera. Phoebe havia acordado duas vezes durante a noite e, enquanto ela dormia, Caroline havia empacotado e transportado suas coisas para o carro, na escuridão. Possuía muito pouco, como constatou – só umas poucas malas, que caberiam facilmente no bagageiro e no banco traseiro do Fairlane. Na realidade, ela poderia partir para a China, a Birmânia ou a Coréia, sendo avisada com um minuto de antecedência. Isso lhe agradava. Também estava satisfeita com sua eficiência. Até o meio-dia da véspera havia tomado todas as providências: uma instituição beneficente buscaria a mobília; uma firma de serviços de limpeza e conservação cuidaria do apartamento. Ela mandara suspender o fornecimento de energia e outros serviços e enviara cartas aos bancos, solicitando o encerramento de suas contas.

Caroline esperou, tomando café, até ouvir a porta bater lá embaixo e o motor do carro de Lucy roncar, ganhando vida. Rapidamente, pegou Phoebe e parou por um instante à porta do apartamento em que havia passado tantos anos esperançosos, anos que agora lhe pareciam efêmeros, como se nunca tivessem acontecido. Em seguida, fechou a porta com firmeza e desceu a escada.

Colocou Phoebe em sua caixa no banco traseiro e tomou o rumo do centro da cidade, passando pela clínica, com suas paredes turquesa e seu telhado laranja, pelo banco, pela lavanderia a seco e por seu posto de gasolina favorito. Ao chegar à igreja, estacionou na rua e deixou Phoebe dormindo no carro. O grupo reunido no pátio era maior do que ela havia esperado, e Caroline parou a meia distância, perto o bastante para ver a nuca de David Henry, avermelhada pelo frio, e o cabelo louro de Norah Henry, preso num coque formal. Ninguém a notou. Seus saltos afundaram na lama na beira da calçada. Ela apoiou o peso do corpo nos dedos dos pés, relembrando os cheiros rançosos da instituição para onde o Dr. Henry a mandara na semana anterior. Relembrando a mulher de camisola, com o cabelo escuro caindo no chão.

As palavras vagaram pelo sereno ar matinal.

*Tão clara é a noite quanto o dia; as trevas e a luz são iguais para Ti.*

Caroline havia trabalhado em todo e qualquer horário. Comera bolachas à janela da cozinha, em pé, no meio da madrugada. Seus dias e suas noites tinham se tornado indistinguíveis, estilhaçando de uma vez por todas os padrões reconfortantes de sua vida.

Norah Henry enxugou os olhos com um lenço de renda. Caroline lembrou-se do aperto de sua mão ao expulsar um bebê, depois outro, e das lágrimas em seus olhos, também naquele momento. Isso a destruiria, declarara David Henry. E o que aconteceria se Caroline desse um passo à frente agora levando no colo o bebê perdido? E se interrompesse aquele luto, apenas para introduzir muitos outros?

*Diante de Ti puseste as nossas iniqüidades e os nossos pecados ocultos à luz do Teu rosto.*

David Henry se remexia enquanto o pastor falava. Pela primeira vez, Caroline compreendeu no próprio corpo o que estava prestes a fazer. Sua garganta apertou-se e a respiração ficou mais curta. Era como se o cascalho lhe pressionasse os pés através dos sapatos, e o grupo reunido no pátio tremeu diante de seus olhos, e ela achou que ia cair. Muito séria, pensou consigo mesma, ao ver as longas pernas de Norah se dobrarem, tão graciosas, ajoelhando de repente na lama. O vento bateu no véu curto de Norah e lhe repuxou o chapeuzinho sem aba.

*Pois as coisas que se vêem são transitórias, mas as coisas invisíveis são eternas.*

Caroline observou a mão do pastor e, quando ele voltou a falar, as palavras, embora quase indistintas, pareceram dirigir-se não a Phoebe, mas a ela própria, com uma espécie de caráter final e irreversível.

*Aos elementos entregamos seu corpo, da terra à terra, das cinzas às cinzas, do pó ao pó. Que o Senhor a abençoe e guarde, que o Senhor faça brilhar Seu rosto sobre ela e lhe conceda a paz.*

A voz fez uma pausa, o vento mexeu-se nas árvores e Caroline se recompôs, enxugou os olhos com o lenço e sacudiu depressa a cabeça. Deu meia-volta e foi para o carro, onde Phoebe continuava a dormir, com uma pequena réstia de luz solar pousada em seu rosto.

Em todo fim, portanto, havia um começo. Pouco depois, Caroline dobrou a esquina da fábrica de monumentos, com suas fileiras de lápides, e rumou para a rodovia interestadual. Não seria mau agouro ter uma fábrica de lajes sepulcrais marcando a entrada de uma cidade? Mas, logo em seguida, ela deixou tudo isso para trás e, ao chegar à bifurcação da rodovia, escolheu o rumo norte, em direção a Cincinnati e, depois, Pittsburgh, seguindo o rio Ohio até o local em que o Dr. Henry vivera parte de seu misterioso passado. A outra estrada, para Louisville e o Asilo para Débeis Mentais, desapareceu no espelho retrovisor.

Caroline dirigia depressa, sentindo-se imprudente, com o coração repleto de uma empolgação viva como o dia. Porque, na verdade, que importância teriam os maus presságios naquele momento? Afinal, aos olhos do mundo, a criança que seguia a seu lado já estava morta. E ela, Caroline Gill, estava desaparecendo da face da Terra, processo que a deixava sentindo-se leve, mais leve, como se o próprio carro houvesse começado a flutuar sobre os campos tranqüilos do sul de Ohio. Em toda aquela tarde ensolarada, viajando para o norte e para o leste, Caroline sentiu absoluta confiança no futuro. E por que não sentiria? Afinal, se aos olhos do mundo o pior já lhes havia acontecido, então, com certeza, era o pior que elas estavam deixando para trás.

# 1965

# FEVEREIRO DE 1965

DESCALÇA, NORAH SE EQUILIBRAVA PRECARIAMENTE NUM BANQUINHO NA sala de jantar, prendendo fitas cor-de-rosa no lustre de bronze. Tiras de corações de papel, em tons de rosa e magenta, pendiam acima da mesa, com as pontas roçando na porcelana do casamento, com suas flores vermelho-escuras e seus frisos dourados, na toalha de renda e nos guardanapos de linho. Enquanto ela trabalhava, o aquecedor zumbia e tiras de papel crepom eram sopradas no ar, resvalando em sua saia e tornando a cair delicadamente no piso, farfalhantes.

Paul, com 11 meses, estava sentado a um canto, ao lado de uma velha cesta de palha cheia de cubos de madeira. Mal havia aprendido a andar e, durante a tarde inteira, divertira-se passeando pela nova casa, batendo os pezinhos com seu primeiro par de sapatos. Cada cômodo era uma aventura. Ele deixara cair pregos nas aberturas do sistema de calefação, encantado com o eco que eles produziam. Havia arrastado pela cozinha um saco de mistura para rejuntamento, deixando à sua passagem uma trilha branca e estreita. Agora, de olhos arregalados, observava as fitas decorativas, belas e esquivas como borboletas; apoiou-se numa cadeira para ficar de pé e partiu no encalço delas, com passos trôpegos. Segurou uma fita cor-de-rosa e puxou, balançando o lustre. Depois, perdeu o equilíbrio e caiu sentado. Atônito, começou a chorar.

– Ah, amorzinho – disse Norah, descendo da banqueta para pegá-lo no colo. – Passou, passou – murmurou para o filho, deslizando a mão sobre seu cabelo macio e escuro.

Do lado de fora, um par de faróis piscou e desapareceu e ouviu-se a batida de uma porta de automóvel. Ao mesmo tempo, o telefone começou a tocar. Norah levou Paul à cozinha e tirou o fone do gancho no exato momento em que alguém batia à porta.

– Alô? – disse. Encostou os lábios na testa de Paul, úmida e delicada, enquanto se esforçava para ver de quem era o carro na entrada da garagem. Bree não era esperada em menos de uma hora. – Nenenzinho querido – sussurrou. Depois, repetiu ao telefone: – Alô?

– Sra. Henry?

Era a enfermeira do novo consultório de David – ele passara a integrar a equipe do hospital um mês antes –, uma mulher que Norah nunca havia encontrado. Sua voz era calorosa e grave: Norah a imaginava de meia-idade, robusta e sólida, com o cabelo preso num cuidadoso penteado bolo-de-noiva. Caroline Gill – que lhe havia segurado a mão durante as ondas de contrações, e cujos olhos azuis de expressão firme estavam inextricavelmente ligados, para Norah, àquela agitada noite de nevasca – havia simplesmente desaparecido. Um mistério e um escândalo.

– Sra. Henry, é Sharon Smith. O Dr. Henry foi chamado para uma cirurgia de emergência, bem na hora, eu juro, em que estava saindo pela porta e indo para casa. Houve um acidente terrível perto da Estrada Leestown. Adolescentes, a senhora sabe como é; estão muito feridos. O Dr. Henry me pediu para telefonar. Chegará em casa assim que puder.

– Ele disse quanto tempo vai demorar? – perguntou Norah. O ar recendia a lombinho assado, chucrute e batatas de forno: a refeição favorita de David.

– Não. Mas dizem que foi uma batida terrível. Cá entre nós, meu bem, pode ser que leve horas.

Norah balançou a cabeça. Ao longe, a porta de entrada abriu e fechou. Houve um som de passos, leves e conhecidos, no saguão, na sala de estar e na sala de jantar: Bree, chegando cedo para buscar Paul e deixar Norah e David a sós nessa véspera do Dia dos Namorados, seu aniversário de casamento.

O projeto de Norah, sua surpresa, seu presente para ele.

– Obrigada – disse à enfermeira, antes de desligar. – Obrigada por ter telefonado.

Bree entrou na cozinha, trazendo consigo o cheiro da chuva. Sob a capa comprida, usava botas pretas até os joelhos, e suas coxas longas e brancas desapareciam na saia mais curta que Norah já tinha visto. Os brincos prateados, engastados de turquesas, dançavam com a luz. Ela viera direto do trabalho – gerenciava o escritório de uma estação de rádio local – e tinha a bolsa carregada de jornais e livros das aulas que vinha freqüentando.

– Uau! – exclamou Bree, pondo a bolsa na bancada e estendendo os braços para

Paul. – Está tudo lindo, Norah. Mal posso acreditar no que você fez com a casa em tão pouco tempo.

– Ela tem me mantido ocupada – concordou Norah, pensando nas semanas que gastara descolando o papel de parede com vapor e aplicando novas demãos de tinta. Ela e David tinham decidido mudar-se, achando que, tal como o novo emprego dele, isso os ajudaria a deixar o passado para trás. Norah, que não desejava outra coisa, entregara-se de corpo e alma a esse projeto. Mas não tinha sido tão útil quanto ela havia esperado: muitas vezes, sua sensação de perda ainda se agitava, como chamas emergindo de brasas. Só neste último mês, em duas ocasiões ela havia contratado uma babá para Paul e deixado a casa para lá, com seus remates parcialmente pintados e seus rolos de papel de parede. Dirigira muito depressa pelas estreitas estradas rurais até o cemitério particular, assinalado por um portão de ferro batido, onde sua filha fora sepultada. As lápides eram baixas, algumas muito antigas e quase alisadas pelo desgaste. A de Phoebe era simples, feita de granito cor-de-rosa, com as datas de sua curta vida entalhadas a fundo sob seu nome. Na árida paisagem de inverno, com o vento a lhe açoitar o cabelo, Norah havia ajoelhado na grama gelada e quebradiça de seu sonho. Ficara quase paralisada de tristeza, enlutada demais até para chorar. Mas tinha passado horas ali, antes de finalmente se levantar, sacudir a roupa e ir para casa.

Nesse momento, Paul brincava com Bree, tentando puxar-lhe o cabelo.

– Sua mamãe é incrível – disse Bree ao menino. – Ultimamente, ela anda um perfeito exemplo de prendas do lar, não é? Não, amorzinho, os brincos não – acrescentou, segurando a mãozinha de Paul.

– Prendas do lar? – repetiu Norah, com a raiva subindo à cabeça como uma onda. – Que quer dizer com isso?

– Eu não quis dizer nada – respondeu Bree, que fazia caretas bobas para Paul e, nesse momento, ergueu os olhos, surpresa. – Puxa, francamente, Norah!

– Prendas do lar? – insistiu ela. – Eu só queria que as coisas ficassem bonitas no meu aniversário de casamento. Que há de errado nisso?

– Nada – suspirou Bree. – Está tudo lindo. Não foi o que eu acabei de dizer? E estou aqui para bancar a babá, lembra-se? Por que você está tão zangada?

Norah fez um aceno com a mão.

– Deixa pra lá. Ora, droga, deixa pra lá. David está em cirurgia.

Bree esperou um segundo antes de dizer:

– Logo vi.

Norah ia começar a defendê-lo, mas parou. Levou as mãos ao rosto.

– Ah, Bree, por que hoje?

– É um horror – concordou a irmã. O rosto de Norah ficou tenso, ela sentiu os lábios se comprimirem num muxoxo e Bree riu. – Ora, vamos, seja franca. Talvez não seja culpa do David. Mas isso é exatamente o que você acha, não é?

– *Não é* culpa dele – fez Norah. – Houve um acidente. Mas está certo. Você tem razão. É, é o fim da picada. É absolutamente o fim da picada, está bem?

– Eu sei – disse Bree, com a voz surpreendentemente meiga. – É uma droga mesmo. Sinto muito, maninha – e sorriu. – Olhe, eu trouxe um presente para você e o David. Talvez ele a anime.

Bree trocou Paul de braço e vasculhou sua gigantesca sacola acolchoada, tirando livros, uma barra de chocolate, uma pilha de folhetos sobre uma passeata próxima, óculos escuros numa caixa de couro surrada e, por último, uma garrafa de vinho, que cintilou como cristal quando ela serviu uma taça para cada uma.

– Ao amor – brindou, entregando uma taça a Norah e erguendo a outra. – À felicidade e ao paraíso eternos.

As duas riram juntas e beberam um gole. O vinho tinha o tom escuro das bagas e um vago aroma de carvalho. A chuva escorria das calhas. Anos depois, Norah se lembraria dessa noite, da amarga decepção e de Bree trazendo símbolos tremeluzentes de um outro mundo: suas botas brilhantes, seus brincos, sua energia, que era uma espécie de luz. Como eram bonitas essas coisas para Norah, e como eram distantes, inatingíveis! Depressão: anos depois, ela compreenderia a luz pardacenta em que habitava, mas ninguém falava disso em 1965. Ninguém sequer o considerava. Certamente não em relação a Norah, que tinha sua casa, seu bebê, seu marido médico. Esperava-se que vivesse feliz.

– Ei, a sua antiga casa já foi vendida? – perguntou Bree, colocando a taça na bancada. – Vocês resolveram aceitar a oferta?

– Não sei – disse Norah. – A oferta é menor do que esperávamos. David quer aceitar, só para acabar com isso, mas não sei. Era nossa casa. Ainda detesto a idéia de me desfazer dela.

Pensou em sua primeira casa, às escuras e vazia, com uma placa de VENDE-SE fincada no jardim, e, para ela, foi como se o mundo houvesse se tornado muito frágil. Norah apoiou-se na bancada para se equilibrar e tomou outro gole de vinho.

– E como anda a sua vida amorosa, ultimamente? – perguntou, mudando de assunto. – Como vão as coisas com aquele sujeito com quem você estava saindo, como era o nome dele... Jeff?

– Ah, aquele – fez Bree. Uma expressão melancólica perpassou-lhe o rosto e ela sacudiu a cabeça, como que para desanuviá-la. – Não lhe contei? Há umas duas semanas, cheguei em casa e o encontrei na cama, na *minha* cama, com uma doce jovenzinha que trabalhou conosco na campanha para a prefeitura.

– Oh! Sinto muito.

Bree balançou a cabeça.

– Não se incomode. Não é como se eu o amasse nem nada. É só que funcionávamos bem juntos, sabe? Eu achava, pelo menos.

– Você não o amava? – repetiu Norah, ouvindo e detestando o tom desaprovador de sua mãe saindo de sua própria boca. Ela não queria ser aquela pessoa que tomava xícaras de chá na casa bem arrumada e silenciosa de sua infância. Mas também não queria ser a pessoa em que parecia estar se transformando, largada pelo luto num mundo que não fazia sentido.

– Não – disse Bree. – Não, não amava, embora tivesse achado que poderia, durante algum tempo. Mas isso já nem vem ao caso. A questão é que ele transformou tudo o que tínhamos num chavão. Isso é o que eu detesto mais do que tudo, fazer parte de um chavão.

Bree pôs a taça vazia na bancada e passou Paul para o outro braço. Seu rosto sem maquiagem era delicado, de belos ossos; as faces e os lábios coloriam-se de um rosa pálido.

– Eu não poderia viver como você – comentou Norah. Desde o nascimento de Paul, desde a morte de Phoebe, ela sentia necessidade de manter uma vigília constante, como se um segundo de desatenção pudesse abrir as portas para a desgraça. – Eu simplesmente não conseguiria... romper todas as regras. Jogar tudo para o alto.

– O mundo não acaba – disse Bree, tranqüila. – É incrível, mas não acaba mesmo.

Norah balançou a cabeça.

– Pode acabar. A qualquer momento, alguma coisa pode acontecer.

– Eu sei. Eu sei, meu bem – disse Bree.

A irritação anterior de Norah foi varrida para longe por uma súbita onda de gratidão. Bree sempre escutaria e responderia, não pediria senão a verdade de sua experiência.

– Você tem razão, Norah, tudo pode acontecer, a qualquer momento. Mas as coisas que correm mal não são culpa sua. Você não pode passar o resto da vida pisando em ovos, tentando evitar os desastres. Não funciona. Você só acabará perdendo a vida que tem.

Norah não tinha resposta para isso, de modo que estendeu os braços para Paul, que se contorcia no colo de Bree, com fome, com seu cabelo comprido – comprido demais, mas Norah não suportava a idéia de cortá-lo – balançando de leve toda vez que ele se mexia, como se estivesse embaixo d'água.

Bree serviu mais vinho para as duas e pegou uma maçã na fruteira da bancada. Norah cortou pedacinhos de queijo, pão e banana e os espalhou na bandeja da cadeirinha de refeições de Paul. Bebericou vinho enquanto cuidava disso. Aos poucos, o mundo a seu redor meio que clareou, ficou mais vívido. Ela notou as mãozinhas de Paul, como estrelas-do-mar, espalhando cenouras no cabelo. A lâmpada da cozinha lançava sombras pela balaustrada da varanda dos fundos, desenhando na grama listras de escuridão e luz.

– Comprei uma máquina fotográfica para o David, pelo nosso aniversário – disse Norah, desejando poder captar esses instantes fugazes, guardá-los para sempre. – Ele anda trabalhando muito, desde que aceitou esse novo emprego. Precisa de uma distração. Nem acredito que tenha que trabalhar esta noite.

– Sabe de uma coisa? – disse Bree. – Por que eu não levo o Paul, de qualquer maneira? Quero dizer, quem sabe se o David não chega cedo o bastante para jantar? E daí, se for à meia-noite? Por que não? Nesse caso, vocês poderiam pular o jantar, tirar os pratos e fazer amor na mesa da sala.

– Bree!

Bree riu.

– Por favor, Norah! Eu adoraria levá-lo.

– Ele precisa de um banho – disse Norah.

– Tudo bem. Prometo não deixar que ele se afogue na banheira.

– Não tem graça. Não tem graça nenhuma – retrucou Norah.

Mas acabou concordando, e embalou as coisas de Paul. O cabelo macio do filho encostado em seu rosto, seus grandes olhos escuros a fitá-la, sérios, enquanto Bree o carregava porta afora, e pronto, lá se foi ele. Da janela, Norah ficou vendo as luzes traseiras do carro de Bree desaparecerem na rua, levando embora seu filho. Foi o que pôde fazer para se impedir de correr atrás deles. Como é que alguém podia deixar uma criança crescer e sair por aquele mundo perigoso e imprevisível? Ela ficou parada vários minutos, os olhos fixos na escuridão. Depois, foi até a cozinha, onde cobriu o lombo assado com papel-alumínio e apagou o forno. Eram sete horas. A garrafa de vinho trazida por Bree estava quase vazia. Na cozinha, tão silenciosa que dava para ouvir o tique-taque do relógio, Norah abriu outra garrafa, cara e francesa, que havia comprado para o jantar.

A casa estava muito quieta. Será que ela havia ficado sozinha, uma vez que fosse, desde o nascimento de Paul? Achava que não. Tinha evitado esses momentos de solidão, momentos de calmaria em que pudessem surgir idéias sobre sua filha morta. O ofício fúnebre, realizado no pátio da igreja, sob a luz inclemente do sol novo de março, havia ajudado, mas às vezes, inexplicavelmente, Norah ainda tinha a sensação da presença da filha, como se pudesse virar-se e vê-la na escada, ou parada lá fora, no jardim.

Apoiou a palma da mão na parede e sacudiu a cabeça, para desanuviá-la. Depois, com a taça na mão, andou pela casa, com os passos soando ocos sobre os pisos recém-encerados, inspecionando o trabalho que fizera. Lá fora, a chuva caía sem parar, embaçando as luzes do outro lado da rua. Norah lembrou-se de outra noite, da neve rodopiante. David a segurara pelo cotovelo, ajudando-a a vestir o velho casaco verde, que agora estava um farrapo, mas do qual ela não conseguia se desfazer. O casaco ficara aberto sobre sua barriga protuberante e os olhos dos dois haviam se encontrado. David estava muito preocupado, muito sério, eletrizado pelo nervosismo; naquele momento, Norah tivera a sensação de conhecê-lo tão bem quanto a si mesma.

No entanto, tudo havia mudado. David tinha mudado. À noite, quando se sentava ao lado dela no sofá, examinando suas revistas, já não estava realmente presente. Antigamente, no tempo em que ela era telefonista interurbana, Norah costumava tocar as chaves frias e os botões de metal da mesa telefônica, ouvir a campainha distante, o clique da ligação. *Um momento, por favor*, dizia, e as palavras ecoavam, retardavam-se; as pessoas falavam uma vez e paravam, deixando revelar-se a noite erma e estática que havia entre elas. Às vezes, Norah escutava o encontro das vozes de pessoas que jamais conheceria, transmitindo suas notícias formais e emocionadas: de nascimentos ou casamentos, doenças ou mortes. Ela sentia a noite tenebrosa daquelas distâncias e o poder que havia em sua capacidade de fazê-las desaparecer.

Mas era um poder que Norah tinha perdido – pelo menos agora, e no que havia de mais importante. Às vezes, mesmo depois de os dois se amarem no meio da noite, ainda enlaçados, um coração batendo contra o outro, ela olhava para David e sentia os ouvidos se encherem do bramido obscuro e distante do universo.

Passava de oito horas. O mundo se abrandara em suas arestas. Ela voltou à cozinha e parou junto ao fogão, beliscando o lombinho ressecado. Comeu uma das batatas, direto da panela, amassando-a no molho com o garfo. Os brócolis com queijo haviam coalhado e começavam a ressecar; Norah também os provou. A comida queimou-lhe a boca e ela estendeu a mão para a taça. Vazia. Bebeu um copo d'água, de pé diante da pia, depois outro, apoiando-se na beira da bancada, porque o mundo oscilava muito. *Estou bêbada*, pensou, surpresa e levemente satisfeita consigo mesma. Nunca havia se embriagado, embora Bree, uma vez, tivesse voltado de um baile e vomitado em todo o linóleo. Alguém havia "batizado" seu ponche, ela dissera à mãe, mas confessara tudo a Norah: a garrafa num saco de papel pardo e as amigas reunidas nos arbustos, com a respiração desenhando nuvenzinhas nítidas na noite.

O telefone parecia estar muito longe. Ao andar, Norah sentiu-se estranha, como se flutuasse, meio fora de si. Apoiou uma das mãos no batente da porta e discou com a outra, segurando o fone entre o ombro e o ouvido. Bree atendeu ao primeiro toque.

– Eu sabia que era você – disse. – Paul está bem. Lemos um livro, tomamos um banho, e agora ele está dormindo a sono solto.

– Ah, que bom. Sim, que maravilha – fez Norah. Havia pretendido falar com Bree sobre esse mundo tremeluzente, mas, de algum modo, agora ele parecia privado demais, um segredo.

– E você? – perguntou a irmã. – Está tudo bem?

– Tudo bem – disse Norah. – David ainda não chegou, mas eu estou bem.

Desligou depressa, serviu-se de outra taça de vinho e foi até a varanda, onde ergueu o rosto para o céu. Pairava uma leve neblina no ar. Agora, o vinho parecia percorrê-la como o calor ou a luz, espalhando-se por seus membros até as pontas dos dedos das mãos e dos pés. Quando ela se virou, de novo seu corpo pareceu flutuar por um instante, como se ela deslizasse para fora de si. Norah lembrou-se do carro percorrendo as ruas cobertas de gelo, como que saindo do chão, rabeando ligeiramente antes que David conseguisse controlá-lo. As pessoas tinham razão: ela não conseguia lembrar-se das dores do parto, mas nunca se esquecera daquela sensação, no carro, do mundo escorregando, girando, e de suas mãos segurando com força o painel frio, enquanto David, metódico, parava em todos os sinais luminosos.

*Onde estaria ele,* perguntou-se, com lágrimas súbitas nos olhos, *e por que se casara com ele, afinal? Por que ele a havia desejado tanto?* No turbilhão das semanas depois de eles se conhecerem, David estivera todos os dias em seu apartamento, oferecendo-lhe rosas, jantares e passeios pelo campo. Na noite de Natal, a campainha havia tocado e ela fora atender, usando seu roupão velho, esperando que fosse Bree. Em vez disso, ao abrir a porta, tinha deparado com David, o rosto ruborizado pelo frio e caixas embaladas em cores vivas nos braços. Era tarde, dissera, ele sabia disso, mas será que ela o acompanharia num passeio de carro?

*Não*, ela havia respondido, *Você é doido!*, mas rira o tempo todo daquela maluquice, dera um passo atrás e o deixara entrar, aquele homem em seu degrau, carregado de flores e presentes. Norah ficara admirada, envaidecida e meio perplexa. Tinha havido momentos – ao ver outras moças saírem para as festas dos grêmios estudantis femininos, ou sentada em sua banqueta na sala sem janelas da companhia telefônica, enquanto as colegas planejavam suas cerimônias de casamento até o último aplique de flores e a última balinha de hortelã da recepção – em que Norah, muito calma e reservada, tinha achado que ficaria solteira pelo resto da vida. No entanto, lá estava David, bonito, médico, parado à porta de seu apartamento, dizendo: *Venha, por favor, há uma coisa especial que eu quero lhe mostrar.*

Era uma noite clara, com estrelas vívidas no céu. Norah sentara-se no amplo banco dianteiro de vinil do antigo carro de David. Usava um vestido vermelho de lã e se sentia bonita, naquele ar muito frio, com as mãos de David no volante e o carro percorrendo a escuridão, atravessando o frio, enveredando por estradas cada vez mais estreitas, em direção a uma paisagem que ela não reconhecia. Ele havia parado junto a um antigo moinho de trigo. Desceram do carro ao som da água corrente. As águas escuras captavam o luar e o derramavam nas pedras, fazendo girar a grande roda do moinho. O prédio escuro recortava-se contra um céu ainda mais escuro, encobrindo as estrelas, e o ar estava cheio dos sons agitados e borrifantes da água.

– Está com frio? – perguntara David, elevando a voz acima do som da correnteza, e Norah tinha rido, trêmula, e dito que não, não estava, estava ótima.

– E suas mãos? – gritara ele, com a voz repicando, cascateando como a água. – Você não trouxe luvas.

– Estou ótima – ela gritara de volta, mas David já segurava suas mãos nas dele, apertando-as contra o peito, aquecendo-as entre suas luvas e a lã escura e salpicada do casaco.

– É lindo aqui! – exclamara Norah, e David rira. Depois, ele inclinara a cabeça e a beijara, soltando-lhe as mãos e enfiando as dele por dentro de seu casaco, afagando-lhe as costas. A água corria, ecoando nas pedras.

– Norah – gritara ele, com a voz integrada na noite, rolando como a correnteza, as palavras claras mas quase abafadas em meio aos outros sons. – Norah! Quer se casar comigo?

Ela rira, jogando a cabeça para trás, sentindo o ar noturno se derramar sobre seu corpo.

– Sim! – respondera num grito, tornando a espalmar as mãos sobre o casaco de David. – Sim, eu quero!

Ele pusera um anel em seu dedo naquele momento: um aro fino de ouro branco, do seu tamanho exato, com um diamante oval ladeado por duas esmeraldas minúsculas. Para combinar com os seus olhos, dissera-lhe depois, e com o casaco que ela estava usando no dia em que os dois haviam se conhecido.

Norah voltou para dentro e parou à porta da sala de jantar, girando esse mesmo anel no dedo. As fitas da decoração balançavam. Uma roçou-lhe o rosto, outra havia mergulhado a ponta em sua taça de vinho. Fascinada, ela ficou vendo a mancha espalhar-se lentamente para cima. Tinha quase exatamente a mesma cor dos guardanapos, observou. Aquilo era mesmo um exemplo perfeito de prendas do lar: ela não teria conseguido encontrar uma combinação melhor se a tivesse buscado. O vinho também respingara da taça e salpicara a toalha, manchando o papel de listras douradas de seu presente para David. Norah o pegou e, num impulso, rasgou o papel. *Estou mesmo muito bêbada*, pensou.

A máquina fotográfica era compacta, um peso agradável. Norah passara semanas pensando num presente adequado, até vê-la na vitrine da Sears. Preta e de cromo reluzente, com controles e alavancas complexos e números gravados em volta das lentes, fazia lembrar o equipamento médico de David. Jovem e ansioso, o vendedor a havia cumulado de informações técnicas sobre aberturas, distâncias focais e lentes grande-angulares. Os termos haviam escorrido por ela feito água, mas Norah gostara do peso da câmera em suas mãos, da textura fria e do jeito como o mundo se emoldurava com precisão quando ela a colocava junto do olho.

Hesitante, nesse momento ela puxou a alavanca prateada. Um clique e um estalo soaram alto na sala, ao ser liberado o obturador. Norah girou o botãozinho para avançar o filme – lembrou-se de que o vendedor tinha usado essa expressão, *avançar o filme*, elevando a voz por um instante acima do fluxo de ruídos da loja. Olhou pelo visor, emoldurando de novo a mesa desarrumada, depois girou dois anéis diferentes para encontrar o foco. Dessa vez, quando apertou o obturador, a luz explodiu na parede. Ofuscada, ela virou a máquina e examinou a lâmpada, agora escurecida e empolada. Substituiu-a, queimando os dedos, mas sentindo-se distante dessa dor, de algum modo.

Levantou-se e olhou para o relógio: 21h45.

A chuva era fina, incessante. David tinha ido a pé para o trabalho, e ela o imaginou caminhando cansado para casa pelas ruas escuras. Num impulso, pegou o casaco e a chave do carro – iria até o hospital fazer-lhe uma surpresa.

O carro estava frio. Ela saiu de ré da entrada da garagem, tateando para ligar o aquecimento, e, por um antigo hábito, virou na direção errada. Mesmo depois de se aperceber do erro, continuou a dirigir pelas mesmas ruas estreitas e chuvosas, de volta a sua antiga casa, onde havia decorado com tanta esperança inocente o quarto do bebê, onde se sentara amamentando Paul no escuro. Ela e David tinham concordado em que era sensato se mudarem, mas a verdade é que Norah não suportava a idéia de vender aquele lugar. Ainda ia lá quase todos os dias. A vida que sua filha conhecera, o que quer que Norah tivesse vivenciado de sua filha, havia acontecido naquela casa.

Exceto por estar às escuras, a casa parecia a mesma: a ampla varanda da frente, com suas quatro colunas brancas, o calcário áspero, a única lâmpada acesa. Lá estava a Sra. Michaels na casa ao lado, a poucos metros de distância, movimentando-se pela cozinha, lavando louça e espiando a noite pela janela; lá estava o Sr. Bennett em sua poltrona, com as cortinas abertas e a televisão ligada. Norah quase pôde acreditar, ao subir os degraus, que ainda morava ali. Mas a porta se abriu para cômodos desertos, vazios, chocantes em sua pequenez.

Andando pela casa fria, Norah esforçou-se para desanuviar a cabeça. O efeito do vinho parecia muito mais forte agora, e ela sentia dificuldade de ligar um momento a outro. Carregava a nova máquina fotográfica de David numa das mãos. Uma realidade, não uma decisão. Restavam 15 fotos e ela levava flashes extras no bolso. Tirou uma foto do lustre, contente quando o flash acendeu, porque agora sempre teria consigo aquela imagem; jamais acordaria no meio da noite, dali a 20 anos, sem conseguir lembrar-se daquele detalhe, daquelas graciosas curvaturas douradas.

Andou de um cômodo para outro, ainda ébria, mas resoluta, enquadrando janelas, luminárias, os veios espiralados do piso. Parecia de uma importância vital que registrasse cada detalhe. A certa altura, na sala, uma lâmpada gasta e empolada do flash escorregou-lhe da mão e se espatifou; quando ela deu um passo atrás, o vidro perfurou seu calcanhar. Norah examinou por um instante os pés calçados apenas de meias, divertida e impressionada com o grau de sua embriaguez – devia ter deixado os sapatos molhados junto à porta da frente, por hábito. Perambulou mais duas vezes pela casa, documentando interruptores, janelas, o cano pelo qual o gás subia para o segundo andar. Somente na descida apercebeu-se de que o pé estava sangrando, deixando uma trilha de manchas: corações feridos, bilhetinhos de amor ensangüentados. Norah ficou chocada e também estranhamente emocionada com o estrago que conseguira infligir-se.

Achou os sapatos, saiu. O calcanhar latejava quando ela entrou no carro, com a câmera ainda pendurada no pulso.

Mais tarde, ela não se lembraria de muita coisa do trajeto, apenas das ruas estreitas e escuras, do vento nas folhas, da luz piscando nas poças e da água espirrada pelos pneus. Não se lembraria da batida de metal contra metal, apenas da visão súbita e assustadora do reluzente latão de lixo voando à frente do carro. Molhado de chuva, ele pareceu suspenso no ar por um longo minuto, antes de começar a cair. Norah lembrou-se de que ele bateu no capô e rolou, estilhaçando o pára-brisa; lembrou-se do carro quicando no meio-fio e parando devagarzinho no canteiro central, embaixo de um carvalho-da-américa. Não se recordava da pancada no pára-brisa, mas ele parecia uma teia de aranha, com as linhas intricadas abrindo-se em leque, delicadas, belas e precisas. Quando Norah levou a mão à testa, os dedos voltaram ligeiramente sujos de sangue.

Ela não saiu do carro. O latão rolou pela rua. Sombras escuras – gatos – espreitaram das bordas do lixo, espalhado num arco. Luzes acenderam-se na casa à direita e um homem saiu de roupão e chinelos, correndo pela calçada em direção ao carro.

– A senhora está bem? – perguntou, abaixando-se para olhar pela janela, que Norah abriu devagar, com o ar noturno a lhe lamber o rosto. – O que aconteceu? A senhora está bem? Sua testa está sangrando – acrescentou o homem, tirando um lenço do bolso.

– Não é nada – disse Norah, gesticulando para recusar o lenço, suspeitamente amarrotado. Tornou a pressionar de leve a testa com a palma da mão, tirando outra mancha de sangue. A câmera, ainda pendurada em seu pulso, tamborilou no volante. Norah a soltou e a colocou cuidadosamente a seu lado, no banco. – É meu aniversário de casamento – informou ao estranho. – Meu calcanhar também está sangrando.

– A senhora precisa de um médico? – indagou o homem.

– Meu marido é médico – respondeu Norah, notando a expressão insegura do homem, consciente de que talvez não tivesse feito muito sentido no instante anterior. De que talvez não estivesse dizendo coisa com coisa nesse momento. – Ele é médico – repetiu com firmeza. – Vou procurá-lo.

– Não tenho certeza de que a senhora deva dirigir – disse o homem. – Por que não larga o carro aqui e me deixa chamar uma ambulância?

Diante da bondade dele, os olhos de Norah se encheram de lágrimas, mas então ela imaginou a cena, as luzes, as sirenes, as mãos delicadas, e o modo como David viria correndo e a encontraria no pronto-socorro, desgrenhada, ensangüentada e meio bêbada: um escândalo e uma vergonha.

– Não – disse, passando a tomar muito cuidado com as palavras. – Estou bem, realmente. Um gato correu pela rua e me assustou. Mas é verdade, eu estou bem. Vou para casa agora e meu marido cuidará deste corte. Realmente não é nada.

O homem hesitou por um bom momento, com a luz da rua reluzindo prateada em seu cabelo, depois encolheu os ombros, fez um aceno com a cabeça e recuou para o meio-fio. Norah saiu com cuidado, devagar, usando adequadamente as setas na rua deserta. Pelo retrovisor, viu o homem, de braços cruzados, observando-a até ela dobrar a esquina e desaparecer.

O mundo estava silencioso quando ela regressou pelas ruas conhecidas, o efeito do vinho começando a se dissipar. Sua nova casa estava toda iluminada, com luzes acesas em todas as janelas, em cima e embaixo, luzes que se derramavam como um líquido que houvesse transbordado e já não pudesse ser contido. Ela estacionou na entrada da garagem e desceu, parando por um instante na grama úmida, com a chuva caindo fininha, formando gotas em seu cabelo e em seu casaco. No lado de dentro, vislumbrou David sentado no sofá. Paul estava em seu colo, dormindo, com a cabeça apoiada de leve no ombro do pai. Norah pensou em como havia deixado as coisas – no vinho derramado, nas fitas pendentes e no assado perdido. Apertou o casaco em volta do corpo e subiu depressa os degraus.

– Norah! – exclamou David, indo encontrá-la à porta, ainda com Paul no colo. – Norah, o que aconteceu? Você está sangrando.

– Está tudo bem, eu estou bem – disse ela, rejeitando a mão de David quando ele tentou ajudá-la. Seu pé doía, mas a dor aguda a deixou contente: como um contraponto à cabeça latejante, parecia subir em linha reta por seu corpo e mantê-la em equilíbrio. Paul dormia um sono pesado, com a respiração lenta e uniforme. Norah descansou de leve a palma da mão sobre suas costas miúdas.

– Onde está a Bree? – perguntou.

– Está procurando você – disse David, olhando de relance para a sala. Norah acompanhou seu olhar, vendo o jantar estragado e todas as fitas emboladas no chão. – Quando não a encontrei em casa, entrei em pânico e liguei para ela. Bree trouxe Paul e saiu à sua procura.

– Estive na casa antiga. Bati numa lata de lixo – disse Norah. Pôs a mão na testa e fechou os olhos.

– Você bebeu – foi o comentário calmo de David.

– Vinho no jantar. Você se atrasou.

– Há duas garrafas vazias, Norah.

– Bree esteve aqui. Foi uma longa espera.

Ele acenou com a cabeça.

– Sabe os garotos de hoje, os do acidente? Havia cerveja por toda parte. Fiquei apavorado, Norah.

– Eu não estava bêbada.

O telefone tocou e ela atendeu, sentindo-o pesar em sua mão. Era Bree, com a voz aflita, querendo saber o que havia acontecido.

– Eu estou bem – disse Norah, tentando falar com calma e com clareza. – Estou ótima.

David a observava, estudando as linhas escuras da palma de sua mão, onde o sangue se havia depositado e secado. Norah fechou os dedos sobre as manchas e virou o rosto.

– Pronto – disse David, com delicadeza, depois que ela desligou, tocando-lhe o braço. – Venha cá.

Subiram. Enquanto David acomodava Paul no berço, Norah tirou as meias destruídas e se sentou na beirada da banheira. O mundo começava a ficar mais claro e mais firme e ela piscou sob as lâmpadas fortes, tentando ordenar adequadamente os acontecimentos da noite. Ao voltar, David afastou-lhe o cabelo da testa, com gestos delicados e precisos, e começou a limpar o corte.

– Espero que você tenha deixado o outro sujeito em piores condições – disse ele, e Norah imaginou que talvez o marido dissesse a mesma coisa aos pacientes que passavam por seu consultório: conversa à toa, brincadeiras, palavras vazias, para distrair.

– Não havia mais ninguém – retrucou, pensando no homem de cabelos prateados que se debruçara sobre sua janela. – Um gato me assustou e eu derrapei. Mas o pára-brisas... ai! – exclamou, quando ele pôs anti-séptico no corte. – Ai, David, isso dói.

– Não vai demorar – fez ele, pondo a mão no ombro da mulher por um instante. Depois, ajoelhou-se junto à banheira e segurou seu pé.

Ela o observou retirar os cacos de vidro. David era cuidadoso e calmo, absorto em seus pensamentos. Norah sabia que ele cuidaria de qualquer paciente com os mesmos gestos tarimbados.

– Você é muito bom para mim – murmurou, querendo reduzir a distância entre os dois, a distância que ela havia criado.

David balançou a cabeça, fez uma pausa no trabalho e ergueu os olhos.

– Por que você foi lá, Norah, à nossa casa antiga? Por que não quer se desfazer dela?

– Porque ela é a última coisa... – disse Norah, surpresa com a segurança e a tristeza em sua voz. – É a última forma de a deixarmos para trás.

No breve instante antes de ele desviar os olhos houve no rosto de David um lampejo de tensão, de raiva rapidamente controlada.

– O que você gostaria que eu fizesse? Achei que esta nova casa nos faria felizes. Ela faria feliz a maioria das pessoas, Norah.

Ante o tom do marido, Norah sentiu-se perpassada pelo medo; poderia perdê-lo também. Seu pé latejava, assim como a cabeça, e ela fechou os olhos por um instante, ao pensar na cena que havia causado. Não queria ficar presa para sempre nessa noite escura e estática, com David a uma distância intransponível.

– Está bem – disse. – Vou ligar para o corretor amanhã. Vamos aceitar a oferta.

Uma película fechou-se sobre o passado enquanto ela falava, uma barreira quebradiça e frágil como água a se cristalizar em gelo. A barreira cresceria e ficaria mais densa. Tornar-se-ia impenetrável, opaca. Norah sentiu isso e teve medo do que ocorreria se a barreira se quebrasse. Sim, eles levariam a vida adiante. Esse seria o presente dela para David e para Paul.

Quanto a Phoebe, ela a manteria viva no coração.

David envolveu-lhe o pé numa toalha e se agachou sobre os calcanhares.

– Escute, não nos imagino voltando para lá – disse, agora mais meigo, depois de Norah haver cedido. – Mas poderíamos voltar. Se você realmente quiser, podemos vender esta casa e nos mudar de novo para lá.

– Não. Agora nós moramos aqui – disse Norah.

– Mas você anda muito triste. Por favor, não fique triste. Eu não me esqueci, Norah. Não me esqueci do nosso aniversário. Nem de nossa filha. Nem de nada.

– Ah, David – fez ela. – Deixei seu presente no carro.

Pensou na máquina fotográfica, nos anéis e alavancas precisos. *A guardiã de memórias*, dizia a embalagem, em letras brancas grifadas; tinha sido por isso, percebeu, que a havia comprado – para que o marido captasse cada momento, para que nunca se esquecesse.

– Está bem – disse David, pondo-se de pé. – Espere. Espere quietinha aí.

Desceu a escada correndo. Ela ficou mais um momento sentada na beirada da banheira, depois levantou-se e mancou pelo corredor até o quarto de Paul. O tapete era azul-escuro e espesso sob seus pés. Norah havia pintado nuvens nas paredes azul-claras e pendurado um móbile de estrelas acima do berço. Paul dormia sob as estrelas flutuantes, com o cobertor jogado para o lado e as mãozinhas estendidas. Ela o beijou com delicadeza e ajeitou as cobertas, passando a mão pelo cabelo macio do filho, tocando-lhe a palma com o indicador. Ele já estava muito crescido, andando e começando a falar. Aquelas noites, fazia quase um ano, em que Paul mamava com tanta intensidade e David tinha enchido a casa de narcisos, para onde teriam ido? Norah lembrou-se da máquina fotográfica e de como havia percorrido a casa deserta, determinada a registrar cada detalhe, como uma barreira contra o tempo.

– Norah?

David entrou no quarto e parou atrás dela.

– Feche os olhos.

Uma linha fina luziu sobre sua pele. Ela baixou os olhos e viu as esmeraldas, uma longa fileira de pedras escuras, presas no fluxo dourado da corrente encostada em sua pele. Para combinar com o anel, ele estava dizendo. Para combinar com seus olhos.

– É lindo – murmurou Norah, tocando o ouro cálido. – Ah, David.

As mãos do marido estavam sobre seus ombros e, por um instante, Norah sentiu-se em meio ao som da água que corria do moinho, com uma felicidade tão plena quanto a noite a seu redor. *Não respire*, pensou. *Não se mexa*. Mas não havia como deter coisa alguma. Lá fora, a chuva caía mansinho e havia sementes palpitando sob a terra escura e molhada. Paul suspirou e se remexeu em seu sono. No dia seguinte, ele acordaria, cresceria e mudaria. Os três levariam sua vida, um dia atrás do outro, afastando-se passo a passo da filha perdida.

# MARÇO DE 1965

A ÁGUA DO CHUVEIRO CORRIA E O VAPOR RODOPIAVA, EMBAÇANDO O espelho e a janela, nublando a lua pálida. Caroline andava de um lado para outro no banheirinho roxo, apertando Phoebe no colo. A respiração dela estava curta e acelerada, o coraçãozinho batendo muito depressa. *Fique boa, minha neném*, murmurava Caroline, afagando-lhe o cabelo escuro e macio. *Melhore, minha menininha, fique boa*. Fez uma pausa, cansada, para olhar a lua, uma mancha de luz aprisionada nos galhos dos plátanos, e a tosse de Phoebe recomeçou, no fundo do peito. O corpo dela se enrijeceu sob as mãos de Caroline, enquanto a menina expulsava o ar da garganta estreitada com sons agudos e chiados. Era um caso clássico de laringite. Caroline bateu nas costas de Phoebe, pouco maiores do que sua mão. Terminado o acesso de tosse, ela recomeçou a andar, por medo de oscilar e dormir em pé. Em mais de uma ocasião, nesse ano, acordara assustada e se descobrira de pé com Phoebe ainda em segurança em seus braços, milagrosamente.

Os degraus rangeram, depois as tábuas do piso, mais perto, e a porta roxa se abriu, deixando entrar uma rajada de ar frio. Dorothy, com um robe de seda preta por cima da camisola e os cabelos grisalhos caindo soltos sobre os ombros, entrou.

– Está muito ruim? – perguntou. – O som é terrível. Quer que eu pegue o carro?

– Acho que não. Mas pode fechar a porta? O vapor ajuda.

Dorothy fechou a porta e se sentou na beirada da banheira.

– Acordamos você – disse Caroline, com a respiração leve de Phoebe em seu pescoço. – Desculpe.

Dorothy deu de ombros.

– Você sabe como eu sou com o sono. Estava acordada mesmo, lendo.

– Alguma coisa interessante? – perguntou Caroline.

Limpou a janela com o punho do roupão; o luar caía sobre as árvores do jardim, três andares abaixo, e brilhava como água na grama.

– Revistas científicas. Maçantes como poeira, até para mim. A meta é pegar no sono.

Caroline sorriu. Dorothy tinha doutorado em física; trabalhava na universidade, no departamento anteriormente dirigido por seu pai. Leo March, brilhante e renomado, estava na casa dos 80, fisicamente forte, mas sujeito a lapsos de memória e de raciocínio. Onze meses antes, Dorothy havia contratado Caroline como acompanhante dele.

Era uma dádiva esse emprego, ela sabia. Caroline emergira do túnel de Fort Pitt, na ponte alta sobre o rio Monongahela, com as montanhas de esmeralda erguendo-se das planícies ribeirinhas e a cidade de Pittsburgh reluzindo de repente diante dela, imediata, vívida, tão espantosa em sua vastidão e beleza que ela havia perdido o fôlego e reduzido a velocidade, por medo de perder o controle do carro.

Durante um longo mês, Caroline ficara morando num motel barato, na periferia da cidade, circulando anúncios de emprego e vendo suas economias minguarem. Ao comparecer a essa entrevista, sua euforia inicial havia se transformado num pânico surdo. Ela havia tocado a campainha e parado na varanda, esperando. Narcisos de um amarelo vivo balançavam sobre a grama alta de primavera; na casa ao lado, uma mulher de roupão acolchoado varria a fuligem da escada. As pessoas dessa casa não se incomodaram com isso: a cadeirinha de automóvel de Phoebe estava apoiada numa acumulação arenosa de vários dias. Uma poeira que lembrava neve escurecida; as pegadas de Caroline eram nítidas às suas costas.

Quando Dorothy March, alta e magra em seu elegante terninho cinza, finalmente abriu a porta, Caroline ignorou seu olhar desconfiado para Phoebe, levantou a cadeirinha e entrou. Sentou-se na beirada de uma cadeira meio bamba, cujas almofadas de veludo vinho tinham desbotado para um tom de rosa, exceto por alguns pontos escuros perto dos tachões do estofamento. Dorothy March sentou-se de frente para ela, num sofá de couro rachado, escorado por um tijolo numa das extremidades. Acendeu um cigarro. Passou vários momentos estudando Caroline, com seus olhos azuis rápidos e vivos. Não disse nada de imediato. Depois, pigarreou, exalando fumaça.

– Para ser muito franca, eu não estava contando com um bebê.

Caroline lhe estendeu seu currículo.

– Fui enfermeira durante 15 anos. Posso oferecer muita experiência e compaixão nesse cargo.

Dorothy March havia segurado os papéis com a mão livre, examinando-os.

– É, você parece ter mesmo muita experiência. Mas aqui não diz *onde* trabalhou. Você não foi nada específica.

Caroline havia hesitado. Tentara uma dúzia de respostas diferentes a essa pergunta, em uma dúzia de entrevistas diferentes nas semanas anteriores, e todas haviam resultado em nada.

– É que eu fugi – dissera, quase zonza. – Fugi do pai da Phoebe. E por isso não posso lhe dizer de onde sou nem posso lhe dar nenhuma referência. Essa é a única razão de eu já não estar empregada. Sou uma excelente enfermeira e, francamente, a senhora terá sorte se me contratar, considerando o que está oferecendo de salário.

Diante disso, Dorothy March dera uma risada nervosa, assustada.

– Que afirmação atrevida! Minha cara, este é um trabalho para a pessoa residir no emprego. Por que razão no mundo eu correria esse risco com uma perfeita estranha?

– Eu começo agora, em troca de casa e comida – insistira Caroline, pensando no quarto de motel, com o papel de parede descascado e as manchas no teto, o quarto que ela não poderia pagar por mais uma noite. – Farei isso por duas semanas, e então a senhora decide.

O cigarro havia queimado até acabar na mão de Dorothy March. Ela o fitara e, em seguida, amassara-o no cinzeiro abarrotado.

– Mas como é que você conseguiria? E com um bebê ainda por cima? Meu pai não é um homem paciente. Não será um paciente paciente, posso lhe assegurar.

– Uma semana – respondera Caroline. – Se a senhora não gostar de mim em uma semana, irei embora.

Agora, quase um ano havia se passado. Dorothy levantou-se, no banheiro de cores suavizadas pelo vapor. As mangas do robe de seda preta, estampadas de pássaros tropicais coloridos, escorregaram para seus cotovelos.

– Deixe-me segurá-la. Você parece exausta, Caroline.

O chiado no peito de Phoebe havia diminuído e sua cor tinha melhorado; as bochechas tinham um tom rosa pálido. Caroline entregou-a, sentindo a friagem repentina de sua ausência.

– Como está o Leo hoje? – perguntou Dorothy. – Causou-lhe algum aborrecimento?

Por um momento, Caroline não respondeu. Estava cansada demais e tinha percorrido uma longa distância nesse último ano, viajando de uma hora para outra, e sua vida cuidadosa e solitária havia sofrido uma profunda transformação. De algum modo, ela fora parar ali naquele minúsculo banheiro roxo, como mãe de Phoebe, acompanhante de um homem brilhante com a mente fraca, e amiga improvável, mas certeira, daquela mulher: estranhas um ano antes, mulheres que poderiam ter se cruzado na rua sem se olhar uma segunda vez, sem um lampejo de ligação, agora elas tinham suas vidas entremeadas pelas exigências do dia-a-dia e por um respeito cauteloso e seguro.

– Ele não queria comer. Acusou-me de ter posto sapólio no purê de batatas. Portanto, um dia bem típico, eu diria.

– Não é nada pessoal, você sabe – disse Dorothy, baixinho. – Ele nem sempre foi assim.

Caroline fechou o chuveiro e se sentou na beirada da banheira roxa.

Dorothy fez sinal com a cabeça para a janela embaçada. As mãos de Phoebe eram pálidas como estrelas em contraste com seu robe.

– Aquele era o nosso parquinho, lá na montanha. Antes de construírem a auto-estrada. As garças costumavam fazer ninhos nas árvores, sabia? Mamãe plantou narcisos numa primavera, centenas de bulbos. Meu pai voltava todos os dias do trabalho no trem das seis, ia direto até lá e colhia um ramo de flores para ela. Você não o reconheceria.

– Eu sei – disse Caroline, delicada. – Eu me dou conta disso.

Calaram-se por um momento. A torneira pingava e o vapor rodopiava no ar.

– Acho que ela dormiu – disse Dorothy. – Será que vai ficar bem?

– Vai. Acho que sim.

– Qual é o problema dela, Caroline? – perguntou Dorothy, agora com voz decidida, as palavras numa precipitação resoluta. – Querida, eu não entendo nada de bebês, mas até eu percebo que há alguma coisa errada. A Phoebe é muito linda, muito meiga, mas há um problema, não há? Ela tem quase um ano e só agora está aprendendo a sentar.

Caroline olhou para a lua pela janela riscada de vapor e fechou os olhos. Quando recém-nascida, Phoebe fora de uma quietude que parecia, mais do que qualquer outra coisa, uma dádiva de serenidade, de atenção, e Caroline permitiu-se acreditar que não havia nenhum problema. Depois dos seis meses, porém, quando a menina foi crescendo, mas continuou pequena para a idade, ainda sem força nos braços, quando passou a acompanhar com os olhos um molho de chaves e, às vezes, a balançar os braços, mas sem nunca os estender para pegá-lo, quando não deu sinal de se sentar sozinha, Caroline começou a ir com ela à biblioteca em seu dia de folga. Nas amplas mesas de carvalho da Carnegie, nos salões arejados e espaçosos, com seus tetos altos, ela havia empilhado livros e artigos e começado a ler – viagens sombrias para instituições lúgubres, vidas encurtadas, nenhuma esperança. Era uma sensação estranha, um buraco que se abria no estômago a cada palavra. No entanto, ali estava Phoebe, remexendo-se em sua cadeirinha de automóvel, risonha, e acenando com as mãos: um bebê, não um relato de caso.

– A Phoebe tem síndrome de Down – obrigou-se a responder. – O nome é esse.

– Ah, Caroline! – fez Dorothy. – Sinto muito! Foi por isso que você deixou seu marido, não foi? Você disse que ele não a queria. Ah, meu bem, eu sinto muito, muito mesmo!

– Não fique triste – disse Caroline, estendendo os braços para pegar Phoebe de volta. – Ela é linda.

– Ah, sim. Sim, ela é. Mas, Caroline... O que acontecerá com ela?

Phoebe estava quentinha e pesada em seu colo, o cabelo escuro e macio caindo sobre o rosto pálido. Caroline, protetora, tocou-lhe a face com toda a delicadeza.

– O que acontecerá com qualquer um de nós? Quero dizer, diga-me francamente, Dorothy: algum dia você imaginou que sua vida seria assim?

Dorothy desviou os olhos, com uma expressão de sofrimento no rosto. Anos antes, seu noivo tinha morrido ao pular de uma ponte no rio quando alguém desafiou sua coragem. Ela havia chorado por ele e nunca se casara, não tivera os filhos que ansiara.

– Não – respondeu, por fim. – Mas é diferente.

– Por quê? Diferente por quê?

– Caroline – disse Dorothy, tocando-lhe o braço –, não vamos falar nisso. Você está cansada. Eu também.

Caroline acomodou Phoebe no berço, enquanto o som dos passos de Dorothy diminuía, descendo a escada. Adormecida sob o brilho pálido da luz da rua, a menina parecia uma criança qualquer, com o futuro tão inexplorado quanto o leito dos oceanos, igualmente rico em possibilidades. Os carros corriam pela auto-estrada, com as luzes dos faróis brincando na parede, e Caroline imaginou as garças alçando vôo no terreno pantanoso, levantando as asas na pálida luz dourada do amanhecer. *O que acontecerá com ela?* Na verdade, às vezes Caroline passava a noite em claro, lutando com essa mesma pergunta.

Em seu quarto, as cortinas de crochê, feitas e penduradas nas janelas pela mãe de Dorothy décadas antes, projetavam sombras delicadas; o luar era tão claro que se poderia ler. Sobre a escrivaninha estava um envelope com três fotos de Phoebe ao lado de um papel dobrado em quatro. Caroline o abriu e leu o que tinha escrito:

*Caro Dr. Henry,*

*Escrevo para dizer que estamos bem, Phoebe e eu. Estamos seguras e felizes. Tenho um bom emprego. De modo geral, Phoebe é um bebê saudável, apesar de freqüentes preocupações respiratórias. Envio-lhe algumas fotografias. Até o momento, cruze os dedos, ela não tem nenhum problema no coração.*

Deveria remeter essa carta – fazia semanas que a tinha escrito –, mas, toda vez que estava prestes a enviá-la, pensava em Phoebe, no toque macio de suas mãos ou nos sons que ela fazia quando ficava contente – e não conseguia. Nesse momento, tornou a pôr a carta de lado e se deitou, resvalando prontamente para o limiar do sono. Uma vez, tivera um sonho com a sala de espera da clínica, com suas plantas murchas e o calor agitando as folhas, e acordara assustada, inquieta, sem saber direito onde estava.

*Aqui*, disse a si mesma, tocando os lençóis frios. *Estou bem aqui.*

• • •

De manhã, quando Caroline acordou, o quarto estava banhado de sol e inundado pelo som de trompetes. Phoebe, em seu berço, estendia os braços, como se as notas fossem borboletas ou vaga-lumes que ela pudesse pegar. Caroline pôs uma roupa, vestiu a menina e levou-a para baixo, parando no segundo andar, onde Leo March estava instalado em seu ensolarado escritório amarelo, com livros caídos em toda a volta do sofá-cama, no qual se deitara com as mãos atrás da cabeça, olhando para o teto. Caroline o observou do vão da porta – não tinha permissão de entrar naquele cômodo, a menos que fosse convidada –, mas ele não registrou sua presença. Idoso e calvo, com uma franja de cabelo grisalho, ainda usando a roupa da véspera, ele escutava atentamente a música que estrondava dos alto-falantes, sacudindo a casa.

– Quer tomar café? – gritou ela.

Leo abanou a mão, indicando que ele mesmo o buscaria. Bem, ótimo.

Caroline desceu mais um lance de escada até a cozinha e começou a preparar o café. Até mesmo lá embaixo os trompetes se faziam ouvir vagamente. Ela sentou Phoebe na cadeirinha de alimentação e lhe deu purê de maçã, ovo e queijo *cottage*. Três vezes entregou-lhe a colher; três vezes ela caiu com estardalhaço na bandeja de metal.

– Não faz mal – disse Caroline em voz alta, mas com o coração apertado. A voz de Dorothy ecoou no ar: *O que acontecerá com ela?* E que aconteceria? Aos 11 meses, Phoebe já deveria ser capaz de segurar pequenos objetos.

Caroline arrumou a cozinha e foi até a sala de jantar para dobrar a roupa tirada da corda; cheirava a vento. Phoebe ficou deitada de costas no cercadinho, batendo nas argolas e brinquedos que Caroline pendurara acima dela. De vez em quando, a enfermeira interrompia seu trabalho e ia ajeitar os objetos de cores vivas, na esperança de que Phoebe, atraída por seu brilho, virasse de bruços.

Após cerca de meia hora, a música cessou abruptamente e os pés de Leo apareceram na escada, em sapatos de couro amarrados e lustrados com precisão, com uma tira de tornozelo branco e sem meias aparecendo de relance abaixo das pernas das calças, que eram curtas demais. Aos poucos, todo ele entrou no campo visual – um homem alto, antes forte e musculoso, agora com a pele balançando flácida sobre o esqueleto ossudo.

– Ah, que bom – disse ele –, andávamos precisando de uma empregada.

– Café? – perguntou ela.

– Eu mesmo pego.

– Então, vá em frente.

– Na hora do almoço você estará despedida – Leo gritou da cozinha.

– Vá em frente – repetiu Caroline.

Ouviu-se uma cascata de panelas caindo e a voz do velho xingando. Caroline o imaginou agachando-se para empurrar o emaranhado de utensílios para dentro do armário. Deveria ir ajudá-lo – mas não, ele que se arranjasse. Nas primeiras semanas, ela tivera medo de responder mal, medo de não atender de um salto toda vez que Leonard March a chamava, até que um dia Dorothy a puxara de lado. *Escute, você não é empregada. Sua responsabilidade é comigo; você não tem que ficar à disposição dele. Está indo muito bem, e você também mora aqui*, dissera ela, e Caroline havia entendido que seu período de experiência tinha chegado ao fim.

Leo entrou, carregando um prato de ovos e um copo de suco de laranja.

– Não se preocupe – disse, antes que ela pudesse falar. – Apaguei a porcaria do fogo. E agora vou levar meu café da manhã lá para cima e comer em paz.

– Veja como fala – disse Caroline.

Ele resmungou uma resposta e subiu a escada, pisando duro. Caroline interrompeu o trabalho, de repente à beira das lágrimas, e ficou observando um cardeal pousar na moita de lilases, do lado de fora da janela, e depois voar. O que ela estava fazendo ali? Que anseio a levara a essa decisão radical, a esse lugar sem volta? E o que, afinal, aconteceria com *ela*?

Passados alguns minutos, os trompetes recomeçaram lá em cima e a campainha da porta tocou duas vezes. Caroline tirou Phoebe do cercado.

– Eles chegaram – disse, secando os olhos com o pulso. – Hora do exercício.

Sandra estava parada na varanda e, quando Caroline abriu, ela irrompeu porta adentro, segurando Tim por uma das mãos e arrastando um grande saco de pano com a outra. Era alta, de ossos grandes, loura e vigorosa; sentou-se sem cerimônia no meio do tapete, derrubando os brinquedos de montar numa pilha.

– Desculpe o atraso – disse. – O trânsito está um horror. Você não fica doida, morando tão perto assim da via expressa? Isso me deixaria biruta. Enfim, olhe só o que eu achei. Olhe para esse brinquedos geniais de montar: plástico, cores diferentes. O Tim os adora.

Caroline também se sentou no chão. Como Dorothy, Sandra era uma amiga improvável, alguém com quem Caroline jamais se relacionaria em sua vida anterior. Tinham se conhecido na biblioteca, num dia lúgubre de janeiro em que, saturada de especialistas e de estatísticas sombrias, Caroline havia fechado um livro com força, em desespero. Sandra, duas mesas adiante, em meio a sua própria pilha de livros, cujas lombadas e capas eram terrivelmente familiares para Caroline, levantara os olhos. *Ah, eu sei exatamente o que você está sentindo. Fico com tanta raiva que seria capaz de quebrar uma janela.*

As duas tinham começado a conversar, a princípio cautelosamente, depois aos borbotões. O filho de Sandra, Tim, estava com quase quatro anos. Também tinha síndrome de Down, mas no começo Sandra não soubera. Que ele se desenvolvia mais devagar do que seus outros três filhos, isso ela havia notado, mas, para Sandra, lento era apenas lento e não servia de desculpa para nada. Como mãe atarefada, ela simplesmente esperara que Tim fizesse o que os outros filhos tinham feito e, se ele levasse mais tempo, tudo bem. Aos dois anos, ele andava; aos três, havia controlado os esfíncteres. O diagnóstico tinha chocado a família, e a sugestão do médico – de que o menino fosse internado numa instituição – enraivecera Sandra e a instigara a agir.

Caroline havia escutado atentamente, animando-se a cada palavra.

As duas tinham saído da biblioteca para tomar um café. Caroline jamais se esqueceria daquelas horas, da empolgação que sentira, como se despertasse de um sonho longo e lento. O que aconteceria, conjecturaram as duas, se elas simplesmente continuassem a presumir que seus filhos fariam *tudo?* Talvez não depressa. Talvez não de acordo com as regras. Mas e se elas simplesmente apagassem aquelas tabelas de crescimento e desenvolvimento, com seus pontos e curvas exatos e restritivos? E se conservassem suas expectativas, mas apagassem a linha temporal? Que mal poderia fazer? Por que não tentar?

Sim, por que não? Elas haviam começado a se encontrar, ali ou na casa de Sandra, com seus meninos mais velhos e bagunceiros. Carregavam livros e brinquedos, pesquisas e histórias e suas experiências pessoais – as de Caroline como enfermeira, as de Sandra como professora primária e mãe de quatro filhos. Grande parte era apenas bom senso. Se Phoebe precisava aprender a virar de bruços, era só colocar uma bola brilhante um pouco além do seu alcance; se Tim precisava trabalhar a coordenação, era dar-lhe uma tesoura cega e papel brilhante e deixá-lo recortar. O progresso era lento, às vezes invisível, mas, para Caroline, aquelas horas haviam se transformado numa fonte de salvação.

– Hoje você parece cansada – disse Sandra.

Caroline assentiu com a cabeça. – A Phoebe teve laringite esta noite. Na verdade, não sei quanto tempo ela vai agüentar. Alguma novidade sobre os ouvidos do Tim?

– Gostei do novo médico – disse Sandra, reclinando-se. Seus dedos eram longos e de pontas grossas; ela sorriu para Tim e lhe entregou uma xícara amarela. – Ele me pareceu compassivo. Não nos descartou pura e simplesmente. Mas a notícia não é muito boa. O Tim tem uma certa perda auditiva, e provavelmente é por isso que a fala tem demorado tanto. Tome, benzinho – acrescentou, dando um tapinha na xícara que ele deixara cair. – Mostre à Srta. Caroline e a Phoebe o que você sabe fazer.

Tim não estava interessado; voltara a atenção para a felpa do tapete, que alisava repetidamente, fascinado e encantado. Mas Sandra era firme, calma e decidida. Por fim, ele pegou a xícara amarela, encostou a borda na bochecha por um instante, depois a colocou no chão e começou a empilhar outras numa torre.

Nas duas horas seguintes, ambas brincaram com os filhos e conversaram. Sandra tinha opiniões sólidas sobre tudo e não tinha medo de dizer o que pensava. Caroline adorava sentar-se na sala e conversar com essa mulher inteligente e ousada, de mãe para mãe. Nessa época, muitas vezes ela sentia saudade da própria mãe, morta já fazia quase 10 anos, e tinha vontade de lhe telefonar e pedir conselhos ou simplesmente passar pela casa dela para vê-la segurar Phoebe no colo. Será que sua mãe sentira tudo isso – o amor e a frustração – enquanto Caroline crescia? De repente, Caroline compreendeu sua infância de outra maneira. A preocupação constante com a pólio – aquilo, a seu modo estranho, havia sido amor. E o trabalho árduo do pai, sua concentração cuidadosa nas finanças da família à noite, aquilo também era amor.

Caroline não tinha a mãe, mas tinha Sandra, e as manhãs que passavam juntas eram o ponto alto de sua semana. Puseram-se a contar histórias de vida, trocando idéias e sugestões sobre a função dos pais, e riram juntas quando Tim tentou empilhar as xícaras em suas cabeças, enquanto Phoebe se esforçava para alcançar a bola cintilante, até que, por fim, a despeito de si mesma, ela virou de bruços. Nessa manhã, ainda preocupada, Caroline balançou várias vezes as chaves do carro diante de Phoebe. Elas reluziam, captando a luz da manhã, e as mãozinhas de Phoebe se abriam, esticadas como estrelas-do-mar. A música, as partículas de luz: ela também estendeu as mãos para as chaves. No entanto, por mais que tentasse, não conseguiu pegá-las.

– Da próxima vez – disse Sandra. – Espere só para ver. Vai acontecer.

Ao meio-dia, Caroline ajudou-os a levarem as coisas para o carro, depois ficou na varanda com Phoebe no colo, já cansada, mas também contente, acenando enquanto Sandra se afastava com sua caminhonete. Quando entrou, o disco de Leo havia emperrado, tocando repetidamente os mesmos três compassos.

*Velho rabugento*, pensou com seus botões, e começou a subir a escada.

– Não pode diminuir isso? – falou, exasperada, ao abrir a porta. Mas o disco estava pulando num cômodo vazio. Leo havia sumido.

Phoebe começou a chorar, como se tivesse uma espécie de barômetro interno para medir o conflito e a tensão. Ele devia ter escapulido pelos fundos enquanto Caroline ajudava Sandra. Ah, Leo era esperto, embora, nos últimos tempos, às vezes deixasse os sapatos na geladeira. Sentia grande prazer em lhe pregar peças desse tipo. Já tinha fugido três vezes, uma delas nu em pêlo.

Caroline desceu correndo e enfiou os pés num par de mocassins de Dorothy, um número menor que o seu, enregelada. Um casaco para Phoebe, aninhada no carrinho; quanto a ela mesma, iria sem agasalho.

O dia ficara nublado, com nuvens baixas e cinzentas. Phoebe choramingou, agitando as mãozinhas, quando elas passaram pela garagem em direção ao beco. *Eu sei*, murmurou Caroline, afagando-a na cabeça. *Eu sei, benzinho, eu sei*. Avistou uma pegada de Leo numa crosta de neve semiderretida – a sola quadriculada de suas botas – e sentiu uma onda de alívio. Então, ele fora por ali, e estava vestido.

Bem, pelo menos estava de botas.

No fim do quarteirão seguinte, ela chegou aos 105 degraus que desciam até o Campo Koenig. Leo é que lhe tinha dito quantos eram, numa noite em que exibira um estado de ânimo mais civilizado no jantar. Agora, lá estava ele na base da longa cascata de cimento, com as mãos balançando junto ao corpo, o cabelo espigado e um ar tão perplexo, tão perdido e tão aflito que a raiva de Caroline se desfez. Ela não gostava de Leo March – não era o tipo de pessoa de quem se gostasse –, mas a animosidade que pudesse sentir por ele era complicada pela compaixão. É que, em momentos assim, ela percebia como era o mundo para esse homem e via um ancião senil e esquecido, e não o universo que tinha sido e ainda era Leo March.

Leo virou-se, a viu e, passado um momento, a confusão dissipou-se em seu rosto.

– Veja isto! – gritou ele. – Veja isto, mulher, e chore!

Rapidamente, indiferente ao gelo, um riacho cristalizado que descia pelo centro dos degraus, Leo subiu correndo em direção a ela, bombeando as pernas, alimentadas por alguma antiga adrenalina e pela necessidade.

– Aposto que você nunca viu nada assim – disse, ao chegar ao topo, sem fôlego.

– Tem razão. Nunca vi. E espero nunca ver de novo – disse Caroline.

Leo riu, com um rosa vívido nos lábios, contrastando com a pele branca feito um lençol.

– Fugi de você – disse ele.

– Não chegou muito longe.

– Mas podia ter chegado. Se quisesse. Da próxima vez.

– Da próxima vez, leve um casaco – recomendou Caroline.

– Da próxima vez – disse ele, enquanto começavam a andar –, vou desaparecer em Timbuctu.

– Faça isso – retrucou Caroline, sentindo-se invadir por uma onda de cansaço. Flores roxas e brancas de açafrão brotavam da relva brilhante; agora, Phoebe começara a chorar para valer. Caroline estava aliviada por levar Leo a reboque, por tê-lo encontrado são e salvo, e se sentia grata por ter sido evitada uma desgraça. Seria culpa sua se o velho se perdesse ou se machucasse, por ela estar tão concentrada em Phoebe, que vinha estendendo as mãos havia várias semanas e ainda não aprendera a segurar.

Deram mais alguns passos em silêncio.

– Você é uma mulher inteligente – disse Leo.

Ela estancou na calçada, atônita.

– Como? O que foi que disse?

Leo a encarou, lúcido, exibindo nos olhos o mesmo azul vivo e perscrutador dos olhos de Dorothy.

– Eu disse que você é inteligente. Minha filha contratou oito enfermeiras diferentes antes de você. Nenhuma delas durou mais de uma semana. Aposto que você não sabia disso.

– Não – disse Caroline. – Não, eu não sabia.

• • •

Mais tarde, enquanto limpava a cozinha e levava o lixo para fora, Caroline pensou nas palavras de Leo. *Sou inteligente*, disse a si mesma, parada no beco, junto ao latão de lixo. O ar estava úmido e frio. Sua respiração saía em pequenas nuvens. *Inteligência não lhe arranjará um marido*, disse a voz de sua mãe numa resposta ríspida, mas nem isso diminuiu seu prazer pelas primeiras palavras gentis que Leo já lhe dirigira.

Ficou parada mais um momento na friagem, grata pelo silêncio. As garagens inclinavam-se em ziguezague, uma atrás da outra, ladeira abaixo. Pouco a pouco, Caroline se deu conta de uma figura parada na base da alameda. Um homem alto, de jeans escuros e jaqueta marrom – cores tão discretas que ele quase se tornava mais uma parte da paisagem de fim de inverno. Alguma coisa nele – alguma coisa em seu jeito de parar e olhar intensamente na direção dela – deixou Caroline inquieta. Ela repôs a tampa na lata de lixo e cruzou os braços. Agora ele vinha andando em sua direção, um homem grande, de ombros largos e andar ligeiro. Sua jaqueta não tinha nada de marrom, e sim um quadriculado pálido com riscas vermelhas. Ele tirou do bolso um boné vermelho vivo e o pôs na cabeça. Caroline sentiu-se estranhamente à vontade com esse gesto, embora não soubesse por quê.

– Olá – fez ele. – Aquele Fairlane tem funcionado direito com você ultimamente?

A apreensão de Caroline se aprofundou e ela se virou para a casa, com seus tijolos escuros erguendo-se contra o céu branco. Sim, lá estava seu banheiro, onde ela passara a noite anterior olhando a lua no jardim. Lá estava sua janela, parcialmente aberta para o ar frio da primavera, com o vento balançando as cortinas rendadas. Quando ela tornou a se virar, o homem havia parado a poucos passos de distância. Caroline o conhecia e compreendeu isso com o corpo, com o alívio que sentiu, antes de conseguir formulá-lo em pensamento. Depois foi tudo tão bizarro que ela mal pôde acreditar.

– Mas como foi que... – começou.

– Não foi fácil – disse Al, rindo. Deixara crescer uma barba fofa e seus dentes brancos reluziram por um instante. Nos olhos escuros tinha uma expressão calorosa, satisfeita e divertida. Caroline lembrou-se dele servindo bacon em seu prato, acenando da cabine prateada do caminhão ao se afastar.

– Você é uma moça difícil de achar. Mas tinha falado em Pittsburgh. Acontece que eu faço uma parada aqui a cada duas semanas, mais ou menos. Procurar você virou uma espécie de hobby – continuou ele, e sorriu. – Agora, não sei o que farei de mim.

Caroline não conseguiu responder. Sentia prazer em vê-lo, mas havia também uma grande confusão. Durante quase um ano, ela não se permitira pensar muito na vida que deixara para trás, mas, nesse momento, tudo ressurgiu com grande força e intensidade: o cheiro de desinfetante e o sol na sala de espera, a sensação de voltar para seu apartamento tranqüilo e ordeiro, no fim de um longo dia de trabalho, preparar uma refeição modesta e se sentar à noite com um livro. Ela abrira mão voluntariamente desses prazeres, abraçara essa mudança, por algum anseio profundo e não reconhecido. E agora seu coração palpitava. Ela fitou a alameda, perturbada, como se, súbito, também pudesse ver David Henry. Era por isso, compreendeu de repente, que nunca tinha enviado aquela carta. E se ele quisesse Phoebe de volta, ou se Norah a quisesse? Essa possibilidade encheu-a de uma onda excruciante de medo.

– Como foi que você fez? – perguntou. – Como me encontrou? Por quê?

Surpreso, Al deu de ombros.

– Dei uma passada em Lexington para dar um alô. Seu apartamento estava vazio. Em pintura. Aquela sua vizinha me disse que fazia três semanas que você tinha ido embora. Acho que não gosto de mistérios, porque continuei a pensar em você – e fez uma pausa, como se debatesse se devia ou não continuar. – E depois... diabos, eu gostei de você, Caroline, e imaginei que você devia estar passando por algum aperto, para sumir de uma hora para outra daquele jeito. Com certeza estava com todo o ar de encrencada naquele dia, parada no estacionamento. Achei que talvez eu pudesse dar uma mãozinha. Achei que talvez você precisasse.

– Eu estou muito bem – disse ela. – E, agora, o que você está imaginando?

Caroline não tivera a intenção de que as palavras saíssem como saíram, tão duras e ríspidas. Fez-se um longo silêncio antes de Al recomeçar a falar.

– Acho que estou percebendo que me enganei com umas coisas – fez ele. Balançou a cabeça. – Pensei que a gente tivesse se dado bem, você e eu.

– E nos demos – disse Caroline. – Só estou surpresa, só isso. Achei que eu tinha cortado todos os meus laços.

Al pousou nela os olhos castanhos e os dois se fitaram.

– Levei um ano inteiro. Se você está com medo que alguém mais a descubra, lembre-se disso. E eu sabia por onde começar, e dei sorte. Comecei a verificar os motéis que eu conheço, perguntando por uma mulher com um bebê. A cada vez eu ia a um lugar diferente e, na semana passada, acertei na mosca. A recepcionista do lugar em que você se hospedou lembrou-se de você. Ela vai se aposentar na semana que vem, aliás. Cheguei pertinho assim de perdê-la para sempre – concluiu, juntando o polegar e o indicador.

Caroline acenou com a cabeça, lembrando-se da mulher atrás do balcão, com a cabeleira branca presa num coque cuidadoso e os brincos de pérola reluzentes. O motel estava com sua família havia 50 anos. O aquecimento chacoalhava a noite inteira e as paredes viviam constantemente úmidas, fazendo o papel descascar. Hoje em dia, dissera a mulher, empurrando a chave por cima do balcão, nunca se sabe quem vai entrar pela porta.

Al gesticulou com a cabeça para o capô azul-claro do Fairlane.

– Eu soube que a tinha encontrado no minuto em que vi isso – comentou. – Como vai a neném?

Caroline lembrou-se do estacionamento deserto, de toda a luz que se havia derramado na neve e desaparecido, do modo como a mão dele tinha pousado, com toda a delicadeza, na testa minúscula de Phoebe.

– Você quer entrar? – ouviu-se perguntar. – Eu ia mesmo acordá-la. E lhe faço um chá.

Conduziu-o pela calçada estreita e pelos degraus da varanda dos fundos. Deixou-o na sala de jantar e subiu a escada, sentindo-se zonza, sem firmeza, como se de repente houvesse entendido que o planeta sob seus pés girava no espaço, deslocando seu mundo, por mais que ela tentasse mantê-lo imóvel. Trocou a fralda de Phoebe e borrifou água em seu próprio rosto, procurando acalmar-se.

Al estava sentado à mesa da sala de jantar, olhando pela janela. Virou-se quando ela desceu a escada e seu rosto se abriu num largo sorriso. Estendeu os braços para Phoebe no mesmo instante, exclamando o quanto ela havia crescido, como estava bonita. Caroline sentiu uma onda de prazer, e Phoebe, encantada, riu, com seus cachos escuros caindo em volta do rosto. Al enfiou a mão na camisa e puxou um medalhão – plástico transparente envolvendo letras turquesa e douradas, que diziam GRAND OLE OPRY. Contou que o comprara em Nashville. *Venha comigo*, dissera ele, todos aqueles longos meses antes, de brincadeira, mas, ao mesmo tempo, falando sério.

E agora estava ali, depois de percorrer todo aquele caminho para encontrá-la.

Phoebe emitia sons suaves, estendendo os braços. Suas mãos roçavam o pescoço de Al, sua clavícula, sua camisa xadrez escura. No começo, Caroline não se deu conta do que estava acontecendo, depois, de repente, percebeu. O que quer que Al estivesse dizendo ficou em segundo plano, fundindo-se com os passos de Leo no andar de cima e com a pressa do trânsito lá fora – sons dos quais desde então Caroline se lembraria como sons que davam sorte.

Phoebe estava estendendo a mão para o medalhão. Não sacudindo-a no ar, como fizera de manhã, mas usando o peito de Al para encontrar resistência, com os dedinhos arranhando o medalhão contra a palma da mão, até conseguir fechar o punho em volta dele. Radiante com o sucesso, puxou-o com força da corrente, o que fez Al levar a mão ao ponto de atrito.

Caroline também levou a mão ao pescoço, sentindo a ardência súbita da alegria. *Isso mesmo*, pensou. *Agarre-o, minha querida. Agarre o mundo.*

# MAIO DE 1965

NORAH SEGUIA À FRENTE DELE, DESLOCANDO-SE COMO UM RAIO, lampejos de branco e azul em meio às árvores, ora visível, ora não. David ia atrás, abaixando-se de vez em quando para catar pedras. Geodos de superfície áspera, fósseis entalhados no xisto. Em dado momento, uma ponta de flecha. David segurava cada um deles por um instante, satisfeito com o peso e a forma, com a frieza das pedras na palma da mão, antes de enfiá-los nos bolsos. Quando menino, as prateleiras de seu quarto sempre tinham sido cobertas de pedras e, até essa idade, ele não conseguia deixá-las de lado, com seus mistérios e possibilidades, embora lhe fosse difícil abaixar-se nesse momento, com Paul preso ao seu peito e a máquina fotográfica raspando em seus quadris.

Lá adiante, Norah parou para dar um aceno, depois pareceu sumir numa parede de pedra cinzenta e lisa. Várias outras pessoas, todas com o mesmo boné azul de beisebol, surgiram de repente, uma a uma, do mesmo paredão cinza. Ao se aproximar, David percebeu que a escada que levava à ponte natural de pedra começava ali, pouco adiante de seu campo visual.

– Olhe bem onde pisa – disse-lhe uma mulher que descia. – É tão íngreme que nem dá para acreditar. E escorregadia também.

Sem fôlego, ela parou e pôs a mão no peito.

Notando sua palidez e a falta de ar, David estancou:

– Senhora? Eu sou médico. A senhora está bem?

– Palpitações – respondeu a mulher, abanando a mão livre. – Tenho sofrido disso a vida inteira.

David segurou-lhe o pulso gorducho e mediu seus batimentos, rápidos mas firmes, que foram diminuindo à medida que ele contava. Palpitações: as pessoas usavam esse termo livremente para falar de qualquer aceleração cardíaca, mas ele logo percebeu que a mulher não estava realmente em sofrimento. Não como a irmã dele, que crescera com tonteiras e falta de ar e era obrigada a se sentar toda vez que simplesmente atravessava a sala correndo. *Problema de coração*, dissera o médico de Morgantown, balançando a cabeça. Não fora mais específico, e não tinha importância: não havia nada que ele pudesse fazer. Anos depois, na faculdade de medicina, David se recordara dos sintomas da irmã e lera até alta madrugada para fazer seu próprio diagnóstico: um estreitamento da aorta, ou, quem sabe, uma anormalidade na válvula cardíaca. June tinha exibido movimentos lentos e dificuldade para respirar, seu estado piorara com o passar dos anos e a pele havia ficado pálida e levemente azulada nos meses que antecederam sua morte. Ela adorava borboletas, ficar de pé com o rosto virado para o sol, de olhos fechados, e comer geléia feita em casa com as bolachas de sal fininhas que sua mãe comprava no centro da cidade. June estava sempre cantando, inventava melodias que cantarolava baixinho só para si, e tinha o cabelo claro, quase branco, da cor do leite. Durante meses, depois da morte da irmã, David acordava de madrugada pensando ter ouvido a vozinha dela cantando como o vento nos pinheiros.

– A senhora disse que tem tido isso a vida inteira? – perguntou à mulher em tom grave, soltando sua mão.

– Ah, sempre – fez ela. – Os médicos me dizem que não é grave. Só incômodo.

– Bom, acho que a senhora vai ficar bem. Mas não se esforce demais – disse David.

Ela agradeceu, afagou a cabeça de Paul e disse:

– E o senhor, trate de tomar cuidado com o baixinho.

David agradeceu com um aceno e seguiu adiante, protegendo a cabeça de Paul com a mão livre enquanto subia a escada entre as paredes úmidas de pedra. Estava contente – era bom poder ajudar as pessoas necessitadas, oferecer-se para tratá-las, coisa que ele parecia não conseguir fazer por aqueles a quem mais amava. Paul dava tapinhas de leve em seu peito, segurando o envelope que David enfiara no bolso: uma carta de Caroline Gill, entregue em seu consultório naquela manhã. Ele só a lera uma vez, rapidamente, e a pusera de lado com a chegada de Norah, procurando esconder sua agitação. *Estamos bem, Phoebe e eu*, dizia. *Até o momento, ela não tem nenhum problema no coração.*

David segurou os dedinhos de Paul delicadamente. O filho levantou a cabeça, olhinhos arregalados, curioso, e ele sentiu uma onda profunda e rápida de amor.

– Ei – disse-lhe, sorrindo –, eu amo você, rapazinho. Mas não coma isso, está bem?

Paul o estudou com seus olhos grandes e escuros, depois virou a cabeça e apoiou o rosto no peito de David, irradiando calor. Usava um chapeuzinho branco com patos amarelos que Norah havia bordado nos dias calmos e vigilantes que se seguiram a seu acidente. A cada pato surgido, David tinha respirado com um pouco mais de alívio. Ele vira a tristeza de sua mulher, o buraco que a dor lhe deixara no coração, ao mandar revelar o filme da nova máquina fotográfica: um após outro, os cômodos vazios da casa antiga, closes dos caixilhos das janelas, as sombras nítidas do corrimão da escada, as lajotas do piso, enviesadas e tortas. E as pegadas de Norah, aquela trilha instável e ensangüentada. Ele jogara as fotos no lixo, inclusive os negativos, mas elas ainda o assombravam. David temia que sempre o assombrassem. Afinal, ele havia mentido: tinha dado a filha dos dois. Que houvesse conseqüências terríveis parecia inevitável e justo. Mas os dias tinham passado, agora fazia quase três meses, e Norah parecia ter voltado ao que era antes. Cuidava do jardim, ria ao telefone com as amigas, ou levantava Paul do cercadinho com seus braços magros e graciosos.

Observando-a, David dissera a si mesmo que ela estava feliz.

Agora, os patinhos balançavam alegremente a cada passo, captando a luz do sol, quando David saiu da escada estreita para a ponte natural de pedra que cruzava o desfiladeiro. Norah, de short de brim e blusa branca sem mangas, estava no centro da ponte, com as pontas dos tênis brancos avermelhadas pelas bordas rochosas. Lentamente, com a graça de uma bailarina, ela abriu os braços e arqueou as costas, de olhos fechados, como quem se oferecesse ao céu.

– Norah! – David chamou, horrorizado. – Isso é perigoso!

Paul empurrou o peito de David com as mãozinhas. *Oso*, repetiu, ao ouvir o pai dizer *perigoso* – uma palavra usada na fala com os bebês para classificar tomadas elétricas, escadas, lareiras, cadeiras e, agora, a queda vertiginosa que se estendia até o fundo do penhasco sob os pés de sua mãe.

– É espetacular! – respondeu Norah, deixando cair os braços. Virou-se, fazendo as pedrinhas deslizarem sob seus pés e escorregarem pela borda. – Venha ver!

Com cautela, ele subiu na ponte e se colocou ao lado da mulher, na beirada. Lá embaixo, figuras minúsculas moviam-se devagar na trilha em que um dia correra um rio. Agora, as colinas subiam e desciam numa primavera exuberante, com centenas de matizes diferentes de verde contrastando com o límpido céu azul. David respirou fundo, lutando contra uma onda de vertigem, com medo até de olhar Norah de relance. Ele quisera poupá-la, protegê-la da morte e do sofrimento; não tinha entendido que a morte a acompanharia de qualquer modo, moldando a vida com a mesma persistência de uma corrente fluvial. Também não tinha previsto sua própria tristeza crescente, entremeada com os fios escuros de seu passado. Quando imaginava a filha de que abrira mão, era o rosto de sua irmã que ele via, com os cabelos pálidos e o sorriso sério.

– Deixe eu bater uma foto – disse, dando um passo atrás, depois outro. – Venha para o meio da ponte. A luz é melhor.

– Num minuto – disse ela, com as mãos nas cadeiras. – É lindo mesmo.

– Norah, você está realmente me deixando nervoso.

– Ah, David – retrucou ela, balançando a cabeça sem olhá-lo. – Por que você se preocupa o tempo todo? Eu estou ótima.

Ele não respondeu, consciente do movimento dos próprios pulmões, da profunda irregularidade de sua respiração. Tivera a mesma sensação ao abrir a carta de Caroline, endereçada a seu antigo consultório na letra descuidada da enfermeira, parcialmente coberta pelo selo. Trazia um carimbo de Toledo, em Ohio. Ela havia anexado três fotografias de Phoebe, um bebê de vestido cor-de-rosa. O endereço da remetente era uma caixa postal em Cleveland, não em Toledo. Cleveland, um lugar onde ele nunca estivera, o lugar em que Caroline Gill parecia estar morando com sua filha.

– Vamos sair daqui – disse ele, por fim. – Deixe eu tirar sua foto.

Ela fez que sim, mas, quando ele alcançou a segurança do centro da ponte e se virou, Norah ainda estava perto da beirada, de frente para ele, com os braços cruzados, sorridente.

– Tire-a aqui mesmo. Vai dar a impressão de que estou andando no ar.

David agachou-se, mexendo nos controles da câmera, sentindo o calor irradiar-se das pedras douradas e nuas. Paul contorceu-se em seu colo e começou a se agitar. David se lembraria disso tudo – que não foi visto nem registrado – quando a imagem começasse a emergir na solução reveladora, mais tarde, tomando forma lentamente. Enquadrou Norah no visor, com o vento a lhe balançar o cabelo, a pele morena e saudável, e pensou em tudo que a mulher lhe escondia.

O ar primaveril era cálido e suavemente perfumado. Eles desceram a trilha, passando por entradas de cavernas e ramas de rododendros roxos e loureiros da montanha. Norah os levou para fora da trilha principal e os conduziu por entre as árvores, acompanhando um riacho, até emergirem num local ensolarado de que ela se lembrava por seus morangos silvestres. O vento soprava de leve na grama alta, e as folhas verde-escuras dos morangueiros tremeluziam baixas, junto à terra. O ar estava carregado de um aroma doce, do zumbir dos insetos e de calor.

Estenderam seu piquenique no chão: queijo, biscoitos e cachos de uva. David sentou-se no cobertor, acomodando a cabeça de Paul contra o peito enquanto o desamarrava, pensando vagamente em seu próprio pai, corpulento e forte, cujos dedos hábeis e rudes cobriam as mãos de David ao lhe ensinar a levantar um machado ou a ordenhar a vaca, ou a bater um prego nas tábuas de cedro. Seu pai, que cheirava a suor e resina e à terra escura e oculta das minas em que trabalhava durante o inverno. Mesmo na adolescência, quando passava a semana inteira numa pensão na cidade, para poder cursar o científico, David adorava voltar para casa nos fins de semana e lá encontrar o pai, fumando seu cachimbo na varanda.

*Oso*, disse Paul. Uma vez solto, tirou no mesmo instante um dos pés do sapato. Estudou-o atentamente, soltou-o quase de imediato e saiu engatinhando em direção ao mundo relvado fora do cobertor. David o viu arrancar um punhado de grama e levá-lo à boca, com um olhar de surpresa lampejando em seu rostinho ao sentir a textura. Súbito, David desejou ardentemente, furiosamente, que seus pais estivessem vivos para conhecer o neto.

– Ruim, não é? – disse, baixinho, ao filho, tirando a grama babada de seu queixo. Norah se movimentava ao lado dele, calada, eficiente, pegando os talheres e os guardanapos. David manteve o rosto virado; não queria que ela o visse tão agitado pela emoção. Tirou um geodo do bolso e Paul o segurou com as duas mãos, girando-o.

– Ele pode pôr isso na boca? – perguntou Norah, acomodando-se ao lado do marido, tão perto que ele sentiu seu calor e seu aroma de suor e sabonete enchendo o ar.

– É provável que não – David respondeu, recuperando a pedra e dando um biscoito a Paul, em lugar dela. O geodo era morno e úmido. David deu uma pancada forte na rocha, abrindo-a e revelando seu interior roxo e cristalino.

– Que lindo – murmurou Norah, girando-o entre os dedos.

– Mares antigos – disse David. – A água ficou presa aí dentro e se cristalizou, ao longo dos séculos.

Eles comeram sem pressa, depois colheram morangos silvestres, quentes de sol e macios. Paul os comeu aos punhados, com o sumo a lhe escorrer pelos pulsos. Dois gaviões circulavam preguiçosamente no céu azul profundo. *Sainho*, disse Paul, erguendo um dedo gorducho para apontar. Depois, quando ele adormeceu, Norah o acomodou num cobertor à sombra, sobre a relva.

– Isto é bom – comentou Norah, acomodando-se encostada num pedregulho. – Só nós três, sentados ao sol.

Estava descalça, e David tomou-lhe os pés entre as mãos, massageando-os, sentindo os ossos delicados que se escondiam sob a carne.

– Ah, isso é bom *mesmo* – disse ela. – Você vai me fazer dormir.

– Fique acordada – ele pediu. – Diga-me no que está pensando.

– Não sei. Estava só lembrando de uma pequena campina perto da criação de ovelhas. Quando Bree e eu éramos pequenas, costumávamos esperar papai lá. Colhíamos ramos enormes de amarelinhas e cenouras silvestres. O sol era exatamente como este: parecia um abraço. Mamãe punha as flores nos vasos pela casa toda.

– Isso também é bom – disse David, soltando um dos pés dela e se dedicando ao outro. Correu o polegar de leve pela cicatriz branca e fina deixada pelo flash. – Gosto de pensar em você lá.

A pele de Norah era macia. Ele se lembrou dos dias ensolarados de sua própria infância, antes de June adoecer, quando a família saía para catar ginseng, uma planta frágil que se escondia na penumbra em meio às árvores. Seus pais tinham se conhecido numa dessas buscas. David tinha a fotografia do casamento dos dois e, no dia de seu próprio casamento, Norah o presenteara com ela, numa bela moldura de carvalho. A mãe, de pele alva e cabelo ondulado, cintura fina e um vago sorriso matreiro. O pai, barbudo, de pé atrás dela, com o chapéu na mão. Depois da cerimônia de casamento, os dois tinham saído do cartório e se mudado para a cabana que seu pai havia construído na encosta da montanha, com vista para seus campos.

– Meus pais adoravam a vida ao ar livre – acrescentou David. – Mamãe plantava flores por toda parte. Havia um aglomerado de nabos-da-índia junto ao riacho perto da nossa casa.

– É uma pena eu nunca os ter conhecido. Eles deviam sentir muito orgulho de você.

– Não sei. Talvez. Ficaram contentes por minha vida ser mais fácil.

– Contentes – Norah concordou devagar, abrindo os olhos e fitando Paul, que dormia serenamente, com pintas de luz em seu rosto. – Mas também meio tristes, quem sabe? Eu ficaria, se o Paul crescesse e se mudasse para longe.

– Sim, é verdade – disse David, assentindo com a cabeça. – Eles ficaram orgulhosos e tristes ao mesmo tempo. Não gostavam da cidade. Só me visitaram uma vez em Pittsburgh.

Lembrou-se dos pais, sentados sem jeito em seu quarto de estudante, a mãe se assustando toda vez que soava um apito de trem. June já havia morrido nessa época, e, enquanto os três tomavam café fraco em sua pequena mesa de estudos, ele se lembrou de ter pensado com amargura que os dois não sabiam o que fazer deles mesmos sem terem June para cuidar. A filha tinha sido o centro de sua vida por muito tempo.

– Eles só passaram uma noite comigo – continuou David. – Depois que meu pai morreu, mamãe foi morar com a irmã, no Michigan. Não andava de avião e nunca aprendeu a dirigir. Depois disso, só estive com ela uma vez.

– Isso é muito triste – disse Norah, tirando uma manchinha de terra da canela.

– É. É muito triste mesmo – concordou David. Pensou em June, em como seu cabelo ficava louríssimo sob o sol a cada verão, no cheiro de sua pele – sabonete e calor e alguma coisa metálica, feito uma moeda – enchendo o ar, quando eles se agachavam lado a lado, escavando o chão com gravetos. Ele a amara muito, seu riso meigo. E odiava voltar para casa e encontrá-la deitada num colchão de palha na varanda, nos dias de sol, e ver o rosto tenso de preocupação de sua mãe, sentada ao lado da forma flácida da filha, cantando baixinho, descascando milho ou ervilhas.

David olhou para Paul, que dormia profundamente no cobertor, com a cabeça de lado e o cabelo comprido encaracolando-se no pescoço úmido. Seu filho, pelo menos, ele havia protegido da tristeza. Paul não cresceria, como crescera David, sofrendo com a perda da irmã. Não seria forçado a se arranjar sozinho, pelo fato de sua irmã não poder fazê-lo.

Essa idéia e a força de sua amargura chocaram David. Ele queria acreditar que fizera a coisa certa ao entregar sua filha a Caroline Gill. Ou, pelo menos, que tivera as razões certas. Mas talvez não fosse isso. Talvez não tivesse sido propriamente Paul que ele havia protegido naquela noite de nevasca, mas uma versão perdida dele mesmo.

– Você está parecendo muito distante – observou Norah.

Ele mudou de posição, chegou mais perto e também se encostou na pedra.

– Meus pais tinham grandes sonhos para mim – disse. – Mas eles não combinavam com meus próprios sonhos.

– Parece minha mãe e eu – disse Norah, abraçando os joelhos. – Ela disse que virá nos visitar no mês que vem. Eu lhe contei? Ela tem uma passagem de avião grátis.

– Isso é bom, não é? Paul vai mantê-la ocupada.

Norah riu.

– Vai mesmo, não vai? Essa é a grande razão de ela vir.

– Norah, com que você sonha? O que você sonha para o Paul?

Norah não respondeu de imediato.

– Acho que quero que ele seja feliz – disse, finalmente. – Qualquer coisa que o faça feliz na vida, é isso que eu quero que ele tenha. Não me importa o que seja, desde que ele cresça bom e fiel a si mesmo. E generoso e forte, como o pai.

– Não – disse David, pouco à vontade. – Você não gostaria que ele saísse a mim.

Norah olhou-o atentamente, surpresa.

– Por que não?

David não respondeu. Após um longo momento de hesitação, ela tornou a falar.

– Qual é o problema? – perguntou, não em tom agressivo, mas pensativo, como se tentasse decifrar a resposta enquanto falava. – Quero dizer, entre nós, David.

Novamente ele não respondeu, lutando contra uma onda repentina de raiva. Por que Norah precisava remexer as coisas outra vez? Por que não podia deixar o passado para trás e seguir adiante? Mas ela voltou a falar.

– As coisas não têm sido as mesmas desde que Paul nasceu e Phoebe morreu. E, mesmo assim, você continua se recusando a falar sobre isso. É como se quisesse apagar o fato de que ela existiu.

– Norah, o que você quer que eu diga? É claro que a vida não tem sido a mesma.

– Não fique zangado, David. É só uma espécie de estratégia, não é? Para que eu não fale mais dela. Mas não pretendo recuar. O que estou dizendo é verdade.

Ele deu um suspiro.

– Não estrague este dia lindo, Norah – disse, finalmente.

– Não vou estragar – disse ela, afastando-se. Deitou-se no cobertor e fechou os olhos. – Estou perfeitamente contente com o dia de hoje.

David olhou-a por um momento, com o sol batendo em seu cabelo louro, o peito subindo e descendo de leve a cada respiração. Sentiu vontade de estender a mão e seguir a curva delicada dos ossos de suas costelas; sentiu vontade de beijá-la no ponto em que os ossos se encontravam, abrindo-se como asas.

– Norah, eu não sei o que fazer – disse. – Não sei o que você quer.

– Não, não sabe.

– Você podia me dizer.

– Suponho que sim. Talvez eu diga. Eles se amavam muito? – perguntou de repente, sem abrir os olhos. Sua voz continuava baixa e calma, porém David intuiu uma nova tensão no ar. – Seu pai e sua mãe.

– Não sei – ele respondeu devagar, com cuidado, tentando determinar a origem da pergunta. – Os dois se amavam. Mas ele passava muito tempo fora. Como eu disse, a vida deles era difícil.

– Meu pai amava minha mãe mais do que ela o amava – disse Norah, e David sentiu um desconforto agitar-se em seu coração. – Ele a amava, mas não parecia capaz de demonstrar seu amor de um modo que fosse significativo para ela. Mamãe o achava excêntrico, meio bobo. Havia muito silêncio na minha casa quando eu cresci... Também somos muito calados lá em casa – acrescentou, e David pensou nas noites calmas em que ela curvava a cabeça sobre o chapeuzinho branco com os patos.

– É um silêncio bom – disse.

– Às vezes.

– E nas outras vezes?

– Ainda penso nela, David – disse Norah, virando-se de lado e enfrentando o olhar do marido. – Em nossa filha. Em como ela seria.

David não respondeu e a viu chorar em silêncio, cobrindo o rosto com as mãos. Após um momento, estendeu a mão e a tocou no braço. Norah secou as lágrimas dos olhos.

– E você? – perguntou, agora enfurecida. – Nunca sente falta dela, como eu?

– Sim – respondeu ele, em tom sincero. – Penso nela o tempo todo.

Norah pôs a mão no peito do marido e, em seguida, seus lábios, sujos de morango, pousaram nos dele, com uma doçura penetrante como o desejo em sua língua. David teve a sensação de estar caindo, com o sol na pele e os seios dela a se eriçarem devagar, como pássaros, em suas mãos. Norah procurou os botões da camisa do marido e sua mão roçou na carta que ele escondera no bolso.

David livrou-se da camisa, mas, apesar disso, ao tornar a envolvê-la nos braços, pensou consigo mesmo: *Amo você. Eu a amo muito, mas menti para você.* E a distância entre eles, de apenas milímetros, só o espaço para respirar, alargou-se e se aprofundou, tornou-se uma caverna em cuja borda ele se deteve. David afastou-se, de volta para a luz e a sombra, as nuvens que ora o encobriam ora não, e para a rocha quente de sol às suas costas.

– O que foi? – perguntou Norah, afagando-lhe o peito. – Puxa, David, qual é o problema?

– Nada.

– David. Ah, David. Por favor.

Ele hesitou, à beira de confessar tudo, e não conseguiu.

– É um problema no trabalho. Um paciente. Não consigo tirar o caso da cabeça.

– Deixe pra lá. Estou mais do que farta do seu trabalho – disse Norah.

Gaviões voando alto nas correntes ascendentes e o sol aquecendo muito. Tudo girava, voltando sempre ao mesmo ponto exato. Ele tinha que contar à mulher. As palavras se avolumaram em sua boca. *Amo você. Eu a amo muito, mas menti para você.*

– Quero ter outro filho, David – disse Norah, sentando-se. – O Paul já tem idade suficiente e eu estou pronta.

David levou tamanho susto que ficou sem fala por um momento.

– O Paul só tem um ano – disse, por fim.

– E daí? Dizem que é mais fácil acabar logo de uma vez com as fraldas e tudo o mais.

– Quem diz?

Norah suspirou.

– Eu sabia que você ia dizer não.

– Não estou dizendo não – retrucou David, cauteloso.

Ela não respondeu.

– O momento me parece errado, só isso.

– Você *está* dizendo não. Está dizendo não, mas não quer admitir.

David calou-se, lembrando do quanto Norah chegara perto da borda da ponte. Lembrando das fotos que ela tirara de coisa nenhuma e da carta em seu bolso. Só o que ele queria era manter seguras as estruturas delicadas da vida dos dois, fazer as coisas continuarem como estavam. Para que o mundo não mudasse, para que o frágil equilíbrio entre eles pudesse durar.

– As coisas estão correndo bem agora – disse David, baixinho.

– E o Paul? – perguntou Norah. Gesticulou com a cabeça em direção ao filho, que dormia quieto e sereno em seu cobertor. – Ele sente falta dela.

– Não é possível que ele se lembre – rebateu David, áspero.

– Nove meses – disse Norah. – Crescendo coração com coração. Como é que ele não se lembraria, em algum nível?

– Não estamos preparados. Eu não estou.

– Não se trata só de você. Você quase já não pára em casa. Talvez seja eu que sinto saudade dela, David. Às vezes, sinceramente, tenho a sensação de que ela está muito perto, logo ali, no cômodo ao lado, e de que eu a esqueci. Sei que deve parecer maluquice, mas é verdade.

David não respondeu, embora soubesse exatamente o que ela queria dizer. O ar tinha um perfume denso de morangos. A mãe dele costumava fazer conservas no fogão do lado de fora, mexendo a mistura fumegante enquanto ela se transformava em xarope, depois aferventando e enchendo os potes para dispô-los feito jóias numa prateleira. Ele e June comiam a geléia no rigor do inverno, roubando colheradas quando a mãe não estava olhando e se escondendo sob o oleado da mesa para lamber as colheres até deixá-las imaculadas. A morte de June havia abatido o espírito de sua mãe, e David já não conseguia acreditar-se imune ao azar. Era estatisticamente improvável que eles tivessem outro filho com síndrome de Down, mas era possível, tudo era possível – e ele não podia correr esse risco.

– Mas ter outro filho não consertaria as coisas, Norah. Não é a razão certa.

Após um momento de silêncio, ela se levantou, esfregando as mãos no short, e saiu andando com raiva pela campina.

A camisa de David ficou amarrotada a seu lado, com um canto do envelope branco aparecendo. Ele não o pegou; não precisava. O bilhete era curto e, apesar de ele só ter dado uma olhadela nas fotos, elas lhe eram tão claras como se ele mesmo as houvesse tirado. O cabelo de Phoebe era escuro e fino, como o de Paul. Os olhos eram castanhos e ela sacudia os punhos gorduchos no ar, como se tentasse pegar alguma coisa fora da visão da câmera. Talvez Caroline, segurando a máquina. Ele a vira de relance na cerimônia fúnebre, alta e solitária com seu casaco vermelho, e depois fora direto ao apartamento da enfermeira, inseguro de suas intenções, sabendo apenas que precisava vê-la. Mas, àquela altura, Caroline já se fora. O apartamento tinha exatamente a mesma aparência, com seus móveis atarracados e as paredes lisas; uma torneira pingava no banheiro. Mesmo assim, o ar estava parado demais, as prateleiras nuas. As gavetas da cômoda e os armários estavam vazios. Na cozinha, com a luz pálida derramada sobre o linóleo preto e branco, David ficara escutando o bater de seu coração inquieto.

Deitou-se de costas, com as nuvens a correr lá no alto, luz e sombra. Não havia tentado encontrar Caroline e, como a carta não trazia um endereço útil da remetente, ficara sem idéia de por onde começar. *Agora está em suas mãos*, ele lhe dissera. Mas se apanhava aflito em momentos estranhos: sozinho no novo consultório, ou ao revelar fotografias e ver as imagens emergirem, misteriosamente, das folhas de papel em branco, ou deitado ali, naquela rocha morna, enquanto Norah, magoada e enraivecida, se afastava.

David estava cansado e se sentiu pegando no sono. Os insetos zumbiam ao sol e ele se inquietava vagamente com as abelhas. As pedras em seu bolso lhe faziam pressão na perna. Nas noites da infância, às vezes encontrava o pai na cadeira de balanço da varanda, os choupos a cintilar de vida com os vaga-lumes. Numa dessas noites, o pai lhe havia entregado uma pedra lisa, uma cabeça de machado que encontrara ao cavar uma trincheira. *Tem mais de dois mil anos*, dissera ele. *Imagine só, David. Ela já esteve em outras mãos, faz uma eternidade, mas sob esta mesma lua.*

Isso tinha sido numa ocasião. Havia outros dias em que eles saíam para procurar cascavéis. Do pôr-do-sol ao amanhecer, andavam pelos bosques carregando forquilhas, com sacos de pano jogados no ombro e uma caixa de metal balançando na mão de David.

Para David, era sempre como se o tempo parasse nesses dias, com o sol eternamente no céu e as folhas secas deslocando-se sob seus pés. O mundo se reduzia a apenas ele, o pai e as cobras, mas também se expandia, com a vastidão do céu se abrindo a seu redor, mais alto e mais azul a cada passo, e tudo ficava mais lento, até o instante em que ele detectava um movimento em meio às cores da terra e às folhas secas, pois os losangos desenhados no dorso só se tornavam visíveis quando a cobra começava a se mexer. O pai lhe ensinara a ficar imóvel, observando os olhos amarelos e a língua agitada. Toda vez que a cobra troca de pele, o chocalho fica mais longo, de modo que era possível dizer, pela altura do chocalhar no silêncio da floresta, quais eram a idade e o tamanho da cascavel e quanto dinheiro ela daria. No caso das maiores, cobiçadas por zoológicos, cientistas e, às vezes, adestradores de cobras, era possível receber cinco dólares por uma.

A luz filtrava-se por entre as árvores e fazia desenhos no solo da floresta, e havia o som do vento. Depois vinham o chocalhar e a cabeça recuada da cobra, e o braço do pai de David, forte e sólido, fincando a forquilha para prendê-la pelo pescoço. As presas se projetavam e batiam com força na terra úmida, enquanto o chocalho se agitava, arisco e furioso. Com dois dedos fortes, seu pai segurava firme a cobra, por trás da mandíbula aberta, e a apanhava: fria, seca, contorcendo-se feito um chicote. Ele jogava a cobra num saco de pano, fechava-o com um puxão, e o saco virava uma coisa viva, palpitando no solo. O pai de David o atirava na caixa de metal e fechava a tampa. Sem dizer nada, eles seguiam em frente, contando de cabeça o dinheiro das cobras. Havia semanas, no verão e no fim do outono, em que conseguiam ganhar 25 dólares com isso. O dinheiro servia para comprar comida; quando eles iam ao médico em Morgantown, pagava por isso também.

– *David!*

A voz de Norah lhe chegou fraca e urgente, cruzando o passado remoto e a floresta e penetrando no dia. David se apoiou nos cotovelos e a viu de pé no extremo oposto do campo de morangos maduros, hipnotizada por alguma coisa no chão. Ele sentiu uma onda de adrenalina e medo. As cascavéis gostavam de troncos ensolarados como aquele perto do qual Norah havia parado; punham ovos na fértil madeira apodrecida. David deu uma espiada em Paul, que ainda dormia calmamente na sombra, levantou e saiu correndo, com cardos a lhe arranhar os tornozelos e morangos se esborrachando macios sob seus pés, e já enfiando a mão no bolso das calças e fechando o punho sobre a pedra maior. Quando chegou perto o bastante para vislumbrar a linha escura da cobra, atirou a pedra com toda a força. Ela descreveu um arco lento no ar, rodopiando. Caiu uns 15 centímetros aquém da cobra e estourou, exibindo o núcleo roxo, vivo e reluzente.

– Mas o que você está fazendo? – exclamou Norah.

Ele já a havia alcançado. Arfante, olhou para baixo. Não era cobra alguma, apenas um graveto escuro, descansando sobre o casco seco do toro.

– Achei que você tinha me chamado – disse, confuso.

– Chamei – confirmou Norah. Apontou para um aglomerado de flores pálidas, logo adiante da linha de sombra. – Nabos-da-índia. Como os que sua mãe costumava plantar. David, você está me assustando.

– Pensei que fosse uma cobra – explicou ele, apontando para o graveto e tornando a sacudir a cabeça na tentativa de afastar o passado. – Uma cascavel. Acho que eu estava sonhando. Pensei que você precisasse de ajuda.

Norah fez um ar intrigado e David abanou a cabeça para se livrar do sonho. Sentiu-se terrivelmente tolo, de repente. O graveto era um graveto, nada mais. O dia parecia absurdamente normal. Os pássaros piavam e as folhas recomeçaram a se mexer nas árvores.

– Por que você estava sonhando com cobras? – perguntou Norah.

– Eu costumava capturá-las. Por dinheiro.

– Por dinheiro? – repetiu ela, intrigada. – Dinheiro para quê?

A distância se reinstalara entre eles, um abismo do passado que David não conseguia transpor. Dinheiro para a comida e para aquelas idas à cidade. Norah vinha de um mundo diferente, jamais entenderia isso.

– Elas ajudaram a pagar meus estudos na escola, aquelas cobras.

Norah assentiu com a cabeça e pareceu prestes a fazer mais perguntas, mas não as fez.

– Vamos – disse ela, esfregando o ombro. – Vamos pegar o Paul e voltar para casa.

Cruzaram de volta o campo e guardaram as coisas. Norah carregou Paul; ele, a cesta de piquenique.

• • •

Enquanto caminhavam, David recordou-se do pai, parado no consultório do médico, e das notas verdes caindo como folhas sobre o tampo do balcão. A cada uma, o menino se lembrava das cobras, do açoite dos chocalhos, das bocas se escancarando num V inútil, da frieza da pele delas entre os dedos e de seu peso. Dinheiro de cobras. Ele era um garoto de oito ou nove anos, e aquela era a única coisa que sabia fazer.

Aquilo e proteger June. *Cuide da sua irmã*, advertia a mãe, erguendo os olhos do fogão. *Alimente as galinhas, limpe o galinheiro e tire as ervas daninhas do jardim. E cuide da June.*

David cuidava, mas não muito bem. Ficava de olho em June, mas não a impedia de escavar a terra e esfregá-la no cabelo. Não a consolava quando ela tropeçava numa pedra e caía, ralando o cotovelo. Seu amor pela irmã era tão profundamente entremeado de ressentimento que ele não conseguia desemaranhar os dois. Ela vivia doente, por causa do coração fraco e dos resfriados que pegava em todas as estações e que a faziam chiar e arquejar. Mas, quando ele subia a trilha na volta da escola, com os livros pendurados nas costas, era June quem estava sempre à espera, era June quem o olhava no rosto e compreendia como fora o dia do irmão e queria saber tudo sobre ele. Seus dedos eram pequenos e ela gostava de afagá-lo, com os cabelos longos e escorridos esvoaçando na brisa.

E então, num fim de semana, ele voltou da escola e encontrou a cabana vazia, inerte, com um esfregão de banho pendurado na borda da banheira e uma friagem no ar. Sentou-se na varanda, com fome e com frio, e esperou. Muito tempo depois, quase ao anoitecer, avistou a mãe descendo a colina, de braços cruzados. Ela só falou ao chegar aos degraus, olhando o filho e dizendo: *David, sua irmã morreu. A June morreu.* O cabelo da mãe estava repuxado para trás, uma veia pulsava em sua têmpora e seus olhos estavam vermelhos de tanto chorar. Ela usava um suéter cinza fininho, apertando-o junto ao corpo, e disse: *David, ela se foi.* E, quando o menino se levantou para abraçá-la, a mãe desmoronou, em prantos, e ele perguntou: *Quando?* E veio a resposta: *Foi há três dias, na terça-feira, logo de manhã cedo; eu fui lá fora buscar água e, quando voltei, a casa estava em silêncio, e na mesma hora eu soube. Ela estava morta. Parou de respirar.* David abraçou a mãe, sem conseguir pensar em mais nada para dizer. A dor que sentia estava calcada no fundo, e por cima havia uma dormência, e ele não conseguia chorar. Pôs uma manta nos ombros da mãe. Preparou-lhe uma xícara de chá, foi ao galinheiro, encontrou os ovos que ela não havia recolhido e os apanhou. Deu comida às galinhas e ordenhou a vaca. Fez essas coisas comuns, mas, ao entrar, a casa continuava sombria, o ar continuava silencioso e June continuava morta.

*Davey*, disse sua mãe, muito tempo depois, das sombras em que se havia sentado: *Vá embora para a escola. Aprenda alguma coisa que possa ajudar na vida.* Ele se ressentiu disso; queria que sua vida fosse sua, sem ser estorvada por essa sombra, por essa perda. Sentiu-se culpado por June estar deitada na cova, com um monte de terra por cima, e ele continuar ali em pé; estava vivo, e a respiração entrava e saía de seus pulmões; ele a sentia, assim como o coração batendo. *Vou ser médico*, disse, e a mãe não respondeu, mas, passado algum tempo, ela acenou com a cabeça e se levantou, tornando a grudar o suéter no corpo. *David, preciso que você pegue a Bíblia e vá lá no alto comigo fazer a oração. Quero que as palavras sejam ditas formalmente e direito.* E, assim, os dois subiram juntos a colina. Estava escuro quando chegaram ao topo; ele parou sob os pinheiros, com o vento forte soprando, e leu, à luz bruxuleante da lamparina de querosene: *O Senhor é meu pastor. Nada me faltará. Mas falta*, pensou consigo mesmo, enquanto dizia as palavras. *Falta*. E a mãe chorou e os dois desceram a colina em silêncio até a casa, onde ele escreveu uma carta ao pai para dar a notícia. Mandou-a pelo correio na segunda-feira, ao voltar para a cidade alvoroçada, de luzes brilhantes. Pôs-se atrás do balcão, cujo carvalho fora alisado pelo desgaste de uma geração de comércio, e jogou a carta simples e branca na caixa do correio.

• • •

Quando os três enfim chegaram ao carro, Norah parou para examinar o ombro, avermelhado pelo sol. Estava de óculos escuros e, quando olhou para David, ele não pôde ler sua expressão.

– Você não tem que ser todo esse herói – disse Norah. Suas palavras foram categóricas e experientes, e David percebeu que a mulher estivera pensando nelas, ensaiando-as, talvez, no trajeto de volta.

– Não estou tentando ser herói.

– Não? – fez ela, desviando os olhos. – Acho que está. E a culpa é minha também. Durante muito tempo, eu quis ser salva, percebo isso. Só que não quero mais. Agora você não precisa me proteger o tempo todo. Detesto isso.

Em seguida, pegou a cadeirinha para automóvel e tornou a virar o rosto. Sob a luz manchada do sol, a mão de Paul puxou o cabelo da mãe, e David experimentou uma sensação de pânico, quase vertigem, por tudo que não sabia; por tudo que sabia e não podia consertar. E raiva: esta ele também sentiu, de repente, numa grande onda. Raiva de si mesmo, mas também de Caroline, que não tinha feito o que ele pedira, que havia tornado ainda pior uma situação impossível. Norah sentou-se no banco da frente e bateu a porta do carro. David procurou as chaves no bolso e, em vez delas, tirou o último geodo, cinzento e liso, com a forma da Terra. Segurou-o, sentindo-o aquecer-se em sua palma, e pensou em todos os mistérios que o mundo encerrava: camadas de pedra escondidas sob a capa de terra e grama; aquelas pedras opacas, com seus cintilantes corações ocultos.

# 1970

## MAIO DE 1970

# I

— ELE É ALÉRGICO A ABELHAS – DISSE NORAH À PROFESSORA, VENDO PAUL correr pela grama nova do parquinho. Ele subiu no escorregador, sentou-se no alto por um instante, com as mangas curtas brancas adejando ao vento, e deslizou, pulando de alegria ao chegar ao chão. As azaléias floresciam, compactas, e o ar, morno como a pele, ressoava com o zumbir de insetos e pássaros. – O pai dele também é alérgico. Isso é muito grave.

– Não se preocupe – retrucou a Srta. Throckmorton. – Cuidaremos bem dele.

A Srta. Throckmorton era jovem, recém-formada, morena, esguia e entusiástica. Usava uma saia rodada e sandálias rasas resistentes, e seus olhos nunca se afastavam dos grupos de crianças que brincavam no parque. Parecia equilibrada, competente, concentrada e gentil. Mesmo assim, Norah não confiava completamente em que ela soubesse o que estava fazendo.

– Ele pegou uma abelha – insistiu –, uma abelha *morta*, caída no peitoril da janela. Segundos depois, começou a inchar feito um balão.

– Não se preocupe, Sra. Henry – repetiu a Srta. Throckmorton, um pouco menos paciente. Já começava a se afastar, com a voz clara e tranqüilizadora como um sino, para ajudar uma menininha com areia nos olhos.

Norah deixou-se ficar sob o sol novo de primavera, observando Paul. Ele brincava de pique, com as faces coradas, correndo com os braços abaixados junto ao corpo – também costumava dormir desse jeito quando bebê. Seu cabelo era escuro, mas tirando isso o menino se parecia com Norah, diziam, com a mesma estrutura óssea e a tez clara. Ela se via no filho, era verdade, e David também estava ali, na forma do queixo de Paul, na curvatura das orelhas, no jeito como ele gostava de ficar de braços cruzados, escutando a professora. Acima de tudo, porém, Paul era simplesmente ele mesmo. Adorava música e passava o dia inteiro cantarolando melodias inventadas. Embora tivesse apenas seis anos, já havia cantado solos na escola, dando um passo à frente dos colegas com uma inocência e uma confiança que deixavam Norah perplexa, com sua voz doce a se elevar no auditório, clara e melodiosa como a água de um riacho.

Ele parou para se agachar ao lado de outro garotinho, que usava um graveto para tirar folhas da água escura de uma poça. Seu joelho direito estava ralado, o band-aid se soltando. O sol cintilava em seu cabelo preto e curto. Norah o observou, sério e completamente absorto em sua tarefa, e exultou com a simples realidade da existência dele. Paul, seu filho. Ali, no mundo.

– Norah Henry! Exatamente a pessoa que eu queria encontrar!

Norah virou-se e viu Kay Marshall, de calças justas cor-de-rosa e suéter creme e rosa, sandálias douradas de couro e reluzentes brincos de ouro. Kay empurrava a filha pequena num carrinho de vime antigo enquanto Elizabeth, a mais velha, andava a seu lado. Elizabeth, nascida uma semana depois de Paul, na súbita primavera que se seguira àquela nevasca estranha e repentina. Nessa manhã, ela usava um vestido rosa de bolinhas e sapatos de verniz branco. Impaciente, afastou-se de Kay e correu pelo parquinho até os balanços.

– Está um dia lindo – comentou Kay, ao vê-la afastar-se. – Como vai você, Norah?

– Eu vou bem – ela respondeu, resistindo ao impulso de passar a mão no cabelo, com aguda consciência da simplicidade de sua blusa branca e sua saia azul, sem nenhuma jóia. Onde e quando quer que Norah a visse, Kay estava sempre assim: calma e descontraída, com tudo combinando nos mínimos detalhes, os filhos vestidos com perfeição e bem comportados. Kay era o tipo de mãe que Norah sempre imaginara vir a ser, lidando com todas as situações com uma serenidade relaxada e instintiva. Norah a admirava e também a invejava. Às vezes, chegava a pensar que, se fosse mais parecida com Kay, mais tranqüila e segura, talvez seu casamento melhorasse; ela e David seriam mais felizes.

– Eu vou bem – repetiu, olhando para a neném, que a fitou com olhos grandes e inquisitivos. – Olhe só como a Angela está crescida!

Num impulso, abaixou-se e pegou a menina, a segunda filha de Kay, vestida num cor-de-rosa fofo para combinar com a roupa da irmã. Sentiu-a leve e cálida em seu colo, e a neném deu-lhe tapinhas no rosto, com suas mãos miúdas, rindo. Norah sentiu uma onda de prazer, lembrando-se de Paul naquela idade, com seu cheirinho de sabonete e leite, a pele macia. Olhou para o outro lado do parque, onde ele voltara a correr, brincando de pique. Agora que estava na escola, ele tinha sua própria vida. Já não gostava de sentar-se aninhado na mãe, a menos que estivesse doente ou lhe pedisse para ler uma história antes de dormir. Parecia impossível que um dia tivesse sido pequeno assim, impossível que houvesse se tornado um menino crescido, dono de um velocípede vermelho, que espetava gravetos em poças e cantava lindamente.

– Ela está fazendo 10 meses hoje – disse Kay. – Dá para acreditar?

– Não. O tempo passa muito depressa – disse Norah.

– Você esteve no campus? Soube do que está acontecendo?

Norah fez que sim com a cabeça.

– A Bree me ligou ontem à noite.

Ela ficara em pé, com o telefone numa das mãos e a outra no peito, assistindo ao noticiário cheio de chuviscos na televisão: quatro estudantes mortos a tiros na Universidade Estadual Kent. Até em Lexington, fazia semanas que a tensão vinha se acumulando, com os jornais repletos de guerra, protestos e inquietação, num mundo volátil e mutável.

– É de assustar – disse Kay, mas seu tom era calmo, mais reprovador que desalentado: o mesmo que ela usaria para falar do divórcio de alguém. Ela pegou Angela, beijou-a na testa e a repôs delicadamente no carrinho.

– Eu sei – concordou Norah. Usou o mesmo tom, mas, para ela, a inquietação parecia profundamente pessoal, um reflexo do que vinha acontecendo em seu íntimo havia anos. Por um instante, sentiu outra fisgada profunda e aguda de inveja. Kay vivia na inocência, intocada pelo luto, achando que sempre estaria segura; o mundo de Norah havia mudado com a morte de Phoebe. Todas as suas alegrias tinham ganho um nítido relevo em função dessa perda e da possibilidade de outras mais, que agora ela vislumbrava a cada momento. David vivia lhe dizendo para relaxar, contratar uma empregada, não se desgastar tanto. Irritava-se com os projetos dela, seus comitês, seus planos. Mas Norah não conseguia ficar parada; isso a deixava inquieta demais. Assim, organizava reuniões e preenchia seus dias, sempre com a sensação desesperada de que, se baixasse a guarda por um instante sequer, viria a desgraça. A sensação piorava no fim da manhã; quase sempre, ela tomava uma dose de bebida nessa hora – gim, às vezes vodca – para ajudá-la a enfrentar a tarde. Gostava da calmaria que se espalhava por seu corpo, feito luz. Mantinha as garrafas cuidadosamente escondidas de David.

– Enfim – dizia Kay –, eu queria responder ao convite para sua festa. Adoraríamos ir, mas vamos chegar meio atrasados. Há alguma coisa que eu possa levar?

– Apenas vocês – disse Norah. – Está tudo quase pronto. Só que tenho que ir para casa derrubar um ninho de vespas.

Os olhos de Kay se arregalaram um pouquinho. Ela vinha de uma antiga família de Lexington e tinha seu "pessoal", como o chamava. O pessoal da piscina, o pessoal da limpeza, o pessoal do jardim e o pessoal da cozinha. David sempre dizia que Lexington era como o calcário sobre o qual se erguia: camadas de estratificação, nuances do ser e do pertencer em que o lugar de cada um na hierarquia fora fixado na pedra desde longa data. Sem dúvida, Kay também devia ter o pessoal dos insetos.

– Um ninho de vespas? Coitada de você!

– Pois é – fez Norah. – Vespões. O ninho está pendurado perto da garagem.

Sentiu prazer em chocar Kay, nem que fosse um pouquinho; gostou do som concreto da tarefa que tinha pela frente. Vespas. Ferramentas. O desmantelamento de um ninho. Norah torcia para que isso ocupasse a manhã inteira. No mais, poderia apanhar-se dirigindo, como fizera tantas vezes nas semanas anteriores, em alta velocidade, com uma garrafinha prateada na bolsa. Era capaz de chegar ao rio Ohio em menos de duas horas. A Louisville ou Maysville, ou então, como fizera uma vez, até mesmo a Cincinnati. Estacionava numa ribanceira e descia do carro, para olhar a água distante e em perene movimento lá embaixo.

A campainha da escola tocou e as crianças começaram a se afunilar na entrada. Norah procurou a cabeça escura de Paul e o viu desaparecer.

– Adorei vocês dois cantando juntos – disse Kay, jogando beijos para Elizabeth. – O Paul tem uma voz linda. É mesmo um dom.

– Ele adora música – concordou Norah. – Sempre adorou.

Era verdade. Uma vez, aos três meses, quando ela conversava com amigas, de repente ele havia começado a balbuciar uma cascata de sons que inundara a sala como flores que se derramassem de repente de uma réstia de luz, interrompendo a conversa por completo.

– Aliás, essa é uma outra coisa que eu queria lhe pedir, Norah. É sobre o evento beneficente que vou organizar no mês que vem. O tema é Cinderela, e fui encarregada de juntar todos os pajens que puder. Pensei no Paul.

A despeito de si mesma, Norah sentiu uma onda de prazer. Perdera a esperança de receber esse tipo de convite depois do casamento e do divórcio escandalosos de Bree.

– Um pajem? – repetiu Norah, absorvendo a notícia.

– Bem, é o melhor papel – confidenciou Kay. – E não é só um pajem. O Paul cantaria. Um dueto. Com a Elizabeth.

– Entendo – fez Norah, e era verdade. A voz de Elizabeth era agradável, mas uma vozinha miúda. Ela cantava com uma animação forçada, como bulbos de primavera em janeiro, dardejando olhares ansiosos pela platéia. Sua voz não seria sonora o bastante sem a de Paul.

– Significaria muito para todo mundo, se ele cantasse.

Norah acenou com a cabeça devagar, decepcionada, aborrecida consigo mesma por se importar. Mas a voz de Paul era pura, alada; ele adoraria ser um pajem. E, pelo menos, assim como as vespas, essa festa daria outra âncora aos dias de Norah.

– Esplêndido! – exclamou Kay. – Ah, que maravilha! Espero que você não se incomode – acrescentou –, mas tomei a liberdade de reservar uma roupinha de gala para ele. Tinha certeza de que você diria que sim!

Kay deu uma olhada no relógio, agora com ar eficiente, pronta para ir embora.

– Foi um prazer vê-la – disse a Norah, dando adeusinho ao se afastar, empurrando o carrinho.

O parquinho estava deserto. Norah passou pelos balanços e escorregadores coloridos em direção ao carro. O rio, com seus remoinhos tranqüilizadores, a chamava. Em duas horas ela poderia estar lá. A tentação da corrida veloz, do vento batendo, da água, era quase irresistível, tão grande que, no último feriado escolar, ela ficara surpresa ao se encontrar em Louisville – com Paul assustado e quieto no banco traseiro – com o cabelo despenteado e o efeito do gim já diminuindo. *Lá está o rio*, dissera ela, parada com a mãozinha de Paul na sua, olhando para a água pardacenta e revolta. *E, agora, iremos ao zoológico*, anunciara, como se essa tivesse sido sua intenção desde o início.

Norah saiu da escola e seguiu para o centro da cidade pelas ruas arborizadas, passando pelo banco e pela joalheria com uma ânsia tão vasta quanto o céu. Reduziu a velocidade ao passar pela World Travel. Na véspera, fizera uma entrevista de emprego ali. Tinha visto o anúncio no jornal e se sentira atraída pelo prédio baixo de tijolos, com seus cartazes glamourosos nas vitrines: praias e edifícios esplendorosos, céus e cores vívidos. Não havia realmente querido o emprego até chegar lá, e então, de repente, quis. Sentada com seu vestido justo de linho estampado, a bolsa branca no colo, ela havia desejado aquele emprego mais do que qualquer outra coisa. A agência de viagens pertencia a um homem chamado Pete Warren, um cinqüentão calvo no cocuruto, que ficara batendo com a ponta do lápis em sua prancheta e fizera piadas sobre o time da Universidade de Kentucky, os Wildcats. O homem tinha gostado dela, Norah sabia, embora ela fosse formada em língua inglesa e não tivesse nenhuma experiência. Warren ficara de lhe dar a resposta hoje.

Atrás dela, alguém tocou a buzina. Norah acelerou. Essa rua passava pelo centro da cidade e cruzava a auto-estrada. Mas, quando ela se aproximou da universidade, o trânsito ficou mais pesado. As ruas estavam tão cheias de gente que ela reduziu até quase parar e, em seguida, teve que estacionar o carro. Desceu e seguiu a pé. Ao longe, de um ponto mais interno do campus, vinha um crescendo obscuro de vozes ritmadas, um canto cheio de energia que, de algum modo, aparentava-se com os botões que floresciam nas árvores. O desassossego e a ansiedade de Norah pareceram ser respondidos por esse momento, e ela entrou na correnteza humana.

O cheiro de suor e óleo de patchuli enchia o ar, e o sol lhe aquecia os braços. Norah pensou na escola primária, a apenas um quilômetro e meio dali, com seu jeito ordeiro e trivial, e imaginou o tom reprovador de Kay Marshall, mas seguiu em frente. Ombros, braços e cabelos esbarraram nela. A correnteza começou a diminuir o ritmo e a se acumular; uma multidão se aglomerava diante do prédio do Corpo de Formação de Oficiais da Reserva, o ROTC, onde havia dois rapazes em pé na escada, um deles com um megafone. Norah também parou, esticando o pescoço para ver o que estava acontecendo. Um dos rapazes, de paletó e gravata, segurava no alto uma bandeira norte-americana, com suas listras esvoaçando. Enquanto ela olhava, o outro rapaz, igualmente bem-vestido, aproximou a mão da ponta da bandeira. No começo, as chamas foram invisíveis, uma intensidade de calor bruxuleante, depois pegaram o tecido e subiram, desenhando-se contra a folhagem e o azul verdejante do dia.

Norah assistiu àquilo como se acontecesse em câmera lenta. Em meio ao ar tremeluzente, viu Bree, deslocando-se pelo perímetro da aglomeração próxima do edifício, distribuindo panfletos. Tinha o cabelo comprido preso num rabo-de-cavalo que balançava contra sua blusa branca de camponesa. *Ela é linda,* pensou Norah, ao vislumbrar a determinação e a animação no rosto da irmã, um instante antes de ela desaparecer. A inveja tornou a invadi-la como uma chama: inveja de Bree, por sua segurança e sua liberdade. Norah abriu caminho na multidão.

Avistou a irmã outras duas vezes – um lampejo de seu cabelo louro, seu rosto de perfil – antes de finalmente alcançá-la. Nessa hora, Bree estava parada no meio-fio, falando com um rapaz de cabelo avermelhado, os dois tão absortos na conversa que, quando Norah enfim tocou o braço da irmã, Bree se virou, intrigada e sem enxergar, com a expressão totalmente vazia por um longo instante, até reconhecer a irmã.

– Norah?! – exclamou. Pôs a mão no peito do homem ruivo, num gesto tão seguro e íntimo que o coração de Norah parou. – É minha irmã – explicou Bree. – Norah, este é o Mark.

Ele acenou com a cabeça sem sorrir e apertou a mão de Norah, avaliando-a.

– Puseram fogo na bandeira – comentou Norah, de novo consciente de sua roupa, tão deslocada ali quanto no parquinho, por motivos completamente diferentes.

Os olhos castanhos de Mark espremeram-se ligeiramente e ele deu de ombros.

– Eles lutaram no Vietnã – disse o rapaz. – Portanto, acho que tinham suas razões.

– O Mark perdeu metade do pé no Vietnã.

Norah olhou para as botas de Mark, amarradas acima dos tornozelos.

– A metade da frente – fez ele, batendo com o pé direito. – Os dedos e mais alguma coisa.

– Entendo – disse Norah, profundamente constrangida.

– Escute, Mark, pode nos dar um minuto? – perguntou Bree.

Ele olhou para a multidão agitada.

– Na verdade, não. Sou o próximo orador.

– Está bem. Eu volto já – disse Bree, que puxou Norah pela mão por alguns passos e parou, meio abaixada, sob um grupo de amendoeiras.

– O que está fazendo aqui? – perguntou.

– Não tenho certeza – disse Norah. – Tive que parar quando vi a multidão, só isso.

Bree assentiu com a cabeça e seus brincos de prata faiscaram.

– É incrível, não? Deve haver umas cinco mil pessoas. Torcíamos por algumas centenas. É por causa da Universidade Estadual Kent. É o fim.

*O fim de quê?*, pensou Norah, enquanto as folhas esvoaçavam a seu redor. Em algum lugar, a Srta. Throckmorton chamava os alunos e Pete Warren sentava-se sob os lustrosos cartazes de turismo, preenchendo bilhetes de viagem. E as vespas voejavam, preguiçosas, pelo ar ensolarado, perto de sua garagem. Podia o mundo acabar num dia assim?

– É seu namorado? – perguntou à irmã. – Aquele de quem você andou me falando?

Bree assentiu com a cabeça, dando um sorriso reservado.

– Ora, vejam só! Você está apaixonada!

– Acho que sim – disse Bree, baixinho, olhando de relance para Mark. – Acho que estou.

– Bom, espero que ele a esteja tratando bem – disse Norah, estarrecida ao se ouvir com a voz da mãe, inclusive na entonação. Mas Bree estava feliz demais para fazer outra coisa senão rir.

– Ele me trata muito bem – disse. – Ei, posso levá-lo esse fim de semana? À sua festa?

– É claro – respondeu Norah, embora não tivesse a menor certeza.

– Ótimo. Ah, Norah, você conseguiu o emprego que queria?

As folhas das amendoeiras balançavam ao vento como corações verdes e flexíveis e, adiante delas, a multidão murmurava e oscilava.

– Ainda não sei – respondeu Norah, pensando no escritório colorido e bem decorado. De repente, suas aspirações pareceram muito banais.

– Mas como foi a entrevista? – insistiu Bree.

– Bem. Correu bem. É só que já não tenho certeza de querer o emprego, só isso.

Bree prendeu uma mecha do cabelo atrás da orelha e franziu o cenho.

– Por quê? Norah, ainda ontem você estava desesperada por esse emprego. Toda empolgada. É o David, não é? Dizendo que você não pode.

Aborrecida, Norah balançou a cabeça.

– O David nem sabe ainda. Bree, é só um escritório, mais parece uma caixinha. Maçante. Burguês. Você não ia querer ser encontrada morta lá.

– Eu não sou você – assinalou Bree. – Você não é igual a mim. Você queria esse emprego, Norah. Por causa do glamour. Pela independência, pelo amor de Deus!

Era verdade, ela havia desejado o emprego, mas também era verdade que agora sentia a raiva se inflamar de novo: era fácil para Bree, que estava ali desencadeando revoluções, destiná-la a uma vida de escritório das nove às cinco.

– Eu iria datilografar, não viajar. Levaria anos e anos para ganhar uma viagem. Não é exatamente o que imaginei para minha vida, Bree.

– E passar o aspirador é?

Norah pensou nas rajadas de vento impetuosas, no rio Ohio, a apenas 130 quilômetros dali. Espremeu os lábios e não respondeu.

– Você me deixa doida, Norah. Por que tem tanto medo da mudança? Por que não pode apenas *ser* e deixar que a vida aconteça?

– Eu sou – retrucou. – Estou *sendo*. Você nem faz idéia!

– Você está enfiando a cabeça na areia, é isso que eu vejo.

– Você não vê nada além do próximo homem disponível.

– Está bem. Ficamos por aqui.

Bree deu um único passo e foi imediatamente tragada pela multidão: um lampejo de cor e, pronto, sumiu.

Norah continuou parada por um momento sob as amendoeiras, trêmula de raiva, uma raiva que sabia ser injustificável. Qual era o seu problema? Como era possível que ela invejasse Kay Marshall num minuto e Bree no instante seguinte, por motivos completamente diversos?

Voltou para o carro por entre a multidão. Depois da turbulência e dramaticidade do protesto, as ruas da cidade pareciam insossas, desprovidas de cor, detestavelmente corriqueiras. Passara-se tempo demais; agora ela só dispunha de duas horas antes de ter que buscar Paul. Não havia mais tempo para o rio. Em casa, na sua cozinha ensolarada, preparou um gim-tônica. O copo em sua mão deu-lhe uma sensação sólida e fria, e o gelo tilintou com um brilho tranqüilizador. Na sala, ela parou diante de sua fotografia na ponte natural de pedra. Quando relembrava aquele dia – a caminhada e o piquenique –, nunca pensava no presente. Ao contrário, lembrava-se do mundo estendido sob seus pés, do sol e do vento na pele. *Deixe eu tirar sua foto*, dissera David, insistente, e ela se virara e o vira ajoelhado, ajustando o foco, fazendo questão de preservar um momento que nunca existira de verdade. Ela tivera razão sobre a máquina fotográfica, para seu próprio pesar. Com um fascínio que o deixava obcecado, David tinha construído uma câmara escura em cima da garagem.

David. Como é que o marido se tornara mais misterioso para ela com o passar dos anos, ao mesmo tempo que mais familiar? Ele tinha deixado um par de abotoaduras cor de âmbar na mesinha, abaixo das fotos. Norah as pegou e segurou-as na mão, ouvindo o relógio bater baixinho na sala de estar. As pedras se aqueceram em sua mão e a superfície lisa a reconfortou. Norah encontrava pedras por toda parte, amontoadas nos bolsos de David, espalhadas pela cômoda, enfiadas em envelopes na escrivaninha. Vez por outra, avistava David e Paul no quintal, inclinando juntos a cabeça sobre alguma pedra bonita. Ao vê-los, seu coração sempre se abria, com uma espécie de alegria desconfiada. Esses momentos eram raros; David andava muito ocupado ultimamente. *Pare*, Norah sentia vontade de dizer. *Fique um minuto. Passe algum tempo aqui. Seu filho está crescendo muito depressa.*

Enfiou as abotoaduras no bolso e levou o drinque para o lado de fora. Parou diante do ninho, que parecia feito de papel, vendo as vespas rodeá-lo e desaparecer em seu interior. De vez em quando, uma voava para perto dela, atraída pelo cheiro adocicado do gim. Norah bebericou e observou. Seus músculos, suas próprias células, foram relaxando numa líquida reação em cadeia, como se ela houvesse engolido o calor do dia. Terminou a bebida, pôs o copo na entrada da garagem e foi buscar as luvas e o chapéu de jardinagem, contornando o velocípede de Paul. O filho já estava grande demais para ele; era preciso embalar o triciclo com as outras coisas, as roupas de bebê, os brinquedos que não serviam mais. David não queria outros filhos e, agora que Paul estava na escola, Norah tinha desistido de discutir com ele sobre isso. Era difícil imaginar um retorno às fraldas e às mamadas das duas horas da manhã, embora muitas vezes ela ansiasse por segurar outro bebê no colo – como Angela, nessa manhã, sentindo o doce calor e o peso dela. Kay tinha muita sorte e nem sabia.

Norah calçou as luvas e recuou para o sol. Não tinha experiência com vespas nem abelhas, a não ser por uma picada no dedão do pé aos oitos anos, que tinha doído por uma hora e sarado. No dia em que Paul apanhara a abelha morta no chão e gritara de dor, ela não havia sentido o menor pânico. Gelo para o inchaço e um abraço demorado no balanço da varanda; ficaria tudo bem. Mas o edema e a vermelhidão tinham começado na mão e se espalhado depressa. O rosto de Paul intumescera e ela havia gritado por David, com medo na voz. Ele soubera no mesmo instante o que estava acontecendo, que injeção aplicar. Em poucos minutos, Paul havia começado a respirar com mais facilidade. *Não foi nada*, dissera David. Era verdade, mas aquilo ainda a deixava doente de medo. E se David não estivesse em casa?

Norah passou alguns minutos observando as vespas, pensando nos manifestantes que protestavam na universidade, no mundo tremeluzente e instável. Ela sempre fizera o que era esperado. Freqüentara a faculdade e aceitara um empreguinho; fizera um bom casamento. No entanto, desde o nascimento dos filhos – Paul, deslizando pelo escorregador com os braços abertos, e Phoebe, de algum modo presente pela ausência, aparecendo-lhe em sonhos, parada no limiar invisível de cada momento –, Norah já não conseguia entender o mundo do mesmo jeito. Sua perda lhe deixara uma sensação de desamparo, que ela combatia preenchendo os dias.

Estudou as ferramentas com deliberação. Ela mesma lidaria com aqueles insetos. A enxada de cabo comprido pesou-lhe nas mãos. Norah a levantou devagar e desferiu um golpe largo no ninho, cujo envoltório empapelado foi facilmente rompido pela lâmina. Só que, quando retirou a enxada, as vespas, furiosas e decididas, saíram num enxame do ninho rasgado e voaram diretamente em sua direção. Uma a picou no pulso, outra, na bochecha. Ela largou a enxada e correu para dentro de casa, batendo a porta e nela apoiando as costas, sem fôlego.

Lá fora, o enxame descrevia círculos, zumbindo enraivecido em volta do ninho destroçado. Algumas vespas pousaram no peitoril da janela, movendo de leve as asas delicadas. Enxameadas, raivosas, elas a fizeram pensar nos estudantes que vira de manhã; fizeram-na pensar em si mesma. Norah entrou na cozinha e preparou outro drinque, salpicando um pouco de gim na bochecha e no pulso, onde as picadas começavam a inchar. O gim era revigorante, delicioso, enchendo-a de uma sensação cálida e líquida de bem-estar e poder. Ela ainda dispunha de uma hora antes de sair para buscar Paul.

– Está certo, suas vespas desgraçadas – disse em voz alta –, agora acabou-se.

Havia repelente para espantar insetos no armário da entrada, acima dos casacos, dos sapatos e do aspirador de pó – um Electrolux azul-metálico, novinho em folha. Norah lembrou-se de Bree, afastando do rosto o cabelo louro. *Passar o aspirador – é isso que você quer da vida?*

Estava a meio caminho da porta quando teve a idéia.

As vespas estavam atarefadas, já refazendo o ninho, e pareceram não notar quando Norah saiu de novo, carregando o Electrolux. O aparelho ficou na garagem, incongruente e bizarro como um porco azul-metálico. Norah tornou a calçar as luvas, pôs o chapéu e vestiu um casaco. Enrolou uma echarpe em volta do rosto. Ligou o aspirador na tomada e o pôs para funcionar, deixando-o zumbir por um instante, com um som estranhamente baixo ao ar livre, antes de pegar o bocal. Confiante, meteu-o no que restava do ninho. As vespas zumbiram e investiram, furiosas – a bochecha e o braço de Norah deram fisgadas à simples visão delas –, mas foram prontamente sugadas com um som crepitante, como bolotas batendo no telhado. Ela agitou o bocal no ar como uma vara de condão, capturando todos os insetos raivosos e esfrangalhando o ninho delicado. Não tardou a pegar todos. Manteve o aspirador em funcionamento, enquanto procurava um modo de tampar o bocal; não queria que aquelas vespas industriosas e obstinadas escapassem. Fazia um dia quente e ensolarado, e os drinques a haviam relaxado muito. Ela enfiou o bocal na terra, mas o aparelho começou a fazer um som estranho de esforço. Foi então que notou o cano de descarga do carro: sim, o bocal encaixou nele perfeitamente. Satisfeitíssima com sua proeza, Norah desligou o aspirador e entrou em casa.

Em frente à pia do banheiro, com o sol entrando pelas janelas de vidro jateado, desatou a echarpe e tirou o chapéu, estudando sua imagem no espelho. Olhos verde-escuros, cabelos louros e um rosto emagrecido pela preocupação. O cabelo estava achatado e a pele exibia uma película de suor. Um caroço vermelho inflamado erguia-se em sua bochecha. Norah mordiscou a parte interna do lábio, pensando no que David via quando a olhava. Perguntou-se quem ela era, de verdade, querendo entrosar-se com Kay Marshall num minuto e com os amigos de Bree no outro, dirigindo feito louca até o rio, nunca se sentindo em casa em parte alguma. Qual desses eus David via? Ou será que era uma mulher inteiramente diferente que dormia ao lado dele todas as noites? Ela própria, sim, mas não como jamais veria a si mesma. Nem tampouco como se vira antes, assim como não via o homem com quem havia se casado quando David chegava em casa toda noite, pendurava cuidadosamente o paletó numa cadeira e abria o jornal vespertino.

Norah enxugou as mãos e foi buscar gelo para colocar no rosto inchado. O ninho de vespas pendia, vazio e rasgado, do beiral da garagem. O Electrolux continuava plantado na entrada de automóveis, ligado ao cano de descarga do carro por seu longo tubo rugoso, um cordão umbilical prateado que brilhava ao sol. Ela imaginou David chegando e constatando que as vespas tinham desaparecido, vendo o quintal decorado, a festa planejada até o último e perfeito detalhe. Ele ficaria surpreso, esperava, e satisfeito.

Olhou para o relógio. Hora de buscar Paul. Na escada dos fundos, parou, procurando a chave de casa na bolsa. Um barulho estranho que vinha da entrada de automóveis a fez erguer os olhos. Era uma espécie de zumbido e, a princípio, ela achou que as vespas começavam a fugir. Mas o ar azul estava límpido, vazio. O zumbido transformou-se num chiado, e veio então o cheiro elétrico de ozônio e fiação queimada. Tudo aquilo, percebeu Norah, com uma espécie de assombro vagaroso, vinha do Electrolux. Ela desceu a escada correndo. Seus pés já iam tocando o asfalto e ela estendia a mão no luminoso ar primaveril quando, de repente, o Electrolux explodiu, escapou do seu alcance e disparou de lado pela relva do jardim, indo bater na cerca com tanta força que quebrou uma das tábuas. O aparelho azul caiu entre os rododendros, soltando fumaça em nuvens oleosas, ganindo como um animal ferido.

Norah ficou imóvel, com a mão estendida, tão cristalizada no tempo quanto uma das fotos de David, tentando assimilar o que tinha acontecido. Um pedaço do cano de descarga fora arrancado do carro. Ao constatar isso, ela compreendeu: os vapores da gasolina deviam ter se acumulado no motor ainda quente do aspirador de pó, fazendo-o explodir. Norah pensou em Paul, alérgico a abelhas, um menino com voz de flauta que poderia ter estado no caminho do aspirador, se estivesse em casa.

Enquanto ela observava, uma vespa saiu do cano de descarga enfumaçado e voou para longe.

Por algum motivo, aquilo foi demais para Norah. Todo o esforço de seu trabalho, sua engenhosidade, e agora, apesar de tudo, as vespas iam escapar. Ela atravessou o jardim. Com um gesto ágil e decidido, abriu o Electrolux, enfiou a mão pela nuvem de fumaça, puxou o saco de papel cheio de poeira e insetos, jogou-o no chão e começou a pular em cima dele, numa dança selvagem. O saco derramou-se numa das extremidades e uma vespa escapou; o pé de Norah desceu sobre ela. Era por Paul que ela estava lutando, mas também por alguma compreensão de si mesma. *Você tem medo da mudança*, dissera Bree. *Por que não pode simplesmente ser?* Mas ser o quê? Norah se intrigara com isso o dia inteiro. Ser *o quê*? Um dia ela soubera: tinha sido filha, estudante e telefonista interurbana, papéis que havia manejado com facilidade e segurança. Depois, tinha sido noiva, jovem esposa e mãe, e havia descoberto que essas palavras eram pequenas demais para algum dia abarcar essa experiência.

Mesmo depois de ficar claro que todas as vespas dentro do saco deviam estar mortas, Norah continuou a dançar, desenfreada e resoluta, sobre a massa pastosa. Alguma coisa estava acontecendo, alguma coisa havia mudado no mundo e em seu coração. Nessa noite, enquanto o prédio do ROTC queimasse até o chão no campus, com as chamas brilhantes desabrochando na noite morna de primavera, Norah sonharia com vespas e abelhas, imensos abelhões oníricos flutuando em meio ao capim alto. No dia seguinte, substituiria o aspirador de pó, sem jamais mencionar o incidente a David. Cancelaria o aluguel do traje de gala para a festa beneficente de Kay; aceitaria aquele emprego. Glamour, sim, e aventura, e uma vida própria.

Tudo isso iria acontecer, mas, naquele momento, ela não pensou em nada além do movimento dos pés e no saco que aos poucos se transformava numa massa suja de asas e ferrões. Ao longe, a multidão de manifestantes bramia, e o som crescente percorreu o luminoso ar primaveril e chegou até ela. O sangue pulsava em suas têmporas. O que acontecia lá acontecia ali também, no silêncio de seu próprio quintal, nos espaços secretos de seu coração: uma explosão tamanha que a vida nunca mais poderia ser a mesma.

Uma vespa solitária zumbiu perto das azaléias e se afastou, enraivecida. Norah saiu de cima do saco de papel empapado. Aturdida, mas sóbria, atravessou o gramado, apanhando as chaves. Entrou no carro, como se fosse um dia qualquer, e foi buscar o filho.

# II

– PAI! PAPAI?

Ao som da voz de Paul, de seus passos leves e ligeiros na escada da garagem, David ergueu os olhos da folha de papel já exposto que acabara de colocar no revelador.

– Espere aí! – gritou. – Só um segundo, Paul!

Mas, no instante mesmo em que falava, a porta se abriu e deixou que a luz invadisse o aposento.

– Diabos! – exclamou David, vendo o papel escurecer depressa, a imagem perdida no jorro súbito de luz. – Que inferno, Paul, será que eu já não lhe disse, um milhão, um bilhão, um *trilhão* de vezes, para não entrar aqui quando a luz vermelha estiver acesa?

– Desculpe. Desculpe, papai.

David respirou fundo, arrependido. Paul só tinha seis anos e, parado no vão da porta, parecia muito pequeno.

– Tudo bem, Paul. Entre. Desculpe eu ter gritado com você.

Agachou-se e abriu os braços, nos quais Paul mergulhou, apoiando por um instante a cabeça no ombro do pai, e seu novo corte de cabelo, ao mesmo tempo macio e espichado, roçou o pescoço de David. Paul era leve, esguio e musculoso, um menino que se movia pelo mundo feito mercúrio, calado, atento e ansioso por agradar. David beijou-lhe a testa, lamentando aquele momento de raiva, maravilhado com as omoplatas do filho, elegantes e perfeitas, estendidas como asas sob camadas de pele e músculos.

– Muito bem. O que foi tão importante assim para você estragar minhas fotografias? – perguntou, sentando-se sobre os calcanhares.

– Pai, olhe! – exclamou Paul. – Veja o que eu achei.

Abriu o punho pequenino. Na palma da mão segurava diversas pedras achatadas, discos finos com um furo no centro, do tamanho de botões.

– São uma beleza – disse David, pegando uma delas. – Onde as achou?

– Foi ontem, quando eu fui com o Jason à fazenda do avô dele. Lá tem um riozinho, e a gente tem que tomar cuidado, porque o Jason viu uma cobra venenosa no verão passado. Mas agora está muito frio para as cobras, então a gente ficou brincando e eu achei isso bem na beirinha da água.

– Puxa! – fez David. Passou os dedos pelos fósseis leves e delicados, milenares: era o tempo, preservado com mais clareza do que qualquer foto seria capaz de fazer. – Esses fósseis foram parte de um lírio-do-mar, Paul. Sabe, muito tempo atrás, grande parte do Kentucky ficava embaixo de um oceano.

– É mesmo? Bacana! Tem alguma foto no livro das pedras?

– Pode ser. Vamos verificar, assim que eu fizer a limpeza. Como é que estamos de tempo? – acrescentou, chegando à porta da câmara escura e dando uma espiada para fora. Era um belo dia de primavera, de brisa suave e cálida, com as cerejeiras em flor em toda a volta do jardim. Norah havia disposto as mesas, cobertas por toalhas coloridas. Arrumara os pratos e o ponche, cadeiras e guardanapos, vasos de flores. Num álamo esguio, enfeitado como mastro de festa da primavera no centro do quintal, esvoaçavam fitas de cores vivas. Ela também fizera isso sozinha. David se oferecera para ajudar, mas Norah havia recusado a oferta. *Não atrapalhe*, dissera. *É o melhor que você pode fazer neste momento*. E ele assim tinha feito.

David voltou para dentro da câmara escura, fria e escondida, com sua iluminação vermelha e fraca e seu cheiro pronunciado de produtos químicos.

– A mamãe tá se arrumando – falou Paul. – Disse que é pra eu não me sujar.

– Uma ordem difícil – comentou David, colocando as garrafas de fixador e revelador numa prateleira alta, fora do alcance do filho. – Vá lá para baixo, sim? Eu já estou indo. Vamos dar uma olhada nesses lírios-do-mar.

Paul desceu a escada correndo; David o viu chispar pelo gramado, deixando bater a porta de tela ao entrar em casa. Lavou as bandejas e as colocou para secar, depois tirou o filme do revelador e o pôs de lado. Era sossegado ali na câmara escura, fresca e silenciosa, e ele se deixou ficar mais alguns segundos antes de ir atrás de Paul. Do lado de fora, as toalhas das mesas esvoaçavam na brisa. Cestinhas de papel, cheias de flores primaveris, decoravam cada prato. Na véspera, que tinha sido a verdadeira data da Festa da Primavera, Paul também levara cestinhas como essas para os vizinhos, pendurando-as em cada porta de entrada, batendo e correndo, para se esconder e vê-las serem descobertas. Idéia de Norah, seus dotes artísticos, sua energia e sua imaginação.

Ela estava na cozinha, com um avental sobre o terninho de seda cor de coral, arrumando ramos de salsa e tomates-cereja numa travessa de frios.

– Tudo pronto? – perguntou David. – Está lindo lá fora. Há alguma coisa que eu possa fazer?

– Vestir-se? – sugeriu Norah, olhando para o relógio. Enxugou as mãos num pano de prato. – Mas, primeiro, ponha esta travessa na geladeira lá de baixo, sim? A daqui já está cheia. Obrigada.

David pegou a travessa, sentindo a frieza do vidro nas mãos.

– Que trabalheira! – comentou. – Por que você não contrata uma firma para fornecer o bufê nessas festas?

Ele tinha pretendido ajudar, mas Norah se deteve, franzindo o cenho, na saída da porta.

– Porque eu gosto disso. De planejar, cozinhar, tudo – disse. – Porque me dá muito prazer organizar uma coisa bonita a partir do nada. Tenho uma porção de talentos – acrescentou com frieza –, quer você se dê conta ou não.

– Não foi isso que eu quis dizer – suspirou David. Nos últimos tempos, eles pareciam dois planetas orbitando o mesmo sol, sem colidir, mas também sem se aproximar. – O que eu quis dizer foi: por que não contar com um pouco de ajuda? Contratar uma equipe que forneça o bufê. Nós certamente podemos pagar.

– Não se trata do dinheiro – retrucou Norah, que abanou a cabeça e se retirou.

David guardou a travessa e subiu para fazer a barba. Paul o acompanhou e sentou-se na beirada da banheira, falando mil palavras por minuto e batendo com os calcanhares na porcelana. Adorava a fazenda do avô de Jason, tinha ajudado a ordenhar uma vaca, e o avô de Jason o deixara beber leite ainda morno, com gosto de grama.

David espalhou a espuma de barbear com um pincel macio, comprazendo-se em ouvir. A lâmina deslizava suave, abrindo faixas bem demarcadas em seu queixo e projetando partículas de luz no teto. Por um momento, o mundo inteiro pareceu deter-se, suspenso: a brisa fresca da primavera, o perfume da espuma e a voz empolgada de seu filho.

– Eu costumava ordenhar vacas – disse David. Enxugou o rosto e pegou a camisa. – Conseguia esguichar um jato de leite direto na boca do gato.

– Foi isso que o pai do Jason fez! Eu gosto do Jason. Queria que ele fosse meu irmão.

Pondo a gravata, David observou o reflexo de Paul no espelho. No silêncio que não era bem um silêncio – com o pinga-pinga da torneira da pia, o tiquetaque baixinho do relógio, o sussurro do tecido roçando no tecido –, seu pensamento vagou até a filha. A intervalos de meses, ao examinar a correspondência do consultório, ele deparava com a letra confusa de Caroline. Embora as primeiras cartas tivessem vindo de Cleveland, agora cada envelope trazia um carimbo postal diferente. Vez por outra, Caroline anexava um novo número de caixa postal – sempre em lugares diferentes, vastas cidades impessoais – e, toda vez que ela o fazia, David mandava dinheiro. Os dois nunca haviam se conhecido muito bem, mas, ao longo dos anos, as cartas dela tinham se tornado cada vez mais íntimas. As mais recentes pareciam ter sido arrancadas de seu diário, começando por *Caro David*, ou simplesmente *David*, e derramando as idéias numa enxurrada. De quando em quando, ele tentava jogá-las fora sem abrir, mas sempre acabava por pescá-las no lixo e lê-las depressa. Guardava-as trancadas a chave no armário de arquivo da câmara escura para sempre saber onde elas estavam. Para que Norah nunca as encontrasse.

Uma vez, anos antes, quando as cartas tinham começado a chegar, David fizera a viagem de oito horas até Cleveland. Passara três dias andando pela cidade, examinando catálogos telefônicos, verificando todos os hospitais. Na agência central do correio, chegara a pôr os dedos na portinha de metal que exibia o número 621, mas o chefe da agência se recusara a lhe fornecer o nome ou o endereço do proprietário. *Nesse caso, vou ficar aqui e esperar*, dissera David, e o homem dera de ombros. *Vá em frente*, tinha dito. *Mas é melhor trazer alguma coisa para comer. Às vezes leva semanas para uma dessas caixas postais ser aberta.*

No fim, ele havia desistido e voltado para casa, deixando os dias correrem, um por um, enquanto Phoebe crescia sem ele. Toda vez que mandava dinheiro, ele juntava um bilhete em que pedia a Caroline para lhe dizer onde morava, mas não chegava a pressioná-la nem contratou um detetive particular, como algumas vezes tinha imaginado fazer. O desejo de ser encontrada teria que partir dela, achava. David acreditava que queria encontrá-la. Acreditava que, quando o fizesse – quando conseguisse consertar as coisas –, seria capaz de dizer a verdade a Norah.

Acreditava nisso tudo e, todas as manhãs, levantava-se e ia a pé para o hospital. Fazia cirurgias, examinava radiografias, voltava para casa, cortava a grama e brincava com Paul; tinha uma vida cheia. Mesmo assim, porém, a cada dois ou três meses, sem nenhuma razão previsível, despertava de sonhos em que Caroline Gill o fitava à porta da clínica, ou do outro lado do pátio da igreja. Levantava trêmulo, vestia-se e ia para o consultório, ou então para a câmara escura lá fora, onde trabalhava em seus arquivos ou mergulhava suas fotografias nos banhos químicos, observando as imagens aparecerem onde antes não havia nada.

– Papai, você esqueceu de olhar os fósseis – disse Paul. – Você prometeu.

– Está bem – respondeu David, obrigando-se a voltar ao presente e ajeitando o nó da gravata. – Está certo, filho. Eu prometi.

Desceram juntos até o escritório e espalharam os livros conhecidos na escrivaninha. O fóssil era um crinóide, proveniente de um pequeno animal marinho cujo corpo se assemelhava a uma flor. As pedras, parecidas com botões, tinham sido placas formadoras da coluna hasteada. David descansou de leve a mão nas costas do filho, sentindo sua carne quente e viva e as vértebras delicadas, logo abaixo da pele.

– Vou mostrar pra mamãe – disse o menino. Pegou os fósseis, atravessou a casa correndo e saiu pela porta dos fundos. David pegou uma bebida e parou à janela. Alguns convidados tinham chegado e se espalhavam pelo jardim, os homens com ternos azul-escuros, as mulheres lembrando flores vivas de primavera, em tons de rosa, amarelo vibrante e azul-claro. Norah deslocava-se por entre eles, abraçando as mulheres, trocando apertos de mão com os homens, cuidando das apresentações. Era muito tímida na época em que David a conhecera, calma, reservada e atenta. Ele nunca a teria imaginado nesse momento, tão sociável e descontraída, promovendo uma festa que havia orquestrado nos mínimos detalhes. Ao observá-la, encheu-se de uma espécie de saudade. De quê? Da vida que eles poderiam ter tido, talvez. Norah parecia muito feliz, rindo no jardim. Mas David sabia que esse sucesso não bastaria nem mesmo por um dia. À noite, ela já teria passado para o projeto seguinte e, se ele acordasse de madrugada e lhe alisasse a curva das costas, na esperança de excitá-la, ela resmungaria, seguraria sua mão e viraria para o outro lado, tudo sem acordar.

Paul estava no balanço nesse momento, voando alto no céu azul. Usava os crinóides no pescoço, presos numa tira comprida de barbante; eles subiam e desciam, quicando em seu peito miúdo, às vezes batendo nas correntes do balanço.

– Paul – chamou Norah, fazendo ouvir claramente sua voz pela porta aberta. – Paul, tire isso do pescoço. É perigoso.

David pegou o copo e foi para o lado de fora. Encontrou a mulher no jardim.

– Não faça isso – disse baixinho, pondo-lhe a mão no braço. – Ele mesmo fez o colar.

– Eu sei – retrucou ela. – Fui eu que lhe dei o barbante. Mas ele pode usá-lo depois. Se escorregar enquanto está brincando e o cordão ficar preso, pode sufocá-lo.

Norah estava muito tensa; David retirou a mão.

– Isso não é provável – disse, e desejou poder apagar a perda que os dois tinham sofrido e tudo que ela fizera a ambos. – Não vai acontecer nada de mau com ele, Norah.

– Isso você não sabe.

– Mesmo assim, o David tem razão, Norah.

A voz veio de trás. David virou-se e viu Bree, cuja impetuosidade, paixão e beleza moviam-se pela casa deles como uma ventania. Usava um vestido primaveril de tecido diáfano que parecia flutuar a seu redor quando ela andava, e estava de mãos dadas com um rapaz um pouco mais baixo: alinhado, de cabelo curto meio ruivo, sandálias e colarinho desabotoado.

– Bree, é verdade, o colar pode ficar preso e fazê-lo sufocar – insistiu Norah, virando-se também.

– Ele está no balanço – disse Bree, descontraída, enquanto Paul subia bem alto, com a cabeça inclinada para trás e o sol batendo no rosto. – Olhe para ele, está todo contente. Não o faça descer e ficar cheio de preocupações. O David está certo. Não vai acontecer nada de mau.

Norah forçou um sorriso.

– Não? O mundo pode acabar. Foi o que você mesma disse ontem.

– Mas isso foi ontem – retrucou Bree. Pôs a mão no braço de Norah e as duas se entreolharam longamente, ligadas de um modo que excluía qualquer outra pessoa. David observou-as, sentindo uma onda de saudade ante a lembrança súbita da irmã, os dois escondidos embaixo da mesa da cozinha, espiando por entre as dobras do oleado e abafando o riso. Lembrou-se dos olhos dela, do calor de seu braço e da alegria de sua companhia.

– O que aconteceu ontem? – perguntou, afastando a lembrança, mas Bree o ignorou, dirigindo-se a Norah.

– Desculpe, minha irmã. As coisas estavam meio loucas ontem. Fui impertinente.

– Também peço desculpas – disse Norah. – Que bom que você veio à festa.

– O que aconteceu ontem? Você esteve naquele incêndio, Bree? – tornou a perguntar David. Ele e Norah haviam acordado de madrugada com o barulho das sirenes, o cheiro acre de fumaça e um brilho estranho no céu. Tinham saído para se juntar aos vizinhos na escuridão silenciosa dos gramados, molhando os tornozelos de orvalho enquanto no campus o prédio do ROTC pegava fogo. Os protestos vinham aumentando, com camadas de tensão no ar, invisíveis mas reais, enquanto nos vilarejos ao longo do rio Mekong as bombas caíam e gente corria com os filhos agonizantes nos braços. Agora, em Ohio, do outro lado do rio, havia quatro estudantes mortos. Mas ninguém tinha imaginado uma coisa dessas em Lexington, no Kentucky: um coquetel molotov, um prédio em chamas e a polícia fervilhando nas ruas.

Bree virou-se para ele, cabelos compridos balançando nos ombros, e abanou a cabeça.

– Não, não estive lá, mas o Mark esteve.

Sorriu para o rapaz a seu lado e enfiou o braço esguio no dele.

– Este é Mark Bell.

– O Mark lutou no Vietnã – acrescentou Norah. – Está aqui fazendo protestos contra a guerra.

– Ah, um agitador – fez David.

– Um participante dos protestos, eu diria – corrigiu Norah, acenando para o outro lado do jardim. – Lá está a Kay Marshall. Vocês me dão licença?

– Então, um participante dos protestos – repetiu David, vendo-a afastar-se, com a brisa balançando de leve as mangas de seu terninho de seda.

– Isso mesmo – disse Mark, com firmeza meio zombeteira e um sotaque vagamente familiar que fez David lembrar a voz de seu pai, grave e melodiosa. – A busca incessante da imparcialidade e da justiça.

– Você estava no noticiário – disse David, lembrando-se de repente. – Ontem à noite. Estava fazendo uma espécie de discurso. Pois é. Deve estar contente com o incêndio.

Mark deu de ombros.

– Contente, não. Nem triste. Aconteceu, só isso. Nós seguimos em frente.

– Por que está sendo tão agressivo, David? – perguntou Bree, fixando nele os olhos verdes.

– Não estou sendo agressivo – disse David, conscientizando-se, no próprio ato de falar, de que estava. E percebendo também que começava a alargar e esticar as vogais, convocado pela atração profunda da linguagem, por estilos de fala conhecidos e irresistíveis como a água. – Estou colhendo informações, só isso. De onde você é? – perguntou a Mark.

– Da Virgínia Ocidental. Perto de Elkins. Por quê?

– Curiosidade. Já tive família por lá.

– Eu não sabia disso a seu respeito, David. Pensei que você fosse de Pittsburgh – disse Bree.

– Meus pais eram das imediações de Elkins – repetiu David. – Faz muito tempo.

– É mesmo? – indagou Mark, que agora o observava com menos desconfiança. – Trabalhavam nas minas de carvão?

– Às vezes, no inverno. Eles tinham uma fazenda. Era uma vida dura, mas não tanto quanto o trabalho com o carvão.

– Eles ainda têm a terra?

– Sim – confirmou David, pensando na casa que não via fazia quase 15 anos.

– Foram espertos. Já o meu pai vendeu a casa da família. Quando morreu nas minas, cinco anos depois, ficamos sem ter para onde ir. Sem lugar nenhum mesmo.

Mark deu um sorriso amargo e ficou pensativo por um instante. Em seguida, perguntou:

– Você costuma voltar lá?

– Faz muito tempo que não. E você?

– Não. Depois do Vietnã, fui para a faculdade. Em Morgantown, com base na lei dos ex-combatentes. Voltar ficou meio esquisito. Eu fazia e não fazia parte daquilo, se entende o que eu quero dizer. Quando saí, não achei que estivesse fazendo uma escolha. Mas foi o que acabou sendo.

David acenou com a cabeça.

– Eu sei. Sei o que você quer dizer – concordou.

– Bem – disse Bree, após um longo momento de silêncio. – Agora vocês dois estão aqui. E eu com mais sede a cada segundo – acrescentou. – Mark? David? Querem uma bebida?

– Vou com você – disse Mark, estendendo a mão a David. – Mundo pequeno, não é? Foi um prazer conhecê-lo.

– O David é um mistério para todos nós – disse Bree, puxando-o para longe. – Pergunte só à Norah.

David os viu misturarem-se ao grupo animado que circulava pelo jardim. Um simples encontro, mas ele se sentiu estranhamente agitado, exposto e vulnerável, com o passado a se avolumar como o oceano. Toda manhã, parava por um instante na entrada do consultório, inspecionando seu mundo limpo e simples: a disposição ordeira dos instrumentos, o tecido branco e bem passado que cobria a mesa de exames. Por qualquer padrão externo, ele era um sucesso, mas nunca se sentia tomado por uma sensação de orgulho e segurança, como havia esperado. *Então, é isso aí*, dissera seu pai, batendo a porta da caminhonete e parando no meio-fio, no ponto de ônibus, no dia em que David partira para Pittsburgh. *Imagino que seja a última vez que podemos esperar alguma notícia sua, agora que você vai subir na vida e tudo mais. Você já não terá tempo para gente como nós*. E David, parado no meio-fio, com as primeiras folhas de outono a caírem a seu redor, tivera uma profunda sensação de desespero, porque, já naquele momento, havia intuído a verdade das palavras do pai: quaisquer que fossem suas intenções, por mais que ele os amasse, a vida o levaria para longe.

– Tudo bem com você, David? – perguntou Kay Marshall. Ia passando, com um vaso de tulipas rosa-claro, cada pétala tão delicada quanto as bordas de um pulmão. – Você parece estar a um milhão de quilômetros daqui.

– Olá, Kay – disse ele. Kay o fazia lembrar um pouco de Norah, sempre com uma espécie de solidão por baixo da superfície cuidadosamente polida. Um dia, depois de beber demais numa outra festa, Kay o seguira por um corredor escuro, envolvera-o nos braços e o beijara. No susto, ele havia retribuído o beijo. O momento tinha passado e, embora muitas vezes pensasse no contato frio e surpreendente dos lábios dela nos seus, David também se perguntava, toda vez que a via, se aquilo tinha realmente acontecido.

– Você está linda como sempre, Kay – e ergueu o copo. Ela sorriu, deu uma risada e seguiu em frente.

David entrou no clima fresco da garagem e subiu a escada, pegou sua câmera no armário e pôs um filme novo. A voz de Norah se elevava sobre o burburinho do grupo e ele se lembrou da sensação de sua pele, quando a havia procurado naquela manhã, e da curva suave de suas costas. Lembrou-se do momento que ela havia compartilhado com Bree, da profunda ligação entre elas, um vínculo maior do que ele jamais voltaria a ter com sua mulher. *Nada me faltará. Mas falta*, pensou consigo mesmo, pendurando a câmera no pescoço. *Falta.*

Deslocou-se pelas bordas do grupo, sorrindo e cumprimentando, trocando apertos de mão, afastando-se das conversas para captar momentos da festa em filme. Parou diante das tulipas de Kay, focalizando-as em close, e pensou no quanto elas realmente se pareciam com o tecido delicado dos pulmões e em como seria interessante tirar fotos dos dois e pendurá-las lado a lado, explorando sua idéia de que o corpo, de um modo misterioso, espelhava perfeitamente o mundo. Ficou absorto nisso, sentindo os sons da festa se distanciarem, enquanto se concentrava nas flores, e levou um susto ao sentir a mão de Norah em seu braço.

– Guarde a câmera – disse ela. – Por favor. É uma festa, David.

– Essas tulipas são lindas – começou ele, mas não conseguiu se explicar, pôr em palavras a razão por que aquelas imagens o atraíam tanto.

– É uma festa – repetiu Norah. – Você pode perdê-la e tirar fotografias ou pegar uma bebida e participar.

– Já estou com uma bebida – ele assinalou. – Ninguém se incomoda por eu tirar umas fotos, Norah.

– Eu me incomodo. É grosseria.

Continuaram falando em voz baixa e, durante todo o diálogo, Norah não parou de sorrir. Tinha a expressão serena; acenava com a cabeça e as mãos para outras pessoas no jardim. Mas David sentiu a tensão que emanava dela, assim como a raiva contida.

– Tive muito trabalho – disse ela. – Organizei tudo. Preparei toda a comida. Acabei até com as vespas. Por que você não pode simplesmente aproveitar?

– Quando foi que você derrubou o ninho? – indagou ele, em busca de um assunto seguro, olhando para o beiral limpo da garagem.

– Ontem – respondeu Norah, e lhe mostrou o pulso e o calombo ainda avermelhado. – Não queria correr nenhum risco, com as suas alergias e as de Paul.

– A festa está linda – disse David. Num impulso, levou o pulso dela aos lábios e beijou suavemente o lugar em que ela fora picada. Norah o fitou, arregalando os olhos de surpresa, com um lampejo de prazer, depois retirou a mão.

– David – disse baixinho –, pelo amor de Deus, aqui não. Agora não.

– Ei, papai! – gritou Paul, e David olhou em volta, tentando localizar o filho. – Mãe, pai, olhem pra mim. Olhem pra mim!

– Ele está no carvalho – disse Norah, cobrindo os olhos com a mão para fazer sombra e apontando para o outro lado do jardim. – Olhe, lá em cima, mais ou menos no meio da copa. Como foi que ele fez isso?

– Aposto que subiu pelo balanço. Oi! – gritou David, acenando.

– Desça já daí! – gritou Norah. E, voltando-se para David: – Ele está me deixando nervosa.

– Ele é um garoto – fez David. – Garotos trepam em árvores. Ele vai ficar bem.

– Ei, mãe! Pai! Socorro! – gritou Paul, mas, quando os dois olharam, o menino estava rindo.

– Lembra de quando ele fazia isso na mercearia? – perguntou Norah. – Lembra, quando ele estava aprendendo a falar, como costumava gritar *socorro* no meio da loja? As pessoas achavam que eu era uma seqüestradora.

– Uma vez ele fez isso na clínica – disse David. – Lembra disso?

Os dois riram juntos. David sentiu uma onda de alegria.

– Guarde a câmera – pediu Norah, com a mão em seu braço.

– Está bem. Vou guardar.

Bree tinha se aproximado do mastro da primavera e segurado uma fita azul-arroxeada. Intrigadas, outras pessoas a imitaram. David começou a se encaminhar para a garagem, olhando para as pontas balançantes das fitas. Súbito, ouviu um remexer e farfalhar de folhas, o ruído alto de um galho partindo. Viu Bree levantar as mãos, deixando cair a fita, e estendê-las para cima. Fez-se silêncio por um longo instante e, em seguida, Norah gritou. David virou-se a tempo de ver Paul bater no chão com um baque surdo, depois quicar de leve uma vez, com as costas, com o colar de lírios-do-mar arrebentado e os preciosos crinóides espalhados pelo chão.

Saiu correndo, passando por entre os convidados, e se ajoelhou ao lado do filho. Os olhos escuros de Paul estavam cheios de medo. Ele segurou a mão do pai, esforçando-se para respirar.

– Está tudo bem – fez David, alisando-lhe a testa. – Você caiu da árvore e perdeu o fôlego, só isso. Relaxe. Respire outra vez. Vai ficar tudo bem.

– Ele está bem? – perguntou Norah, ajoelhando-se ao lado do marido com seu terninho coral. – Paul, meu amor, você está legal?

Paul arquejou e tossiu, com os olhos marejados.

– Meu braço tá doendo – disse, quando conseguiu recobrar a fala. Estava pálido, com uma fina veia azul aparecendo na testa, e David percebeu que o filho se esforçava para não chorar. – Meu braço tá doendo muito.

– Qual braço? – perguntou David, com a voz mais calma do mundo. – Pode me mostrar onde dói?

Era o braço esquerdo e, quando David o levantou, cuidadosamente, sustentando o cotovelo e o pulso, o menino gritou de dor.

– David! – exclamou Norah. – Está quebrado?

– Bem, não tenho certeza – respondeu ele, calmamente, embora estivesse quase certo de que sim. Apoiou com delicadeza o braço de Paul em seu peito e pôs a mão nas costas de Norah, para consolá-la. – Paul, vou levantar você. Vou levá-lo para o carro. E depois vamos ao meu consultório, sim? Vou lhe mostrar tudo sobre os raios X.

Devagar, delicadamente, levantou Paul. O filho era muito leve em seu colo. Os convidados se afastaram para deixá-los passar. David pôs o menino no banco traseiro, pegou um cobertor na mala e o ajeitou em volta do filho.

– Eu também vou – disse Norah, sentando-se no banco da frente, ao lado do marido.

– E a festa?

– Tem muita comida e vinho. Eles terão que se arranjar.

Partiram para o hospital na alegre brisa primaveril. De vez em quando, Norah ainda implicava com David por causa da noite do parto, por seu jeito vagaroso e metódico de dirigir pelas ruas desertas, mas ele também não conseguiu acelerar nesse dia. Passaram pelo prédio do ROTC, que ainda fumegava. Pequenos tufos de fumaça erguiam-se como renda negra. Perto dele havia cerejeiras em flor, cujas pétalas claras e frágeis contrastavam com a parede enegrecida.

– O mundo está caindo aos pedaços, é essa a sensação – comentou Norah, baixinho.

– Agora não, Norah.

David olhou para Paul pelo retrovisor. O filho estava calado, sem reclamar, mas as lágrimas corriam por seu rosto pálido.

No pronto-socorro, David usou sua influência para apressar o processo de admissão e o uso do raio-X. Ajudou Paul a se acomodar numa cama, deixou Norah contando-lhe histórias de um livro que havia apanhado na sala de espera e foi buscar as radiografias. Ao recebê-las do técnico, viu que estava com as mãos trêmulas e seguiu então para seu consultório, cruzando os corredores estranhamente silenciosos naquela linda tarde de sábado. A porta fechou às suas costas e, por um instante, David ficou sozinho no escuro, tentando se recompor. Sabia que as paredes eram verde-água e que havia papéis espalhados na escrivaninha. Sabia que os instrumentos de aço e cromo estavam alinhados em bandejas, embaixo dos armários de portas de vidro. Mas não enxergava nada. Levantou a mão e encostou a palma no nariz, mas nem mesmo a uma distância tão pequena conseguiu enxergar sua própria pele, apenas senti-la.

Tateou à procura do interruptor, que cedeu a seu contato. Um painel montado na parede piscou e se encheu de uma luz branca e firme, que tirava a cor dos outros objetos. No painel havia negativos que ele tinha revelado na semana anterior: uma série de fotos de uma veia humana, tiradas em seqüência, em gradações de luz controladas com precisão, com o nível de contraste sutilmente alterado a cada uma. O que empolgava David era a precisão a que ele havia chegado e o modo como as imagens menos pareciam uma parte do corpo humano do que outras coisas: um raio descendo em ramos sobre a terra, rios de águas sombrias, um trecho oscilante de mar.

Suas mãos estavam trêmulas. David obrigou-se a respirar fundo várias vezes, depois retirou os negativos e prendeu as radiografias de Paul nos grampos. Os ossos pequenos do filho, sólidos, mas delicados, destacaram-se com assombrosa clareza. David percorreu com as pontas dos dedos a imagem repleta de luz. Tão lindos os ossos de seu filho pequeno, opacos, mas visíveis ali como se estivessem iluminados, imagens translúcidas que flutuavam na escuridão do consultório, fortes e delicadas como os galhos entrelaçados de uma árvore.

A lesão era bem simples: fraturas claras e bem delineadas do cúbito e do rádio. Eram ossos paralelos; o maior perigo era que, ao se consolidarem, os dois viessem a se fundir.

David acendeu a luz do teto e voltou pelo corredor, pensando no belo mundo oculto dentro do corpo. Anos antes, numa sapataria em Morgantown, enquanto seu pai experimentava botas de trabalho e franzia o cenho diante do preço, David subira num aparelho que lhe radiografara os pés, transformando seus dedos comuns numa coisa fantasmagórica, misteriosa. Extasiado, ele havia estudado as varas e bulbos de luz e sombra que eram seus artelhos, seus calcanhares.

Aquele tinha sido, embora ele houvesse levado anos para percebê-lo, um momento definidor. A existência de outros mundos, invisíveis, desconhecidos, além até da imaginação, tinha sido uma revelação para David. Nas semanas seguintes, ao ver cervos correndo ou pássaros levantando vôo, folhas balançando e coelhos surgindo de repente das moitas, ele ficara olhando atentamente, tentando vislumbrar as estruturas ocultas. E June, sentada nos degraus da varanda, descascando ervilhas ou milho calmamente, com os lábios entreabertos de concentração: também ela o menino havia fitado. É que a irmã era e não era igual a ele, e o que os separava era um grande mistério.

Sua irmã, aquela menina que adorava o vento, ria para o sol em seu rosto e não tinha medo de cobras. Ela morrera aos 12 anos, e agora não passava da lembrança do amor – nada além de ossos.

E sua filha de seis anos andava pelo mundo, mas David não a conhecia.

Quando ele voltou, Norah segurava Paul no colo, embora o menino estivesse crescido demais para esse tipo de consolo, apoiando sem jeito a cabeça no ombro da mãe. Seu braço tremia, com pequenas convulsões provocadas pelo trauma.

– Está quebrado? – perguntou Norah, no mesmo instante.

– Sim, receio que sim – disse David. – Venha dar uma olhada.

Pôs as radiografias no painel iluminado e apontou para as linhas escurecidas das fraturas.

*Esqueletos no armário*, diziam as pessoas, e *osso duro de roer*, e *ossos do ofício*. Mas os ossos tinham vida; cresciam e se consertavam; podiam juntar o que fora separado.

– Tomei tanto cuidado com as abelhas – disse Norah, ajudando o marido a carregar Paul de novo para a mesa de exames. – Com as vespas, digo. Livrei-me das vespas e, agora, isto.

– Foi um acidente – disse David.

– Eu sei – retrucou ela, quase em lágrimas. – O problema é todo esse.

David não respondeu. Havia apanhado o material para fazer o molde e se concentrou em aplicar o gesso. Fazia muito tempo que não executava essa tarefa – em geral, reduzia a fratura e deixava o resto por conta da enfermeira – e achou-a reconfortante. O braço de Paul era pequeno e o gesso foi crescendo aos poucos, branco como uma concha alvejada, luminoso e sedutor como uma folha de papel. Em poucos dias estaria transformado num cinza opaco, coberto de vivos rabiscos infantis.

– Três meses – disse David. – Em três meses você tira o gesso.

– Isso é quase o verão inteiro – comentou Norah.

– E a Liga Mirim de Beisebol? – perguntou Paul. – E nadar?

– Nada de beisebol – respondeu David. – Nem de nadar. Sinto muito.

– Mas o Jason e eu estamos no campeonato da Liga!

– Sinto muito – fez David, e Paul desmanchou-se em lágrimas.

– Você disse que não ia acontecer nada – repreendeu Norah –, e agora ele está com o braço quebrado. Simples assim. Podia ter sido o pescoço dele. A coluna.

Súbito, David sentiu-se cansado, dilacerado por causa de Paul, exasperado com Norah.

– É, podia ter sido, mas não foi. Portanto, pare. Está bem? Pare com isso, Norah.

Paul ficara quieto e ouvia atentamente, concentrado no tom e na cadência alterados da voz dos pais. David perguntou-se como o filho recordaria esse dia. Ao imaginá-lo no futuro incerto, num mundo em que se podia ir a uma passeata e acabar morto, com uma bala no pescoço, compartilhou o medo de Norah. Ela estava certa. Tudo podia acontecer. David pôs a mão na cabeça do filho, sentindo em sua palma o espetar do corte à escovinha.

– Desculpe, papai – disse Paul com voz miúda. – Eu não queria estragar as fotos.

Após um minuto de confusão, David lembrou-se de sua gritaria, horas antes, quando a luz da câmara escura se acendera, e recordou Paul imóvel, com a mão no interruptor, apavorado demais para se mexer.

– Ah, não. Não, meu filho, não estou zangado por causa daquilo, não se preocupe – e afagou o rosto do menino. – As fotos não têm importância. Eu só estava cansado hoje de manhã, sim?

Paul passou o dedo pela borda do gesso.

– Eu não tive intenção de assustá-lo – disse David. – Não estou zangado.

– Posso escutar o estetoscópio?

– É claro – disse David. Fixou as pontas pretas do estetoscópio nos ouvidos do filho e se agachou. Pôs o disco frio de metal em seu próprio coração.

Pelo canto do olho, viu Norah observando os dois. Fora da movimentação animada da festa, ela carregava sua tristeza como uma pedra escura agarrada na mão. David sentiu vontade de consolá-la, mas não conseguiu pensar em nada para dizer. Gostaria que existisse algum tipo de visão de raios X do coração humano: o de Norah e o seu.

– Eu gostaria que você fosse mais feliz – disse baixinho. – Gostaria que houvesse alguma coisa que eu pudesse fazer.

– Não precisa se preocupar – disse ela. – Não comigo.

– Não preciso?

David respirou fundo, para que Paul pudesse ouvir o fluxo do ar.

– Não. Ontem eu arranjei um emprego.

– Emprego?

– É. Um bom emprego.

Norah contou-lhe tudo: uma agência de viagens, turno da manhã. Ela chegaria em casa a tempo de buscar Paul na escola. Enquanto a mulher falava, David teve a sensação de que ela voava para longe.

– Tenho andado maluca – acrescentou Norah, com uma impetuosidade que o surpreendeu. – Completamente maluca, com tempo demais sobrando. Isso vai ser bom.

– Certo – fez ele. – Tudo bem. Se você faz tanta questão de um emprego, aceite-o.

Fez cócegas em Paul e pegou o otoscópio.

– Tome – disse ao filho. – Examine meus ouvidos. Veja se deixei algum passarinho dentro deles.

Paul riu, e o metal frio deslizou pelo ouvido de David.

– Eu sabia que você não ia gostar – disse Norah.

– O que quer dizer? Eu lhe disse para aceitar o emprego.

– Eu me refiro ao seu tom. Você devia se ouvir.

– Bom, o que é que você esperava? – disse David, tentando manter a voz inalterada, para o bem de Paul. – É difícil não encarar isso como uma crítica.

– Só seria crítica se dissesse respeito a você. É isso que você não entende. Mas não tem a ver com você. Tem a ver com a liberdade. Tem a ver com levar uma vida própria. Gostaria que você pudesse compreender isso.

– Liberdade? – fez David. Ela andara conversando com a irmã de novo, isso ele podia apostar. – Você acha que alguém é livre, Norah? Acha que eu sou?

Houve um longo silêncio, e David sentiu-se grato quando Paul o quebrou.

– Nenhum passarinho, papai. Só girafas.

– É mesmo? Quantas?

– Seis.

– Seis! Puxa vida! É melhor examinar o outro ouvido.

– Pode ser que eu deteste o emprego – disse Norah. – Mas, pelo menos, vou ficar sabendo.

– Nenhum passarinho – disse Paul. – Nem girafas. Só elefantes.

– Elefantes no canal auditivo – repetiu David, pegando o otoscópio. – É melhor irmos logo para casa.

Obrigou-se a sorrir, agachando-se para pegar Paul no colo, com gesso e tudo. Ao sentir o peso do filho, o calor do braço bom em volta de seu pescoço, perguntou-se como teria sido a vida deles se houvesse tomado uma decisão diferente seis anos antes. A neve caía, ele ficara inteiramente só naquele silêncio e, num momento crucial, tinha alterado tudo. *David*, escrevera Caroline Gill em sua última carta, *agora tenho um namorado. Ele é muito bom, e a Phoebe está ótima; adora pegar borboletas e cantar.*

– Estou contente com o emprego – disse a Norah, enquanto esperavam o elevador no corredor. – Não quero ser teimoso, mas não acredito que isso não tenha nada a ver comigo.

Norah deu um suspiro.

– Não, você não poderia acreditar, não é?

– Que quer dizer?

– Você se acha o centro do universo. O ponto imóvel em torno do qual gira todo o resto.

Pegaram as coisas e entraram no elevador. Lá fora ainda fazia um lindo dia, um fim de tarde claro e ensolarado. Ao chegarem em casa, os convidados tinham ido embora. Restavam apenas Bree e Mark, levando travessas de comida para dentro. As fitas do mastro da Festa da Primavera esvoaçavam na brisa. A câmera de David estava em cima de uma mesa, e os fósseis de Paul, arrumados numa pilha ao lado dela. David parou e inspecionou o jardim, com suas cadeiras dispersas. Houvera um tempo em que todo aquele mundo estivera escondido sob um mar raso. Ele levou Paul para dentro, subindo a escada. Deu-lhe um copo d'água e uma aspirina mastigável, sabor laranja, de que ele gostava, e se sentou na cama com o filho, segurando-lhe a mão. Aquela mãozinha miúda, muito quente e viva. Relembrando as imagens iluminadas dos ossos de Paul, sentiu-se tomado por um sentimento de admiração. Era isso que ele ansiava por captar no celulóide: esses raros momentos em que o mundo parecia unificado, coerente, todo contido numa única imagem fugaz. Uma simplicidade que guardava beleza, esperança e movimento – uma espécie de poesia em prata, assim como o corpo era poesia em carne, sangue e ossos.

– Lê uma história pra mim, papai – disse Paul, e David acomodou-se na cama, com o filho no colo, virando as páginas de *George, o curioso*, que nessa história estava no hospital, com uma perna quebrada. No térreo, Norah circulava pelos cômodos, cuidando da limpeza. A porta de tela abria e fechava, abria e fechava outra vez. David a imaginou passando por ela, vestida de terninho, a caminho do novo emprego e de uma vida que o excluía. A tarde estava chegando ao fim e uma luz dourada enchia o quarto. Ele virou outra página e segurou Paul, sentindo seu calor, sua respiração regular. Uma brisa levantava as cortinas. Lá fora, as cerejeiras formavam uma nuvem brilhante, em contraste com as tábuas escuras da cerca. David fez uma pausa na leitura, vendo as pétalas brancas caírem e flutuarem no ar. Sentiu-se reconfortado e perturbado por sua beleza, tentando não notar que, à distância, elas pareciam neve.

# JUNHO DE 1970

— BEM, A PHOEBE COM CERTEZA TEM O SEU CABELO – OBSERVOU DOROTHY.

Caroline levou a mão à nuca, pensando. Elas estavam na zona leste de Pittsburgh, num antigo prédio de fábrica que fora transformado numa pré-escola progressista. A luz entrava pelas janelas altas e respingava em partículas e desenhos no piso de tábuas; destacava os toques castanho-avermelhados das tranças finas de Phoebe, parada diante de uma grande arca de madeira, pegando punhados de lentilhas e deixando-os cascatear em potes. Aos seis anos, ela era rechonchuda, com covinhas nos joelhos e um sorriso irresistível. Seus olhos eram delicadamente amendoados, puxados para cima, de um tom castanho-escuro. As mãos eram pequenas. Nessa manhã, ela usava um vestido listrado rosa e branco, que tinha escolhido e vestido sozinha – de trás para a frente. Usava também um suéter cor-de-rosa que havia causado um espetacular acesso de raiva em casa. *Não há dúvida de que ela tem o seu gênio* – era o que Leo, morto havia quase um ano, gostava de resmungar, e Caroline sempre ficara perplexa, não tanto por ele ter visto uma ligação genética onde não podia haver nenhuma, mas por alguém defini-la como uma mulher geniosa.

– Você acha? – perguntou, passando a mão no cabelo atrás da orelha. – Acha que o cabelo dela é igual ao meu?

– Ah, é, com certeza.

Nessa hora, Phoebe afundava as mãos nas lentilhas aveludadas, rindo com o garotinho a seu lado. Levantava punhados delas no ar e as deixava escorrer por entre os dedos, e o menino estendia uma xícara amarela de plástico para pegá-las.

Para as outras crianças daquele jardim-de-infância, Phoebe era simplesmente ela mesma, uma amiga que gostava de azul, de picolés e de girar em círculos; ali, suas diferenças passavam despercebidas. Nas primeiras semanas, Caroline havia observado, desconfiada, preparada para os tipos de comentários que ouvia com enorme freqüência nos parquinhos, no armazém, no consultório médico. *Ah, que lástima! Você está vivendo o meu pior pesadelo.* E, certa vez, *Pelo menos ela não terá que viver muito, o que é uma bênção.* Irrefletidos, ignorantes ou cruéis, não vinha ao caso: ao longo dos anos, esses comentários tinham deixado uma ferida em carne viva no coração de Caroline. Ali, porém, os professores eram jovens e entusiasmados, e os pais haviam seguido em silêncio o seu exemplo: Phoebe poderia ter que fazer um esforço maior, ir mais devagar, porém, como qualquer criança, ela aprenderia.

As lentilhas se espalharam no chão quando o menino largou sua pazinha e correu para o corredor. Phoebe foi atrás, com as tranças balançando, a caminho da sala verde, onde ficavam os cavaletes e os potes de tinta.

– Este lugar tem sido ótimo para ela – comentou Dorothy.

Caroline assentiu com a cabeça.

– Eu gostaria que a Diretoria de Ensino pudesse vê-la aqui.

– Vocês têm um argumento forte e um bom advogado. Dará tudo certo.

Caroline olhou para o relógio. Sua amizade com Sandra se transformara numa força política e, nesse dia, a Upside!, Sociedade de Pais e Amigos de Crianças com Síndrome de Down, com seus mais de 500 membros, pediria à Diretoria de Ensino que incluísse suas crianças em escolas públicas. As chances eram boas, mas Caroline ainda estava muito nervosa. Inúmeras coisas dependiam dessa decisão.

Um menino em disparada quase caiu ao passar por Dorothy, que o segurou gentilmente pelos ombros. O seu cabelo já estava inteiramente branco, um branco puro, em contraste marcante com os olhos escuros e a pele lisa e morena. Ela nadava todas as manhãs e havia começado a jogar golfe, e, nos últimos tempos, muitas vezes Caroline a apanhava sorrindo sozinha, como se tivesse um segredo.

– Foi muito bom você ter vindo hoje para me dar cobertura – disse Caroline, vestindo o casaco.

Dorothy balançou a mão:

– Não foi nada. Na verdade, prefiro muito mais estar aqui do que brigando com o departamento por causa dos papéis de papai.

A voz dela soava cansada, mas um sorriso bailou momentaneamente em seu rosto.

– Dorothy, se eu não soubesse das coisas, diria que você está apaixonada.

A amiga apenas riu.

– Que idéia atrevida! – disse. – E, por falar em amor, posso esperar o Al hoje à tarde? Afinal, é sexta-feira.

Os desenhos de luz e sombra nos sicômoros traziam uma grande calma, como água em movimento. Sim, era sexta-feira, mas fazia uma semana que Caroline não tinha notícias de Al. Em geral, ele telefonava da estrada, de Columbus, Atlanta ou até Chicago. Ele a havia pedido em casamento duas vezes nesse ano; em ambas, o coração de Caroline tinha se alegrado diante dessa possibilidade, mas em ambas ela dissera não. Os dois tinham brigado na última visita – *Você me mantém à distância*, reclamara ele – e Al saíra zangado, sem se despedir.

– Somos apenas bons amigos, Al e eu. As coisas não são tão fáceis.

– Não seja ridícula. Nada poderia ser mais simples – contrapôs Dorothy.

Pois, então, *era* amor, pensou Caroline. Beijou o rosto suave de Phoebe e foi embora no velho Buick de Leo: preto, imenso, deslizando feito um barco. Em seu último ano de vida, Leo ficara frágil, passando a maior parte dos dias numa poltrona junto à janela, com um livro no colo, olhando para a rua. Um dia, Caroline o encontrara desabado, com o cabelo grisalho espetado num ângulo estranho e a pele – até os lábios – muito pálida. Morto. Ela soubera disso antes mesmo de tocá-lo. Tirara seus óculos, pusera as pontas dos dedos em suas pálpebras e as fechara. Depois de levarem o corpo, ela havia sentado na poltrona de Leo, tentando imaginar como tinha sido a vida dele, com os galhos das árvores mexendo-se silenciosamente fora da janela, os passos dela e de Phoebe descrevendo desenhos em seu teto. – Ah, Leo – dissera em voz alta, falando com o vento. – Sinto muito por você ter sido tão só.

Depois do funeral – um evento discreto, cheio de catedráticos de física e gardênias –, Caroline se oferecera para ir embora, mas Dorothy não quisera nem ouvir falar do assunto. *Estou acostumada com você. Estou acostumada a ter companhia. Não, você fica. Vamos viver um dia atrás do outro.*

Caroline cruzou a cidade que havia passado a amar, aquela cidade dura, poeirenta, de uma beleza marcante, com seus prédios altíssimos, suas pontes ornamentadas, seus jardins imensos, seus bairros encravados em cada colina verde-esmeralda. Encontrou uma vaga na rua estreita e entrou no prédio, com suas pedras escurecidas por décadas de fumaça de carvão. Atravessou o saguão de teto alto, de intricado piso de mosaico, e subiu dois andares de escada. A porta de madeira tinha manchas escuras, um painel de vidro embaçado e um número de latão enodoado: 304B. Ela respirou fundo – não ficava nervosa desse jeito desde suas provas orais – e abriu a porta. O ar decrépito da sala a surpreendeu. A grande mesa de carvalho estava arranhada e as janelas eram sujas, fazendo o dia lá fora parecer pálido e cinzento. Sandra já estava esperando, com meia dúzia de outros pais da diretoria da Upside! Caroline sentiu uma onda de afeição. No começo, eles haviam aparecido nas reuniões um a um, gente com quem ela e Sandra tinham travado conhecimento em mercados ou em ônibus; depois, a notícia se espalhara e as pessoas haviam começado a telefonar. O advogado do grupo, Ron Stone, sentara-se ao lado de Sandra, cujo cabelo louro estava puxado para trás com severidade, e o rosto, sério e pálido. Caroline ocupou o assento que restava ao lado dela.

– Você está parecendo cansada – murmurou.

Sandra assentiu com a cabeça.

– O Tim está resfriado. Justamente hoje. Mamãe teve que vir de McKeesport para ficar cuidando dele.

Antes que Caroline pudesse dizer alguma coisa, a porta tornou a se abrir e os homens da Diretoria de Ensino começaram a entrar, descontraídos, brincando uns com os outros, trocando apertos de mão. Quando todos se acomodaram e a reunião foi iniciada, Ron Stone levantou-se e limpou a garganta.

– Todas as crianças merecem educação – começou, proferindo suas palavras conhecidas. As provas que apresentou eram claras, específicas: desenvolvimento contínuo, tarefas realizadas. Mesmo assim, Caroline viu os rostos à sua frente tornarem-se impassíveis, como que mascarados. Pensou em Phoebe sentada à mesa na noite anterior, com um lápis numa das mãos, escrevendo as letras de seu nome: de trás para frente, ocupando a página inteira, trêmulas, mas escritas. Os homens da Diretoria remexiam nos papéis e pigarreavam. Quando Ron Stone fez uma pausa, um rapaz de cabelo preto e ondulado tomou a palavra.

– Sua paixão é admirável, Sr. Stone. Nós, da Diretoria, apreciamos tudo o que o senhor disse e valorizamos o empenho e a dedicação desses pais. Mas essas crianças são mentalmente retardadas; essa é a síntese. Suas realizações, por mais significativas que sejam, ocorreram num ambiente protegido, com professores capazes de lhes dar uma atenção extra, talvez exclusiva. Esse me parece ser um aspecto muito significativo.

Caroline e Sandra se entreolharam. Essas palavras também eram conhecidas.

– "Mentalmente retardadas" é uma denominação pejorativa – replicou Ron Stone, com a voz firme. – Essas crianças têm um retardo, sim, ninguém questiona isso. Mas *não são* burras. Ninguém nesta sala sabe o que elas serão capazes de fazer. A melhor esperança para seu crescimento e desenvolvimento, assim como para o de todas as crianças, é um meio educacional que não tenha limites predeterminados. O que pedimos hoje é apenas imparcialidade.

– Ah, imparcialidade. Sim. Mas não dispomos dos recursos – disse outro homem, magro, de cabelo grisalho e ralo. – Para sermos imparciais, teríamos que aceitar todas elas, uma enxurrada de indivíduos retardados que sobrecarregariam o sistema. Dêem uma olhada.

Circulou cópias de um relatório e começou a fazer uma análise de custos e benefícios. Caroline respirou fundo. De nada adiantaria ela perder a paciência. Uma mosca zumbiu, aprisionada entre as vidraças das velhas janelas. Caroline tornou a pensar em Phoebe, aquela criança encantadora e imprevisível que achava objetos perdidos, uma menina capaz de contar até 50, se vestir sozinha e recitar o alfabeto, uma menina que talvez se esforçasse para falar, mas que sabia ler num instante o estado de ânimo de Caroline.

*Limitadas*, diziam as vozes. *Inundando as escolas. Um empecilho para os recursos e para as crianças mais inteligentes.*

Caroline sentiu uma onda de desespero. Eles nunca veriam Phoebe de verdade, aqueles homens nunca a veriam como mais do que uma criança diferente, lenta para falar e para dominar coisas novas. Como poderia mostrar-lhes sua filha linda, Phoebe, sentada no tapete da sala de estar construindo uma torre de cubos, com o cabelo macio caindo sobre as orelhas e uma expressão de absoluta concentração no rosto? Phoebe, pondo um disco de 45 rotações na vitrolinha que Caroline havia comprado para ela, extasiada com a música, dançando pelos pisos lisos de carvalho. Ou a mãozinha macia de Phoebe apoiando-se de repente no joelho da mãe, num momento em que Caroline ficava pensativa ou distraída, absorta no mundo e em suas preocupações. *Está tudo bem, mamãe?*, dizia, ou, simplesmente, *Eu amo você.* Phoebe, montada nos ombros de Al à luz do entardecer, Phoebe abraçando todas as pessoas que encontrava. Phoebe tendo acessos de raiva, obstinadamente desafiadora. Phoebe vestindo-se naquela manhã, toda orgulhosa.

O assunto à mesa havia passado para os números e a logística, a impossibilidade de mudança. Caroline levantou-se, trêmula. A mão de sua mãe morta voou em direção a sua boca, horrorizada. A própria Caroline mal podia acreditar no quanto sua vida a havia modificado, na pessoa em que se transformara. Mas não havia como voltar atrás. *Uma enxurrada de retardados mentais, ora essa!* Ela apoiou as mãos na mesa e esperou. Um por um, os homens pararam de falar e a sala ficou em silêncio.

– Não se trata de números – disse Caroline –, e sim de crianças. Tenho uma filha de seis anos. Ela leva mais tempo para dominar coisas novas, é verdade. Mas aprendeu a fazer tudo o que qualquer outra criança aprende: a engatinhar e andar, falar e usar o banheiro, a se vestir, como fez hoje de manhã. O que eu vejo é uma menininha que quer aprender e que gosta de todas as pessoas que vê. E vejo uma sala cheia de homens que parecem ter se esquecido de que, neste país, prometemos educação a todas as crianças, independentemente de sua capacidade.

Por um momento, ninguém falou. A janela alta chacoalhou de leve na brisa. A tinta começava a fazer bolhas e descascar nas paredes de cor bege.

A voz do homem de cabelo preto foi gentil.

– Tenho... todos temos... uma grande simpatia por sua situação. Mas qual é a probabilidade de que sua filha, ou qualquer dessas crianças, domine habilidades acadêmicas? E o que é que isso faria com a auto-imagem dela? Se fosse comigo, eu preferiria que ela fosse colocada num ofício útil e produtivo.

– Ela tem seis anos – retrucou Caroline. – Não está preparada para aprender um ofício.

Ron Stone estivera observando atentamente o diálogo e, nesse momento, tomou a palavra.

– Na verdade, toda essa discussão não vem ao caso – disse. Abriu a maleta e tirou um maço grosso de papéis. – Essa não é apenas uma questão moral ou logística. É a lei. Aqui está uma petição, assinada por esses pais e por outros 500. Ela foi anexada a uma ação judicial coletiva em favor dessas famílias para permitir a admissão de seus filhos nas escolas públicas de Pittsburgh.

– Essa é a legislação dos direitos civis – disse o homem grisalho, erguendo os olhos do documento. – O senhor não pode usar isso. Não é essa a letra nem o espírito dessa lei.

– Examinem esses documentos – disse Ron Stone, fechando a maleta. – Entraremos em contato.

Do lado de fora, na velha escadaria de pedra, começaram a conversar. Ron estava satisfeito, cautelosamente otimista, mas os outros mostravam-se radiantes, abraçando Caroline para agradecer por sua fala. Ela sorriu, retribuindo os abraços, sentindo-se a um tempo extenuada e comovida com sua profunda afeição por aquelas pessoas: Sandra, é claro, que ainda ia a sua casa toda semana, para tomar um café; Colleen, que, junto com a filha, havia colhido os nomes para a petição; Carl, um homem alto e animado, cujo único filho morrera pequeno, por complicações cardíacas relacionadas com a síndrome de Down, e que lhes oferecera espaço em seu depósito de tapetes para que eles pudessem trabalhar. Quatro anos antes, Caroline não conhecia nenhum deles, exceto Sandra, mas agora todos estavam ligados a ela pelas muitas noites trabalhando até altas horas, por muitas lutas e pequenas vitórias e por muita esperança.

Ainda agitada por seu discurso, Caroline voltou para o jardim-de-infância. Phoebe deu um pulo do grupo reunido em círculo e correu para ela, abraçando seus joelhos. Cheirava a leite e chocolate, e havia um fio de sujeira em seu vestido. O cabelo parecia uma nuvem macia sob as mãos de Caroline, que contou rapidamente o que havia acontecido, as palavras ofensivas – *enxurrada, empecilho* – que ainda trazia na cabeça. Dorothy, atrasada para o trabalho, afagou-lhe o braço. *Conversaremos mais hoje à noite.*

A volta para casa foi bonita, com as árvores frondosas e os lilases desabrochando feito rajadas de espuma e fogo nas colinas. Havia chovido na noite anterior; o céu exibia um azul vivo e límpido. Caroline estacionou na alameda, decepcionada ao ver que Al ainda não tinha chegado. Juntas, ela e Phoebe passaram sob a sombra bruxuleante dos sicômoros, em meio ao zumbido penetrante das abelhas. Caroline sentou-se num degrau da varanda e ligou o rádio. Phoebe começou a rodar na grama macia, com os braços abertos e a cabeça inclinada para trás, o rosto voltado para o sol.

Caroline a observou, ainda tentando dissipar a tensão e o azedume da manhã. Havia motivos de esperança, mas, após todos aqueles anos de luta para mudar as percepções do mundo, ela se obrigava a continuar cautelosa.

Phoebe aproximou-se correndo e fechou as mãos em concha no ouvido da mãe, murmurando um segredo. Caroline não conseguiu decifrar as palavras, só a rajada de ar, excitada e sem fôlego, e Phoebe correu de novo para o sol, girando em seu vestido rosa-claro. O sol derramava lampejos cor de âmbar em seu cabelo escuro, e Caroline lembrou-se de Norah Henry sob as luzes brilhantes da clínica. Por um instante, sentiu uma fisgada de cansaço e dúvida.

Phoebe parou de rodopiar, abrindo os braços para manter o equilíbrio. Depois, soltou um grito e correu pelo jardim até o alto da escada, onde Al estava parado, olhando para baixo, com um embrulho de cores vivas numa das mãos, para Phoebe, e um ramo de lilases que Caroline sabia ser para ela.

Sentiu-se reanimar. Al a havia cortejado com paciência lenta e persistente, aparecendo semana após semana, com solidez e regularidade, oferecendo um ramalhete de flores ou outro presente alegre, e com um prazer tão verdadeiro no rosto que ela não suportava rechaçá-lo. No entanto, mantivera-se de costas para ele, sem confiar naquele amor que surgira tão inesperadamente de uma fonte tão improvável. Nesse momento, pôs-se de pé, sentindo uma onda de prazer. Como tivera medo de que ele não voltasse mais!

– Bonito dia – disse Al, abaixando-se para abraçar Phoebe, que atirou os braços em volta de seu pescoço para lhe dar as boas-vindas. O embrulho continha uma rede muito fina de caçar borboletas, com um punho de madeira entalhada, e a menina a pegou na mesma hora, correndo em direção a um canteiro de hortênsias azul-escuras. – Como foi a reunião?

Caroline contou-lhe a história e ele ouviu, balançando a cabeça.

– Bom, escola não é para todo mundo – disse. – Eu não gostava muito dela, com certeza. Mas a Phoebe é uma boa menina e eles não deviam impedi-la de entrar.

– Quero que ela tenha um lugar no mundo – disse Caroline, percebendo de repente que não duvidava do amor de Al por ela, mas do amor dele por Phoebe.

– Meu bem, ela tem um lugar – fez ele. – É bem aqui. Mas, sim, acho que você tem razão. Acho que está fazendo a coisa certa, lutando tanto por ela.

– Espero que a sua semana tenha sido melhor – Caroline comentou, notando as olheiras dele.

– Ah, o mesmo de sempre, o mesmo de sempre – disse Al, sentando-se a seu lado na escada e pegando um graveto, que começou a descascar. Ao longe, ouvia-se o zumbir de cortadores de grama; o radinho de Phoebe tocava *Love, Love Me, Do.* – Fiz 3.858 quilômetros esta semana. Um recorde, até para mim.

Ele vai me pedir em casamento de novo, pensou Caroline. Aquele era o momento certo; Al estava cansado da estrada e disposto a assentar a cabeça, e faria o pedido. Caroline ficou a lhe observar as mãos, que se moviam com habilidade, rápidas, tirando a casca do graveto, e seu coração transbordou. Dessa vez, ela diria sim. Mas Al continuou calado. O silêncio se prolongou tanto que, por fim, ela se sentiu pressionada a rompê-lo.

– Foi um presente bonito – comentou, acenando com a cabeça em direção ao gramado em que Phoebe corria, com a rede descrevendo arcos luminosos no ar.

– Foi um cara lá da Geórgia que fez. Ótimo sujeito. Estava com uma porção delas, que tinha entalhado para os netos. Começamos a bater papo na mercearia. Ele coleciona rádios de ondas curtas e me convidou a dar uma passada para vê-los. Passamos a noite inteira conversando, ele e eu. Bom, essa é a vantagem da vida errante. Ah, sim – continuou, enfiando a mão no bolso da calça e tirando um envelope branco –, aqui está sua correspondência de Atlanta.

Caroline pegou o envelope sem tecer comentários. Dentro haveria várias notas de 20 dólares, cuidadosamente dobradas num pedaço de papel em branco. Al os trazia de Cleveland, Memphis, Atlanta, Akron, cidades que freqüentava em suas entregas. Ela lhe dizia simplesmente que o dinheiro era para Phoebe, mandado pelo pai. Al aceitava isso sem comentários, mas os sentimentos de Caroline eram mais complexos. Às vezes, ela sonhava que estava andando pela casa de Norah Henry, tirando coisas das estantes e armários, enchendo uma sacola de pano, toda contente, até deparar com Norah Henry parada junto a uma janela, com a expressão distante e infinitamente triste. Acordava trêmula, levantava-se e preparava um chá, sentando-se no escuro. Quando chegava o dinheiro, ela o depositava no banco e não pensava mais no assunto, até chegar o envelope seguinte. Fazia cinco anos que repetia isso, e já havia guardado quase sete mil dólares.

Phoebe continuava a correr, perseguindo borboletas, passarinhos, partículas de luz ou as notas flutuantes que saíam do rádio. Al mexia nos botões do aparelho.

– O que esta cidade tem de bom é que a gente pode achar música de verdade. Em algumas daquelas cidadezinhas mixurucas em que eu me hospedo, só o que a gente arruma são os 40 Maiores Sucessos. Fica cansativo, depois de algum tempo.

Al começou a cantarolar *Begin the beguine,* acompanhando o rádio.

– Meus pais costumavam dançar essa música – disse Caroline, e, por um instante, viu-se sentada na escada da casa de sua infância, escondida, vendo a mãe, de vestido rodado, receber seus convidados à porta. – Há anos eu não pensava nisso. Mas, de vez em quando, eles enrolavam o tapete da sala de jantar, numa noite de sábado, e recebiam outros casais e dançavam.

– Devíamos ir dançar um dia desses – disse Al. – Você gosta de dançar, Caroline?

Nesse momento, ela sentiu alguma coisa remexer-se por dentro, uma empolgação. Não conseguiu situar sua origem: tinha alguma coisa a ver com a raiva daquela manhã, que se havia dissipado, e com o dia vibrante, e com o calor dos braços de Al junto aos seus. A brisa agitava os choupos, revelando o lado inferior prateado de suas folhas.

– Por que esperar? – disse ela, e se levantou, estendendo a mão.

Al ficou intrigado, perplexo, mas se levantou, apoiou a mão no ombro dela, e os dois começaram a andar para a relva ao som dos acordes agudos da música, tendo como fundo os carros que passavam, velozes. A luz do sol misturou-se com o cabelo de Caroline, a grama era macia sob seus pés, apenas de meias, e os dois se moviam com tanta facilidade, inclinando-se e rodopiando, que a tensão que ela trouxera da reunião foi se dissipando a cada passo. Al sorriu, estreitando-a com força, e o sol a tocou na nuca.

*Ah*, pensou Caroline, quando ele tornou a fazê-la girar, *eu vou dizer sim.*

Havia o prazer do sol, o riso de Phoebe e o calor das mãos de Al, que penetrava no tecido em suas costas. Os dois moveram-se pela relva, girando com a música, unidos por ela. O som do tráfego era presente e tranqüilizador como o do oceano. Outros sons, mais finos, elevavam-se por entre os trechos musicais, em meio ao dia luminoso. A princípio, Caroline não os registrou. Depois, Al a girou e ela parou de dançar. Phoebe estava ajoelhada na relva quente e macia, junto às hortênsias, soltando gritos tão fortes que não conseguia falar, com a mão levantada. Caroline correu e se ajoelhou na relva, examinando o círculo inflamado e inchado na palma da mão da menina.

– É uma picada de abelha – disse. – Ah, meu amorzinho, dói, não é?

Encostou a cabeça no cabelo quentinho de Phoebe. Sua pele macia e fina, seu peito subindo e descendo; embaixo dele, as batidas ritmadas do coração. Aquilo era o que não se podia medir, não se podia quantificar nem explicar: Phoebe era apenas ela. Era impossível, enfim, categorizar um ser humano. Impossível ter a pretensão de saber como era a vida ou o que ela reservava.

– Ah, benzinho, está tudo bem – disse, alisando o cabelo da filha.

Mas os soluços de Phoebe começaram a dar lugar a um chiado parecido com a laringite de que ela sofrera quando pequena. A palma da mão estava inchando; o dorso e os dedos, também. Caroline sentiu-se imobilizar por dentro, ao mesmo tempo em que levantava depressa e chamava Al.

– Depressa! – gritou, com a voz muito alta e estranha. – Ah, Al, ela é alérgica!

Já ia levantando Phoebe, pesada em seu colo, mas parou, confusa, porque as chaves estavam em sua bolsa, na bancada da cozinha, e ela não conseguiu imaginar como abrir a porta segurando a menina, que chiava cada vez mais. E então chegou Al, que pegou Phoebe e correu com ela para o carro, e de algum modo Caroline viu-se com a chave, a chave e a bolsa. Disparou o mais rápido que pôde pelas ruas da cidade. Quando chegaram ao hospital, a respiração de Phoebe vinha em arquejos curtos, desesperados.

Largaram o carro na entrada e Caroline agarrou a primeira enfermeira que viu.

– É uma reação alérgica. Precisamos de um médico *já*.

A enfermeira era mais velha, meio pesadona, com o cabelo virado para dentro num penteado de pajem. Conduziu-os por uma série de portas de aço, até Al depor Phoebe com toda a delicadeza numa maca. Agora a menina já lutava para respirar, com os lábios levemente azulados. Caroline também sentia dificuldade de respirar, com o medo a lhe apertar o peito. A enfermeira puxou o cabelo de Phoebe para trás, apalpando sua pulsação no pescoço. E, nesse momento, Caroline a viu olhar para a menina como o Dr. Henry a havia olhado, naquela noite de nevasca tanto tempo antes. Viu a enfermeira fitar os olhos lindamente rasgados da criança, as mãozinhas que haviam segurado a rede com toda a força, enquanto ela corria atrás de borboletas, e viu os olhos da mulher se espremerem ligeiramente. Mesmo assim, não estava preparada para o que veio.

– Tem certeza? – perguntou a enfermeira, virando a cabeça e encontrando o olhar de Caroline. – Tem certeza de que quer que eu chame um médico?

Caroline ficou imobilizada. Lembrou-se do cheiro de legumes cozidos, do dia em que tinha partido com Phoebe, das expressões impassíveis dos homens da Diretoria de Ensino. Numa onda de alquimia selvagem, seu medo transformou-se numa raiva furiosa e penetrante. Ela levantou a mão para esbofetear o rosto despreocupado e impassível da enfermeira, mas Al segurou sua mão.

– Vá chamar o médico – disse ele. – Agora!

Pôs o braço em volta de Caroline e não a soltou mais, nem quando a enfermeira se afastou nem quando apareceu o médico – só o fez quando a respiração de Phoebe começou a se regularizar e um pouco de cor voltou ao seu rosto. Depois disso, foram juntos para a sala de espera e se sentaram nas cadeiras de plástico laranja, de mãos dadas, em meio às enfermeiras atarefadas, às vozes que vinham do sistema interno de comunicação e ao choro de bebês.

– Ela podia ter morrido – disse Caroline. Perdeu a calma e começou a tremer.

– Mas não morreu – disse Al, firme.

A mão dele era quente, grande e reconfortante. Al fora muito paciente em todos aqueles anos, voltara uma vez após outra, dizendo que sabia reconhecer uma coisa boa quando a via. Dizendo que esperaria. Mas, da última vez, tinha passado duas semanas fora, não uma. Não havia telefonado da estrada e, embora houvesse trazido flores, como sempre, já fazia seis meses que não propunha casamento. Ele poderia ir embora em seu caminhão e nunca mais voltar, nunca mais lhe dar outra chance de dizer sim.

Caroline ergueu a mão dele e a beijou na palma, forte e áspera, cheia de calos e marcada por muitas linhas. Al virou-se, despertado de seus pensamentos num susto, intrigado como se ele próprio acabasse de receber uma picada.

– Caroline – falou, em tom formal. – Há uma coisa que eu quero dizer.

– Eu sei – fez ela, pondo a mão do caminhoneiro em seu próprio coração e a segurando ali. – Ah, Al, eu fui tão idiota! É claro que eu me caso com você.

# 1977

# JULHO DE 1977

— ASSIM? – PERGUNTOU NORAH.

Estava deitada na praia, e a areia granulosa sob seu quadril escorregava e se movia. Toda vez que ela inspirava fundo e soltava o ar, a areia lhe deslizava por baixo do corpo. O sol estava muito quente, como uma chapa tremeluzente de metal encostada em sua pele. Fazia mais de uma hora que ela estava ali, posando e tornando a posar, num *re-posar* que parecia piada, pois repouso era justamente o que ela desejava e não podia ter. Afinal, eram suas férias – Norah ganhara duas semanas em Aruba, por ter vendido o maior número de passagens para cruzeiros do estado de Kentucky no ano anterior –, mas ali estava ela, com areia grudada no suor dos braços e do pescoço, enquanto se mantinha imóvel, imprensada entre o sol e a areia.

Para se distrair, fixava o olhar em Paul, que corria pela praia como um ponto no horizonte. Ele estava com 13 anos e havia espichado feito uma árvore nova nos 12 meses anteriores. Alto e desengonçado, corria todas as manhãs, como se pudesse fugir de sua própria vida.

As ondas quebravam devagar na areia. A maré estava subindo e a luz ofuscante do meio-dia não tardaria a mudar, tornando impossível até o dia seguinte a foto que David queria. Uma mecha de cabelo grudara-se nos lábios de Norah, fazendo cócegas, mas ela se obrigou a permanecer imóvel.

– Bom! – disse David, recurvado sobre a câmera e disparando uma rápida sucessão de tomadas. – Isso, ótimo, assim ficou muito bom mesmo!

– Estou com calor.

– Só mais uns minutos. Estamos quase acabando.

David pôs-se de joelhos, a palidez hibernal das coxas contrastando com a areia.

Ele trabalhava muito e também passava longas horas na câmara escura, prendendo imagens para secar na corda que havia pendurado de uma parede a outra.

– Pense no mar – disse. – Ondas na água, ondas na areia. Você faz parte disso, Norah. Na foto você vai ver. Vou lhe mostrar.

Norah continuou imóvel sob o sol, vendo-o trabalhar e lembrando os tempos do início do casamento em que os dois saíam para longas caminhadas nas noites de primavera, de mãos dadas, em meio ao ar que recendia a madressilvas e jacintos. O que teria imaginado aquela versão mais jovem dela, andando sob a luz suave e calma do crepúsculo, sonhando seus sonhos? Não essa vida, com certeza. Nos últimos cinco anos, Norah aprendera na ponta da língua o que havia para saber no ramo de viagens. Havia organizado o escritório e, aos poucos, começara a supervisionar as excursões. Tinha montado uma lista estável de clientes e aprendido a vender, empurrando brochuras reluzentes por cima da mesa e descrevendo, em detalhes de tirar o fôlego, lugares que ela mesma só havia sonhado visitar. Tornara-se especialista em resolver crises de última hora: bagagens perdidas, passaportes extraviados, vôos cancelados. No ano anterior, quando Pete Warren resolvera se aposentar, ela havia respirado fundo e comprado a agência. Agora era só dela, desde o prédio baixo de tijolos até as caixas com bilhetes aéreos em branco, guardadas no armário. Seus dias eram agitados, atarefados, satisfatórios – e, toda noite, ela voltava para uma casa repleta de silêncio.

– Continuo sem entender – disse, depois que David finalmente terminou, enquanto se levantava e sacudia a areia das pernas, dos braços e do cabelo. – Para que tirar minha foto, se você espera que eu simplesmente desapareça na paisagem?

– É uma questão de perspectiva – respondeu David, levantando os olhos do equipamento. Estava com o cabelo desgrenhado, as bochechas e braços avermelhados pelo sol do meio-dia. Ao longe, Paul fizera um retorno e estava voltando, chegando mais perto. – Tem a ver com as expectativas. As pessoas olharão para esta foto e verão uma praia com dunas ondeantes. Depois, vislumbrarão alguma coisa meio estranha, algo conhecido no seu conjunto de curvas, ou então lerão o título e tornarão a olhar, procurando a mulher que não viram na primeira vez, e encontrarão você.

Havia intensidade na voz dele; o vento do mar revolvia seus cabelos pretos. Aquilo a entristeceu, porque David falava de fotografia como antes havia falado da medicina, do casamento dos dois, numa linguagem e num tom que evocavam o passado perdido e a enchiam de saudade. *Você e o David falam de coisas importantes ou de bobagens?*, perguntara Bree certa vez, e Norah tinha ficado chocada ao perceber quantas de suas conversas diziam respeito a coisas rotineiras e necessárias, como as tarefas domésticas e os horários de Paul.

O sol brilhava nos cabelos de Norah e os grãos de areia grudaram na pele fina entre suas pernas. David estava concentrado em guardar a câmera. Norah tivera a esperança de que essas férias de sonho fossem um caminho de volta para a intimidade que um dia eles haviam partilhado. Fora isso que a havia impelido a passar tantas horas deitada sob o sol quente, mantendo-se imóvel enquanto David batia fotos num filme após outro, mas havia três dias que eles estavam lá e nada, a não ser o cenário, era significativamente diferente de casa. Todos os dias, tomavam o café da manhã em silêncio. David encontrava maneiras de trabalhar: ou tirava fotografias, ou saía para pescar. À noite, ficava lendo na rede. Norah fazia caminhadas, cochilava, matava o tempo e ia às compras nas lojas coloridas da cidade, com seu preços abusivos para turistas. Paul tocava seu violão e corria.

Ela protegeu os olhos contra a luz e contemplou a curva dourada da praia. Já mais perto, a forma do corredor havia surgido, e ela percebeu que não era Paul, afinal. Era um homem alto, magro, de uns 35 ou 40 anos. Usava um short de nylon azul debruado de branco, sem camisa. Os ombros, já bastante bronzeados, tinham uma queimadura nas bordas que parecia dolorosa. Ao chegar mais perto, ele diminuiu a velocidade e parou, com as mãos nos quadris e a respiração pesada.

– Bela câmera – comentou. Depois, olhando direto para Norah, acrescentou: – Foto interessante.

O homem tinha uma calvície incipiente; os olhos eram castanho-escuros, intensos. Norah desviou o rosto, ao sentir o calor deles, enquanto David começava a falar: ondas e dunas, areia e pele, duas imagens conflitantes ao mesmo tempo.

Ela correu os olhos pela praia. Sim. Lá longe, quase invisível, havia outra figura correndo: seu filho. O sol brilhava muito. Por alguns segundos, Norah sentiu-se zonza, com peixinhos prateados de luz piscando sob as pálpebras, conforme a luminosidade se refletia na crista das ondas. Howard. Ela se perguntou de onde ele seria, onde teria arranjado um nome desses. Agora, ele e David conversavam animadamente sobre aberturas e filtros.

– Quer dizer que você é a inspiração desse estudo – disse o homem, virando-se para incluí-la na conversa.

– Acho que sim – fez ela, tirando areia do pulso. – É meio prejudicial para a pele – acrescentou, subitamente cônscia de que seu novo biquíni a deixava quase nua. O vento passou por ela, rodopiou em seu cabelo.

– Não, a sua pele é linda – disse Howard. Os olhos de David se arregalaram, fitando-a como se nunca a tivessem visto antes, e Norah sentiu uma onda de triunfo. *Viu?*, teve vontade de dizer. *A minha pele é linda*. Mas a intensidade do olhar de Howard a deteve.

– Você deveria ver os outros trabalhos do David – disse ela. Apontou para o chalé, aconchegado sob as palmeiras, com buganvílias cascateando na treliça da varanda. – Ele trouxe o portfólio – completou. Suas palavras eram uma muralha; e também um convite.

– Eu gostaria muito – fez Howard, virando-se de novo para David. – Estou interessado no seu estudo.

– Por que não? – perguntou David. – Almoce conosco.

Mas Howard tinha uma reunião na cidade às 13 horas.

– Lá vem o Paul – disse Norah. Ele corria em grande velocidade pela beira da água, fazendo um *sprint* nos últimos 100 metros, braços e pernas brilhando na luz, nas ondulações do calor. *Meu filho*, pensou Norah, e o mundo se abriu por um instante, como às vezes fazia, em torno da simples realidade da presença dele. – Nosso filho – disse, dirigindo-se a Howard. – Ele também é corredor.

– Está em boa forma – observou Howard. Paul chegou mais perto e começou a reduzir a velocidade. Ao alcançá-los, curvou-se com as mãos nos joelhos, respirando fundo.

– E fazendo um bom tempo – concordou David, com uma olhadela para o relógio. *Não faça isso*, pensou Norah; David parecia não perceber o quanto Paul se ressentia das sugestões que ele fazia para seu futuro. *Não*. Mas David insistiu: – Detesto vê-lo desperdiçar sua vocação. Olhe para essa altura. Imagine o que ele poderia fazer numa quadra. Mas ele não liga a mínima para o basquete.

Paul ergueu os olhos, fazendo uma careta, e Norah sentiu o ímpeto de uma irritação conhecida. Por que David não conseguia entender que, quanto mais insistisse no basquete, mais Paul resistiria? Se ele queria que Paul jogasse, seria melhor proibi-lo.

– Eu gosto de correr – disse Paul, endireitando o corpo.

– Quem pode censurá-lo, correndo desse jeito? – fez Howard, estendendo a mão para cumprimentá-lo.

Paul apertou-lhe a mão, enrubescendo de prazer. *A sua pele é linda*, Howard lhe dissera, momentos antes. Norah se perguntou se seu rosto também teria sido tão transparente.

– Venha jantar conosco – sugeriu num impulso, inspirada na gentileza de Howard com Paul. Ela estava com fome e com sede, e o sol a deixara tonta. – Já que não pode vir almoçar, venha jantar. Traga sua mulher, é claro – acrescentou. – Traga a família. Vamos fazer uma fogueira e cozinhar na praia.

Howard franziu o cenho, fitando a água reluzente. Juntou as mãos e as esticou atrás da cabeça, alongando-se. – Infelizmente, estou sozinho aqui. É uma espécie de retiro. Estou prestes a me divorciar.

– Lamento muito – disse Norah, embora não lamentasse.

– Venha assim mesmo – falou David. – A Norah faz uns jantares maravilhosos. Eu lhe mostro o resto da série em que estou trabalhando: é tudo sobre percepção. Transformação.

– Ah, transformação – disse Howard. – Sou totalmente a favor disso. Adoraria jantar com vocês.

David e Howard conversaram mais alguns minutos, enquanto Paul andava na beira do mar para se refrescar. Howard se foi. Minutos depois, parada na cozinha, cortando pepinos para o almoço, Norah o observou afastar-se pela praia, aparecendo, sumindo e tornando a aparecer, conforme a brisa levantava a cortina. Lembrou-se do bronzeado escuro de seus ombros, dos olhos e da voz penetrantes. A água corria nos canos, enquanto Paul tomava banho, e havia um farfalhar baixinho de papel: David arrumando suas fotos na sala. Ao longo dos anos, ele lhe parecera obcecado, sempre olhando para o mundo – para ela – como que por trás da lente de uma câmera. A filha que os dois haviam perdido ainda pairava entre eles; a vida de ambos se moldara em torno dessa ausência. Às vezes, Norah até se perguntava se essa perda era o laço principal que os unia. Pôs as fatias de pepino numa saladeira e começou a descascar uma cenoura. Howard parecia um pontinho à distância, depois sumiu. Tinha mãos grandes, ela se lembrou, com palmas e cutículas claras, em contraste com o bronzeado. *Pele linda*, ele dissera, e não desgrudara os olhos dos dela.

Depois do almoço, David cochilou na rede e Norah deitou-se na cama embaixo da janela. A brisa do mar entrou; ela se sentiu profundamente viva, de algum modo ligada à areia e ao mar pelo vento. Howard era só um homem comum, quase esquelético e começando a ficar calvo, mas era também misteriosamente irresistível, uma atração talvez invocada pela profunda solidão e anseio da própria Norah. Ela imaginou Bree, encantada, rindo.

*– Bem, por que não?* – ela diria. *– De verdade, Norah, por que não?*

*– Sou uma mulher casada* – respondeu Norah, virando-se para olhar pela janela para a areia móvel, deslumbrante, ansiosa de que a irmã a refutasse.

*– Norah, pelo amor de Deus, a gente só vive uma vez! Por que não nos divertirmos um pouco?*

Levantou-se, pisando de leve nas tábuas antigas e gastas, e preparou um gim-tônica com limão. Sentou-se no balanço da varanda, indolente, sentindo a brisa e vendo

David cochilar, tão desconhecido dela nos últimos tempos. As notas do violão de Paul flutuavam na brisa suave. A mãe pôs-se a imaginá-lo, sentado de pernas cruzadas na cama estreita, cabeça inclinada, concentrado no novo violão Almansa, que ele adorava e que fora presente de David em seu último aniversário. Era um belo instrumento, com braço de ébano, laterais e fundo de jacarandá, cravelhas de metal. David bem que tentava com Paul. Insistia demais nos esportes, era verdade, mas também arranjava tempo para levar o filho para pescar ou fazer caminhadas pelos bosques em suas intermináveis buscas de pedras. Ele passara horas pesquisando aquele violão, encomendara-o a uma empresa em Nova York, e seu rosto se enchera de um prazer sereno ao ver Paul tirá-lo reverentemente da caixa. Norah olhou para o marido nesse momento, dormindo do outro lado da varanda, com um músculo pulsando na face.

– David – murmurou, mas ele não a ouviu. – David – disse, um pouco mais alto, porém ele não se mexeu.

Às quatro horas, Norah levantou-se, sonhadora. Escolheu um vestido de verão salpicado de flores, franzido na cintura, de alcinhas finas. Pôs um avental e começou a preparar pratos simples, mas esmerados: ostras refogadas, com biscoitos crocantes para acompanhar, espigas de milho cozido, salada verde, pequenas lagostas que comprara no mercado naquela manhã, ainda em baldes de água salgada. Enquanto se movimentava pela cozinha minúscula, improvisando assadeiras com formas de bolo e substituindo a manjerona por orégano no molho da salada, a saia franzida de algodão roçava de leve em suas coxas e quadris. A brisa, morna como um hálito, deslizava sobre seus braços. Ela mergulhou as mãos na pia de água gelada, lavando uma a uma as folhas delicadas de alface. Do lado de fora, Paul e David se empenhavam em acender o fogo da grelha meio enferrujada, cujos furos tinham sido remendados com papel-alumínio. Havia pratos de papel na mesa desbotada e vinho servido em copos de plástico vermelhos. Eles comeriam a lagosta com as mãos, com a manteiga escorregando pelas palmas.

Norah ouviu a voz dele antes de vê-lo: um tom diferente, ligeiramente mais grave que o de David e um pouquinho mais nasalado, com um sotaque neutro do Norte; um ar frio, com um toque de neve, flutuava na sala a cada sílaba proferida. Norah secou as mãos no pano de prato e foi até a porta.

Os três homens – assustou-se ao pensar em Paul dessa maneira, mas agora ele estava ombro a ombro com David, quase adulto e independente, como se seu corpo nunca tivesse tido nada a ver com o dela – estavam agrupados na areia, pouco adiante da varanda. A grelha exalava seus aromas de fumaça e resina, e as brasas emitiam ondas de calor no céu. Paul, sem camisa, tinha as mãos enfiadas nos bolsos da bermuda e respondia com brevidade constrangida às perguntas que lhe eram endereçadas. Eles não a viram, o marido e o filho; tinham os olhos voltados para o fogo e para o oceano, liso como vidro fosco naquele horário. Howard, de frente para eles, foi quem levantou o queixo para Norah e sorriu.

Por um instante, antes que os outros se virassem, antes que Howard levantasse a garrafa de vinho e a passasse para suas mãos, seus olhos se encontraram. Foi um momento real apenas para eles dois, algo que depois não se poderia provar, um instante de comunhão sujeito ao que quer que o futuro impusesse. Mas foi real: o tom escuro dos olhos de Howard, o rosto dele e o dela abrindo-se de prazer e promessa, o mundo quebrando a seu redor, como as ondas.

David virou-se, sorridente, e o instante se fechou como uma porta.

– É branco – disse Howard, entregando-lhe a garrafa. Nesse momento ocorreu a Norah o quanto ele parecia comum, o jeito bobo de suas costeletas descerem até a metade de suas faces. O sentido oculto do instante anterior – será que ela o havia imaginado? – tinha desaparecido. – Espero que sirva.

– É perfeito. Vamos comer lagosta.

Sim, era muito comum essa conversa. O momento surpreendente ficara para trás, e ela encenou a anfitriã gentil, desempenhando seu papel com a mesma facilidade com que se movia dentro do vestido leve. Howard era seu convidado; Norah ofereceu-lhe uma cadeira e uma bebida. Quando voltou, trazendo garrafas de gim e água tônica e um balde de gelo numa bandeja, o sol havia chegado à beira da água. Nuvens altas inflavam-se no céu em sombras etéreas de rosa e pêssego.

Jantaram na varanda. A escuridão desceu depressa, e David acendeu as velas dispostas a intervalos ao longo da balaustrada. Ao longe, a maré encheu, com as ondas correndo invisíveis para a areia. À luz bruxuleante, a voz de Howard subia, descia e tornava a subir. Ele falava de uma câmara escura que havia construído. Era uma caixa de mogno que vedava toda a luz, exceto por uma única abertura ínfima. Esse pontinho projetava uma imagem minúscula do mundo num espelho. O aparelho era o precursor da máquina fotográfica; alguns pintores – Vermeer era um deles – o haviam usado como instrumento para atingir um nível extraordinário de detalhe em seu trabalho. Era o que Howard também vinha explorando.

Norah escutou, banhada pela noite, impressionada com as imagens usadas por ele: o mundo projetado numa parede interna escurecida, figuras minúsculas captadas pela luz, porém móveis. Era muito diferente das sessões dela com David, nas quais a câmera parecia fixá-la no espaço e no tempo, mantê-la imobilizada. Esse, percebeu ela, bebericando seu vinho no escuro, era o problema no âmago de tudo. Em algum ponto do caminho, ela e David tinham emperrado. Agora circundavam um ao outro, fixados em suas órbitas distintas. O assunto da conversa mudou e Howard contou histórias da época que passara no Vietnã, trabalhando como fotógrafo do exército, documentando batalhas.

– Muito daquilo era maçante, na verdade – disse ele, quando Paul externou sua admiração. – Boa parte era só subir e descer o Mekong num barco. Mas é um rio extraordinário, um lugar extraordinário.

Terminado o jantar, Paul foi para seu quarto. Minutos depois, as notas do violão cascatearam por entre o som das ondas. Ele não tinha querido tirar essas férias; abrira mão de uma semana no acampamento de música e teria que se apresentar num concerto importante, dias depois de eles voltarem para casa. David havia insistido em que ele fosse; não levava a sério as ambições musicais do filho. Como passatempo, tudo bem, mas não como carreira. Só que Paul era apaixonado por violão e estava decidido a ir para a Escola de Música Juilliard. David, que tanto se esfalfara para lhes dar todo o conforto, ficava tenso toda vez que o assunto vinha à baila. Nesse momento, as notas de Paul desciam pelo ar, aladas e graciosas, mas cada uma também meio cortante, uma ponta de faca perfurando a pele.

A conversa passou da óptica para a luz rarefeita do vale do rio Hudson, onde Howard morava, e do sul da França, que ele gostava de visitar. O homem descreveu a estrada estreita, da qual subia uma poeira fina, e os campos de girassóis pulsantes. Todo ele era voz, mal passando de uma sombra ao lado de Norah, mas suas palavras a atravessavam como a música de Paul, dentro e fora dela ao mesmo tempo. David serviu mais vinho e mudou de assunto, e de repente todos se puseram de pé e entraram na sala intensamente iluminada. David tirou da pasta sua série de fotos preto-e-branco, e ele e Howard lançaram-se numa discussão animada sobre as qualidades da luz.

Norah deixou-se ficar à margem. As fotografias que os homens estavam discutindo eram todas dela: seus quadris, sua pele, suas mãos, seu cabelo. No entanto, ela fora excluída da conversa: objeto, não sujeito. Vez por outra, quando entrava num escritório em Lexington, ela deparava com uma foto anônima, porém estranhamente familiar – uma curva de seu corpo ou um lugar visitado na companhia de David, despidos de seu significado original e transformados: uma imagem da carne dela que se tornara abstrata, uma idéia. Ao posar para o marido, Norah havia tentado diminuir um pouco a distância que se alargara entre o casal. Culpa dele, dela, não tinha importância, na verdade. Mas, nesse momento, vendo David absorto em sua explicação, Norah compreendeu que ele não a via realmente, fazia anos que não a via.

A raiva brotou em seu peito numa onda que a deixou trêmula. Ela deu meia-volta e saiu da sala. Desde o dia das vespas, havia bebido muito pouco, mas, nessa hora, foi à cozinha e encheu de vinho até a borda um copo vermelho de plástico. Em toda a sua volta havia panelas sujas e manteiga endurecida, e as carapaças rubras das lagostas lembravam cascas de cigarras mortas. Tanto trabalho por um prazer tão curto! Em geral, David lavava a louça, mas, nessa noite, Norah amarrou um avental na cintura, encheu a pia e guardou as sobras de ostra refogada na geladeira. Na sala, as vozes prosseguiam, interminavelmente, subindo e descendo como as ondas do mar. O que ela havia pensado, ao pôr aquele vestido e se deixar levar pela voz de Howard? Ela era Norah Henry, mulher de David e mãe de Paul, um filho quase criado. Havia fios grisalhos em seu cabelo, os quais não lhe parecia que ninguém visse, a não ser ela mesma, espremendo os olhos sob a luz ofuscante do banheiro. Mas era verdade. Howard tinha ido lá para conversar sobre fotografia com David, só isso.

Norah foi até o lado de fora, levando o lixo para o latão. A areia estava ligeiramente fria sob seus pés descalços; o ar, morno como sua pele. Ela foi até a beira do mar e ficou parada, fitando a vastidão vívida e branca do céu estrelado. Atrás dela, a porta de tela abriu e fechou. David e Howard saíram, andando pela areia e pela escuridão.

– Obrigado por arrumar a cozinha – disse David. Tocou-a de leve nas costas e Norah ficou tensa, fazendo um esforço para não se afastar. – Desculpe eu não ter ajudado. Acho que nos perdemos na conversa. O Howard tem umas idéias boas.

– Na verdade, fiquei fascinado com seus braços – observou Howard, referindo-se às centenas de fotos tiradas por David. Pegou um pedaço de madeira flutuante e o jogou longe, com força. Os três o ouviram bater na água e ser lambido pelas ondas, que o levaram para o mar.

Atrás deles, a casa parecia uma lanterna, desenhando um círculo luminoso, mas os três se achavam numa escuridão tão completa que Norah mal conseguia enxergar o rosto de David, o de Howard ou suas próprias mãos. Eles não passavam de formas ensombrecidas e vozes incorpóreas na noite. A conversa girou aqui e ali, retornando à técnica e aos métodos. Norah sentiu-se prestes a soltar um grito. Pôs um pé descalço atrás do outro, na intenção de dar meia-volta e se retirar, quando, de repente, uma mão roçou sua coxa. Assustada, ela parou. Esperou. Num instante, os dedos de Howard subiram de leve pela costura de seu vestido e, em seguida, a mão dele deslizou para dentro de seu bolso, levando um calor súbito e secreto à sua pele.

Norah prendeu a respiração. David continuava a falar de suas fotografias. Ela continuava de avental, e estava muito escuro. Passado um momento, virou um pouco para o lado e a mão de Howard abriu-se em flor sobre o tecido fino, sobre sua barriga lisa.

– Bem, é verdade – disse ele, com a voz baixa e fluente. – Você sacrificaria um pouco da claridade, se usasse esse filtro. Mas o efeito com certeza valeria a pena.

Norah soltou a respiração bem devagar, perguntando-se se Howard conseguia sentir a pulsação desvairada e rápida de seu sangue. Os dedos dele irradiavam calor, e ela se encheu de um desejo tão intenso que chegava a doer. As ondas subiam, rolavam e tornavam a subir. Norah se manteve inteiramente imóvel, ouvindo o movimento apressado da própria respiração.

– Agora, com a câmara escura, você fica um passo mais perto desse processo – disse Howard. – É realmente incrível o modo como ela emoldura o mundo. Eu gostaria que você desse uma passada lá para ver. Quer ir?

– Amanhã vou levar o Paul para pescar em alto-mar – respondeu David. – Talvez depois de amanhã.

– Acho que vou entrar – disse Norah, com a voz débil.

– A Norah fica entediada – comentou David.

– Quem pode culpá-la? – perguntou Howard, e sua mão deslizou para a parte inferior da barriga de Norah, ágil e forte, como o bater de uma asa. Depois, deslizou para fora de seu bolso. – Passe lá amanhã de manhã, se quiser. Estou fazendo uns desenhos com a câmara escura.

Norah acenou com a cabeça, sem dizer nada, imaginando o facho único de luz a penetrar na escuridão e projetar imagens maravilhosas na parede.

Howard foi embora minutos depois, desaparecendo quase de imediato nas trevas.

– Gostei desse sujeito – disse David depois, quando os dois já haviam entrado. Agora a cozinha estava imaculada: todos os vestígios da tarde sonhadora de Norah tinham-se escondido.

Ela estava na janela, olhando para a praia escura, ouvindo as ondas, com as duas mãos enfiadas nos bolsos do vestido.

– É. Eu também – concordou.

• • •

Na manhã seguinte, David e Paul se levantaram antes do amanhecer para ir à marina pegar o barco de pesca. Norah ficou deitada no escuro enquanto eles se aprontavam, sentindo na pele a maciez do lençol limpo de algodão, ouvindo-os esbarrarem nas coisas pela sala, desajeitados, tentando não fazer barulho. Depois, passos, o ronco do motor do carro, novamente o silêncio e o som das ondas. Ela continuou deitada, lânguida, enquanto um filete de luz se formava onde o céu e o mar se encontravam. Depois, tomou um banho, vestiu-se e preparou uma xícara de café. Comeu metade de uma laranja, lavou e guardou a louça, saiu porta afora. Usava short e uma blusa turquesa, estampada de flamingos. Os tênis brancos estavam amarrados um no outro, pendurados em sua mão. Ela havia lavado a cabeça e o vento do mar secava seu cabelo, embaraçando-o em volta do rosto.

O chalé de Howard, a pouco mais de um quilômetro e meio de areia, era quase idêntico ao de Norah. Ele estava sentado na varanda, debruçado sobre uma caixa de madeira de acabamento escuro. Usava um short branco e uma camisa laranja de madras quadriculado, aberta. Os pés, como os dela, estavam descalços. Ele se levantou à aproximação de Norah.

– Quer um café? – gritou. – Eu estava vendo você andar pela praia.

– Não, obrigada.

– Tem certeza? É café irlandês. Com uma dosezinha de álcool, se entende o que eu quero dizer.

– Talvez daqui a pouco – disse Norah. Subiu a escada e passou a mão pela caixa polida de mogno. – Essa é a câmara escura?

– É. Venha até aqui. Dê uma olhada.

Norah sentou-se na cadeira, que ainda guardava o calor do corpo dele, e olhou pela abertura. Ali estava o mundo, a longa faixa de praia e o aglomerado de pedras, e uma vela deslocando-se lentamente no horizonte. O vento soprava nas casuarinas, tudo minúsculo e nitidamente detalhado, emoldurado e contido, mas vivo, não estático. Depois, ela ergueu os olhos, piscando, e constatou que o mundo também se transformara: as flores claramente desenhadas contra a areia, a cadeira de listras vivas, o casal que caminhava à beira-mar. Tudo vívido, espantoso, muito mais do que ela havia se apercebido.

– Ah! – exclamou, tornando a olhar para o interior da caixa. – É impressionante. O mundo fica tão exato, tão rico! Dá até para ver o vento se movendo nas árvores.

Howard riu.

– É uma maravilha, não é? Eu sabia que você ia gostar.

Norah pensou em Paul quando bebê, com a boca arredondada num círculo perfeito, deitado em seu berço, olhos fixos numa maravilha banal. Tornou a inclinar a cabeça para ver o mundo contido, depois olhou para cima, para vê-lo transformado. Livre de sua moldura de escuridão, até a luz tinha um brilho intermitente, vivo.

– É muito bonito – sussurrou ela. – É tão lindo que mal consigo acreditar.

– Eu sei – disse Howard. – Vá para lá. Entre nela. Deixe-me desenhá-la.

Norah levantou-se e saiu para a areia quente, para a luz ofuscante. Virou-se e parou diante de Howard, que inclinava a cabeça para a abertura, e observou sua mão deslocar-se pelo bloco de desenho. O cabelo dela se aqueceu – o sol já se transformara numa palma quente e plana – e Norah lembrou-se de ter posado na véspera e também na antevéspera. Quantas vezes havia ficado assim, sujeito e objeto, fazendo pose para evocar ou preservar o que a rigor não existia, guardando seus pensamentos verdadeiros para si?

E assim se postou nesse momento, uma mulher reduzida a uma miniatura perfeita de si mesma, cada detalhe seu projetado num espelho pela luz. A brisa do mar, quente e úmida, balançava o cabelo de Howard, e sua mão, de dedos longos e unhas bem cuidadas, movia-se depressa enquanto ele a desenhava, fixando-lhe a imagem no papel. Norah lembrou-se da areia movendo-se sob seus quadris ao posar para a câmera de David e de como os dois homens haviam falado dela depois, não como uma mulher de carne e osso, presente na sala, mas como uma imagem, uma forma. Ao recordar isso, seu corpo de repente lhe pareceu frágil, como se ela não fosse a mulher preparada e independente que levara e trouxera um grupo de turistas da China, mas alguém passível de ser arrastado para longe por uma lufada de vento. Depois, lembrou-se da mão de Howard, aquecendo seu bolso e sua pele. Aquela mão, a mão que se movia nesse momento, a mão que a atraía.

Levou as mãos à cintura e segurou a bainha da blusa. Lentamente, mas sem hesitar, tirou-a pela cabeça e deixou-a cair na areia. Na varanda, Howard parou de desenhar, embora não levantasse a cabeça. Os pequenos músculos de seus braços e ombros já não se mexiam. Norah abriu o zíper do short. A roupa escorregou por suas pernas e ela deu um passo para o lado, deixando-a na areia. Até ali, nada de novo, apenas o mesmo biquíni com que já servira de modelo tantas vezes. Só que, nesse momento, ela levou as mãos às costas e soltou o sutiã. Deslizou a parte de baixo pelos quadris e pernas e a chutou para longe. Ficou imóvel, sentindo o sol e o vento roçarem sua pele.

Devagar, Howard levantou a cabeça da câmara escura e ficou sentado, olhando fixo.

Por um instante, aquilo teve um ar de pesadelo, da sensação de pânico e vergonha que ela sentia ao perceber, no meio de um sonho em que fazia compras ou andava por um jardim cheio de gente, que tinha esquecido de se vestir. E começou a estender a mão para apanhar a roupa.

– Não, não – sussurrou Howard, e Norah parou, empertigando o corpo. – Você é tão linda!

Em seguida, ele se levantou com cuidado, devagar, como se ela fosse um pássaro que pudesse assustar-se e voar à sua aproximação. Mas Norah continuou muito quieta, intensamente presente em seu corpo, como se fosse de areia, areia encontrando-se com o fogo e prestes a se transformar, alisar-se, cintilar. Howard cruzou os poucos metros de praia. Pareceu levar uma eternidade, afundando os pés na areia morna. Quando enfim chegou até ela, parou, sem tocá-la, e a fitou. O vento balançava o cabelo de Norah e ele afastou uma mecha de sua boca, prendendo-a com toda a delicadeza atrás de sua orelha.

– Eu jamais conseguiria captar isso – disse –, assim como você está neste momento. Nunca poderia captá-lo.

Norah sorriu e espalmou a mão no peito de Howard, sentindo a maciez do tecido leve e da carne morna, as camadas de músculos, os ossos. O esterno, lembrou-se, dos tempos em que havia estudado os ossos para ter uma compreensão melhor de David e seu trabalho. O manúbrio e o gladíolo, em formato de espada. As costelas verdadeiras e as falsas, as linhas de junção.

Howard pôs as mãos em concha em volta do rosto dela, de leve. Norah deixou suas mãos caírem. Juntos, sem falar, os dois entraram no pequeno chalé. Ela deixou as peças de roupa na areia; também não se importou com isso, com a possibilidade de que alguém as visse. As tábuas da varanda cederam ligeiramente sob seus pés. O tecido que cobria a câmara escura foi tirado e ela viu com satisfação que Howard tinha esboçado a praia e o horizonte, as pedras e árvores dispersas; todos eram reproduções perfeitas. Ele havia esboçado seu cabelo, uma nuvem suave e amorfa, mas fora só. No lugar em que ela estivera, a página continuava em branco. Suas roupas tinham caído como folhas, e ele erguera os olhos para vê-la parada ali.

Para fugir à monotonia, Norah é que tinha feito o tempo parar.

O quarto pareceu escuro, depois da luminosidade da praia, e o mundo foi emoldurado pela janela como o fora na lente da câmara escura, tão brilhante e vívido que lhe trouxe lágrimas aos olhos. Norah sentou-se na beirada da cama.

– Deite-se – disse ele, tirando a camisa. – Só quero olhar para você por um instante.

Norah deitou-se e ele ficou em pé a seu lado, percorrendo-lhe a pele com os olhos.

– Fique comigo – fez ele, e a assustou, ao se ajoelhar e descansar a cabeça em seu ventre, com o rosto por barbear espetando-lhe a barriga. Norah sentia-lhe o peso a cada vez que respirava, e a respiração de Howard percorria sua pele. Ela estendeu as mãos, alisando-lhe os cabelos ralos, e o puxou para cima, para que a beijasse.

Horas mais tarde, ficaria atônita, não por ter feito essas coisas ou qualquer das que vieram depois, mas por tê-las feito na cama de Howard, embaixo da janela aberta e sem persianas, emoldurada como uma imagem numa câmera. David estava longe, em alto-mar, com Paul, pescando. Mesmo assim, qualquer um poderia ter passado e visto os dois.

Mas Norah não parou, nem nessa ocasião nem depois. Howard foi uma espécie de febre para ela, uma compulsão, uma porta aberta para suas próprias possibilidades, para o que ela supunha ser a liberdade. Estranhamente, Norah descobriu que seu segredo também fazia a distância entre ela e David parecer mais suportável. Voltou repetidas vezes ao chalé de Howard, mesmo depois de David comentar sobre as muitas caminhadas que ela vinha fazendo e sobre como ia longe. Mesmo quando, demorando-se na cama enquanto Howard preparava uma bebida para os dois, ela pescou o short dele no chão e encontrou uma foto de sua esposa sorridente e três filhos pequenos dentro de uma carta, que dizia: *Mamãe está melhor, todos sentimos saudade e amamos você, e nos veremos na próxima semana.*

Isso aconteceu numa tarde em que o sol fazia as ondas cintilarem e o calor subia da areia, tremeluzindo. O ventilador de teto estalava na penumbra do quarto. Norah segurou a foto e olhou para a paisagem da imaginação, lá fora, para a luz brilhante. Na vida real, aquela foto teria trazido um corte rápido e certeiro, mas ali Norah não sentiu nada. Enfiou-a de novo no bolso do short e o deixou cair outra vez no chão. Ali aquilo não tinha importância. Só o que importava era o sonho, assim como a luz febril. Nos 10 dias seguintes, ela se encontrou com o amante.

# AGOSTO DE 1977

## I

DAVID SUBIU A ESCADA CORRENDO E ENTROU NO SILENCIOSO SAGUÃO DE entrada da escola, parando por um momento para recobrar o fôlego e se orientar. Estava atrasado para o concerto de Paul, muito atrasado. Tinha planejado sair cedo do hospital, mas haviam chegado ambulâncias com um casal mais idoso, quando ele ia cruzando a porta da saída: o marido caíra de uma escada e aterrissara em cima da mulher. A perna dele e o braço dela estavam quebrados; a perna precisara de pinos e uma placa. David tinha telefonado para Norah e ouvira a raiva mal contida na voz da mulher, ele mesmo com tanta raiva que não havia se incomodado, ficara até contente por irritá-la. Afinal, ela se casara com ele sabendo como era seu trabalho. Um silêncio incômodo se manteve por um longo tempo, antes que David desligasse.

O piso de lajotas tinha um tom vagamente rosado, e os armários ao longo das paredes do corredor eram azul-escuros. David parou para escutar e, por um momento, ouviu apenas sua própria respiração, mas os aplausos a seguir o conduziram pelo corredor até as grandes portas de madeira do auditório. Ele abriu uma das duas e entrou, deixando seus olhos se acostumarem à penumbra. O local estava lotado; um mar de cabeças escuras descia até o palco feericamente iluminado. David as vasculhou, procurando Norah. Uma moça lhe entregou um programa e, enquanto um menino de jeans arriados nos quadris entrava no palco e se sentava com seu saxofone, ela lhe apontou o quinto nome da lista. David deu um grato suspiro de alívio e sentiu a tensão diminuir. Paul era o sétimo; ele conseguira chegar bem a tempo.

O saxofonista começou, tocando com paixão e intensidade, e uma nota aguda fez David sentir calafrios na espinha. Ele tornou a examinar a platéia e viu Norah na parte central, nas filas da frente, com um assento vazio a seu lado. Pelo menos havia pensado nele, guardando seu lugar. David não tivera certeza de que ela o faria; aliás, já não tinha certeza de quase nada. Tinha certeza de sua raiva e da culpa que o mantivera calado sobre o que tinha visto em Aruba; essas coisas certamente se interpunham entre eles. Mas David não tinha o menor vislumbre do coração de Norah, de seus desejos ou motivações.

O saxofonista terminou com um floreio, levantou-se e fez uma mesura. Durante os aplausos, David desceu os degraus pouco iluminados e, constrangido, passou pelas pessoas já sentadas para ocupar seu lugar ao lado da mulher.

– David – disse ela, tirando o casaco do assento. – Bem, você conseguiu, afinal.

– Foi uma cirurgia de emergência, Norah.

– Ah, eu sei, já estou acostumada. É só o Paul que me preocupa.

– O Paul também me preocupa. É por isso que estou aqui.

– Sei. Com certeza – fez ela. A voz era cortante e seca. – Está mesmo.

David sentiu a raiva que se irradiava em ondas da mulher. Seu cabelo curto estava com um penteado perfeito, e ela usava todos os matizes de creme e dourado, num vestido de seda natural que havia comprado em sua primeira viagem a Cingapura. Com o crescimento da empresa, Norah passara a viajar mais e mais, levando grupos de turistas a locais corriqueiros e exóticos. David a havia acompanhado algumas vezes, no começo, quando as viagens eram menores e menos ambiciosas: pelo Parque Nacional Mammoth Cave, no Kentucky, ou num passeio de barco pelo Mississípi. Em todas as ocasiões, ficara deslumbrado com Norah, com a pessoa em quem ela havia se transformado. Os participantes das excursões a procuravam com suas inquietações e preocupações: a carne mal passada, a cabine pequena demais, o ar-condicionado com defeito, as camas muito duras. Ela os escutava atentamente e se mantinha calma em todas as crises, acenando com a cabeça, dando um tapinha num ombro, pegando o telefone. Ainda era bonita, embora houvesse agora uma certa tensão em sua beleza. Norah era boa no que fazia. E mais de uma senhora de cabelos azulados o chamara à parte para se certificar de que ele sabia a sorte que tinha.

David foi obrigado a se perguntar o que pensariam aquelas mulheres se elas tivessem encontrado as roupas de Norah largadas numa pilha na areia.

– Você não tem o direito de se irritar comigo, Norah – sussurrou. Ela recendia vagamente a laranjas e tinha o queixo tenso. No palco, um jovem de terno azul sentou-se ao piano, flexionando os dedos. Após um momento, mergulhou, fazendo as notas ondularem. – Não tem mesmo – insistiu David.

– Não estou irritada. Só estou nervosa, por causa do Paul. É você que está irritado.

– Não, é você. Você tem estado assim desde Aruba.

– Olhe-se no espelho – sussurrou ela.

Nesse momento, uma mão pousou no ombro de David. Ele virou para trás e viu uma mulher corpulenta, sentada junto ao marido, com uma longa fileira de filhos estendendo-se dos dois lados do casal.

– Com licença – disse ela. – O senhor é o pai do Paul Henry, não é? Bem, aquele lá, tocando piano, é o meu filho Duke. Se o senhor não se importa, nós realmente gostaríamos de ouvi-lo.

David e Norah se entreolharam, num breve momento de cumplicidade; ela estava ainda mais constrangida que o marido.

Ele se acomodou na cadeira e ouviu. O rapazinho, Duke, amigo de Paul, tocava piano com intensa inibição, mas era muito bom, tecnicamente competente e também apaixonado. David observou suas mãos correrem pelo teclado e ficou pensando no que Duke e Paul conversariam quando andavam de bicicleta pelas ruas silenciosas do bairro. Com que sonhariam aqueles meninos? O que Paul dizia aos amigos que nunca diria ao pai?

As roupas de Norah, largadas numa pilha colorida sobre a areia branca, com o vento levantando a ponta da blusa de cores espalhafatosas: essa era uma coisa que eles nunca discutiriam, embora David desconfiasse que Paul também as tinha visto. Os dois haviam acordado muito cedo para pescar, naquela manhã, e tinham seguido de carro pelo litoral, na escuridão antes do alvorecer, passando por pequenos vilarejos. Não eram de muita conversa, nem ele nem Paul, mas sempre havia um sentimento de comunhão naquelas horas matinais, nos rituais de jogar o anzol e girar o molinete, e David ansiava por essas oportunidades de estar com o filho, que crescia muito depressa e se tornara um mistério para ele. Mas a viagem tinha sido cancelada; o motor do barco pifara e o dono estava à espera de novas peças. Desapontados, os dois haviam se demorado um pouco no cais, tomando suco de laranja engarrafado e vendo o sol nascer sobre o oceano. Depois, tinham voltado para o chalé.

A luz estava boa naquela manhã, e David, embora decepcionado, também estava ansioso para voltar à sua câmera. Tivera uma outra idéia sobre suas fotos, no meio da noite. Howard havia indicado um lugar em que mais uma imagem arremataria a série inteira. Um bom sujeito, aquele Howard, e perspicaz. A conversa dos dois ficara na cabeça de David a noite inteira, gerando uma empolgação comedida. Ele quase não tinha dormido, e estava com vontade de passar em casa e tirar mais um filme de fotos de Norah na areia. Mas ele e o filho haviam encontrado o chalé quieto, fresco e vazio, banhado de luz e do som das ondas. Norah tinha deixado uma fruteira com laranjas no centro da mesa. Sua xícara de café estava lavada, secando na pia. *Norah?*, ele havia chamado. E de novo: *Norah?* Mas não houvera resposta. *Acho que vou dar uma corrida*, dissera Paul, uma sombra no vão iluminado da porta, e David tinha concordado com um aceno. *Veja se encontra sua mãe por aí*, pedira.

Sozinho no chalé, David tinha levado a fruteira para a bancada e espalhado as fotos na mesa. Elas farfalhavam na brisa, e fora preciso prendê-las com copinhos de licor. Norah reclamava de que ele estava ficando obcecado pela fotografia – por que outra razão levaria seu portfólio numa viagem de férias? –, e talvez fosse verdade. Mas ela estava errada quanto ao resto. Às vezes, ao ver as imagens emergirem no banho do revelador, David vislumbrava um braço dela, a curva de seu quadril, e era tomado por um profundo sentimento de amor pela mulher. Ainda estava arrumando e rearrumando as fotos quando Paul voltou, batendo a porta com força ao entrar.

– Essa foi rápida – dissera David, erguendo os olhos.

– Cansado, estou cansado – fora a resposta. Paul havia passado direto pela sala de jantar e desaparecido em seu quarto.

– Paul? – falou David. Fora até a porta do quarto e girara a maçaneta. Trancada.

– Só estou cansado – dissera seu filho. – Está tudo ótimo.

David tinha esperado mais uns minutos. Paul andava com o humor muito instável. Nada do que o pai dizia parecia estar certo, e o pior eram as conversas com o filho sobre seu futuro. Um futuro que poderia ser brilhante. Paul tinha talento para a música e os esportes, com todas as possibilidades em aberto. Muitas vezes, David achava que sua própria vida – as escolhas difíceis que tivera que fazer – se justificaria, se ao menos Paul realizasse seu potencial, e vivia com um medo constante e incômodo de ter falhado com o filho de algum modo, medo de que Paul desperdiçasse seu talento. Voltara a bater de leve na porta, mas Paul não tinha respondido.

Por fim, David dera um suspiro e voltara para a cozinha. Havia admirado a fruteira com laranjas na bancada, as curvas das frutas e da madeira escura. Depois, por um impulso que não saberia explicar, tinha saído e começado a andar pela praia. Já andara cerca de um quilômetro ao avistar de longe o esvoaçar colorido da blusa de Norah. Ao chegar mais perto, tinha percebido que eram as roupas dela, largadas na praia em frente ao que devia ser o chalé de Howard. David havia parado sob o brilho ofuscante do sol, intrigado. Teriam os dois ido nadar? Vasculhara a água sem vê-los e continuara andando até ser detido pelo riso conhecido de Norah, baixo e musical, saindo pelas janelas do chalé. Também tinha ouvido o riso de Howard, fazendo eco ao dela. Naquele momento havia compreendido e fora tomado por uma dor que arranhava e queimava tanto quanto a areia sob seus pés.

Howard, com seu cabelo ralo e suas sandálias, parado na sala na noite anterior, dando conselhos geniais sobre fotografia.

Com Howard. Como é que Norah pudera?

No entanto, apesar de tudo, ele havia passado anos esperando esse momento.

A areia queimava seus pés e a luz era ofuscante. David fora tomado pela certeza antiga de que a noite de nevasca em que ele entregara sua filha a Caroline Gill não ficaria impune. A vida tinha continuado, era plena e rica; em todos os aspectos visíveis, ele era um sucesso. No entanto, em momentos esporádicos – no meio de uma cirurgia, ou dirigindo para a cidade, ou prestes a pegar no sono –, tinha sobressaltos repentinos, afligido pela culpa. Dera sua própria filha. Esse segredo tinha ficado no centro de sua família, havia moldado sua vida em comum. David o conhecia, podia enxergá-lo, visível como um muro de pedra erguido entre eles. E via Norah e Paul tentando se aproximar e batendo na pedra, sem compreender o que estava acontecendo, sabendo apenas que havia alguma coisa entre eles que não podia ser vista nem rompida.

Duke Madison terminou a peça com um floreio, ficou de pé e curvou-se. Norah, batendo palmas com entusiasmo, virou-se para a família no banco de trás e disse:

– Ele foi maravilhoso. O Duke tem muito talento.

O palco ficou vazio e os aplausos foram cessando. Passou-se um minuto, mais outro. As pessoas começaram a murmurar.

– Onde está ele? – perguntou David, consultando seu programa. – Cadê o Paul?

– Não se preocupe, ele está aqui – respondeu Norah. Para sua surpresa, ela lhe segurou a mão. David sentiu a temperatura fria e foi inundado por um alívio inexplicável, acreditando, por um momento, que nada havia mudado, que não havia nada entre eles, afinal. – Ele já vai sair.

No exato momento em que Norah falou houve um burburinho e Paul entrou no palco. David o observou: alto e magricela, com uma camisa branca limpa, de punhos arregaçados, e dirigindo à platéia um sorriso furtivo, com um toque de ironia. Por um instante, o pai ficou perplexo. Como é que Paul se tornara quase um adulto, parado ali, diante daquele salão escuro e cheio de gente, com tamanha confiança e descontração? Não era nada que o próprio David jamais sonhasse fazer, e uma onda de intenso nervosismo o invadiu. E se Paul fracassasse diante de todas aquelas pessoas? David se deu conta da mão de Norah na sua quando o filho se debruçou sobre o violão, testou algumas notas e começou a tocar.

Era Segovia, dizia o programa, duas peças curtas: *Estudio* e *Estudio sin luz*. As notas dessas melodias, delicadas e precisas, eram intimamente familiares. David já ouvira o filho tocar essas peças tantas vezes... Durante todo o período de férias em Aruba, aquela música havia transbordado de seu quarto, mais rápida ou mais lenta, repetindo trechos e compassos, vez após outra. Os padrões já lhe eram tão familiares quanto os dedos longos e habilidosos de Paul, que se moviam com imensa segurança pelas cordas, entremeando a música no ar. No entanto, foi como se David a ouvisse pela primeira vez, e talvez também estivesse vendo Paul pela primeira vez. Onde estava o bebê que tirava os sapatos para levá-los à boca, o menino que trepava em árvores e ficava em pé na bicicleta, sem se segurar? De algum modo, aquele garoto meigo e travesso se transformara nesse rapaz. O coração de David inchou, batendo com tanta força que, por um momento, ele achou que estava infartando – era moço para isso, apenas 46 anos, mas essas coisas aconteciam.

Bem devagar, deixou-se relaxar na escuridão, de olhos fechados, permitindo que a música de Paul o atravessasse em ondas. As lágrimas lhe subiram aos olhos e a garganta ficou apertada. Pensou em sua irmã, parada na varanda, cantando com voz límpida e suave; a música era uma linguagem prateada que ela parecia ter nascido para falar, assim como Paul. David sentiu-se invadir por uma profunda sensação de perda, muito intensa, tecida de um sem-número de lembranças: a voz de June, Paul batendo a porta com força, as roupas de Norah espalhadas na praia, a filha recém-nascida entregue nas mãos expectantes de Caroline Gill.

Era demais. Demais. David sentiu-se à beira das lágrimas. Abriu os olhos e se obrigou a recitar em silêncio a tabela periódica – *hidrogênio*, *hélio*, *lítio* – para que o nó na garganta não se desfizesse em pranto. Funcionou, como sempre funcionava na sala de cirurgia, para fazê-lo concentrar-se. Ele reprimiu tudo: June, a música, a onda poderosa de amor que sentia pelo filho. Os dedos de Paul descansaram no violão. David soltou a mão de Norah. E aplaudiu furiosamente.

– Você está bem? – perguntou ela, olhando-o de relance. – Está tudo bem, David?

Ele fez que sim com a cabeça, ainda sem muita confiança para falar.

– Ele é muito bom – finalmente disse, cuspindo as palavras. – É muito bom.

– É – concordou Norah. – E é por isso que quer ir para a Juilliard.

Ela continuou a aplaudir e, quando Paul olhou em sua direção, jogou-lhe um beijo.

– Não seria uma maravilha se isso acontecesse? Ele ainda tem alguns anos para praticar e, se der tudo o que pode... quem sabe?

Paul fez uma mesura para a platéia e se retirou do palco com seu violão. Os aplausos continuaram.

– Tudo o que pode? – repetiu David. – E se não der certo?

– E se der?

– Não sei – disse David, devagar. – Só acho que ele é muito novo para fechar as portas.

– Ele é muito talentoso, David. Você o ouviu. E se isso for uma porta se abrindo?

– Mas ele só tem 13 anos.

– É, e adora música. Diz que a hora em que se sente mais vivo é quando toca violão.

– Mas... é uma vida muito imprevisível. Será que ele conseguirá se sustentar?

O rosto de Norah ficou muito sério. Ela abanou a cabeça.

– Não sei. Mas como é mesmo aquele antigo ditado? *Faça o que gosta que o dinheiro vem atrás*. Não feche essa porta do sonho dele.

– Não vou fechar. Mas fico preocupado. Quero que ele tenha segurança na vida. E a Juilliard é uma aposta muito alta, difícil de ganhar, por melhor que ele seja. Não quero que Paul se magoe.

Norah abriu a boca para falar, mas o auditório ficou em silêncio quando uma jovem de vestido vermelho-escuro entrou com seu violino, e os dois voltaram a atenção para o palco.

David ouviu a moça e todos os que vieram depois, mas foi a música de Paul que permaneceu com ele. Terminadas as apresentações, ele e Norah dirigiram-se ao saguão, parando a todo momento para cumprimentar outras pessoas e ouvir elogios ao filho. Quando finalmente se aproximaram de Paul, Norah atravessou a multidão e o abraçou, e ele, sem jeito, deu-lhe um tapinha nas costas. David captou sua atenção e sorriu e, para sua surpresa, Paul retribuiu o sorriso. Um momento comum. Mais uma vez David deixou-se acreditar que tudo ficaria bem. Segundos depois, no entanto, Paul pareceu conter-se. Soltou-se de Norah e deu um passo atrás.

– Você estava ótimo – disse David. Abraçou-o, notando a tensão nos ombros do filho e o modo como ele se portava: rígido, distante. – Você foi fantástico, meu filho.

– Obrigado. Eu estava meio nervoso.

– Não parecia.

– Nem um pouco – concordou Norah. – Você teve uma presença esplêndida no palco.

Paul balançou as mãos junto ao corpo, soltas, como que para descarregar a tensão que restara.

– O Mark Miller me convidou para tocar com ele no festival de arte. Não é um barato?

Mark Miller era o professor de violão de Paul e tinha uma reputação crescente.

– Sim, é um barato – disse Norah, rindo. – É mesmo um barato total!

Ergueu os olhos e surpreendeu a expressão constrangida do filho.

– O que é? – perguntou. – O que foi?

Paul se remexeu, enfiando as mãos nos bolsos, e olhou em volta para o saguão lotado.

– É só... não sei... você parece meio ridícula, mãe. Quer dizer, você não é propriamente uma adolescente.

Norah enrubesceu. David a viu enrijecer-se de mágoa, e seu próprio coração doeu. Ela não entendia a origem da raiva de Paul nem da do marido. Não sabia que suas roupas largadas tinham esvoaçado a um vento que ele mesmo desencadeara muitos anos antes.

– Isso não são modos de falar com sua mãe – disse ele, enfrentando a raiva do filho. – Quero que você peça desculpas agora mesmo.

Paul deu de ombros.

– Está certo. Claro. Tudo bem. Desculpe.

– A sério.

– David – interrompeu Norah, com a mão em seu braço. – Não vamos transformar isso num drama. Por favor. Todo mundo está meio nervoso, só isso. Vamos para casa comemorar. Pensei em convidar umas pessoas. A Bree disse que iria, e os Marshall... a Lizzie não estava ótima na flauta? E os pais do Duke, quem sabe? O que você acha, Paul? Não os conheço muito bem, mas talvez eles também gostassem de ir, não?

– Não – disse Paul. Agora estava distante, olhando para o saguão repleto atrás de Norah.

– É mesmo? Você não quer convidar a família do Duke?

– Não quero convidar ninguém. Só quero ir para casa.

Os três ficaram imóveis por um momento, uma ilha de silêncio em meio ao burburinho do saguão.

– Então, está bem – disse David, enfim. – Vamos para casa.

A casa estava escura quando chegaram, e Paul subiu direto para seu quarto. Os pais ouviram seus passos entrando e saindo do banheiro; ouviram sua porta fechar devagar e depois o ruído da fechadura.

– Não entendo – disse Norah. Tinha tirado os sapatos e pareceu muito pequena a David, muito vulnerável, parada, de meias, no centro da cozinha. – Ele foi tão bem no palco! Parecia tão feliz... e, aí, o que aconteceu? Não entendo – e suspirou. – Adolescentes. É melhor eu ir falar com ele.

– Não. Deixe que eu vou.

David subiu a escada sem acender a luz e, ao chegar à porta de Paul, ficou um bom tempo parado no escuro, lembrando como as mãos do filho tinham se movido pelas cordas com delicada precisão, enchendo de música o enorme auditório. David agira mal, todos aqueles anos antes; cometera um erro ao entregar sua filha a Caroline Gill. Tinha feito uma escolha e agora estava parado ali, nessa noite, no escuro, à porta do quarto do filho. Bateu, mas não houve resposta. Tornou a bater e, quando novamente não houve resposta, foi até a estante, encontrou a lima fina que guardava lá e a enfiou no buraco da maçaneta. Houve um clique leve e, quando ele girou a maçaneta, a porta se abriu. Não ficou surpreso ao ver que o quarto estava vazio. Ao acender a luz, uma brisa bateu na alva cortina branca e a suspendeu até o teto.

– Ele saiu – disse a Norah, que continuava na cozinha, parada, de braços cruzados, à espera de que a chaleira fervesse.

– Saiu?

– Pela janela. Descendo pela árvore, provavelmente.

Norah pôs as mãos no rosto.

– Alguma idéia para onde ele foi? – perguntou o marido.

Ela abanou a cabeça. A chaleira começou a apitar e Norah não reagiu de imediato. O gemido fino e persistente encheu a cozinha.

– Não sei. Talvez esteja com o Duke.

David atravessou o cômodo e tirou a chaleira do fogão.

– Tenho certeza de que ele está bem – comentou.

Norah acenou que sim, depois abanou a cabeça.

– Não. O problema é esse. Não acho mesmo que ele esteja bem.

Pegou o telefone. A mãe de Duke lhe deu o endereço de uma festa programada para depois do show, e Norah procurou a chave.

– Não – disse David. – Eu vou. Acho que ele não quer conversar com você neste momento.

– Nem com você – retrucou ela.

Mas David percebeu que ela compreendera no mesmo instante em que acabara de falar. Naquele momento, alguma coisa se desnudou. Ficou tudo ali entre eles: as longas horas de Norah longe do chalé, as mentiras, as desculpas e as roupas na praia. As mentiras de David também. Norah balançou a cabeça uma vez, devagar, e David temeu o que ela pudesse dizer ou fazer, o modo como o mundo poderia transformar-se para sempre. Mais do que tudo, queria deter esse momento, impedir que o mundo seguisse adiante.

– Eu culpo a mim mesmo. Por tudo – disse.

Pegou as chaves e saiu para a noite fresca de primavera. A lua estava cheia, cor de creme batido, linda, redonda e baixa no horizonte. David foi olhando para ela de relance enquanto dirigia pelo bairro silencioso, por ruas sólidas e prósperas, o tipo de lugar que ele sequer havia imaginado quando criança. Isso era o que ele sabia, e Paul, não: que o mundo era precário e às vezes cruel. Ele tivera que lutar muito para conseguir o que Paul simplesmente tomava por um dado corriqueiro.

Avistou o filho um quarteirão antes do local da festa, andando pela calçada com as mãos nos bolsos e os ombros recurvados. Havia carros parados ao longo de toda a rua, sem lugar para estacionar, de modo que David reduziu e tocou a buzina. Paul levantou os olhos e, por um instante, o pai teve medo de que ele saísse correndo.

– Entre aí – disse-lhe. E o menino entrou.

David repôs o carro em movimento. Os dois não conversaram. A lua inundava o mundo de uma linda luz, e David teve consciência do filho sentado a seu lado, consciência de sua respiração leve e suas mãos imóveis no colo, consciência de que ele estava olhando pela janela para os jardins silenciosos por onde os dois passavam.

– Você foi realmente ótimo esta noite. Fiquei impressionado.

– Obrigado.

Percorreram dois quarteirões em silêncio.

– Bem, sua mãe disse que você quer ir para a Juilliard.

– Pode ser.

– Você é bom. É bom em muitas coisas, Paul. Terá uma porção de opções na vida. Uma porção de direções que poderá tomar. Você pode ser o que quiser.

– Eu gosto de música. Ela me faz sentir vivo. Acho que não espero que você entenda isso.

– Eu entendo. Mas existe o estar vivo e existe o ganhar a vida.

– É. Exatamente.

– Você pode falar assim porque nunca lhe faltou nada. Esse é um luxo que você não compreende.

Já estavam perto de casa, mas David virou na direção oposta. Queria ficar com Paul no carro, dirigindo pelo mundo enluarado em que essa conversa, por mais tensa e canhestra que fosse, era possível.

– Você e a mamãe – disse Paul, com as palavras se desatando como se ele as houvesse retido por muito tempo. – Qual é o problema de vocês, afinal? Vocês vivem como se não ligassem para nada. Não têm a menor alegria. Só vão atravessando os dias, haja o que houver. Você não liga a mínima. Nem para aquele tal de Howard.

Então, ele sabia.

– Eu ligo, sim – contrapôs David. – Mas as coisas são complicadas, Paul. Não vou falar disso com você nem agora nem nunca. Há muitas coisas que você não compreende.

Paul ficou calado. David parou num sinal. Não havia nenhum outro carro por perto, mas os dois ficaram sentados em silêncio esperando o sinal abrir.

– Vamos manter esta conversa por aqui – disse David, enfim. – Você não precisa se preocupar com sua mãe e comigo. Isso não é tarefa sua. A sua tarefa é encontrar seu caminho no mundo. Usar todos os seus talentos. E não pode ser tudo para você. Você tem que retribuir com alguma coisa. É por isso que eu faço aquele trabalho na clínica.

– Eu adoro música – disse Paul, baixinho. – Quando toco, eu me sinto fazendo isso: retribuindo.

– E retribui. Retribui. Mas, Paul, e se você tiver a capacidade, digamos, de descobrir um novo elemento no universo? E se puder descobrir a cura de uma doença rara e terrível?

– São os seus sonhos. Os seus, não os meus – disse Paul.

David calou-se, percebendo que de fato, um dia, tinham sido exatamente esses os seus sonhos. Ele se dispusera a consertar o mundo, modificá-lo e moldá-lo, mas, em vez disso, dirigia pela noite enluarada com o filho quase criado e todas as facetas de sua vida pareciam estar fora do seu alcance.

– É. Esses eram os meus sonhos.

– E se eu puder ser o próximo Segóvia? Pense nisso, papai. E se eu tiver esse talento em mim, e não tentar?

David não respondeu. Tinha chegado de novo à sua rua e, dessa vez, tomou o rumo de casa. Subiram a rampa, quicando um pouco no desnível em que ela se encontrava com o asfalto, e pararam em frente à garagem separada. David desligou o motor e, por alguns segundos, os dois permaneceram em silêncio.

– Não é verdade que eu não me importo – disse David. – Venha. Quero lhe mostrar uma coisa.

Saiu com Paul pelo luar e subiu a escada externa que levava à câmara escura em cima da garagem. Paul postou-se junto à porta fechada, de braços cruzados, irradiando impaciência, enquanto David preparava o processo de revelação, vertendo as substâncias químicas nas bandejas e colocando um negativo no ampliador. Feito isso, chamou o filho.

– Olhe para isto – disse. – O que você acha que é?

Depois de hesitar por um momento, Paul cruzou o cômodo e olhou.

– Uma árvore? Parece a silhueta de uma árvore.

– Ótimo. Agora olhe de novo. Tirei essa foto durante uma cirurgia, Paul. Fiquei no balcão do anfiteatro da sala de operações com uma teleobjetiva. Você consegue ver mais o quê?

– Não sei... um coração?

– Sim, um coração. Não é incrível? Estou fazendo uma série inteira sobre a percepção com imagens do corpo que parecem outras coisas. Às vezes acho que o mundo inteiro está contido em cada pessoa viva. Esse mistério, e o mistério da percepção... eu me importo com isso. E entendo o que você quer dizer a respeito da música.

David passou a luz concentrada pelo ampliador, depois mergulhou o papel no revelador. Tinha profunda consciência da presença do filho a seu lado na escuridão e no silêncio.

– A fotografia tem tudo a ver com segredos – disse, após alguns minutos, levantando a foto com uma pinça e mergulhando-a no fixador. – Os segredos que todos temos e nunca revelamos.

– A música não é assim – disse Paul, e David ouviu a rejeição na voz do filho. Levantou os olhos, mas era impossível ver a expressão dele sob a tênue luz vermelha. – A música é como tocar a pulsação do mundo. A música está sempre acontecendo. Às vezes a gente consegue tocá-la por um momento e, quando consegue, sabe que tudo está ligado a tudo.

Depois disso, virou as costas e saiu da câmara escura.

– Paul! – chamou David, mas o filho já descia com estardalhaço a escada externa, aborrecido. David foi até a janela e o viu correr pelo luar, subir a escada dos fundos e desaparecer dentro de casa. Pouco depois, uma luz se acendeu em seu quarto e as notas precisas de Segóvia rodopiaram no ar, claras e delicadas.

Revendo mentalmente a conversa, David pensou em ir atrás dele. Queria estabelecer uma ligação com Paul, ter um momento em que os dois se compreendessem, mas suas boas intenções haviam descambado na discussão e na distância. A luzinha vermelha era muito tranqüilizante. Ele pensou no que dissera ao filho – que o mundo era feito de coisas ocultas, de segredos, formado por ossos que nunca viam a luz. Era verdade que um dia ele havia buscado a unidade, como se as correspondências subjacentes entre tulipas e pulmões, veias e árvores, carne e terra pudessem revelar um padrão que lhe fosse possível entender. Mas elas não o tinham revelado. Em poucos minutos, ele entraria em casa e tomaria um copo d'água. Subiria e já encontraria Norah dormindo, e ficaria parado a olhá-la – aquele mistério, uma pessoa que ele jamais conheceria de verdade, enroscada em seus segredos.

Foi até a minigeladeira em que guardava os produtos químicos e os filmes. O envelope estava enfiado bem no fundo, atrás de várias garrafas. Estava cheio de notas de 20 dólares, estalando de novas, frias. Contou 10 delas, depois 20, e guardou o envelope atrás das garrafas. As notas ficaram numa pilha arrumada sobre a bancada.

Em geral, ele mandava o dinheiro embrulhado numa folha de papel em branco, mas, nessa noite, com a raiva de Paul ainda pairando na sala e sua música flutuando no ar, David sentou-se e escreveu uma carta. Escreveu depressa, deixando as palavras jorrarem – todos os seus remorsos do passado, todas as suas esperanças para Phoebe. Quem era ela, essa criança que era carne de sua carne, a menina de quem ele se desfizera? David não tinha esperado que ela vivesse tanto, ou que levasse o tipo de vida sobre a qual Caroline lhe escrevera. Ficou pensando no filho, sentado sozinho no palco, e na solidão que Paul carregava consigo por toda parte. Será que com Phoebe acontecia o mesmo? O que teria significado eles crescerem juntos, como Norah e Bree, diferentes em tudo, mas também intimamente ligadas? *Eu gostaria muito de me encontrar com Phoebe*, escreveu. *Gostaria que ela conhecesse o irmão e que ele a conhecesse.* Depois, dobrou a carta em volta do dinheiro, sem relê-la, pôs tudo num envelope e o endereçou. Fechou-o e colou um selo. Poria aquilo no correio no dia seguinte.

O luar derramava-se pelas janelas da área da ante-sala. Paul tinha parado de tocar. David olhou para a lua, já mais alta no céu, porém nítida e bem desenhada na escuridão. Ele fizera uma escolha na praia; deixara a roupa de Norah caída na areia, seu riso derramando-se na luz. Voltara para o chalé e havia trabalhado em suas fotos, e, à chegada dela, cerca de uma hora depois, não dissera nada sobre Howard. Havia guardado esse silêncio porque seus próprios segredos eram mais sombrios, mais ocultos, e por acreditar que seus segredos haviam criado os dela.

Voltou à câmara escura e procurou seu filme mais recente. Havia tirado algumas fotos instantâneas durante o jantar em Aruba: Norah carregando uma bandeja com copos, Paul parado junto à grelha, com o copo levantado, várias fotos de todos relaxando na varanda. Era a última imagem que ele queria; depois de encontrá-la, projetou-a no papel com a luz. No banho de revelador, observou a imagem emergir lentamente, um grânulo após outro: o aparecimento de algo onde antes não havia nada. Para David, essa era sempre uma experiência de intenso mistério. Ele observou a imagem tomar forma: Norah e Howard na varanda, erguendo os copos de vinho num brinde, rindo. Um momento inocente e denso, um momento em que fora feita uma escolha. David tirou a foto do revelador, mas não a mergulhou no fixador. Em vez disso, foi até a ante-sala e ficou parado ao luar, com a fotografia molhada na mão, olhando para sua casa agora às escuras, com Paul e Norah lá dentro, sonhando seus sonhos particulares, movendo-se em suas próprias órbitas, com suas vidas constantemente moldadas pela gravidade da escolha que David fizera muitos anos antes.

De volta à câmara escura, pendurou a fotografia daquele momento para secar. Inacabada, sem fixador, a imagem não duraria. Nas horas seguintes, a luz afetaria o papel exposto. A imagem de Norah rindo com Howard escureceria lentamente, até ficar, dali a um ou dois dias, completamente negra.

## II

OS DOIS ANDAVAM PELOS TRILHOS, DUKE MADISON COM AS MÃOS enfiadas nos bolsos da jaqueta de couro que havia encontrado na Sociedade Beneficente Goodwill e Paul chutando pedras que zumbiam nos trilhos. Soou um apito de trem ao longe. Num acordo silencioso, os dois meninos deslocaram-se para a beira dos trilhos, com os pés ainda apoiados no da esquerda, equilibrando-se. O trem foi se aproximando, fazendo vibrar o trilho sob os pés deles, a locomotiva como um ponto no horizonte, um ponto aos poucos maior e mais escuro, o maquinista fazendo soar alto o apito. Paul olhou para Duke, cujos olhos brilhavam com o risco e o perigo, e sentiu a excitação crescente na própria carne, quase insuportável, enquanto o trem chegava cada vez mais perto e o apito enfurecido soava por todas as ruas do bairro, e muito além delas. Vieram o farol, o maquinista visível na janela alta e de novo o apito, numa advertência. Mais perto, com o vento da locomotiva achatando o mato no chão, Paul esperou, olhando para Duke, que se equilibrava no trilho a seu lado, e o trem correndo, quase em cima deles, e os dois esperando, esperando, e Paul achou que talvez nunca pulasse. E de repente pulou, ficou no meio do mato, e o trem passou em disparada, a 30 centímetros de seu rosto. Apenas por um breve instante viu a expressão do maquinista, pálido de susto, e em seguida o trem – escuridão e luz, escuridão e luz, à medida que os vagões passavam, e depois ele se perdeu na distância e até o vento desapareceu.

Duke, a 30 centímetros de distância, sentou-se, erguendo o rosto para o céu nublado.

– Cara, que barato! – comentou.

Os dois meninos sacudiram a roupa e começaram a andar em direção à casa de

Duke, uma casinha estreita e comprida bem próxima dos trilhos. Paul tinha nascido nesse bairro, algumas ruas adiante, mas, embora às vezes sua mãe o levasse até lá, para ver a pracinha com o mirante e a casa em frente a ele, que fora a primeira residência do filho, Norah não gostava que ele fosse lá nem à casa de Duke. Mas, que diabo, ela nunca estava em casa e, desde que Paul fizesse os deveres da escola, o que fazia, e cortasse a grama e estudasse piano por uma hora, o que também fazia, ele ficava livre.

O que a mãe não visse não poderia magoá-la. O que ela não soubesse.

– Ele ficou pau da vida, aquele cara do trem – disse Duke.

– É, ficou puto – concordou Paul.

Ele gostava de palavrões, e da lembrança do vento quente no rosto, e de como isso aplacava, ao menos momentaneamente, sua raiva silenciosa. Naquela manhã, em Aruba, fora correr na praia com o coração leve, contente com o jeito como a areia molhada na beira da água cedia um pouquinho sob seus pés, fortalecendo a musculatura das pernas. Contente, também, por ter gorado a pescaria com o pai. Seu pai adorava pescar, sentar-se por longas horas em silêncio, num barco ou num cais, jogando e tornando a jogar a linha e – muito de vez em quando – vivendo a emoção de uma fisgada. Paul também havia adorado aquilo quando pequeno, não tanto pelo ritual da pesca, mas pela chance de passar algum tempo com o pai. À medida que ficara mais velho, porém, as pescarias tinham passado a parecer cada vez mais obrigatórias, como uma coisa que seu pai planejava por não conseguir pensar em mais nada para fazer. Ou porque talvez aquilo os unisse; Paul imaginava David lendo sobre o assunto em algum manual para pais. O menino fora informado das verdades da vida num período de férias, parado num barco num lago de Minnesota, quando o pai, enrubescendo sob a pele bronzeada, lhe havia falado das realidades da reprodução. Nos últimos tempos, o futuro de Paul era o assunto favorito de seu pai, cujas idéias eram tão interessantes para o menino quanto um espelho-d'água imenso e plano.

E era por isso que ele se sentira feliz correndo na praia, ficara aliviado, e a princípio não dera nenhuma importância à pilha de roupas largada em frente a um dos chalezinhos espaçados entre as casuarinas. Passara veloz por ela, concentrado nas passadas rítmicas, com os músculos produzindo uma espécie de música que o sustentara até a ponta de pedras. Lá ele fizera uma pausa, andando em círculos por algum tempo, e depois começara a corrida da volta, mais devagar. A roupa tinha se mexido: a manga da blusa balançava ao vento do mar, e os flamingos rosa-shocking dançavam contra o fundo turquesa-escuro. Paul diminuíra o passo. A blusa podia ser de qualquer um. Mas sua mãe tinha uma igual. Eles tinham rido da peça na loja de turistas, na cidade; sua mãe a levantara, divertida, e a havia comprado só por farra.

Então, tudo bem, talvez houvesse centenas, milhares de blusas iguais. Mesmo assim, Paul havia parado para pegá-la. O biquíni da mãe, num montinho cor da pele, inconfundível, caíra de dentro da manga. Isso o fizera paralisar-se, incapaz de se mexer, como se o houvessem flagrado roubando, como se uma máquina fotográfica houvesse disparado e o tivesse prendido. Ele deixara cair a blusa, mas continuara sem poder se mexer. Por fim, tinha começado a andar, e depois voltara correndo para seu chalé, como quem procurasse abrigo. Havia parado na soleira, tentando recompor-se. O pai tinha passado a fruteira com as laranjas para a bancada. Estava arrumando fotos na grande mesa de madeira. *O que foi?*, havia perguntado, erguendo os olhos, mas Paul não conseguira dizer. Tinha seguido direto para o quarto, fechado a porta com estrondo, e não levantara os olhos nem mesmo ao ouvir as batidas do pai.

Sua mãe voltara duas horas depois, cantarolando, com a blusa de flamingos enfiada direitinho no short cáqui. "Acho que vou dar uma nadada antes do almoço", ela dissera. "Quer vir?" Paul havia abanado a cabeça e, pronto, lá estava o segredo, seu segredo, primeiro dela, depois dele, erguido entre os dois como um véu.

Seu pai também tinha segredos, uma vida que se desenrolava no trabalho ou na câmara escura, e Paul havia concluído que aquilo tudo era normal, era o jeito de ser das famílias, até começar a andar com Duke, um pianista incrível que ele havia conhecido na aula de música, uma tarde. Os Madison não tinham muito dinheiro, e os trens passavam tão perto que a casa sacudia e as janelas chacoalhavam no caixilho, e a mãe de Duke nunca havia entrado num avião em toda a sua vida. Paul sabia que deveria sentir pena dela, como seus pais sentiriam; a mulher tinha cinco filhos e um marido que trabalhava na fábrica da GE e que jamais ganharia muito dinheiro. Mas o pai de Duke gostava de jogar bola com os meninos, e toda noite chegava em casa às seis horas, quando acabava seu turno. Embora não falasse mais que o pai de Paul, estava bem ali, e, quando não estava, eles sempre sabiam onde achá-lo.

– E aí, que é que 'cê tá a fim de fazer? – perguntou Duke.

– Sei lá. E você? – retribuiu Paul. Os trilhos metálicos continuavam a zumbir. Paul se perguntou onde o trem finalmente pararia. Pôs-se a imaginar se alguém o vira parado à beira dos trilhos, tão perto que poderia estender a mão e tocar num vagão em movimento, com o vento fustigando seu cabelo, fazendo os olhos arderem. E, se alguém o tivesse visto, o que teria pensado? Imagens passando pelas janelas do trem, como uma série de instantâneos, primeiro uma, depois outra: uma árvore, sim; uma pedra, sim; uma nuvem, sim; e nenhuma igual às outras. E, depois, um menino, com a cabeça jogada para trás, rindo. E, pronto, sumiu. Uma moita, fios elétricos, um vislumbre de estrada.

– A gente podia bater uma bola.

– Nãão.

Andaram ao longo dos trilhos. Depois de atravessarem Rosemont Garden e ficarem cercados pelo mato alto, Duke parou e vasculhou os bolsos da jaqueta de couro. Seus olhos eram verdes, salpicados de azul. Que nem o mundo, pensou Paul. Eram assim os olhos de Duke. Feito a Terra vista da Lua.

– Olhe só – disse ele. – Peguei isso na semana passada com meu primo Danny.

Era um saquinho de plástico cheio de lascas verdes secas.

– O que é isso? Uma porção de ervas murchas? – perguntou Paul. No instante em que falou, compreendeu e enrubesceu, sem graça por ser o panaca quadrado que era.

Duke riu, com a voz alteando no silêncio, no farfalhar do mato.

– É isso aí, cara, *erva*. Você nunca curtiu um barato?

Paul abanou a cabeça, chocado, a despeito de si mesmo.

– A gente não fica viciado, se é disso que você tem medo. Já usei duas vezes. É o máximo da curtição, pode crer.

O céu continuava cinzento, o vento se movia nas folhas e, bem longe, soou outro apito de trem.

– Não estou com medo – disse Paul.

– É isso aí. Não há nada de que ter medo. Quer experimentar?

– É claro – fez Paul, olhando em volta. – Mas aqui não.

Duke riu.

– Quem você acha que vai pegar a gente aqui?

– Escute só.

Os dois ouviram e o trem se tornou visível, vindo da direção oposta, um pontinho que foi ficando cada vez maior, com o apito cortando o ar. Eles saíram da linha férrea e ficaram de frente um para o outro, nos dois lados dos trilhos.

– Vamos lá para casa! – gritou Paul, enquanto o trem se aproximava, célere. – Não tem ninguém lá!

Imaginou os dois fumando maconha no novo sofá de chintz da mãe e deu uma risada alta. Depois, o trem zuniu entre eles, e vieram o rugido e o silêncio, o rugido e o silêncio dos vagões passando. Paul via lampejos rápidos de Duke, como as fotografias penduradas na câmara escura de seu pai, todos aqueles momentos da vida do pai parecendo vislumbres de um trem. Capturados e presos. Correria e silêncio. Como isso.

E, assim, refizeram o caminho para a casa de Duke, montaram nas bicicletas, cruzaram a estrada ziguezagueando pelos bairros até a casa de Paul.

Estava trancada, com a chave escondida sob a laje solta junto aos rododendros. Do lado de dentro, o ar estava quente, com um vago cheiro de mofo. Enquanto Duke telefonava para casa, para dizer que ia se atrasar, Paul abriu uma janela e a brisa levantou as cortinas feitas por sua mãe. Antes de começar a trabalhar fora, ela costumava redecorar a casa inteira todo ano. Paul se lembrava de vê-la debruçada sobre a máquina de costura, xingando quando a linha arrebentava ou embolava. As cortinas tinham fundo creme, com paisagens rurais num azul-escuro que combinava com as listras escuras do papel de parede. Paul lembrou-se de quando se sentava à mesa, olhando fixo para as imagens, como se, de repente, as figuras pudessem começar a se mexer, a sair de suas casas, a pendurar a roupa na corda e dar adeusinho.

Duke desligou o telefone e deu uma olhada em volta. Soltou um assobio.

– Cara, você é rico – comentou. Sentou-se à mesa de jantar e abriu um retângulo fino de papel. Paul ficou observando, fascinado, enquanto Duke dispôs uma fileira de pedacinhos de erva e as enrolou num tubo branco e fino.

– Aqui não – disse Paul, constrangido no último minuto. Os dois foram sentar do lado de fora, na escada dos fundos, o baseado acendeu-se com um clarão laranja na ponta e passou entre eles, para lá e para cá. No começo, Paul não sentiu nada. Começou a chuviscar, parou e, depois de algum tempo – ele não tinha certeza de quanto –, Paul percebeu que estava olhando fixo para uma gota d'água no degrau, vendo-a espalhar-se lentamente, fundir-se com outra e depois pingar na grama pela borda. Duke ria alto.

– Cara, você devia se ver! Você tá chapadão!

– Me deixe em paz, seu babaca – disse Paul, e também começou a rir.

Em algum momento, eles entraram, mas não antes de a chuva recomeçar e deixá-los encharcados, com um frio repentino. A mãe de Paul deixara uma panela de comida no forno, mas ele a ignorou. Em vez disso, abriu um vidro de picles e outro de pasta de amendoim. Duke encomendou uma pizza, Paul pegou o violão e os dois foram para a sala de estar, onde ficava o piano, para levar um som. Paul sentou-se na beirada da lareira suspensa e dedilhou alguns acordes, depois seus dedos começaram a se mover pelos trechos familiares das peças de Segovia que ele havia tocado na véspera, *Estudio* e *Estudio sin luz.* Os títulos o faziam pensar no pai, alto e calado, debruçado sobre o ampliador na câmara escura. As melodias davam a sensação de luz e sombra, uma em contraste com a outra, e nessa hora as notas se entremearam com sua vida, com o silêncio da casa, as férias na praia e as salas de aula da escola, com suas janelas altas. Paul tocou e se sentiu sendo suspenso, flutuando sobre as ondas que se avolumavam, criando a música, depois *sendo* a música, e ela o carregou para o alto, mais para o alto, subindo até a crista.

Quando ele terminou, fez-se um minuto de silêncio, antes de Duke exclamar:

– Cara, essa foi genial!

Ele tocou uma escala ao piano e se lançou na peça que havia executado no recital, a *Marcha dos anões*, de Grieg, com sua vitalidade e sua alegria melancólica. Duke tocou, depois Paul tocou, e ninguém ouviu a campainha nem a batida, e de repente o entregador de pizza estava parado diante da porta aberta. Anoitecia; um vento frio irrompeu pela casa. Os dois rasgaram as caixas e comeram furiosamente, depressa e sem sentir o gosto, queimando a língua. Paul sentiu a comida pesar dentro dele, empurrando-o para baixo feito uma pedra. Olhou pelas janelas à francesa para o céu cinzento e lúgubre ao longe, depois para o rosto de Duke, tão pálido que suas espinhas se destacavam, com o cabelo preto despencado sobre a testa e um borrão vermelho de molho na boca.

– Cacete! – disse Paul. Espalmou as mãos sobre o piso de carvalho, contente por encontrá-lo ali e por estar em cima dele e pelo fato de a sala a seu redor estar perfeitamente intacta.

– Não é mole, não – concordou Duke. – Troço incrível. Que horas são?

Paul levantou-se e foi até o carrilhão no hall de entrada. Minutos ou horas antes, os dois tinham parado ali, sacudindo de tanto rir do tiquetaque dos segundos, com intervalos gigantescos entre um e outro. Agora, Paul só conseguia pensar no pai, que parava todas as manhãs para acertar o relógio por aquele carrilhão; olhou para a mesa cheia de fotografias e se sentiu tomado pela tristeza. Olhou outra vez para a tarde e viu que ela se fora, condensada numa lembrança que não era maior do que aquela gota de chuva, e o céu já estava quase preto.

O telefone tocou. Duke continuava estirado no tapete da sala, e pareceu que haviam passado horas antes de Paul atender. Era sua mãe.

– Querido – disse ela, por cima do burburinho e do barulho de talheres ao fundo. Ele a imaginou com seu tailleur, talvez o azul-escuro, passando os dedos pelo cabelo curto, com os anéis faiscando. – Tive que levar uns clientes para jantar. É a conta da IBM, é importante. Seu pai já chegou? Está tudo bem com você?

– Fiz meu dever de casa – disse Paul, estudando o carrilhão, tão hilário pouco antes. – Fiz os exercícios de piano. Papai não está.

Houve uma pausa.

– Ele prometeu que iria para casa mais cedo – disse Norah.

– Eu estou legal – disse Paul, lembrando-se da noite anterior, de como se sentara na beira do parapeito e pensara em pular, e depois se vira no ar, caindo; e havia aterrissado com um baque suave no chão, e ninguém tinha ouvido. – Hoje eu não vou a lugar nenhum.

– Não sei, Paul. Ando preocupada com você.

*Então, venha para casa*, ele teve vontade de dizer, mas as risadas ao fundo subiam e desciam, quebrando como uma onda. – Eu estou legal – repetiu.

– Tem certeza?

– É claro.

– Bem, não sei – disse ela. Deu um suspiro, tapou o bocal do fone, falou com outra pessoa e voltou para a linha. – Bem, é bom saber do seu dever de casa, de qualquer maneira. Escute, Paul, vou ligar para o seu pai e, haja o que houver, eu mesma não demoro mais do que duas horas. Prometo. Está bem assim? Tem certeza de que você está bem? Porque eu largo tudo, se você precisar de mim.

– Estou legal. Não precisa ligar pro papai.

O tom dela, ao responder, foi frio, cortante.

– Ele me disse que estaria em casa. Ele prometeu.

– Esse pessoal da IBM – perguntou Paul –, eles gostam de flamingos?

Houve uma pausa e o barulho de gargalhadas e copos tilintando.

– Paul – disse ela, finalmente –, você está passando bem?

– Estou ótimo. Foi só uma brincadeira. Deixe pra lá.

Quando Norah desligou, Paul ficou sozinho por um momento, ouvindo o tom de discagem. A casa erguia-se a seu redor, silenciosa. Não era como o silêncio do auditório, expectante e carregado, mas como um vazio. Ele pegou o violão, pensando na irmã. Se ela não tivesse morrido, seria parecida com ele? Será que gostaria de correr? De cantar?

Na sala, Duke continuava deitado, com um braço em cima do rosto. Paul pegou as caixas vazias de pizza e as folhas finas de papel-manteiga e as levou para a lata de lixo. O ar estava frio; o mundo, novo em folha. Ele sentia uma sede de quem estivesse no deserto, depois de uma corrida de 15 quilômetros; carregou uma garrafa de dois litros de leite para a sala, bebeu direto no gargalo e passou-a para Duke. Sentou-se e recomeçou a tocar, mais baixo. As notas do violão encheram o ar, lentas e graciosas, como seres alados.

– Você tem mais desse troço? – perguntou.

– Tenho. Mas vai custar uma grana.

Paul acenou com a cabeça e continuou tocando, enquanto Duke se levantou para dar um telefonema.

Ele havia desenhado a irmã uma vez, quando era pequeno, talvez no jardim-de-infância. A mãe lhe contara tudo sobre ela, de modo que Paul a havia incluído no desenho que chamara de "Minha Família": o pai, com um contorno marrom, a mãe, com o cabelo amarelo-escuro, e ele mesmo, de mãos dadas com uma imagem especular. Feito na escola e amarrado com um laço de fita, ele dera esse presente aos pais no café da manhã e sentira uma espécie de escuridão abrir-se em seu peito ao ver o rosto do pai – ao ver emoções que, aos cinco anos, não sabia explicar nem descrever, mas já percebia que tinham a ver com a tristeza. A mãe também, ao pegar o desenho das mãos do pai, fora tocada pela tristeza, mas colocara uma máscara por cima, a mesma máscara animada que agora usava com os clientes. Paul lembrou-se de como a mão dela se demorara em seu rosto. Às vezes ela ainda fazia isso, olhando-o com fixidez, como se ele pudesse desaparecer. *Ah, está lindo!*, dissera ela naquele dia. *É um lindo desenho, Paul.*

Tempos depois, quando ele já era mais velho, talvez com uns nove ou dez anos, a mãe o levara ao cemitério tranqüilo do interior em que sua irmã estava enterrada. Era um dia fresco de primavera, e a mãe havia plantado sementes de lírios-do-vale ao longo da borda de ferro fundido. Paul havia parado para ler o nome – PHOEBE GRACE HENRY – e sua própria data de nascimento, e sentira um incômodo, um peso que não soubera explicar. *Por que ela morreu?*, havia perguntado, depois de a mãe finalmente voltar para perto dele, tirando as luvas de jardinagem. *Ninguém sabe*, dissera ela, e depois, ao ver a expressão do filho, pusera o braço em seus ombros. *Não foi culpa sua*, tinha afirmado com ardor. *Não teve nada a ver com você.*

Mas ele não havia acreditado realmente, como não acreditava agora. Se seu pai se isolava na câmara escura toda noite e sua mãe trabalhava até muito depois do jantar, quase todos os dias, e, nas férias, tirava a roupa e entrava de mansinho nos chalés de homens estranhos, de quem podia ser a culpa? Não da irmã dele, que tinha morrido no parto e deixado esse silêncio. Aquilo tudo dava um nó em seu estômago, que começava de manhã do tamanho de uma moedinha e ia crescendo durante o dia e o deixava nauseado. Ele estava vivo, afinal. Estava ali. Logo, com certeza era tarefa sua protegê-los.

Duke apareceu no vão da porta e Paul parou de tocar.

– Ele está vindo para cá, o Joe – disse. – Se você tiver a grana.

– Tá. Vem comigo.

Os dois saíram pela porta dos fundos, desceram os degraus de concreto e subiram a escada do grande cômodo aberto em cima da garagem. Era uma sala com janelas altas em todas as paredes e, durante o dia, ficava inundada de luz, vinda de todas as direções. Uma câmara escura, sem janelas, encravava-se nela feito um armário, logo depois da entrada. Anos antes, quando suas fotografias tinham começado a ser notadas, o pai a havia construído. Agora passava a maior parte das horas de folga ali, fazendo revelações e experiências com a luz. Quase ninguém mais ia lá – a mãe, nunca. Às vezes o pai o convidava, e Paul ansiava por esses dias com uma expectativa que o deixava sem graça.

– Ei, isso aqui é legal – disse Duke, percorrendo a parede externa e examinando as fotos emolduradas.

– Não é para a gente entrar – observou Paul. – A gente não pode ficar aqui.

– Ei, eu já vi essa aqui! – exclamou Duke, parando diante da foto das ruínas queimadas do prédio do ROTC, onde as pétalas das cerejeiras contrastavam, pálidas, com as paredes carbonizadas. Tinha sido a primeira grande foto de David. Fora escolhida pelas agências de notícias e exibida em todo o país, anos antes. *Essa foi o começo de tudo*, o pai de Paul gostava de dizer. *Ela me pôs no mapa*.

– É, foi meu pai quem tirou. Não mexa em nada, tá?

Duke riu.

– Fica frio, cara. Está tudo legal.

Paul entrou na câmara escura, onde o ar era mais quente e mais parado. Havia fotos penduradas, secando. Ele abriu a geladeirinha onde o pai guardava os filmes e tirou do fundo um envelope frio de papel pardo. Dentro havia outro envelope, cheio de notas de 20 dólares. Paul tirou uma, depois outra, e guardou o resto do dinheiro.

Ele costumava ir lá com o pai e, outras vezes, em segredo, ia sozinho. Fora assim que tinha descoberto o dinheiro, numa tarde em que ficara tocando violão lá em cima, zangado porque o pai tinha prometido ensinar-lhe a usar o ampliador e, no último minuto, cancelara o encontro. Zangado, decepcionado e, no final, com fome. Paul tinha vasculhado a geladeira e encontrado o envelope com as notas geladas, novas, inexplicáveis. Tirara uma nota de 20 nessa primeira vez, e outras depois. Seu pai nunca parecia notar. Assim, de vez em quando ele subia e pegava mais algumas.

Aquilo deixava Paul inquieto, o dinheiro, os furtos e o fato de não ser apanhado. Era a mesma sensação que experimentava quando ficava ali com o pai, no escuro, vendo as imagens tomarem forma diante de seus olhos. Não havia apenas uma foto num negativo, dizia seu pai, mas uma multidão delas. Um instante não era apenas um instante, mas uma infinidade de instantes diferentes, dependendo de quem olhasse para as coisas e como. Paul escutava o pai falar, sentindo um fosso abrir-se dentro dele. Se aquilo tudo era verdade, seu pai era alguém que ele nunca poderia realmente conhecer, e isso o assustava. Mesmo assim, gostava de ficar ali, em meio à luz suave e ao cheiro dos produtos químicos. Gostava da seqüência de passos precisos, do começo ao fim, da folha de papel exposto mergulhando no revelador e das imagens surgidas do nada, do cronômetro apitando e do papel mergulhando no fixador. Das imagens secando, fixadas, brilhantes e misteriosas.

Paul parou para examiná-las. Estranhas formas em espiral, feito flores petrificadas. Corais, deduziu, da viagem a Aruba, corais-cérebro com o corpo recolhido, deixando apenas a intricada estrutura do esqueleto. As outras fotos eram parecidas, aberturas porosas desabrochando em branco, como uma paisagem de crateras complexas, transmitida da lua. *Coral-cérebro/ossos*, dizia a anotação do pai, arrumada na mesa perto do ampliador.

Naquele dia, no chalé, um instante antes de perceber a presença de Paul e erguer os olhos, a expressão de seu pai tinha sido extremamente franca, banhada por uma chuva de emoções – um amor e uma perda antigos. Paul a havia percebido e ansiara por dizer alguma coisa, fazer alguma coisa, qualquer coisa que endireitasse o mundo. Ao mesmo tempo, sentira vontade de fugir, de esquecer todos os problemas deles, de se libertar. Tinha desviado os olhos e, ao voltá-los novamente para o pai, a expressão dele tornara a ficar distante, impassível. Talvez ele só estivesse pensando num problema técnico com seu filme, ou em doenças dos ossos, ou no almoço.

Um instante podia ser mil coisas diferentes.

– Ei – disse Duke, abrindo a porta. – Você vai sair daí alguma hora ou o quê?

Paul guardou as notas no bolso e voltou para o cômodo maior. Dois outros garotos tinham chegado, alunos da última série que costumavam ficar num terreno desocupado em frente à escola, na hora do almoço, fumando. Um deles carregava uma embalagem de cerveja e entregou uma garrafa a Paul, e por pouco ele não disse *Vamos descer, vamos fazer isso lá fora*, mas estava chovendo mais forte e os garotos eram mais velhos, e também mais fortes, de modo que Paul apenas sentou e ficou com eles. Deu o dinheiro a Duke e a brasa cor de âmbar girou pelo círculo. Paul ficou fascinado com as pontas dos dedos de Duke, com a delicadeza com que elas seguravam o baseado, e se lembrou de como elas voavam pelo teclado com desvairada precisão. Seu pai também era meticuloso. Consertava os ossos das pessoas, o corpo delas.

– Você tá passando mal? – perguntou Duke, depois de algum tempo.

Paul o ouviu muito longe, como que através da água, para lá do apito distante de um trem. Dessa vez não houve acessos de riso nem tonteira, só um profundo poço interior em que ele se sentia cair. O poço do lado de dentro tornou-se parte da escuridão do lado de fora, e Paul não conseguiu enxergar Duke e se assustou.

– Qual é o problema dele? – alguém perguntou, e Duke respondeu: *Acho que ele tá só ficando paranóico*, e as palavras eram enormes, encheram o cômodo até o teto e o imprensaram na parede.

Enormes gargalhadas inundaram o aposento, e os rostos dos outros contorceram-se de tanto rir. Paul não conseguiu rir: estava cristalizado em seu lugar. Tinha a garganta seca e sentia que as mãos estavam ficando grandes demais para o corpo. Examinou a porta como se a qualquer momento seu pai pudesse irromper por ela, com a raiva a se espatifar sobre eles feito ondas. Depois, a risadaria parou e os outros se levantaram. Remexeram nas gavetas, à procura de comida, mas só encontraram os arquivos bem cuidados de David. *Não*, Paul tentou dizer quando o mais velho, o barbudo, começou a tirar pastas das gavetas e abri-las. *Não*, era o grito em sua cabeça, mas não saiu nada da boca. Agora os outros estavam de pé, tirando uma pasta atrás da outra, espalhando no chão as fotos e negativos tão cuidadosamente arrumados.

– Ei! – disse Duke, virando-se para lhe mostrar uma foto 20 x 25 em papel brilhante. – Esse é você, Paul?

Paul sentara-se muito quieto, abraçando os joelhos, com a respiração num ímpeto desvairado em seus pulmões. Não se mexeu, não conseguiu. Duke deixou a foto cair no chão e foi se juntar aos outros, que estavam um pouco mais agitados, espalhando fotos e negativos por toda a extensão do piso colorido e brilhante.

Ele continuou sentado, muito, muito quieto. Durante um longo tempo, ficou assustado demais para se mexer, mas depois se mexeu e foi para dentro da câmara escura, acocorando-se num canto quente, encostado no armário de arquivo que o pai mantinha trancado, escutando o que se passava lá fora: ondas de barulho, risadas, uma garrafa quebrando. Por fim, ficou mais calmo. A porta abriu e Duke disse:

– Ei, cara, você tá aí dentro, tá tudo bem?

E, quando Paul não respondeu, houve uma conversa apressada do lado de fora e eles saíram, descendo a escada com estrépito. Paul se levantou devagar e atravessou a escuridão, entrando na galeria com pilhas de fotos destruídas. Parou na janela, vendo Duke deslizar em silêncio pela entrada de carros em sua bicicleta, passando a perna direita por cima da barra antes de desaparecer na rua.

Paul estava muito cansado. Esgotado. Virou-se e inspecionou o cômodo: fotos por toda parte, levantando na brisa que vinha da janela, negativos pendurados feito serpentina nas bancadas e nas luminárias. Uma garrafa se quebrara. Havia vidro verde espalhado no chão e cerveja respingada nos armários. Palavras nas paredes, desenhos toscos e pichações. Paul encostou-se na porta e foi escorregando, até sentar no chão em meio à bagunça. Logo teria que se levantar, teria que limpar tudo aquilo, ordenar as fotografias, arrumá-las direito.

Levantou a mão, olhou para a foto embaixo dela e pegou-a. Não era um lugar que ele conhecesse: uma casa caindo aos pedaços, fincada na encosta de um morro. Na frente havia quatro pessoas: uma mulher com um vestido que ia até as canelas, de avental, com as mãos enlaçadas na frente do corpo. O vento soprava uma mecha solta de cabelo em seu rosto. Um homem macilento, curvado feito uma vírgula, postava-se junto dela, segurando um chapéu junto ao peito. A mulher estava ligeiramente virada para o homem e os dois tinham no rosto um sorriso reprimido, como se um deles houvesse acabado de fazer uma piada e, dali a mais um instante, ambos fossem cair na gargalhada. A mão da mãe descansava sobre a cabeça loura de uma menina e entre eles havia um menino, não muito longe da sua idade, olhando diretamente para a câmera, sério. A imagem parecia estranhamente familiar. Paul fechou os olhos, sentindo-se esgotado pela maconha, quase chorando de exaustão.

• • •

Acordou com a luz do amanhecer brilhando intensa pelas janelas da esquerda e a silhueta do pai falando no centro do clarão:

– Paul, que diabo é isso?

Paul sentou-se, fazendo força para descobrir onde estava e o que tinha acontecido. Fotografias e filmes estragados espalhavam-se pelo chão, coberto de pegadas enlameadas. Os negativos desdobravam-se como serpentinas. Os cacos de vidro por toda parte tinham deixado arranhões fundos no piso. Paul sentiu-se invadir pelo medo e teve vontade de vomitar. Pôs a mão acima dos olhos, para protegê-los da claridade ofuscante da manhã.

– Pelo amor de Deus, Paul, o que aconteceu aqui? – dizia seu pai. Tinha se afastado da luz, finalmente, e dobrou o corpo até se agachar. Tirou do caos a fotografia da família desconhecida e a examinou por um momento. Depois, sentou-se, com as costas apoiadas na parede, a foto ainda nas mãos, e inspecionou a galeria.

– O que aconteceu aqui? – tornou a perguntar, mais calmo.

– Uns amigos vieram aqui em casa. Acho que as coisas ficaram meio descontroladas.

– Parece – disse o pai. Pôs uma das mãos na testa. – O Duke esteve aqui?

Paul hesitou, depois fez que sim. Estava prendendo o choro e, toda vez que olhava para os papéis destruídos, uma coisa apertava feito um nó em seu peito.

– Foi você que fez isso, Paul? – perguntou o pai, num tom estranhamente gentil.

Paul abanou a cabeça.

– Não. Mas não os impedi.

O pai assentiu com um gesto.

– Levará semanas para arrumar isso – disse, por fim. – É você quem vai arrumar. Vai me ajudar a reconstruir os arquivos. Será muito trabalho. Muito tempo. Você terá que desistir dos ensaios.

Paul fez que sim, mas o aperto no peito ficou mais forte e ele não conseguiu se conter:

– Você só quer uma desculpa para me fazer parar de tocar.

– Não é verdade. Droga, Paul, você sabe que não é verdade.

O pai sacudiu a cabeça e Paul teve medo de que ele se levantasse e fosse embora, mas, em vez disso, ele olhou para a foto em sua mão. Era uma foto preto-e-branco, com uma moldura branca rebuscada em volta da família à frente da casinha baixa.

– Sabe quem é esse? – perguntou.

– Não – disse Paul, mas, ao falar, percebeu que sabia. – Ah! – exclamou, apontando para o menino na escada. – Esse é você.

– Sim. Eu tinha a sua idade. Esse é meu pai, bem atrás de mim. E, a meu lado, minha irmã. Eu tive uma irmã, você sabia? Ela se chamava June. Tinha talento para a música, como você. Essa foi a última foto que tiramos de todos nós. June tinha uma doença cardíaca e morreu no outono seguinte. Perdê-la praticamente matou minha mãe.

Paul olhou para a foto de outra maneira. Aquelas pessoas não eram estranhos, afinal, mas gente do seu próprio sangue. A avó de Duke morava num quarto no andar de cima, fazia tortas de maçã e assistia a novelas todas as tardes. Paul examinou a mulher da foto, com seu riso mal reprimido – aquela mulher que ele nunca tinha visto era sua avó.

– Ela morreu? – perguntou.

– Minha mãe? Sim. Anos depois. Seu avô também. Eles não eram muito velhos, nenhum dos dois. Meus pais levaram uma vida difícil, Paul. Não tinham dinheiro nenhum. Não estou só querendo dizer que não eram ricos. Quero dizer que, às vezes, não sabiam se teríamos comida para o jantar. Isso machucava meu pai, que era um homem trabalhador. E machucava minha mãe, porque eles não podiam conseguir muita ajuda para a June. Quando eu tinha mais ou menos a sua idade, arranjei um emprego, para poder freqüentar o colégio na cidade. E aí a June morreu, e eu fiz uma promessa a mim mesmo: ia sair e consertar o mundo – disse, e abanou a cabeça. – Bem, é claro que não foi o que fiz, na verdade. Mas nós estamos aqui, Paul. Temos tudo em abundância. Nunca nos preocupamos em saber se teremos o bastante para comer. Você irá para a faculdade que quiser. E, no entanto, só consegue pensar em se drogar com seus amigos e jogar tudo fora.

O aperto no estômago tinha subido para a garganta e Paul não pôde responder. O mundo continuava claro demais e não muito estável. Ele queria fazer sumir a tristeza na voz do pai, apagar o silêncio que enchia a casa deles. Mais do que tudo, queria que esse momento – o pai sentado a seu lado, contando-lhe histórias da família – nunca acabasse. Tinha medo de dizer a coisa errada e estragar tudo, assim como o excesso de luz no papel estragava as fotografias. Depois que isso acontecia, não tinha volta.

– Desculpe – disse.

O pai balançou a cabeça em concordância, olhando para baixo. Por um breve instante, sua mão afagou de leve o cabelo de Paul.

– Eu sei.

– Eu limpo tudo.

– Sim, eu sei.

– Mas eu adoro música – disse Paul, sabendo que era a coisa errada, o facho de luz repentino que enegrecia o papel, mas não conseguiu parar. – Tocar é a minha vida. Nunca vou desistir disso.

O pai permaneceu em silêncio por um instante, de cabeça baixa. Depois, deu um suspiro e se levantou.

– Não feche nenhuma porta por enquanto – disse. – É só o que eu peço.

Paul viu o pai desaparecer na câmara escura. Depois, ajoelhou-se e começou a catar os cacos de vidro. Ao longe, os trens corriam, e o céu além das janelas se abria para a eternidade, límpido e azul. Ele parou por um instante na luz ofuscante da manhã, ouvindo o pai trabalhar na câmara escura, imaginando as mesmas mãos movendo-se com cuidado dentro do corpo de uma pessoa, procurando consertar o que se havia partido.

# SETEMBRO DE 1977

CAROLINE SEGUROU O CANTO DA FOTO DA POLARÓIDE ENTRE O POLEGAR e o indicador no momento em que saía da câmera, com a imagem já emergindo. A mesa com a toalha branca parecia flutuar num mar de grama verde. As margaridas-do-campo, brancas e levemente luminosas, subiam a encosta. Phoebe era uma mancha pálida com seu vestido de crisma. Caroline sacudiu a foto no ar fragrante para secá-la. Ouviu-se um trovão muito ao longe: um temporal de fim de verão que se preparava; soprou uma brisa que agitou os guardanapos de papel.

– Mais uma – disse ela.

– Ah, mãe! – protestou Phoebe, mas ficou parada.

No instante em que a câmera fez clique, ela saiu correndo pelo jardim até onde sua vizinha Avery, de oito anos, segurava um gatinho cujo pêlo tinha o mesmo tom laranja-escuro de seus cabelos. Phoebe, de 13 anos, era baixa para sua idade, rechonchuda, ainda impulsiva e passional, lenta na aprendizagem, mas passava, com espantosa velocidade, da alegria para a melancolia e a tristeza, e de novo para a alegria.

– Fui confirmada! – gritou nessa hora, rodopiando uma vez no jardim, com os braços erguidos bem alto, o que fez os convidados se virarem para olhá-la e sorrirem, com seus copos na mão. Com a saia girando, Phoebe correu para o filho de Sandra, Tim, agora também adolescente. Envolveu-o num abraço e lhe deu um beijo exuberante no rosto.

Em seguida refreou-se e deu uma olhadela ansiosa para Caroline. No começo do ano, os abraços tinham sido um problema na escola. "Eu *gosto* de você", anunciava Phoebe, estreitando uma criança menor; não entendia por que não devia fazê-lo. Caroline lhe dissera repetidas vezes: *Os abraços são especiais. Os abraços são para a família*. Aos poucos, Phoebe tinha aprendido. Mas, nesse momento, ao vê-la refrear sua afeição, Caroline se perguntou se tinha feito a coisa certa.

– Está tudo bem, querida – gritou para Phoebe. – Você pode abraçar seus amigos na festa.

Phoebe relaxou. Ela e Tim foram afagar o gatinho. Caroline olhou para a foto da polaróide em sua mão: o jardim luminoso e o sorriso de Phoebe, um momento fugaz capturado e já ultrapassado. Houve outros trovões ao longe, mas a tarde continuou esplêndida, morna e enfeitada de flores. Em todo o jardim, as pessoas circulavam, conversando, rindo e enchendo seus copos de plástico. Um bolo de três camadas, com cobertura branca, ocupava a mesa, decorado com rosas vermelho-escuras do jardim. Três camadas, para três comemorações: o crisma de Phoebe, o aniversário de casamento da própria Caroline e a aposentadoria de Dorothy, um voto de boa viagem.

– O bolo é *meu* – dizia Phoebe, flutuando sobre o subir e descer das conversas, as vozes dos professores de física, dos vizinhos, membros do coral e amigos da escola, das famílias da Sociedade Upside Down, de toda sorte de crianças correndo. Os novos amigos de Caroline do hospital, onde ela começara a trabalhar meio expediente depois de Phoebe entrar na escola, também estavam presentes. Ela havia reunido todas essas pessoas, planejado essa festa linda, que desabrochava no crepúsculo como uma flor. – O bolo é meu – repetia Phoebe. – Fui crismada.

Caroline bebericou seu vinho, sentindo na pele o ar morno como a respiração. Não viu Al chegar, mas de repente ele estava ali, passando a mão em sua cintura e beijando-a no rosto, inundando-a com sua presença e seu aroma. Cinco anos antes, eles haviam se casado numa festa muito parecida com essa, no jardim, com morangos boiando no champanhe, o ar cheio de vaga-lumes e a fragrância das rosas. Cinco anos, e o gosto de novidade ainda não se perdera. O quarto de Caroline, no terceiro andar da casa de Dorothy, tornara-se um lugar tão misterioso e sensual quanto o jardim. Ela adorava acordar sentindo o corpo quente e pesado de Al todo encostado no seu, adormecido a seu lado, a mão dele descansando de leve em sua barriga, o cheiro dele – sabonete e loção Old Spice – impregnando aos poucos o quarto, os lençóis, as toalhas. Ele estava lá, com uma presença tão vívida que ela o sentia em cada nervo. Presente e, com a mesma rapidez, ausente.

– Feliz aniversário – disse o marido nesse momento, apertando-a de leve na cintura.

Caroline sorriu, radiante de prazer. Havia anoitecido e as pessoas circulavam e riam em meio ao calor suave e à fragrância ainda presentes, enquanto o orvalho se acumulava na relva escurecida e na espuma branca de flores por toda parte. Ela segurou a mão de Al, sólida e firme, e quase riu, porque ele havia acabado de chegar e ainda não sabia da novidade. Dorothy ia partir num cruzeiro de um ano, dar a volta ao mundo com seu namorado, um homem chamado Trace. Disso Al já sabia; os planos tinham evoluído ao longo de meses. Mas não sabia que ela, no que chamava de alegre libertação do passado, dera a Caroline a escritura dessa casa antiga.

Dorothy estava chegando nesse exato momento, descendo a escada com um vestido de seda. Trace vinha logo atrás, carregando um saco de gelo. Era um ano mais moço, 65 anos, tinha o cabelo curto e grisalho, o rosto estreito e comprido e lábios cheios. Era atento a seu peso, exigente com a comida e amante de ópera e carros esporte. Fora nadador olímpico em certa época, quase havia conquistado a medalha de bronze, e ainda achava a coisa mais fácil do mundo mergulhar no Monongahela e nadar até a margem oposta. Uma tarde, tinha saído da água e subido a margem do rio, trôpego, pálido e pingando, bem no meio do piquenique anual do Departamento de Física. Essa era a história de como os dois haviam se conhecido. Trace era carinhoso e gentil com Dorothy, que claramente o adorava, e, se parecia arredio a Caroline, meio distante e reservado, isso realmente não era problema dela.

Uma lufada de vento derrubou uma pilha de guardanapos da mesa e Caroline abaixou-se para pegá-los.

– Vocês estão trazendo o vento – disse Al, quando eles se aproximaram.

– É tão empolgante! – exclamou ela, levantando as mãos. Estava cada vez mais parecida com Leo, com os traços mais marcados e o cabelo, agora curto, inteiramente branco.

– O Al é feito esses velhos marinheiros – disse Trace, pondo o gelo na mesa. Caroline usou uma pedrinha para segurar os guardanapos. – Ele tem uma sintonia com as mudanças atmosféricas. Ah, Dorothy, fique assim como está! – exclamou. – Meu Deus, como você está bonita! Sinceramente. Parece uma deusa do vento.

– Se você é a deusa do vento – disse Al, segurando os pratos de papel que iam levantando vôo –, é melhor desligar as turbinas para podermos aproveitar esta festa.

– Não está glorioso? – perguntou Dorothy. – É uma festa linda, uma despedida maravilhosa.

Phoebe aproximou-se correndo, carregando no colo o gatinho minúsculo, uma bolinha laranja-claro. Caroline estendeu a mão e alisou seu cabelo, sorrindo.

– A gente pode ficar com ele? – perguntou a menina.

– Não – respondeu Caroline, como sempre –, sua tia é alérgica.

– Mãe... – reclamou Phoebe, mas logo foi distraída pelo vento e pela mesa linda. Puxou a manga sedosa de Dorothy. – Tia Dorothy. É o meu bolo.

– Meu também – disse Dorothy, passando o braço em volta de seus ombros. – Vou fazer uma viagem, não se esqueça, de modo que também é meu bolo. E da sua mãe e do Al, porque faz cinco anos que eles se casaram.

– Eu vou na viagem – disse Phoebe.

– Ah, não, fofinha – contrapôs Dorothy. – Dessa vez, não. Essa é uma viagem para gente grande, meu amor. Para mim e para o Trace.

A expressão de Phoebe ganhou um toque de decepção tão intenso quanto a alegria anterior. Volátil como o mercúrio – o que quer que ela sentisse a cada momento era o mundo inteiro.

– Ei, fofinha – disse Al, agachando-se. – O que você acha? Será que esse gatinho gostaria de um pouco de leite?

Ela lutou contra um sorriso e cedeu, fazendo que sim com a cabeça, momentaneamente distraída de sua perda.

– Ótimo – fez Al, pegando-a pela mão e piscando para Caroline.

– Não leve o gato lá para dentro – advertiu Caroline.

Encheu uma bandeja de copos e circulou entre os convidados, ainda deslumbrada. Ela era Caroline Simpson, mãe de Phoebe, mulher de Al, organizadora de protestos – uma pessoa totalmente diferente da mulher tímida que ficara parada num consultório silencioso e coberto de neve, 13 anos antes, com um bebê no colo. Virou-se para olhar a casa, com seus tijolos claros estranhamente vívidos, em contraste com o céu enevoado. *É a minha casa*, pensou, num eco à cantilena anterior de Phoebe. Sorriu de sua idéia seguinte, curiosamente oportuna: *Fui confirmada.*

Sandra ria com Dorothy junto à moita de madressilvas, e a Sra. Soulard vinha subindo a alameda com um vaso cheio de lírios. Trace, com o vento a lhe jogar no rosto o cabelo grisalho, pôs a mão em concha em volta de um fósforo, tentando acender as velas. As chamas tremeram e crepitaram, mas acabaram pegando e iluminaram a toalha de linho branco, os copinhos votivos transparentes, o vaso de flores brancas e o bolo com cobertura de chantilly. Por um momento, Caroline ficou imóvel, pensando nas mãos de Al a procurá-la no escuro da noite que viria. *Isso é felicidade*, disse a si mesma. *É isso que significa felicidade.*

A festa durou até as 11 horas da noite. Dorothy e Trace ficaram por ali, depois da saída dos últimos convidados, carregando bandejas com copos e sobras de bolo, tirando vasos de flores e guardando mesas e cadeiras na garagem. Phoebe já havia dormido; Al a levara para dentro, depois de ela se desmanchar em lágrimas, cansada e hiperexcitada, arrasada com a partida deles, em meio a enormes soluços que a deixaram sem fôlego.

– Não faça mais nada – disse Caroline, detendo a amiga no alto da escadinha da entrada, roçando nas folhas densas e flexíveis dos lilases. Ela havia plantado essa cerca viva três anos antes, e, agora, os arbustos, que não tinham passado de gravetos durante muito tempo, haviam fincado raízes e crescido em disparada. Dali a um ano estariam carregados de flores. – Amanhã eu arrumo tudo, Dorothy. Você tem um vôo de manhã cedo. Deve estar ansiosa para ir embora.

– Estou – disse ela, com a voz tão baixa que Caroline teve que se esforçar para ouvi-la. Acenou com a cabeça para a casa, onde Al e Trace trabalhavam na cozinha iluminada, limpando os pratos. – Mas é uma sensação agridoce, Caroline. Andei por todos os cômodos antes, pela última vez. Passei a minha vida inteira aqui. É estranho deixar esta casa. Mas, ao mesmo tempo, estou empolgada com a partida.

– Você sempre pode voltar – comentou Caroline, lutando contra uma onda repentina de emoção.

– Espero não querer voltar. Pelo menos, não para mais do que uma visita – retrucou Dorothy. Segurou o cotovelo de Caroline e disse: – Venha, vamos sentar na varanda.

Elas andaram pelo lado da casa, passando sob as glicínias em arco, e se sentaram no balanço, enquanto um rio de carros fluía pela enorme via expressa. As folhas altas dos sicômoros, grandes como pratos, agitavam-se contra os postes de luz.

– Você não vai sentir saudade do trânsito – disse Caroline.

– Não, isso é verdade. Antigamente era muito calmo. Eles costumavam fechar a rua inteira no inverno. Descíamos direto de trenó pelo meio da alameda, bem ali.

Caroline empurrou o balanço, relembrando aquela noite, tantos anos antes, em que o luar havia inundado os jardins e entrado pelas janelas do banheiro, enquanto Phoebe tossia em seu colo e as garças levantavam vôo nos campos da infância de Dorothy.

A porta de tela abriu-se e Trace saiu.

– E aí? Está mais ou menos pronta?

– Quase – disse ela.

– Então, vou buscar o carro e trazê-lo para a porta da frente.

Tornou a entrar. Caroline pôs-se a contar os carros, até 20. Doze anos atrás ela havia chegado a essa porta, com Phoebe nos braços, um bebê. Ficara parada bem ali, à espera do que ia acontecer.

– A que horas sai o seu vôo? – perguntou.

– Cedo. Às oito. Ah, Caroline – suspirou Dorothy, reclinando-se e abrindo bem os braços. – Depois de todos esses anos, sinto-me completamente livre. Quem sabe para onde posso voar?

– Sentirei sua falta – disse Caroline. – A Phoebe também.

Dorothy balançou a cabeça.

– Eu sei. Mas nós nos veremos. Mandarei postais de todos os lugares.

Um par de faróis desceu a ladeira e, em seguida, o carro alugado reduziu a velocidade e o braço comprido de Trace levantou-se num aceno.

– A estrada nos chama! – gritou.

– Vá com Deus – disse Caroline. Abraçou a amiga, sentindo seu rosto macio. – Você salvou a minha vida, muitos anos atrás, você sabe.

– Querida, você também salvou a minha – fez Dorothy, afastando-se. Tinha os olhos úmidos. – Agora a casa é sua. Aproveite-a.

E desceu a escada, com o suéter branco esvoaçando. Entrou no carro, deu adeus e se foi.

Caroline viu o carro fundir-se no trânsito da autopista e desaparecer no rio de luzes céleres. O temporal ainda contornava as montanhas, embranquecendo o céu com os relâmpagos e trazendo o eco distante da trovoada surda. Al passou para o lado de fora trazendo bebidas e abrindo a porta com o pé. Os dois sentaram-se no balanço.

– Pois é – comentou. – Bonita festa.

– Foi, sim – concordou Caroline. – Foi divertida. Estou exausta.

– Ainda tem forças para abrir isto? – perguntou ele.

Caroline pegou o pacote e desfez o embrulho malfeito. Dele caiu um coração entalhado em cerejeira, liso como um seixo na palma de sua mão. Ela a fechou, lembrando-se de como o medalhão havia cintilado na luz fria da cabine do caminhão de Al e, meses depois, de como a mãozinha de Phoebe o havia segurado.

– É lindo – disse, encostando o coração liso no rosto. – Tão quentinho! Encaixa-se exatamente aqui, na palma da minha mão.

– Eu mesmo o entalhei – disse Al, com alegria na voz. – De noite, na estrada. Achei que seria meio piegas, mas uma garçonete que eu conheço em Cleveland disse que você ia gostar. Espero que sim.

– Gosto – disse Caroline, enfiando o braço no dele. – Também tenho uma coisa para você – e lhe entregou uma caixinha de papelão. – Não tive tempo de embrulhar.

Ele a abriu e tirou uma chave nova de metal.

– Que é isso: a chave do seu coração?

Ela riu.

– Não. É a chave desta casa.

– Por quê? Você trocou a fechadura?

– Não – disse ela, empurrando o balanço. – A Dorothy me deu a casa, Al. Não é incrível? A escritura está lá dentro. Ela disse que queria recomeçar do zero.

Uma batida do coração. Duas, três, e o ranger do balanço, para a frente e para trás.

– É um bocado drástico – disse Al. – E se ela quiser voltar?

– Perguntei-lhe a mesma coisa. Ela disse que o Leo tinha deixado muito dinheiro. Patentes, economias, sabe-se lá mais o quê. E a Dorothy foi econômica a vida inteira, de modo que não precisa do dinheiro. Se eles voltarem, ela e o Trace vão comprar um apartamento, ou coisa assim.

– Generosa – fez Al.

– É.

Ele se calou. Caroline ouviu o ranger do balanço da varanda, o vento, os carros.

– A gente podia vendê-la – ponderou. – Ir embora, nós mesmos. Para qualquer lugar.

– Ela não vale grande coisa – disse Caroline, devagar. A idéia de vender a casa nunca lhe passara pela cabeça. – E depois, para onde iríamos?

– Ah, não sei, Caroline. Você me conhece. Passei a vida toda para lá e para cá. Estou só especulando. Assimilando a notícia.

O bem-estar da escuridão e do vaivém ritmado do balanço deu lugar a uma inquietação mais profunda. Quem era esse homem a seu lado, pensou Caroline, esse homem que chegava todo fim de semana e se enfiava com tanta familiaridade em sua cama, que inclinava a cabeça num certo ângulo, todas as manhãs, para dar tapinhas com Old Spice no pescoço e no queixo? O que sabia ela, de verdade, sobre seus sonhos, seus segredos mais íntimos? Quase nada, pareceu-lhe de repente, nem ele sobre os dela.

– Quer dizer que você preferiria não ser dono de uma casa? – ela insistiu.

– Não é isso. Foi um bonito gesto.

– Mas prende você.

– Gosto de vir para casa encontrar você, Caroline. Gosto de voltar por aquele último trecho de estrada e saber que você e a Phoebe estão aqui, preparando coisas na cozinha, ou plantando flores, ou seja o que for. Mas é claro que o que eles estão fazendo é atraente. Fazer as malas. Partir. Vagar pelo mundo. Seria bom, eu acho. Essa liberdade.

– Não tenho mais esses anseios – disse Caroline, olhando para o jardim envolto em sombras, as luzes dispersas da cidade e as letras vermelho-escuras do letreiro da Foodland, como pedaços de um mosaico em meio à densa folhagem do verão. – Sinto-me feliz bem aqui onde estou. Você vai enjoar de mim.

– Não. Isso só nos torna compatíveis, meu bem.

Passaram algum tempo calados, escutando o vento, o zumbir dos carros.

– A Phoebe não gosta de mudanças – comentou Caroline. – Não sabe lidar direito com elas.

– Bem, também tem isso – disse Al.

Esperou um momento e se virou para a mulher.

– Sabe, Caroline, a Phoebe está começando a crescer. Está começando a não ser mais uma garotinha.

– Ela só tem 13 anos – contrapôs Caroline, pensando em Phoebe com o gatinho, na facilidade com que ela resvalava para as alegrias descontraídas da infância.

– Tem razão. Ela tem 13 anos, Caroline. Ela está... bom, sabe como é... começando a se desenvolver. Já não me sinto à vontade para carregá-la no colo, como fiz hoje.

– Então, não a carregue – retrucou Caroline, ríspida, mas lembrou-se de Phoebe na piscina, no começo daquela semana, nadando para longe e voltando, agarrando-a embaixo d'água, com os botões macios e crescentes dos seios encostados em seu braço.

– Não precisa se zangar, Caroline. É só que nunca falamos nisso, nem uma vez, não é? Do que vai acontecer com ela. De como será quando nos aposentarmos, como a Dorothy e o Trace.

Al fez uma pausa e Caroline intuiu que ele escolhia com cuidado as palavras.

– Eu gostaria de acreditar que poderíamos pensar em viagens. Fico meio claustrofóbico, só isso, quando me imagino permanecendo nessa casa para sempre. E a Phoebe? Será que ela vai morar conosco pelo resto da vida?

– Não sei – disse Caroline, sentindo-se envolver por um cansaço denso como a noite. Ela já havia travado tantas batalhas para construir uma vida para Phoebe neste mundo indiferente! Por ora, todos os seus problemas estavam resolvidos e, no último ano, mais ou menos, ela havia conseguido relaxar. Mas onde Phoebe trabalharia e como viveria quando crescesse, tudo isso era uma incógnita. – Ah, Al, não posso pensar nisso tudo esta noite. Por favor.

O balanço oscilava, para a frente e para trás.

– Teremos que pensar nisso em algum momento.

– Ela é só uma garotinha. O que você está sugerindo?

– Caroline, não estou sugerindo nada. Você sabe que eu amo a Phoebe. Mas você ou eu podemos morrer amanhã. Não estaremos sempre por perto para cuidar dela, só isso. E talvez chegue um momento em que ela não nos queira por perto. Só estou perguntando se você já pensou nisso e para que vem economizando todo aquele dinheiro. Só estou trazendo o assunto à baila, quer dizer, para pensarmos nisso. Não seria bom se você pudesse ir para a estrada comigo de vez em quando? Só por um fim de semana?

– Sim. Seria agradável – disse ela, baixinho.

Mas não tinha certeza. Tentou imaginar a vida de Al, um quarto diferente a cada noite, uma cidade diferente, e a estrada se desdobrando na mesma tira cinzenta. A primeira idéia dele tinha sido inquietante: vender a casa, cair na estrada, correr mundo.

Al acenou com a cabeça, esvaziou o copo e começou a se levantar.

– Não vá ainda – pediu Caroline, pondo a mão de leve em seu braço. – Preciso falar de uma coisa com você.

– Parece sério – comentou ele, tornando a se reclinar no balanço. Deu um risinho nervoso. – Você não vai me abandonar, vai? Agora que recebeu essa herança.

– É claro que não, não é nada disso – suspirou ela. – Recebi uma carta essa semana. Foi uma carta estranha, e preciso falar dela.

– Uma carta de quem?

– Do pai da Phoebe.

Al balançou a cabeça e cruzou os braços, mas não disse nada. Ele sabia das cartas, é claro. Fazia anos que elas chegavam, trazendo valores variáveis em espécie e uma única frase rabiscada. *Por favor, diga-me onde vocês estão morando.* Caroline não o fizera, mas, nos primeiros anos, havia contado tudo o que se passava a David Henry. Cartas confessionais, saídas do coração, como se ele fosse um amigo íntimo, um confidente. Com o passar do tempo, ela se tornara mais econômica, mandando fotografias e uma ou duas linhas, no máximo. Sua vida tornara-se muito plena, rica e complexa; não havia como pôr aquilo tudo no papel, de modo que ela simplesmente desistira de tentar. Que choque tinha sido, portanto, encontrar uma carta longa de David Henry, três páginas inteiras, escritas em sua letra miúda – uma carta emocionada, que começara por Paul, seu talento e seus sonhos, sua paixão e sua raiva.

*Sei que foi um erro. O que eu fiz, ao lhe entregar minha filha, sei que aquilo foi uma coisa terrível e sei que não posso desfazê-la. Mas eu gostaria de conhecê-la, Caroline, gostaria de melhorar as coisas, de algum modo. Gostaria de saber um pouco mais sobre a Phoebe e sobre a vida de vocês.*

Caroline ficara amedrontada com as imagens fornecidas por ele – Paul, adolescente, tocando seu violão e sonhando com a Juilliard, Norah com sua própria empresa, e David, que estivera fixado em sua mente durante todos aqueles anos, claro como uma fotografia num álbum, debruçado sobre aquele pedaço de papel, cheio de remorsos e anseios. Ela enfiara a carta numa gaveta, como se isso pudesse contê-la, mas as palavras tinham ficado pairando em sua mente em todos os momentos dessa semana atarefada e emotiva.

– Ele quer conhecê-la – disse Caroline, alisando a franja de um xale que Dorothy havia deixado no braço do balanço. – Quer voltar a fazer parte da vida dela, de algum modo.

– Que gentileza! – ironizou Al. – Quanta coragem, depois de todo esse tempo.

Caroline assentiu com a cabeça.

– Mas ele *é* pai dela.

– E isso faz de mim o quê? Eu gostaria de saber.

– Por favor. Você é o pai que a Phoebe conhece e ama. Só que eu não lhe contei tudo, Al, sobre o modo como vim a ficar com ela. E acho que seria melhor contar.

Ele segurou a mão da mulher.

– Caroline, andei circulando por Lexington, depois que você foi embora. Conversei com aquela sua vizinha e ouvi uma porção de histórias. Bom, não tenho muito estudo, mas não sou burro, e sei que o Dr. David Henry perdeu uma filha recém-nascida, mais ou menos na época em que você saiu da cidade. O que estou dizendo é que o que possa ter acontecido entre vocês dois não tem importância. Não para mim. Não para nós. Por isso, não preciso dos detalhes.

Ela ficou sentada em silêncio, vendo os carros passarem velozes pela autopista.

– Ele não a queria – disse. – Ia colocá-la num asilo, numa instituição. Pediu que eu a levasse para lá, e eu a levei. Mas não consegui deixá-la. Era um lugar pavoroso.

Al calou-se por algum tempo.

– Já ouvi falar nessas coisas – disse, por fim. – Ouvi histórias desse tipo na estrada. Você foi corajosa, Caroline. Fez a coisa certa. É difícil pensar na Phoebe crescendo num lugar desses.

Caroline balançou a cabeça, com lágrimas nos olhos.

– Eu sinto muito, Al. Devia ter lhe contado há anos.

– Está tudo bem, Caroline. São águas passadas.

– O que você acha que eu devo fazer? Quero dizer, sobre essa carta. Devo responder? Deixar que ele a conheça? Não sei, isso tem me dilacerado, a semana inteira. E se ele a levar embora?

– Não sei o que lhe dizer – respondeu Al, devagar. – Não cabe a mim decidir.

Ela assentiu. Era justo, era a conseqüência de ter guardado segredo daquilo.

– Mas vou apoiá-la – acrescentou Al, apertando-lhe a mão. – Não importa o que você achar melhor, eu apóio você e Phoebe cem por cento.

– Obrigada. Eu estava muito inquieta.

– Você se preocupa demais com as coisas erradas, Caroline.

– Então isso não nos afeta? O fato de eu não ter lhe contado antes... isso não afeta você e eu?

– Nem remotamente – fez ele.

– Então, está bem.

– Certo – concordou Al. Levantou, espreguiçando-se. – Um dia cansativo. Você vai subir?

– Daqui a um minuto, vou.

A porta de tela se abriu com um rangido, depois fechou-se. O vento soprou pelo lugar em que Al estivera sentado.

Começou a chover, primeiro baixinho sobre o telhado, depois num martelar insistente. Caroline trancou a casa – sua casa, agora. No andar de cima, parou para dar uma olhada em Phoebe. Sua pele estava quente e úmida; ela se mexeu e sua boca formou palavras não ditas, depois ela se reacomodou em seus sonhos. *Doçura de menina*, sussurrou Caroline e a cobriu. Ficou parada um minuto no quarto onde a chuva ecoava, comovida com a pequenez de Phoebe, com todos os aspectos em que não conseguiria proteger sua filha do mundo. Depois, foi para seu quarto e deitou sob os lençóis frios ao lado de Al. Lembrou-se das mãos dele em sua pele, da pressão da barba em seu pescoço e de seus próprios gemidos no escuro. Um bom marido para ela, um bom pai para Phoebe, um homem que se levantaria na segunda-feira de manhã, tomaria banho, se vestiria e desapareceria com seu caminhão durante a semana, confiando em que ela fizesse o que achasse melhor a respeito de David Henry e sua carta. Caroline ficou muito tempo acordada, ouvindo a chuva, com a mão descansando no peito do marido.

• • •

Acordou ao alvorecer, com a barulheira de Al descendo a escada, saindo cedo para trocar o óleo do caminhão. A chuva descia em cascatas pelas calhas e canos de escoamento, fervilhava nas poças e corria torrencialmente ladeira abaixo. Caroline desceu e fez café, tão absorta em seus pensamentos, na estranheza da casa silenciosa, que só ouviu Phoebe quando ela parou na porta às suas costas.

– Chuva – disse Phoebe, com o roupão de banho solto sobre o corpo. – Chove a cântaros. Cães e gatos.

– É – concordou Caroline. Uma vez, elas haviam passado horas estudando essa expressão idiomática, trabalhando num cartaz desenhado por Caroline, com nuvens zangadas e cães e gatos pululando no céu. Era uma das expressões favoritas de Phoebe. – Hoje está mais para girafas e elefantes.

– Vacas e porcos – disse Phoebe. – Porcos e cabras.

– Você quer torradas?

– Quero gato – respondeu Phoebe.

– O que você quer? – perguntou Caroline. – Use as frases completas.

– Eu quero um gato, por favor.

– Não podemos ter um gato.

– A tia Dorothy foi embora. Eu posso ter um gato.

A cabeça de Caroline doía. *O que acontecerá com ela?*

– Tome, Phoebe, aqui estão suas torradas. Depois falaremos do gato, está bem?

– Eu quero um gato – insistiu a menina.

– Depois.

– Um gato – disse Phoebe.

– Droga! – e a palma da mão de Caroline bateu com força na bancada, assustando as duas. – Não me fale mais em gato! Está ouvindo?

– Sentar na varanda – disse Phoebe, emburrada. – Ver a chuva.

– O que você quer? Fale as frases inteiras.

– Quero sentar na varanda e olhar a chuva.

– Você vai se resfriar.

– Quero...

– Ah, está certo – interrompeu Caroline, balançando uma das mãos. – Ótimo. Saia, vá sentar na varanda. Olhe a chuva. Como quiser.

A porta abriu e fechou. Caroline olhou para fora e viu Phoebe sentar no balanço da varanda, com o guarda-chuva aberto e as torradas no colo. Sentiu-se irritada consigo mesma por ter perdido a paciência. O problema não era Phoebe. É que Caroline não sabia o que responder a David Henry, e estava com medo.

Buscou os álbuns de fotografias e as fotos soltas que vinha pretendendo arrumar e foi sentar-se no sofá, onde poderia ficar de olho em Phoebe, escondida pelo guarda-chuva, balançando na varanda. Espalhou as fotos recentes na mesinha de centro, depois pegou um pedaço de papel e escreveu a David:

*Phoebe foi crismada ontem. Estava uma gracinha com seu vestido branco, de um tecido com ilhós perpassados por fitas cor-de-rosa. Ela cantou um solo na igreja. Estou mandando uma foto da festa que fizemos depois, no jardim. É quase inacreditável o tanto que ela cresceu, e começo a me preocupar com o que o futuro lhe reserva. Imagino que tenha sido nisso que você pensou na noite em que a entregou a mim. Lutei muito durante todos esses anos, e às vezes fico apavorada com o que acontecerá depois, mas...*

Fez uma pausa nesse ponto, intrigada com seu impulso de responder. Não era pelo dinheiro. Cada centavo recebido ia para o banco; no correr dos anos, Caroline havia economizado quase 15 mil dólares, tudo num fundo de poupança para Phoebe. Talvez estivesse escrevendo simplesmente por hábito ou para manter viva a ligação entre os dois. Talvez quisesse apenas que ele compreendesse o que estava perdendo. *Olhe aqui*, tinha vontade de dizer, segurando David Henry pelo colarinho, *esta é a sua filha: Phoebe, de 13 anos, com um sorriso no rosto que parece o sol.*

Largou a caneta, pensando em Phoebe com seu vestido branco, cantando no coral, segurando o gatinho. Como poderia contar tudo isso a David e não atender a seu pedido de se encontrar com a filha? No entanto, se ele fosse lá, depois de todos esses anos, o que aconteceria? Caroline achava que não o amava mais, porém talvez amasse. Talvez também ainda estivesse com raiva dele, pelas escolhas que ele fizera, por nunca ter visto realmente quem ela era. Foi inquietante descobrir essa dureza em seu próprio coração. E se ele tivesse mudado, afinal? E se não tivesse? Ele poderia magoar Phoebe do mesmo jeito que magoara a ela, Caroline, sem nem saber que isso tinha acontecido.

Pôs a carta de lado. Em vez dela, fez os cheques de pagamento de algumas contas e foi lá fora colocar na caixa de correio. Phoebe estava sentada na escada da frente, segurando bem alto o guarda-chuva. Caroline a observou por um minuto antes de deixar a porta fechar-se e ir à cozinha buscar outra xícara de café. Passou um bom tempo parada na porta dos fundos, vendo as folhas gotejantes, a grama molhada, o riachinho que descia pela calçada. Havia um copo de papel embaixo de uma sebe, um guardanapo empapado perto da garagem. Dali a poucas horas, Al partiria de novo. Por um momento, ela teve um vislumbre do que seria a liberdade.

A chuva apertou de repente, batendo no telhado. Alguma coisa se abriu no coração de Caroline, um instinto poderoso que a fez virar-se e entrar na sala. Antes mesmo de pisar na varanda, ela soube que a encontraria vazia, com o prato colocado no piso de concreto, o balanço imóvel.

Phoebe se fora.

Para onde? Caroline foi até a beira da varanda e examinou a rua, acima e abaixo, em meio à chuva torrencial. Um trem apitou ao longe; à esquerda, a rua subia o morro até a linha férrea. À direita, terminava na rampa de acesso da autopista. *Muito bem, pense. Pense! Para onde ela iria?*

Na descida da rua, as crianças dos Swan brincavam descalças nas poças. Caroline lembrou-se de Phoebe dizendo, mais cedo, *Eu quero um gato* e também de Avery na festa, com a bolinha felpuda no colo. Lembrou-se de Phoebe, fascinada com o tamanho diminuto do gatinho, com os pequenos sons que ele emitia. E, com efeito, quando perguntou por Phoebe aos filhos dos Swan, eles apontaram para o arvoredo do outro lado da rua. O gatinho havia fugido. Phoebe e Avery tinham ido procurá-lo.

À primeira pausa no trânsito, Caroline atravessou a rua correndo. A terra estava encharcada e a água empoçava em suas pegadas. Ela seguiu pelo arvoredo denso e finalmente saiu na clareira. Avery estava lá, ajoelhada junto à tubulação que escoava a água que descia dos morros na vala de concreto. O guarda-chuva amarelo de Phoebe estava jogado feito uma bandeira ao lado dela.

– Avery! – chamou Caroline, agachando-se ao lado da menina e pondo a mão em seu ombro molhado. – Cadê a Phoebe?

– Ela entrou para buscar o gato – respondeu a menina, apontando para a tubulação. – Ele entrou ali.

Caroline praguejou baixinho e se ajoelhou junto à saída da tubulação. A água fria correu por seus joelhos e suas mãos.

– Phoebe! – chamou, e sua voz ecoou na escuridão. – É a mamãe, meu amor, você está aí?

Silêncio. Caroline entrou na tubulação devagar. A água estava muito fria. Suas mãos logo ficaram dormentes.

– Phoebe! – gritou, e sua voz ampliou-se. – Phoebe!

Parou e ouviu com atenção. Houve um som débil. Ela engatinhou para dentro mais um pouco, tateando pela água que corria, invisível. Pouco depois, sua mão roçou num tecido e na pele fria, e Phoebe, trêmula, estava em seus braços. Caroline abraçou-a com força, lembrando da noite em que a segurara no frio banheiro roxo, incitando-a a respirar.

– Temos que sair daqui, meu bem. Temos que sair.

Mas Phoebe não queria se mexer.

– Meu gato – disse, com a voz alta, decidida, e Caroline sentiu algo se contorcer sob a blusa da filha, ouviu o pequeno miado. – É meu gato.

– Esqueça o gato – gritou Caroline, puxando Phoebe com delicadeza na direção da qual tinha vindo. – Venha, Phoebe. Já.

– Meu gato – ela repetiu.

– Está bem – concordou Caroline, com a água correndo mais alta, já batendo em seus joelhos. – Está bem, está bem, é seu gato! Agora, vamos!

Phoebe começou a se mover, avançando devagar em direção ao círculo de luz. Por fim, emergiram da tubulação, com a água fria correndo a seu redor na vala de concreto. Phoebe estava encharcada, com o cabelo grudado no rosto, e o gato também se molhara. Por entre as árvores, Caroline vislumbrou sua casa, sólida e quente, como uma fortaleza num mundo perigoso. Imaginou Al, rodando por alguma estrada distante, e o conforto familiar daqueles cômodos que agora lhe pertenciam.

– Está tudo bem – disse, e pôs o braço em volta de Phoebe. O gatinho se contorceu, arranhando com as garras finas o dorso de suas mãos. A chuva caía, pingando das folhas escuras e vívidas.

– Olha lá o carteiro – disse Phoebe.

– Sim – disse a mãe, vendo-o subir até a varanda e enfiar na sacola de couro as contas que ela pusera na caixa.

Sua carta para David ficou na mesa, inacabada. Caroline se postara na porta dos fundos, olhando a chuva e pensando apenas no pai de Phoebe, enquanto a menina se expunha ao perigo. Súbito, aquilo pareceu um mau agouro, e Caroline deixou transformar-se em raiva o medo que sentira pelo desaparecimento da filha. Não voltaria a escrever para David; ele esperava demais dela, e o fazia tarde demais. O carteiro desceu a escada, a luz refletida no guarda-chuva colorido.

– Sim, meu bem – repetiu Caroline, afagando a cabeça ossuda do gatinho. – Sim, lá está ele.

# 1982

## ABRIL DE 1982

### I

CAROLINE PAROU NO PONTO DE ÔNIBUS PRÓXIMO DA ESQUINA DA RUA Forbes com a Braddock, observando no parquinho a energia cinética das crianças, cujos gritos alegres elevavam-se acima do ronco contínuo do tráfego. Mais adiante, no campo de beisebol, figuras de azul e vermelho dos bares locais que organizavam competições entre si movimentavam-se com graça silenciosa pela relva nova. Era primavera. A noite se aproximava. Dali a minutos, os pais sentados nos bancos, ou de pé com as mãos nos bolsos, começariam a chamar seus filhos para levá-los para casa. O jogo dos adultos continuaria até escurecer por completo, e, quando terminasse, os jogadores trocariam tapinhas nas costas e também iriam embora, acomodando-se para tomar umas cervejas nos bares, em meio a risadas altas e contentes. Ela e Al os viam lá quando saíam à noite. Um filme na matinê do Regent, depois jantar e, quando Al não estava de plantão, um ou dois drinques.

Nessa noite, porém, ele estava fora, acelerando ao longe pela noite que se aproximava, ao sul de Cleveland, em direção a Toledo, depois Columbus. Caroline tinha as rotas do marido penduradas na geladeira. Anos antes, naqueles dias estranhos que se haviam seguido à partida de Dorothy, Caroline tinha contratado alguém para cuidar de Phoebe enquanto ela viajava com Al, na esperança de encurtar a distância entre os dois. As horas se escoavam; ela dormia, acordava e perdia a noção do tempo, a estrada a se estirar para o infinito à frente deles, como uma fita negra dividida ao meio pelos lampejos regulares de branco, sedutora e hipnótica. No fim, também ele com os olhos embotados, Al estacionava numa parada de caminhões e a levava a um restaurante que não diferia expressivamente do que eles tinham deixado para trás numa cidade qualquer em que houvessem pernoitado na véspera. A vida na estrada era como cair em estranhos buracos no universo, como quem entrasse num toalete numa cidade dos Estados Unidos, saísse pela mesma porta e se descobrisse em outro lugar: os mesmos shoppings de beira de estrada, lanchonetes e postos de gasolina, o mesmo zumbir dos pneus no asfalto. Só os nomes eram diferentes, a luz, os rostos. Ela viajara com Al duas vezes, depois nunca mais.

O ônibus dobrou a esquina e parou com um ronco. As portas se abriram, Caroline entrou e ocupou um assento à janela, e as árvores passaram chispando enquanto cruzavam a ponte e o vão lá embaixo. O ônibus passou pelo cemitério, arrastou-se pelo monte Squirrel e chacoalhou pelos bairros antigos até Oakland, onde Caroline desceu. Ela parou um instante em frente ao Museu Carnegie, recompondo-se, e olhou para o majestoso edifício de pedra, com sua escadaria em cascata e suas colunas jônicas. Uma faixa pendurada no alto do pórtico balançava ao vento: IMAGENS ESPECULARES: FOTOGRAFIAS DE DAVID HENRY.

Era a noite de estréia: ele estaria presente para discursar. Com as mãos trêmulas, Caroline tirou do bolso o recorte de jornal. Fazia duas semanas que o carregava, com o coração palpitando toda vez que o tocava. Umas 10 vezes, talvez mais, ela havia mudado de idéia. Que proveito haveria naquilo?

E, no instante seguinte, que mal haveria?

Se Al estivesse em casa, ela teria ficado com ele. Teria deixado a oportunidade passar despercebida, dando olhadelas para o relógio até acabar a inauguração e David Henry desaparecer de novo em fosse qual fosse a vida que estava levando.

Mas Al tinha telefonado para dizer que não voltaria essa noite, e a Sra. O'Neill estava em casa para ficar de olho em Phoebe, e o ônibus havia chegado na hora.

O coração de Caroline parecia prestes a explodir. Ela ficou imóvel, respirando fundo, enquanto o mundo girava a seu redor – o guincho das freadas e o cheiro de óleo queimado, o leve esvoaçar das folhas novas e tenras da primavera. As vozes se avolumavam com a aproximação das pessoas, depois decresciam, retalhos de conversa a vagar como pedacinhos de papel carregados pelo vento. Rios de gente – vestidos de seda, sapatos altos, ternos caros de tonalidade escura – subiam a escadaria do museu. O céu fez-se azul-marinho e os postes de luz se acenderam; o ar recendia a limão e hortelã, aromas da festa da Igreja Ortodoxa Grega, um quarteirão adiante. Caroline fechou os olhos e pensou nas azeitonas pretas, que nunca tinha provado antes de chegar a essa cidade. Pensou no colorido mosaico da feira das manhãs de sábado na Strip: pão fresco, flores, frutas e legumes, uma confusão de alimentos e cores que enchia quarteirões inteiros à margem do rio, algo que ela nunca teria visto, não fosse por David Henry e uma nevasca inesperada. Deu o primeiro passo, mais outro, e se misturou à multidão.

O museu tinha um pé-direito alto e pisos de carvalho encerados, de um ouro velho reluzente. Caroline recebeu um programa em papel grosso de cor creme, com o nome de David Henry no alto. Seguia-se uma lista de fotos. "Dunas no crepúsculo", leu. "Uma árvore no coração". Entrou na galeria e deparou com a foto mais famosa de David, a praia ondulada que era mais do que uma praia, a curva de um quadril de mulher, depois a extensão lisa de sua perna, ambas escondidas entre as dunas. A imagem tremia, prestes a se tornar outra coisa, e de repente *era* outra coisa. Caroline a havia fitado por uns bons 15 minutos na primeira vez que a vira, sabendo que aquela ondulação de carne era de Norah Henry, lembrando-se da montanha branca de sua barriga a se ondular com as contrações, recordando a força potente do aperto de sua mão. Durante anos ela se consolara com a opinião desdenhosa que fazia de Norah Henry, meio imperiosa, acostumada ao comodismo e à ordem, uma mulher que talvez deixasse Phoebe numa instituição. Mas essa imagem havia destruído aquela idéia. As fotos exibiam uma mulher que ela nunca tinha conhecido.

As pessoas circularam aos poucos pelo salão; os assentos foram ocupados. Caroline sentou-se, observando tudo atentamente. As luzes escureceram uma vez, tornaram a clarear e, de repente, vieram os aplausos e David Henry entrou, alto e familiar, agora um pouco mais pesado, sorrindo para a platéia. Chocou-a perceber que ele já não era um homem moço. O cabelo estava ficando grisalho e os ombros eram meio recurvados. Ele se dirigiu ao tablado, fitou a platéia e Caroline prendeu a respiração, certa de que ele a devia ter visto e reconhecido de imediato, como ela o reconhecera. David pigarreou e fez uma piada sobre o tempo. Enquanto as risadas cascateavam e morriam a seu redor, enquanto ele examinava suas anotações e começava a falar, Caroline compreendeu que era apenas mais um rosto na multidão.

David falou com segurança melodiosa, embora ela quase não prestasse atenção ao que dizia. Em vez disso, Caroline estudou os gestos conhecidos de suas mãos, as novas rugas nos cantos dos olhos. O cabelo dele estava mais comprido, denso e exuberante, apesar do grisalho, e ele parecia satisfeito, estabelecido. Caroline pensou naquela noite, já se iam quase 20 anos, em que ele havia acordado, levantado a cabeça da escrivaninha e surpreendido a enfermeira no vão da porta, despida em seu amor por ele, os dois tão vulneráveis um ao outro, naquele momento, quanto se poderia estar. Ela havia reconhecido algo naquele instante, algo que mantivera escondido, uma experiência, expectativa ou sonho privado demais para ser compartilhado. E fora verdade, como ainda lhe era possível perceber: David Henry tinha uma vida secreta. O erro de Caroline, 20 anos antes, tinha sido acreditar que o segredo de David tinha alguma coisa a ver com qualquer espécie de amor por ela.

Terminada a palestra, veio a salva de palmas, forte, e ele saiu de trás da tribuna, bebeu um grande gole d'água de seu copo e começou a responder às perguntas. Houve diversas – de um homem com um caderno de notas, uma senhora de cabelo grisalho, uma mulher moça, vestida de preto, com cascatas de cabelo castanho, que fez uma pergunta muito irritada sobre a forma. A tensão cresceu no corpo de Caroline e seu coração bateu forte, até ela mal conseguir respirar. Terminaram as perguntas, o silêncio aumentou, e David Henry limpou a garganta, abriu um sorriso ao agradecer à platéia e se virou para sair. Nesse momento, Caroline sentiu-se levantar, quase a contragosto, com a bolsa na frente do corpo, como um escudo. Atravessou o salão e se juntou ao grupinho que o rodeava aos poucos. David olhou-a de relance e deu um sorriso polido, sem reconhecê-la. Ela esperou as outras perguntas, acalmando-se um pouco com o passar dos minutos. O curador da exposição rondava o grupo, ansioso para que David se misturasse aos presentes, mas, no momento em que houve uma pausa nas perguntas, Caroline deu um passo à frente e pôs a mão no braço dele.

– David. Não está me reconhecendo?

Ele perscrutou seu rosto.

– Será que mudei tanto assim? – sussurrou ela.

E então o viu compreender. O rosto se alterou, até mesmo na forma, como se a gravidade de repente houvesse aumentado. Um rubor insinuou-se em seu pescoço e um músculo pulsou em sua face. Caroline teve a sensação de algo estranho acontecendo com o tempo, como se eles tivessem voltado à clínica, muitos anos antes, e a neve caísse lá fora. Os dois se fitaram sem falar, como se o salão e todas as pessoas dentro dele houvessem ficado extremamente distantes.

– Caroline – disse ele, enfim, recuperando-se. – Caroline Gill. Uma velha amiga – acrescentou, dirigindo-se às pessoas ainda agrupadas a seu redor. David levantou uma das mãos e ajeitou a gravata, depois um sorriso estampou-se em seu rosto, embora não lhe chegasse aos olhos. – Obrigado – disse, acenando com a cabeça para os outros. – Obrigado a todos por terem vindo. Agora, se nos dão licença...

E os dois cruzaram o salão. David foi andando ao lado de Caroline, com uma das mãos plantada em suas costas, leve mas firme, como se ela pudesse desaparecer, a menos que ele a segurasse.

– Entre aqui – disse ele, passando para trás de um painel da exposição, onde uma porta sem moldura mal se deixava discernir na parede branca. Conduziu-a para dentro, rápido, e fechou a porta. Era um depósito pequeno, com uma única lâmpada despejando luz sobre prateleiras cheias de latas de tinta e ferramentas. Eles ficaram cara a cara, a poucos centímetros um do outro. O perfume de David encheu o cômodo, aquela colônia adocicada sob a qual havia um cheiro de que Caroline se lembrava, algo de medicinal, com um toque de adrenalina. O quartinho era quente e, súbito, ela se sentiu zonza, com fagulhas a lhe cegar a visão.

– Santo Deus, Caroline, você mora aqui? Em Pittsburgh? Por que não quis me dizer onde estava?

– Eu não era difícil de achar. Outras pessoas me encontraram – disse ela, lentamente, lembrando-se de Al subindo a alameda e, pela primeira vez, compreendendo a intensidade de sua persistência. Pois, se era verdade que David Henry não tinha procurado com muito afinco, também era verdade que ela desejara não ser encontrada.

Do lado de fora, passos se aproximaram e pararam. Um alvoroço e um murmúrio de vozes. Caroline estudou o rosto de David. Durante todos aqueles anos, havia pensado nele todo santo dia, mas, agora, não conseguia imaginar o que dizer.

– Você não deveria estar lá fora? – perguntou-lhe, olhando para a porta.

– Eles esperam.

Tornaram a se olhar, calados. Caroline o guardara na lembrança por todo aquele tempo como uma fotografia, cem, mil fotografias. Em todas elas, David Henry era um homem jovem, cheio de energia irrequieta e resoluta. Agora, ao fitar seus olhos escuros e o rosto mais cheio, o cabelo cuidadosamente penteado, ela se deu conta de que, se passasse por ele na rua, talvez não o reconhecesse.

Quando ele voltou a falar, o tom foi mais suave, embora um músculo continuasse a se contrair em seu rosto.

– Fui ao seu apartamento, Caroline. Naquele dia, depois do ofício fúnebre. Fui até lá, mas você já tinha ido embora. Esse tempo todo... – começou, mas calou-se.

Houve uma batida leve na porta, uma voz abafada perguntando alguma coisa.

– Um minuto, por favor – respondeu David.

– Eu estava apaixonada por você – disse Caroline, apressada, perplexa com sua confissão, pois era a primeira vez que a verbalizava até para si mesma, embora tivesse vivido com esse sentimento durante anos. Admiti-lo a fez sentir-se frívola, imprudente, mas ela prosseguiu: – Sabe, eu passava horas imaginando a vida com você. E foi naquele momento, diante da igreja, que percebi que isso nunca havia passado pela sua cabeça.

David abaixara a cabeça enquanto ela falava e, nesse momento, levantou os olhos.

– Eu sabia. Sabia que você estava apaixonada por mim. De que outra forma poderia ter lhe pedido para me ajudar? Sinto muito, Caroline. Já faz anos que... lamento muito.

Ela assentiu com a cabeça, de olhos marejados, sentindo ainda viva aquela versão mais jovem de si mesma, ainda parada a meia distância do ofício fúnebre, não reconhecida, invisível. Mesmo nesse momento, sentiu raiva por ele não a ter realmente enxergado naquela época. E de, sem conhecê-la minimamente, não ter hesitado em lhe pedir que levasse sua filha embora.

– Você é feliz? – perguntou David. – Tem sido feliz, Caroline? E a Phoebe?

A pergunta, assim como a gentileza na voz dele, desarmaram-na. Caroline pensou em Phoebe lutando para aprender a desenhar as letras, a amarrar os sapatos. Phoebe brincando feliz no quintal, enquanto Caroline dava um telefonema após outro, lutando pela instrução da filha. Phoebe envolvendo-a em seus braços macios sem nenhuma razão e dizendo: *Amo você, mamãe*. Pensou em Al, ausente por tempo demais, porém sempre cruzando a porta ao final da longa semana, trazendo flores ou um saquinho de pão fresco, ou um presentinho, alguma coisa para ela, sempre, e alguma coisa para Phoebe. Na época em que trabalhava no consultório de David Henry, ela era tão jovem, tão solitária e ingênua, que se imaginava uma espécie de recipiente a ser enchido de amor. Mas não era nada disso. O amor estivera dentro dela o tempo todo e só se renovava ao ser doado.

– Você quer mesmo saber? – perguntou, finalmente, olhando-o nos olhos. – É que você nunca escreveu, David, a não ser naquela única vez. Nunca perguntou nada sobre a nossa vida.

Enquanto falava, Caroline percebeu que era por isso que estava ali. Não por amor, nem por qualquer fidelidade ao passado, nem mesmo por culpa. Ela fora encontrá-lo por raiva e pelo desejo de pôr os pingos nos is.

– Durante anos, você jamais quis saber como eu estava. Como estava a Phoebe. Não ligava a mínima, não é? E aí veio aquela última carta, à qual nunca respondi. De repente, você a queria de volta.

David deu uma risada curta e assustada.

– Foi assim que você a entendeu? Foi por isso que parou de escrever?

– De que outro modo eu poderia entendê-la?

Ele abanou a cabeça devagar.

– Caroline, eu perguntei seu endereço. Repetidamente, toda vez que mandava dinheiro. E, naquela última carta, simplesmente pedi que você me convidasse a participar outra vez da sua vida. O que mais eu podia fazer? Olhe, sei que você não se dá conta, mas guardei todas as cartas que você me mandou. E, quando você parou de escrever, foi como se me batesse com a porta na cara.

Caroline pensou em suas cartas, em todas as suas confissões sinceras, derramadas pela tinta no papel. Já não conseguia lembrar-se do que tinha escrito: detalhes sobre a vida de Phoebe, e suas esperanças, seus sonhos e temores.

– Onde é que elas estão? Onde você guarda minhas cartas? – perguntou.

David olhou-a, surpreso.

– No armário de arquivo da minha câmara escura, na gaveta de baixo. Fica sempre trancado. Por quê?

– Nem pensei que você as lesse. Eu tinha a sensação de escrever para o vazio. Talvez fosse por isso que me sentia tão à vontade. Como se pudesse dizer qualquer coisa.

David esfregou o rosto com uma das mãos, num gesto que ela se lembrou de vê-lo fazer quando estava cansado ou desanimado.

– Eu as lia. No começo, tinha que me forçar, para ser sincero. Depois, eu queria saber o que estava acontecendo, apesar de ser doloroso. Você me dava pequenos vislumbres da Phoebe. Retalhos da trama da vida de vocês. Eu ansiava por aquilo.

Caroline não respondeu, relembrando a satisfação que sentira naquele dia chuvoso em que mandara Phoebe subir com seu gatinho, Chuvisco, para tirar a roupa molhada, enquanto ela ficava na sala, rasgando a carta para David em quatro pedaços, depois oito, depois dezesseis, e jogando tudo no lixo feito confete. Satisfação e sensação de prazer por haver encerrado o assunto. Ela havia sentido essas coisas, desconhecedora – desinteressada até – do que David sentia.

– Eu não podia perdê-la – disse, enfim. – Fiquei com raiva de você por muito, muito tempo, mas, naquele momento, o que eu mais temia era que, se vocês se encontrassem, você a levasse embora. Foi por isso que parei de escrever.

– Nunca tive essa intenção.

– Você não pretendeu nada disso, mas aconteceu assim mesmo.

David Henry deu um suspiro, e Caroline o imaginou em seu apartamento deserto, andando de um cômodo para outro e percebendo que ela se fora para sempre. *Fale-me dos seus planos*, ele tinha escrito. *É tudo que eu peço.*

– Se eu não a tivesse levado – acrescentou Caroline, baixinho –, talvez a sua escolha fosse outra.

– Não detive você – respondeu David, novamente enfrentando seu olhar. Tinha a voz áspera. – Poderia tê-la detido. Você estava de casaco vermelho naquele dia, na cerimônia fúnebre. Eu a vi, e vi seu carro se afastar.

De repente, Caroline sentiu-se esgotada, quase desfalecida. Não saberia dizer o que havia esperado dessa noite, mas, ao imaginar essa conversa, não tinha imaginado tamanha disputa entre a tristeza e a raiva dele e as suas.

– Você me viu?

– Fui direto ao seu apartamento, logo depois. Esperava que você estivesse lá.

Caroline fechou os olhos. Naquele momento, ela já estaria seguindo em direção à auto-estrada, a caminho desta cidade, desta vida. Provavelmente, perdera a visita de David Henry por minutos, talvez uma hora. Quanta coisa havia girado em torno daquele momento! Quão diferente poderia ter sido o desenrolar de sua vida!

– Você não me respondeu, Caroline – disse David, pigarreando. – Você tem sido feliz? E a Phoebe? A saúde dela vai bem? O coração dela?

– O coração dela está ótimo – respondeu Caroline, pensando nos primeiros anos de preocupação constante com a saúde da filha, em todas as idas a médicos e dentistas e cardiologistas e oftalmologistas. Mas ela crescera saudável; estava bem; jogava basquete na entrada da garagem e adorava dançar. – Os livros que li quando ela ainda era pequena previam que ela já estaria morta, mas Phoebe está ótima. Teve sorte, eu acho; nunca teve problemas de coração. Adora cantar. Tem um gato chamado Chuvisco. Está estudando tecelagem. É o que está fazendo neste momento. Em casa. Tecendo.

Caroline abanou a cabeça e prosseguiu:

– Ela freqüenta a escola. Uma escola pública, com todas as outras crianças. Tive uma luta infernal para que eles a aceitassem. E, agora, ela está quase criada e não sei o que acontecerá. Tenho um bom emprego. Trabalho meio expediente no setor de clínica geral de um hospital. Meu marido... ele viaja muito. A Phoebe freqüenta todos os dias uma instituição que trabalha com grupos de deficientes. Tem uma porção de amigos lá. Está aprendendo a fazer trabalhos de escritório. O que mais posso lhe dizer? Você se poupou muitas dores de cabeça, com certeza. Mas, David, também perdeu muitas alegrias.

– Sei disso. Melhor do que você imagina.

– E você? – indagou Caroline, novamente impressionada com o tanto que ele envelhecera, ainda tentando assimilar a realidade da sua presença, ali, na companhia dela, naquele cômodo minúsculo, depois de tantos anos. – Você tem sido feliz? E a Norah? E o Paul?

– Não sei – respondeu ele, devagar. – Tão feliz quanto qualquer um, suponho. O Paul é muito inteligente. Poderia fazer qualquer coisa. O que ele quer é freqüentar a Juilliard e tocar violão. Acho que está cometendo um erro, mas a Norah discorda. Isso tem causado muita tensão.

Caroline pensou em Phoebe, em como a filha adorava limpar e organizar coisas, em como cantarolava sozinha ao lavar a louça ou limpar o chão, no quanto adorava música, sinceramente, mas jamais teria a possibilidade de tocar violão.

– E a Norah?

– Ela tem uma agência de viagens. Também viaja muito. Como o seu marido.

– Agência de viagens? – repetiu Caroline. – A Norah?

– Eu sei. Também fiquei surpreso. Mas faz tempo que ela é dona da agência. É muito eficiente no trabalho.

A maçaneta girou e a porta se entreabriu. O curador da exposição enfiou a cabeça do lado de dentro, seus vivos olhos azuis cheios de curiosidade e apreensão. Passou a mão nervosamente pelo cabelo escuro, ao dizer:

– Dr. Henry? Sabe, há uma porção de gente aqui fora. Há uma certa expectativa de que o senhor... hum... participe com os outros. Está tudo bem?

David olhou para Caroline. Parecia hesitante, mas também estava impaciente, e Caroline percebeu que, num instante, daria meia-volta, ajeitaria a gravata e iria embora. Uma coisa que havia durado anos estava chegando ao fim naquele momento. *Não*, pensou ela, mas o curador pigarreou e deu uma risada constrangida, e David disse:

– Não há problema, já estou indo. Você vai esperar, não é? – perguntou a Caroline, segurando seu cotovelo.

– Preciso ir para casa. A Phoebe está esperando.

– Por favor – fez ele. Parou do lado de fora da porta. Seus olhos se encontraram e Caroline viu a mesma tristeza e compaixão que recordava de tantos anos antes, quando ambos eram muito mais jovens. – Há muitas coisas para dizer e muitos anos se passaram. Por favor, diga que você vai ficar. Não deve demorar muito.

Ela sentiu um bolo no estômago, um mal-estar que não conseguiu situar, mas acenou de leve com a cabeça e David Henry sorriu.

– Ótimo. Vamos jantar, está bem? Eu tenho que atender os convidados... Mas prometo não demorar. Eu estava errado, anos atrás. E quero mais do que apenas retalhos.

A mão dele estava no braço de Caroline e os dois voltaram a se aproximar da aglomeração. Ela parecia incapaz de falar. Havia pessoas à espera, olhando francamente na direção dos dois, curiosas e murmurando. Caroline tirou da bolsa e entregou a David o envelope que havia preparado, com as fotografias mais recentes de Phoebe. David pegou-o, olhou-a nos olhos e inclinou a cabeça, sério, e então uma mulher miúda, de vestido de linho preto, segurou-o pelo braço. Era a mesma mulher da platéia, bonita e levemente agressiva, fazendo mais uma pergunta sobre a forma.

Caroline ficou alguns minutos onde estava, vendo-o apontar para uma foto que lembrava os galhos escuros de uma árvore, falando com a mulher de vestido preto. Ele fora um homem bonito, e ainda era. Por duas vezes, deu uma olhada na direção de Caroline e, ao vê-la, voltou inteiramente sua atenção para o assunto do momento. *Espere*, ele tinha dito. *Por favor, espere*. E Caroline havia imaginado que esperaria.

A sensação de bolo ressurgiu em seu estômago. Ela não queria esperar, e pronto. Passara tempo demais esperando na juventude – por reconhecimento, aventura, amor. Só ao fazer meia-volta, com Phoebe no colo, e largar seu apartamento em Louisville, só ao fazer as malas e se mudar é que sua vida tinha realmente começado. Esperar nunca lhe trouxera nada de bom.

David estava com a cabeça inclinada, assentindo, escutando a mulher de cabelo preto, com o envelope nas mãos, atrás das costas. Enquanto Caroline observava, ele ergueu a mão e guardou o envelope no bolso, displicentemente, como se contivesse alguma coisa banal e levemente incômoda – uma conta de luz, uma multa de trânsito.

Minutos depois, ela estava do lado de fora, descendo às pressas a escadaria de pedra em direção à noite.

Era primavera, o ar fresco e úmido, e Caroline sentia-se agitada demais para esperar o ônibus. Começou a andar depressa, um quarteirão após outro, indiferente ao trânsito, às pessoas que passavam ou ao ligeiro perigo de estar sozinha na rua àquela hora. Alguns momentos lhe voltaram à lembrança em rodopios e vislumbres, estranhos detalhes desconexos. Havia uma faixa de cabelo escuro acima da orelha direita de David, e suas unhas estavam cortadas até o sabugo. Unhas de pontas quadradas, ela se lembrava disso, mas a voz dele tinha mudado, tornara-se mais grave. Era desconcertante: as imagens que ela havia guardado na lembrança por tanto tempo tinham se alterado no instante em que o vira.

E ela? Que impressão teria dado a David nessa noite? O que vira ele, o que teria jamais visto de Caroline Lorraine Gill, de seus segredos mais íntimos? Nada. Absolutamente nada. E ela sabia disso também, soubera-o durante anos, desde aquele momento, do lado de fora da igreja, em que o círculo da vida de David se fechara para ela, em que ela dera meia-volta e partira. Em algum canto escondido do coração, Caroline mantivera viva a idéia romântica e tola de que, de algum modo, David Henry a havia conhecido como ninguém mais a conheceria. Mas não era verdade. Ele nem sequer a tinha vislumbrado, nunca.

Ela havia percorrido cinco quarteirões. Estava com o rosto molhado, o casaco, os sapatos. A noite fria parecia haver penetrado em seu corpo, infiltrando-se em sua pele. Caroline se aproximava de uma esquina quando um ônibus parou com uma freada ruidosa. Correu para alcançá-lo, afastando o cabelo do rosto, e se acomodou no plástico rachado do assento. Postes de iluminação, letreiros luminosos e o vermelho dos sinais, borrado pela chuva, passavam pelas janelas. A brisa do começo de primavera deixava em seu rosto uma sensação úmida e fria. O ônibus sacolejou pelas ruas, ganhando velocidade ao chegar aos trechos escuros do parque e ao longo aclive do morro.

Caroline saltou no centro da Regent Square. Um vozerio entremeado de gritos elevou-se de um bar quando ela passou, vislumbrando pelo vidro as silhuetas ensombrecidas dos jogadores que vira mais cedo, agora de copo na mão e erguendo os punhos no ar, reunidos em volta da televisão. A luz da vitrola automática desenhou listas de néon azul no braço da garçonete quando ela se afastou da mesa mais próxima da janela. Caroline parou, subitamente desaparecida a impetuosa descarga de adrenalina de seu encontro com David Henry, desfeita como névoa na noite primaveril. Teve uma sensação aguda de seu próprio isolamento, enquanto os vultos no bar se uniam em torno de um propósito comum, e as pessoas que passavam na calçada eram puxadas pelas linhas de suas vidas para lugares que ela nem sequer podia imaginar.

As lágrimas lhe subiram aos olhos. A tela da televisão piscou e outro coro de gritos se avolumou, atravessando a vidraça. Caroline seguiu adiante, esbarrando numa mulher que carregava uma sacola de compras, pisando numa pilha de lixo da lanchonete que alguém largara na calçada. Primeiro a descida, depois a subida da pequena alameda até sua casa, onde as luzes da cidade davam lugar a outras, muito conhecidas e familiares: a casa dos O'Neill, onde um brilho dourado se derramava sobre as cerejeiras; a dos Soulard, com seu trecho escuro de jardim, e, por último, o gramado dos Margolis, as margaridas-do-campo que cresciam agrestes no morro, durante o verão, lindas e caóticas. Casas enfileiradas, como uma porção de degraus numa ladeira, e, por fim, a dela.

Caroline parou na alameda, olhando para sua casa alta e estreita. Havia fechado as persianas, tinha certeza, mas agora elas estavam abertas e era possível enxergar com clareza pelas janelas da sala de jantar. O lustre iluminava a mesa em que Phoebe havia espalhado suas lãs. Ela estava debruçada sobre o tear, movendo a lançadeira de um lado para outro, calma e atenta. Chuvisco estava enroscado em seu colo, uma bolinha laranja felpuda. Caroline ficou observando, inquieta ao ver como a filha parecia vulnerável, exposta ao mundo que girava misteriosamente na escuridão às suas costas. Franziu o cenho, tentando recordar aquele momento – sua mão girando o pino estreito de plástico e a persiana descendo. Depois, vislumbrou um movimento mais ao fundo da casa, uma sombra que se movia atrás da porta dupla de vidro que dava para a sala de estar.

Prendeu a respiração, sobressaltada, mas ainda não alarmada, e então a sombra ganhou forma e ela relaxou. Não era nenhum estranho, apenas Al, que voltara cedo de suas viagens e circulava pela casa. Ela ficou surpresa e estranhamente alegre; Al vinha aceitando mais trabalhos e, muitas vezes, ausentava-se por duas semanas seguidas. Mas ali estava ele; tinha vindo para casa. Abrira as persianas, oferecendo-lhe esse momento para saborear, esse vislumbre de sua vida, encerrado naquelas paredes de tijolos, emoldurado pelo aparador que ela havia restaurado, pelo fícus que ainda não conseguira arrancar, pelas camadas de vidraças e paredes que lavara com tanto amor durante todos aqueles anos. Phoebe levantou os olhos do trabalho, olhando sem ver pela janela para a escuridão da grama molhada e sombria, alisando as costas macias do gato. Al atravessou a sala, com uma xícara de café na mão. Parou ao lado dela e apontou com a xícara para o tapete que Phoebe estava tecendo.

Chovia mais forte e o cabelo de Caroline estava empapado, mas ela não se mexeu. O que tinha sido um vazio, do lado de fora da janela do bar, um vazio soturno, muito real e assustador, foi banido pela visão de sua família. A chuva lhe batia no rosto e escorria pelas janelas, enfeitando de gotas seu casaco de boa lã. Ela tirou as luvas e procurou as chaves na bolsa, mas se deu conta de que a porta estaria destrancada. No escuro do jardim, enquanto os eternos carros sibilavam pela pista, iluminando com os faróis as moitas de lilases que ela plantara muitos anos antes como um anteparo, deteve-se por mais um instante. Essa era sua vida. Não a vida com que um dia havia sonhado, não a vida que sua versão mais jovem jamais teria imaginado ou desejado, mas a vida que ela levava, com todas as suas complexidades. Essa era sua vida, construída com zelo e atenção, e era boa.

Fechou a bolsa. Subiu os degraus. Abriu a porta dos fundos e entrou em casa.

# II

ELA ERA PROFESSORA DE HISTÓRIA DA ARTE NA UNIVERSIDADE CARNEGIE Mellon e lhe fazia perguntas sobre a forma. *O que é a beleza?*, queria saber, com a mão no braço de David, guiando-o pelos pisos reluzentes de carvalho, por entre as paredes brancas em que pendiam suas fotos. *A beleza deve ser encontrada na forma? Ela está no sentido?* A mulher virou o rosto e seu cabelo balançou para a frente; ela o prendeu atrás da orelha com uma das mãos.

David olhou-a, observou a parte branca de seu cabelo, o rosto pálido e liso.

– Interseções – respondeu com brandura, tornando a olhar para onde estava Caroline, junto a uma foto de Norah na praia, aliviado por ver que ela ainda estava lá. Com esforço, tornou a olhar para a professora. – Convergência. É isso que eu procuro. Não adoto uma abordagem teórica. Fotografo aquilo que me comove.

– Ninguém vive fora da teoria! – exclamou a mulher. Mas fez uma pausa em suas perguntas, espremendo os olhos e mordendo de leve a ponta do lábio. David não podia ver seus dentes, mas imaginou-os nivelados, brancos e regulares. A sala girava a seu redor, as vozes subiam e desciam; num instante de silêncio, ele percebeu que seu coração batia forte e que continuava a segurar o envelope que Caroline lhe dera. Tornou a dar uma olhadela para o outro lado da sala – sim, que bom, ela ainda estava lá – e enfiou cuidadosamente o envelope no bolso da camisa; havia um leve tremor em suas mãos.

Ela se chamava Lee, dizia a mulher de cabelo preto nesse momento. Era crítica visitante da universidade. David assentiu com a cabeça, ouvindo apenas em parte. Será que Caroline morava em Pittsburgh, ou teria visto o anúncio da exposição e vindo de outro lugar, de Morgantown, Columbus ou Filadélfia? Ela lhe enviara cartas de todos esses lugares, e depois surgira dessa platéia anônima, parecendo exatamente a mesma, só que mais velha, mais tensa e mais dura, talvez, sua brandura juvenil desaparecida há muito tempo. *David, não está me reconhecendo?* E ele a havia reconhecido, mesmo quando não quisera se dar conta disso.

Tornou a olhar em volta, à procura dela, e não a viu, e começaram as primeiras fisgadas de pânico, minúsculas, penetrantes, como filamentos de cogumelos escondidos num tronco. Ela fizera todo aquele trajeto, dissera que ia ficar, com certeza não iria embora. O curador reapareceu, para apresentá-lo aos patrocinadores da exposição. David recompôs-se o suficiente para falar com inteligência, mas continuava a pensar em Caroline, na esperança de entrevê-la na extremidade do salão. Tinha se afastado acreditando que ela esperaria, mas agora, inquieto, lembrou-se daquela manhã de outrora, no ofício fúnebre, em que ela ficara parada a meia distância, com seu casaco vermelho. Lembrou-se da frieza do ar recente de primavera, do céu ensolarado e de Paul agitando as pernas sob os cobertores, em seu carrinho. Lembrou-se de tê-la deixado ir embora.

– Com licença – murmurou, interrompendo seu interlocutor. Andou resoluto pelo piso de madeira até o saguão da entrada principal, onde parou e virou para trás, para inspecionar a galeria, perscrutando a multidão. Com certeza, encontrando-a depois de tanto tempo, ele não podia perdê-la de novo.

Mas ela se fora. As luzes da cidade cintilavam, sedutoras, dispersas como lantejoulas por todos os morros ondulantes, dramáticos. Em algum lugar, na cidade ou nas imediações, Caroline Gill lavava louça, varria o chão, parava para olhar por uma janela apagada. Luto e remorso: eles o invadiram como uma onda, tão intensos que David se encostou na parede e baixou a cabeça, lutando contra uma náusea profunda. Suas emoções eram exageradas, desproporcionais. Afinal, ele vivera muitos anos sem ver Caroline Gill. Respirou fundo, repetindo mentalmente a tabela periódica – *prata, cádmio, índio, estanho* –, mas pareceu incapaz de se acalmar.

Enfiou a mão no bolso e pegou o envelope que ela lhe dera; talvez ela houvesse deixado um endereço ou um número de telefone. Dentro havia duas fotos polaróide, duras, com cores ruins, desfocadas e meio cinzentas. A primeira mostrava Caroline risonha, envolvendo com o braço uma menina de vestido azul engomado, de cintura baixa e cós. Estavam ao ar livre, fazendo pose junto à parede de tijolos de uma casa, e o ar ensolarado desbotava as cores da cena. A menina era robusta; o vestido lhe caía bem, mas não a tornava graciosa. O cabelo descia em ondas suaves, emoldurando seu rosto, e ela exibia um sorriso animado, os olhos semicerrados de prazer fitando a câmera, ou quem quer que estivesse atrás dela. Tinha o rosto largo, de ar meigo, e talvez fosse apenas o ângulo da câmera que lhe inclinava os olhos ligeiramente para cima. *Phoebe em seu aniversário*, escrevera Caroline no verso da foto. *Festa de debutante.*

David passou a primeira foto para trás da segunda, mais recente. Ali estava Phoebe de novo, jogando basquete. Estava pronta para o arremesso, com os calcanhares levantados do asfalto. Basquete, o esporte que Paul se recusava a praticar. David olhou para o verso e tornou a verificar o envelope, mas não havia endereço. A galeria continuava repleta, tomada pelo burburinho das conversas. David parou no vão da porta e observou por um momento, com um curioso desapego, como se aquela fosse uma cena em que houvesse esbarrado por acaso, que nada tivesse a ver com ele. Depois, virou-se e saiu para a noite suave, fresca, úmida de chuva. Guardou no bolso do paletó o envelope de Caroline com as fotos e, sem saber para onde ia, começou a andar.

Oakland, o antigo bairro de sua faculdade, havia mudado, mas, ao mesmo tempo, não mudara. O Estádio Forbes, onde ele passara tantas tardes acocorado no alto da arquibancada, banhado de sol, torcendo quando o bastão batia e a bola se elevava acima do gramado verde-vivo, tinha desaparecido. Um novo prédio da universidade, quadrado e sem graça, erguia-se onde antes haviam ressoado os gritos de milhares de pessoas. David parou, virando-se para a Catedral do Saber, aquele monólito cinzento e esguio, uma sombra contra o céu noturno, para se situar.

Continuou andando pelas ruas escuras da cidade, passando por pessoas que saíam dos restaurantes e teatros. Não pensou propriamente para onde estava indo, embora soubesse. Percebeu que fora capturado, paralisado por todos aqueles anos, no momento em que entregara sua filha a Caroline. Sua vida tinha girado em torno daquele ato singular: uma criança recém-nascida em seus braços – e ele os estendera para dá-la a outra pessoa. Era como se viesse tirando fotografias, em todos os anos decorridos desde então, para tentar dar a um outro momento uma substância similar, um peso igual. Ele quisera tentar deter o mundo em desabalada, o fluxo dos acontecimentos, mas é claro que tinha sido impossível.

Continuou a andar, agitado, resmungando consigo mesmo de quando em quando. O que se imobilizara em seu coração durante todo aquele tempo voltara a ser acionado por seu encontro com Caroline. Ele pensou em Norah, transformada numa mulher independente e poderosa, que buscava as contas das empresas com esplendorosa segurança e voltava dos jantares recendendo a vinho e chuva, com vestígios de riso, triunfo e sucesso ainda estampados no rosto. Ela tivera mais de uma aventura amorosa no correr dos anos, David sabia, e seus segredos, como os dele, haviam erguido uma muralha entre os dois. Às vezes, à noite, ele vislumbrava por um brevíssimo instante a mulher com quem havia se casado: Norah parada com Paul no colo, quando bebê; Norah com a boca suja de morangos, amarrando um avental; Norah como agente de viagens novata, acordada até tarde para fazer o balanço de suas contas. Mas ela se desfizera desses eus como quem trocasse de pele, e agora os dois viviam como estranhos em sua vasta casa.

Paul sofria com isso, ele sabia. David fizera um esforço enorme para lhe dar tudo. Tentara ser um bom pai. Eles haviam colecionado fósseis juntos, organizando-os, rotulando-os e expondo-os na sala de estar. Ele tinha levado Paul para pescar em todas as oportunidades que surgiam. No entanto, por mais que se esforçasse por tornar a vida do filho tranqüila e fácil, persistia o fato de que construíra essa vida sobre uma mentira. David tinha tentado proteger o filho das coisas que sofrera quando criança: pobreza, preocupações, tristezas. Mas seus próprios esforços haviam criado perdas que ele nunca tinha previsto. A mentira crescera entre eles como uma rocha, obrigando-os a também crescerem de forma estranha, como árvores retorcidas em volta de um pedregulho.

As ruas foram convergindo, juntando-se em ângulos curiosos, à medida que a cidade se estreitava na ponta em que se uniam os grandes rios, o Monongahela e o Allegheny, formando em sua confluência o Ohio, que atravessava o estado de Kentucky e seguia adiante, até desaguar no Mississípi e desaparecer. Ele andou até a extremidade da ponta de terra. Quando rapaz, estudante, David Henry visitava esse lugar com freqüência, parando na ponta para ver os dois rios convergirem. Inúmeras vezes, ficara ali com os pés suspensos sobre a pele escura do rio, perguntando a si mesmo com indiferença se aquelas águas negras seriam muito frias, se ele teria força suficiente para nadar até a margem, caso caísse. Agora, como naquela época, o vento atravessou o tecido de seu terno e ele olhou para baixo, vendo o rio mover-se por entre os bicos de seus sapatos. Avançou mais alguns centímetros, alterando a composição. Um lampejo de remorso perpassou seu cansaço: seria uma bela foto, mas havia deixado a câmera no cofre do hotel.

Lá embaixo, a água rodopiava, formava uma espuma branca ao se chocar com as pilastras e avançava impetuosamente. O arco do pé: foi nele que David sentiu a pressão da borda de concreto. Se ele caísse ou pulasse, e não conseguisse nadar até a segurança da margem, eis o que encontrariam: um relógio com o nome de seu pai gravado no verso, a carteira com 200 dólares em espécie, a carteira de motorista e uma pedrinha do riacho próximo à sua casa da infância que ele havia carregado consigo durante 30 anos. E as fotografias, num envelope enfiado no bolso, em cima de seu coração.

Seu enterro seria concorrido. O cortejo se estenderia por quarteirões.

Mas a notícia acabaria aí. Talvez Caroline nunca ficasse sabendo. E também não chegaria mais longe, até o lugar onde ele havia nascido.

Mesmo que chegasse, ninguém reconheceria seu nome.

Um dia, na volta da escola, havia encontrado a carta à sua espera. Ninguém tinha dito nada, mas todos o observaram, sabendo do que se tratava: o logotipo da Universidade de Pittsburgh era claro. David subira com o envelope e o pusera na mesa-de-cabeceira, nervoso demais para abri-lo. Ainda se lembrava do céu cinzento daquela tarde, fosco e pálido do outro lado da janela, sua uniformidade rompida pelo galho desfolhado de um olmo.

Durante duas horas, ele não se permitira olhar. Depois tinha tomado coragem e era uma boa notícia: fora aceito com uma bolsa de estudos integral. Sentara-se na beirada da cama, perplexo demais, desconfiado demais das boas notícias – como sempre estaria, pelo resto da vida – para se permitir uma verdadeira alegria. *É com prazer que vimos informar...*

E então havia notado o erro: o nome na carta não era o seu. O endereço estava certo, assim como todos os outros detalhes, desde sua data de nascimento até seu número da previdência social, tudo correto. Corretos também os dois prenomes – David, em homenagem ao pai, e Henry, em homenagem ao avô –, datilografados com precisão por uma secretária que talvez tivesse sido interrompida por um telefonema ou por uma visita. Ou talvez o simples ar encantador da primavera é que a tivesse feito levantar os olhos do trabalho, sonhando com a noite, com o noivo trazendo flores e com seu próprio coração tremendo como uma folha. E então a batida de uma porta, o som de passos, seu chefe. Assustada, ela se recompusera e voltara ao presente. Piscando os olhos, pressionara a barra de retorno da máquina e voltara ao trabalho.

David Henry, ela já havia datilografado corretamente.

Mas o sobrenome, McCallister, fora perdido.

Ele nunca tinha contado a ninguém. Fora para a faculdade e se matriculara, e ninguém jamais ficara sabendo. Afinal, era seu nome verdadeiro. Mas David Henry era uma pessoa diferente de David Henry McCallister, disso ele sabia, e parecia claro que quem deveria freqüentar a universidade era David Henry, uma pessoa sem história, sem o fardo do passado. Um homem com a possibilidade de recomeçar do zero.

E era exatamente isso que David tinha feito. O sobrenome o permitira; até certo ponto, o sobrenome o havia exigido: forte e meio nobre. Afinal, tinha havido um Patrick Henry, estadista e orador. Nos primeiros tempos, durante as conversas em que se sentia um peixe fora d'água, cercado por pessoas mais ricas e bem relacionadas do que ele jamais seria, por pessoas sumamente à vontade no mundo em que ele tentava desesperadamente ingressar, às vezes David aludia, mesmo que nunca diretamente, a uma linhagem distante, porém de peso, invocando falsos ancestrais que lhe servissem de esteio e apoio.

Essa tinha sido a dádiva que tentara dar a Paul: um lugar no mundo que ninguém pudesse questionar.

A água entre seus pés era marrom, margeada por uma nauseante espuma branca. O vento começou a soprar e sua pele ficou tão porosa quanto seu terno. Ele tinha o vento no sangue, e a água passava célere, aos rodopios, chegando mais perto. Então veio a sensação ácida na garganta e David ficou de quatro, com as pedras frias sob as mãos, e vomitou no rio escuro e revolto, arquejando até não haver mais nada para expelir. Passou muito tempo ali, na escuridão. Por fim, lentamente, levantou-se, limpou a boca com as costas da mão e voltou caminhando para a cidade.

• • •

Passou a noite toda sentado no terminal da Greyhound, cochilando e acordando aos sobressaltos, e, de manhã, pegou o primeiro ônibus para a casa de sua infância, na Virgínia Ocidental, enfurnando-se nas montanhas que o cercavam como um abraço. Depois de sete horas, o ônibus parou onde sempre parava, na esquina da Main com a Vine, e partiu roncando, deixando David Henry em frente à mercearia. A rua era tranqüila, com um jornal grudado num poste telefônico e mato brotando pelas rachaduras da calçada. Ele havia trabalhado naquela loja em troca das refeições e do quarto no andar de cima: o garoto inteligente que descera da montanha para estudar, assombrado com o som dos sinos e do trânsito, com as donas-de-casa que chegavam para fazer compras, as crianças que se aglomeravam para comprar refrigerantes no balcão, os homens que se reuniam à noite, mascando fumo, jogando cartas e matando o tempo com histórias. Mas agora aquilo havia desaparecido, tudo aquilo. Rabiscos vermelhos e pretos tinham sido pichados nas janelas cobertas por tábuas, ilegíveis, sangrando na madeira.

A sede queimava como fogo na garganta de David. Do outro lado da rua, dois homens de meia-idade, um careca, o outro com uma cabeleira rala e grisalha que lhe descia até os ombros, jogavam damas numa varanda. Ergueram os olhos, curiosos, desconfiados, e, por um instante, David se viu como eles o estariam vendo, com as calças manchadas e amarrotadas, a camisa com um dia e meio de uso, a gravata sumida, o cabelo amassado pelo sono intermitente no ônibus. Ele não fazia parte daquele lugar, nunca fizera. No quartinho acima do armazém, com os livros espalhados na cama, costumava sentir tanta saudade de casa que não conseguia concentrar-se; no entanto, quando voltava à montanha, sua ânsia não diminuía. Na pequena cabana de madeira de seus pais, solidamente fincada na montanha, as horas se esticavam e cresciam, medidas apenas pelas batidas do cachimbo do pai na cadeira, pelos suspiros da mãe e pelos momentos de agitação de sua irmã. Existiam a vida abaixo do riacho e a vida acima dele, e a solidão desabrochada em toda parte, como uma flor soturna.

David acenou com a cabeça para os homens, deu meia-volta e começou a andar, sentindo o olhar fixo dos dois.

Uma chuva fina, delicada como a neblina, começou a cair. David foi andando, embora suas pernas doessem. Pensou em seu consultório iluminado, a um sonho ou uma vida inteira de distância dali. Era fim de tarde. Norah ainda estaria no trabalho e Paul estaria em seu quarto, vertendo na música sua solidão e sua raiva. Eles o esperavam de volta nessa noite, mas David não chegaria. Teria que telefonar, mais tarde, quando soubesse o que estava fazendo. Poderia pegar outro ônibus e voltar para eles nesse exato momento. Sabia disso, mas também lhe parecia impossível que aquela vida existisse no mesmo mundo que esta.

A calçada desnivelada não tardou a ser interrompida por gramados, nos confins da cidade, num padrão intermitente que lembrava uma espécie de código Morse, e foi abandonada a intervalos até sumir por completo. Valas rasas margeavam a estrada estreita; David lembrou-se delas cheias de lírios, massas crescentes cor de laranja que pareciam labaredas. Cruzou as mãos embaixo dos braços para aquecê-las. Nessa região vivia-se sempre a estação anterior. Os lilases de Pittsburgh e a chuva morna não estavam em parte alguma. Crostas de neve estalavam sob seus pés. David chutou as bordas enegrecidas das valas, onde havia mais neve, entremeada de ervas daninhas e detritos.

Havia chegado à auto-estrada local. Os carros velozes obrigaram-no a andar pelo acostamento cheio de mato, respingando-o com uma névoa fina de neve enlameada. No passado, aquela fora uma estrada tranqüila, de onde podiam se ouvir os carros a quilômetros de distância antes de serem avistados e, em geral, havia um rosto conhecido ao volante, o automóvel reduzia, parava e a porta se abria para deixá-lo entrar. Ele era conhecido, assim como sua família, e, depois da conversa rotineira – *Como vão sua mãe, seu pai, como está o pomar este ano?* –, caía um silêncio em que o motorista e os outros passageiros pensavam com cuidado no que poderia e não poderia ser dito àquele menino, tão inteligente que obtivera uma bolsa de estudos, e com uma irmã doente demais para ir à escola. Nas montanhas, e talvez no mundo em geral, havia uma teoria da compensação que dizia que, para tudo que era dado, outra coisa se perdia, de maneira imediata e visível. *Bom, você herdou a cabeça, mesmo que sua prima tenha herdado a beleza.* Elogios sedutores como flores, mas espinhosos com seus opostos: *É, você pode ser esperto, mas é feio como o diabo*; *você pode ser bonito, mas não tem cérebro*. Compensação, equilíbrio do universo. David ouvia acusações em cada comentário sobre seus estudos – ele havia recebido demais, havia tirado tudo – e, nos carros e caminhões, o silêncio se avolumava até parecer impossível que algum dia uma voz humana pudesse rompê-lo.

A estrada descreveu uma curva, depois outra: a estrada dançante de June. As encostas foram ficando mais íngremes, os riachos desciam em cascata e as casas começaram a escassear, cada vez mais pobres. Apareceram os trailers que serviam de moradia, encravados nas encostas como bijuterias manchadas, nas cores turquesa, prata e amarela, tudo a se desbotar num tom creme. Ali estavam o sicômoro, a pedra em forma de coração, a curva em que três cruzes brancas, decoradas com flores e fitas desbotadas, tinham sido cravadas no chão. David fez uma curva e subiu pela margem do riacho seguinte, o seu riacho. A trilha estava coberta de mato, quase, mas não totalmente desaparecida.

Levou quase uma hora para chegar à velha casa, agora de um cinza-claro castigado pelo tempo, com o telhado afundado no centro da viga mestra e algumas ripas de madeira faltando. Parou, tão intensamente envolto no passado que esperou revê-los: a mãe descendo a escada com uma bacia de zinco, para buscar água para lavar a roupa, a irmã sentada na varanda, o som do machado batendo nos troncos lá onde o pai cortava lenha, fora do campo de visão. David fora para a escola e June tinha morrido, e os pais haviam permanecido ali enquanto fora possível, relutando em abandonar a terra. Mas não haviam prosperado e, pouco depois, seu pai morrera, moço demais, e sua mãe finalmente se mudara para o Norte, rumo à casa da irmã e à promessa de emprego nas fábricas de automóveis. David raras vezes voltara de Pittsburgh para casa, e nunca mais havia aparecido desde a morte da mãe. O lugar era familiar como sua própria respiração, mas agora estava tão longe de sua vida quanto a Lua.

O vento soprou mais forte. David subiu os degraus. A porta empenada pendia das dobradiças e não fechava. Do lado de dentro, o ar era gelado, com cheiro de mofo. Havia um único cômodo, e o jirau onde antes se dormia estava comprometido pela viga mestra afundada. As paredes tinham manchas de infiltração, e pelas frestas ele entreviu o céu pálido. David tinha ajudado o pai a construir o telhado, com o suor a escorrer pelo rosto, as mãos sujas de seiva, os martelos elevando-se sob o sol e batendo no cedro recém-cortado, de aroma marcante.

Ao que David soubesse, fazia anos que ninguém ia lá. Mas havia uma frigideira em cima do velho fogão, fria e com a gordura congelada, mas não rançosa, como ele notou ao se inclinar para cheirá-la. No canto havia uma velha cama de ferro, coberta por uma colcha de retalhos surrada, igual à que sua mãe e sua avó tinham feito. O tecido pareceu frio em suas mãos, levemente úmido. Não havia colchão, apenas uma camada espessa de cobertores sobre as tábuas encaixadas na armação. O piso de tábuas fora varrido e havia três pés de açafrão-da-terra num pote na janela.

Alguém estava morando lá. Uma brisa atravessou o cômodo, balançando os recortes de papel pendurados por toda parte – no teto, nas janelas, acima da cama. David deu uma volta, examinando-os com um sentimento crescente de admiração. Eram meio parecidos com os flocos de neve que ele havia recortado na escola, porém infinitamente mais complexos e detalhados, exibindo cenas inteiras, até o último detalhe: a feira estadual, uma sala bem arrumada diante de uma lareira, um piquenique com explosões de fogos de artifício. Delicados e precisos, eles conferiam à velha casa um ar de mistério. David tocou na moldura rebuscada de uma cena que mostrava uma carroça de feno, onde as meninas usavam toucas debruadas de renda e os meninos tinham as calças arregaçadas até o joelho. Rodas-gigantes, carrosséis em rodopio, carros percorrendo auto-estradas estavam pendurados acima da cama, balançando de leve nas correntes de ar, frágeis como asas.

Quem teria feito aquilo, com tamanha habilidade e paciência? David pensou em suas fotografias: ele se empenhava muito em captar cada momento, prendê-lo, fazê-lo durar, mas, quando as imagens emergiam na câmara escura, já estavam alteradas. Àquela altura já se haviam passado horas, dias, e ele se tornara uma pessoa um pouquinho diferente. No entanto, tivera tanta vontade de captar o véu esvoaçante, de capturar o mundo no momento mesmo em que ele desaparecia, uma vez, outra e mais outra.

Sentou-se na cama dura. Sua cabeça continuava a latejar. Deitou-se e se cobriu com a colcha úmida. Havia uma luz cinza e tênue em todas as janelas. A mesa nua, o fogão, tudo tinha um vago cheiro de orvalho. As paredes estavam cobertas por camadas de jornal que haviam começado a descascar. A família de David tinha sido muito pobre; todos os seus conhecidos eram pobres. Não era crime, mas bem que poderia ser. Era por isso que se guardavam coisas, motores velhos, latas de conserva e garrafas de leite, espalhados pelos gramados e pelas encostas: uma defesa contra a necessidade, uma precaução contra a carência. Quando David era pequeno, um menino chamado Daniel Brinkerhoff tinha se enfiado numa geladeira velha e morrera sufocado. David lembrava-se das vozes abafadas e do corpo de um garoto da sua idade, deitado numa cabana muito parecida com essa, com velas acesas. A mãe havia chorado, o que não fizera o menor sentido para ele; David era pequeno demais para compreender o luto, a magnitude da morte. Mas se lembrava do que fora dito do lado de fora, porém ao alcance dos ouvidos de sua mãe, pelo pai angustiado que perdera o filho: *Por que o meu menino? Ele era saudável, era forte. Por que não aquela garota doentia? Se tinha que ser alguém, por que não ela?*

David fechou os olhos. Era grande o silêncio. Pensou em todos os sons que enchiam sua vida em Lexington: passos e vozes nos corredores e o telefone tocando; a campainha do seu bipe invadindo os sons do rádio do carro; e, em casa, havia sempre Paul ao violão e Norah com o fio do telefone enrolado no pulso, falando com os clientes; e, no meio da noite, mais telefonemas: precisavam dele no hospital, tinha que ir. E, levantando no escuro e no frio, ele ia.

Ali não. Ali só havia o som do vento balançando a velha folhagem e, ao longe, o murmúrio suave da água no riacho, embaixo do gelo. Um galho bateu na parede externa. Com frio, David soergueu o corpo, apoiado nos calcanhares e na parte superior das costas, para soltar a colcha e cobrir-se melhor com ela. As fotos em seu bolso cutucaram-lhe o peito quando ele se virou, puxando mais a coberta. Mesmo assim, seu corpo tremeu por mais alguns minutos, pelo frio e pelo resíduo do cansaço da viagem, e, ao fechar os olhos, pensou no encontro dos dois rios convergentes, no remoinho das águas escuras. Não na queda, mas no pulo: era isso que estivera em jogo naquele momento.

Fechou os olhos. Só por alguns minutos, para descansar. Sob o bolor e o orvalho havia o aroma de alguma coisa doce, açucarada. Sua mãe tinha comprado açúcar na cidade, e ele quase pôde sentir o gosto do bolo de aniversário, amarelo e fofo, tão doce e saboroso que parecia explodir em sua boca. Vizinhos vindos de casas mais abaixo, suas vozes subindo pelo vale, os vestidos alegres e multicores das mulheres roçando na grama alta. Os homens de calças pretas e botas, as crianças espalhadas pelo pátio, desenfreadas, gritando; e, depois, todos se haviam juntado para fazer sorvete, acondicionado na salmoura sob a varanda, até congelar e eles levantarem a tampa de metal e empilharem bolas do creme frio e doce em suas tigelas.

Talvez tivesse sido depois do nascimento de June, ou quem sabe depois de seu batismo, esse dia do sorvete. June era como os outros bebês, com as mãozinhas balançando no ar, roçando em seu rosto quando ele se curvava para beijá-la. No calor daquele dia de verão, com o sorvete gelando embaixo da varanda, eles haviam comemorado. Mas veio o outono, depois o inverno, e June não se sentava de jeito nenhum. E veio seu primeiro aniversário e ela era fraca demais para andar muito. Mais um outono, e uma prima veio fazer uma visita com o filho, quase da mesma idade, e o filho não só andava como corria pelos quartos e já começava a falar, e June continuava sentada, observando o mundo, muito quieta. Foi quando souberam que havia alguma coisa errada. David se lembrava da mãe observando o priminho, com lágrimas silenciosas a lhe correr pelo rosto durante muito tempo, até respirar fundo, tornar a entrar no cômodo e seguir em frente. Essa era a tristeza que ele havia carregado consigo, pesada como uma pedra no coração. Essa era a tristeza de que tentara poupar Norah e Paul, e só fizera criar muitas outras.

– David – dissera sua mãe naquele dia, secando depressa os olhos, para que ele não a visse chorar –, vá tirar aqueles papéis de cima da mesa e buscar lenha e água lá fora. Agora mesmo. Trate de ser útil.

E ele fora. E todos tinham continuado a levar sua vida naquele dia e em cada um dos outros. Haviam se retraído, sem nunca visitar ninguém, a não ser num raro batismo ou funeral, até o dia em que Daniel Brinkerhoff se trancara na geladeira. Voltaram do velório no escuro, subindo a trilha junto ao riacho pelo tato, de memória, June no colo do pai, e sua mãe nunca mais tornou a sair da montanha, a não ser no dia da mudança para Detroit...

• • •

– Você não parece prestar mesmo para nada – dizia a voz, e David, ainda meio adormecido, sem saber ao certo se estava sonhando ou ouvindo vozes no vento, mexeu-se ao sentir o puxão nos pulsos, ao ouvir a voz que resmungava, e passou a língua ressecada pelo céu da boca. A vida deles era difícil, os dias eram longos e cheios de trabalho, e não havia tempo nem paciência para tristezas. Era preciso ir em frente, essa era a única coisa que se podia fazer, e, já que falar em June não a traria de volta, eles nunca mais a mencionaram. David virou-se e seus pulsos doeram. Assustado, meio que acordou, abrindo os olhos e deixando-os vagar pelo cômodo.

Ela estava em pé junto ao fogão, a poucos metros de distância, com uma farda de faxina verde-oliva, apertada nos quadris magros mas frouxa nas coxas. Usava um suéter ferrugem, perpassado por fios luminosos laranja, e por cima uma camisa quadriculada masculina, verde e preta. Tinha cortado as pontas dos dedos das luvas e se deslocava ao redor do fogão com hábil eficiência, mexendo ovos na frigideira. Escurecera lá fora

– David tinha dormido por muito tempo – e havia velas espalhadas pela casa. A luz amarelada suavizava tudo. As cenas delicadas de papel balançavam de leve.

A gordura espirrou e a menina levantou depressa a mão. David passou vários minutos imóvel, observando-a em cada vívido detalhe: os botões pretos do fogão que sua mãe havia esfregado, as unhas roídas da garota, as sombras das velas na janela. Ela pegou sal e pimenta na prateleira acima do fogão e David se impressionou com o modo como a luz percorria sua pele, seu cabelo, à medida que ela entrava e saía da sombra, e com a natureza fluida de tudo que ela fazia.

Ele deixara a câmera no cofre do hotel.

Tentou sentar-se, mas novamente foi impedido pelos pulsos. Intrigado, virou a cabeça: uma echarpe fina de *chiffon* vermelho o amarrava a um dos suportes da cama, as cordas de um esfregão de assoalho ao outro. A menina notou seus movimentos e se virou, batendo de leve na palma da mão com uma colher de pau.

– Meu namorado vai chegar a qualquer momento – anunciou.

David deixou a cabeça cair pesadamente no travesseiro. Ela era magra, não mais velha do que Paul, talvez até mais nova, ali naquela casa abandonada. *Juntando os trapos*, pensou David, intrigado com o namorado e se apercebendo, pela primeira vez, de que talvez devesse sentir medo.

– Como é seu nome? – perguntou.

– Rosemary – disse ela, e assumiu um ar preocupado. – Pode acreditar ou não – acrescentou.

– Rosemary – repetiu David –, será que você pode ter a gentileza de me desamarrar?

– Não – fez ela, em tom rápido e vivo. – De jeito nenhum.

– Estou com sede.

Ela o fitou por um momento; tinha olhos calorosos e arredios, castanhos, com um toque avermelhado. Foi lá fora, deixando entrar na casa uma lufada de ar frio que alvoroçou todos os recortes de papel. Voltou com uma caneca de metal cheia de água do riacho.

– Obrigado – disse David –, mas não posso beber deitado.

Rosemary cuidou do fogão um instante, virando os ovos que espirravam, depois vasculhou uma gaveta, tirou um canudo de plástico de uma lanchonete qualquer, sujo numa das pontas, e o jogou na caneca de metal.

– Acho que você pode usá-lo, se estiver mesmo com sede.

David virou a cabeça e sugou, sedento demais para fazer outra coisa além de notar o gosto de poeira na água. Rosemary virou os ovos num prato de metal azul salpicado de branco e se sentou à mesa. Comeu depressa, empurrando os ovos num garfo de plástico com o indicador da mão esquerda, delicadamente, sem pensar, como se David não estivesse presente. Por algum motivo, naquele momento, ele compreendeu que o namorado era uma invenção. Rosemary estava morando ali sozinha.

Ele bebeu até o canudo secar, a água parecendo um rio sujo em sua garganta.

– Meus pais eram donos desta casa – disse, ao terminar. – Na verdade, ela ainda me pertence. Guardo a escritura num cofre. Tecnicamente, você está invadindo uma propriedade.

Ela sorriu e depôs cuidadosamente o garfo no centro do prato.

– Então você veio aqui para reclamá-la? Tecnicamente?

O cabelo e as faces da moça refletiam a luz das velas. Era muito jovem, mas tinha também algo de ardente e forte, uma coisa solitária, mas decidida.

– Não – respondeu David. Pensou em sua estranha viagem, iniciada numa manhã corriqueira em Lexington, com Paul demorando uma eternidade no banheiro, Norah franzindo o cenho, calculando o saldo no talão de cheques sobre a bancada, e o café fumegando, até a exposição de fotos, o rio e, agora, ali.

– Então, por que veio? – perguntou Rosemary, empurrando o prato para o centro da mesa. Tinha mãos maltratadas, as unhas quebradas. David surpreendeu-se com o fato de elas terem conseguido criar o delicado e complexo trabalho artístico em papel que enchia o cômodo.

– Meu nome é David Henry McCallister.

Seu nome verdadeiro, não pronunciado durante muito tempo.

– Não conheço nenhum McCallister. Mas não sou daqui.

– Quantos anos você tem? Quinze?

– Dezesseis – ela corrigiu. E depois, com ar afetado: – Dezesseis, vinte ou quarenta, é só escolher.

– Dezesseis – repetiu David. – Tenho um filho mais velho que você. Paul.

*Um filho*, pensou – *e uma filha.*

– É mesmo? – fez Rosemary, indiferente.

Tornou a pegar o garfo, e ele a observou comer os ovos com garfadas muito delicadas, mastigando cuidadosamente; com uma emoção súbita e intensa, David reviveu um outro momento naquela mesma casa, observando sua irmã June comer ovos do mesmo jeito. Tinha sido no ano da morte dela, quando lhe era difícil sentar-se à mesa, mas ela sentava; jantava com eles todas as noites, com a luz da lamparina nos cabelos louros e as mãos fazendo gestos lentos, com uma graça deliberada.

– Por que você não me desamarra? – sugeriu ele, baixinho, com a voz rouca de emoção. – Eu sou médico. Inofensivo.

– Sei – disse a garota, e levou o prato de metal azul para a pia.

Estava grávida, percebeu David, assustado, ao ver seu perfil quando ela se virou para pegar o sabão na prateleira. Não de muito tempo, só uns quatro ou cinco meses, calculou.

– Escute, eu sou médico mesmo. Há um cartão na minha carteira. Dê uma olhada.

Rosemary não respondeu, apenas lavou o prato e o garfo e secou cuidadosamente as mãos numa toalha. David pensou em como era estranho estar ali, novamente deitado naquele lugar em que fora concebido, nascera e fora criado até a adolescência, em como era estranho que sua família houvesse desaparecido tão completamente e aquela menina, tão jovem e durona, e tão claramente perdida, o tivesse amarrado na cama.

A moça atravessou o cômodo e tirou a carteira do bolso de David. Uma a uma, pôs suas coisas sobre a mesa: dinheiro, cartões de crédito, a miscelânea de anotações e pedacinhos de papel.

– Aqui diz fotógrafo – comentou, lendo o cartão dele sob a luz oscilante.

– É isso mesmo. Também sou fotógrafo. Continue olhando.

– Está bem – disse ela, segurando a carteira de identidade. – Quer dizer que você é médico. E daí? Que diferença isso faz?

Seu cabelo estava preso num rabo-de-cavalo e algumas mechas soltas caíam-lhe em volta do rosto; ela as prendeu atrás das orelhas.

– Isso significa que não vou machucá-la, Rosemary. *Primeiro, jamais causar dano ou mal a alguém.*

Ela lhe deu uma espiada rápida de avaliação.

– Você diria isso de qualquer maneira. Mesmo que pretendesse me fazer mal.

David a estudou, o cabelo despenteado, os olhos límpidos e escuros.

– Há umas fotografias aqui, em algum lugar... – disse, mexendo-se e sentindo a ponta aguçada do envelope através do tecido do bolso da camisa. – Por favor, dê uma olhada. São fotografias da minha filha. Ela tem mais ou menos a sua idade.

Quando Rosemary pôs a mão em seu bolso, ele tornou a sentir seu calor e seu perfume, natural, mas limpo. O que é que seria açucarado?, perguntou-se, relembrando o sonho e a bandeja de bombas de creme por que havia passado no vernissage de sua exposição.

– Como é o nome dela? – perguntou Rosemary, examinando primeiro uma foto, depois a outra.

– Phoebe.

– Phoebe. É bonito. Ela é bonita. Ela tem o mesmo nome da mãe?

– Não – disse David, recordando a noite do parto e Norah a lhe dizer, pouco antes do efeito da anestesia, os nomes que queria para seu filho. Caroline havia escutado e respeitado esse desejo. – Ela recebeu esse nome em homenagem a uma tia-avó. Do lado materno. Uma pessoa que não conheci.

– Eu recebi meu nome em homenagem a minhas duas avós – disse Rosemary, baixinho. O cabelo preto tornou a cair no rosto pálido e ela o empurrou para trás, mantendo o dedo enluvado perto da orelha, e David a imaginou sentada com a família ao redor de outra mesa iluminada. Sentiu vontade de abraçá-la, levá-la para casa, protegê-la. – Rose do lado do meu pai, Mary do lado materno.

– Sua família sabe que você está aqui?

Ela abanou a cabeça.

– Não posso voltar – disse, com a voz tomada de angústia e raiva. – Nunca mais vou poder voltar. Nem voltarei.

Parecia muito nova, sentada à mesa, com as mãos fechadas sem cerrar os punhos e uma expressão sombria, apreensiva.

– Por que não?

Rosemary tornou a balançar a cabeça e tocou a foto de Phoebe.

– Você disse que ela é da minha idade?

– Perto, eu acho. Ela nasceu em 6 de março de 1964.

– Eu nasci em fevereiro de 1966 – disse a menina. Suas mãos tremeram de leve ao pôr as fotos na mesa. – Mamãe estava planejando uma festa de debutante para mim. Ela adora toda essa coisa de babadinhos cor-de-rosa.

David a viu engolir em seco, tornar a empurrar o cabelo para trás da orelha, olhar pela janela escura. Sentiu vontade de consolá-la, como tantas vezes quisera consolar outras pessoas – June, sua mãe, Norah –, mas agora, tal como então, isso não era possível. Imobilidade e movimento: havia alguma coisa ali, alguma coisa que ele precisava saber, mas seus pensamentos continuavam dispersos. Sentia-se aprisionado, fixado no tempo, como qualquer de suas fotografias, só que o momento que o retinha era profundo e doloroso. Ele só havia chorado por June uma vez, de pé com a mãe na encosta da montanha, sob o vento cortante do entardecer, segurando a Bíblia numa das mãos enquanto recitava o Pai-Nosso diante da terra recém-revolvida. Havia chorado com a mãe, que passara a detestar o vento desde aquele dia, e depois ela havia escondido sua tristeza e seguido em frente. A vida era assim, e eles não questionavam isso.

– A Phoebe é minha filha – disse, assombrado ao se ouvir falar, mas irracionalmente compelido a contar sua história, aquele segredo que havia guardado por tantos anos. – Mas não a vejo desde o dia em que ela nasceu.

Hesitou, depois se obrigou a falar:

– Eu a dei. Ela tem síndrome de Down, o que significa que é retardada. Por isso eu a dei. Nunca contei a ninguém.

O olhar de Rosemary foi fulminante.

– Para mim isso é fazer mal a uma pessoa.

– É. Para mim também – disse David.

Os dois passaram muito tempo em silêncio. Para onde quer que olhasse, ele se recordava da família: o calor do hálito de June em seu rosto, sua mãe cantando ao dobrar a roupa lavada na mesa, as histórias do pai ecoando naquelas paredes. Desaparecidos, todos desaparecidos. E sua filha também. David lutou contra a tristeza pela força do hábito, mas as lágrimas lhe rolaram pelas faces e ele não pôde contê-las. Chorou por June, e chorou pelo momento na clínica em que entregara Phoebe a Caroline Gill e a vira partir. Rosemary ficou sentada à mesa, séria e quieta. Num dado instante, seus olhos se cruzaram e David sustentou o olhar da menina, num momento de estranha intimidade. Lembrou-se de Caroline a observá-lo da porta enquanto ele dormia, mostrando no rosto uma meiguice nascida do amor. David poderia ter descido a escada do museu com ela e tornado a entrar em sua vida, mas também perdera esse momento.

– Desculpe – disse, tentando controlar-se. – Faz muito tempo que não venho aqui.

Rosemary não respondeu e ele se perguntou se aquilo lhe pareceria loucura. Respirou fundo.

– Para quando é o bebê? – perguntou.

Os olhos escuros se arregalaram de surpresa.

– Daqui a cinco meses, eu acho.

– Você o deixou, não foi? – perguntou David, baixinho. – Seu namorado. Talvez ele não quisesse o bebê.

Rosemary desviou o rosto, mas não antes de ele ver seus olhos encherem-se de lágrimas.

– Desculpe. Não tive a intenção de me intrometer – disse ele, na mesma hora.

Ela abanou de leve a cabeça.

– Tudo bem. Não é nada demais.

– Onde está ele? – indagou David, mantendo a voz baixa. – Onde é sua casa?

– Na Pensilvânia – respondeu Rosemary, após uma longa pausa. Respirou fundo, e David compreendeu que sua história, sua tristeza, tornara possível que a menina revelasse a dela. – Perto de Harrisburg. Eu tinha uma tia aqui na cidade. A irmã de mamãe, Sue Wallis. Agora ela está morta. Mas, quando eu era pequena, nós vínhamos aqui a esta casa. Costumávamos perambular por todas essas montanhas. A casa estava sempre vazia. Costumávamos vir brincar aqui quando éramos pequenas. Foi uma época boa. Este foi o melhor lugar em que eu pude pensar.

David balançou a cabeça, recordando o silêncio farfalhante do arvoredo. Sue Wallis. Uma imagem veio à tona: uma mulher subindo o morro, carregando uma torta de pêssego coberta por um pano de prato.

– Desamarre-me – disse, ainda em voz baixa.

Rosemary deu uma risada amarga, enxugando os olhos.

– Por quê? Por que eu faria isso, sozinha aqui com você e sem ninguém por perto? Não sou uma completa idiota.

Levantou-se e pegou a tesoura e uma pequena pilha de papéis na prateleira acima do fogão. Fiapos brancos voavam à medida que ela ia cortando. O vento soprou e as chamas das velas oscilaram nas correntes de ar. O rosto de Rosemary era firme, resoluto, concentrado e determinado como o de Paul, quando ele tocava sua música, separando-se do mundo de David e buscando um outro lugar. A tesoura movia-se célere na mão dela e um músculo se contraía em sua mandíbula. Até então não havia ocorrido a David que ela pudesse feri-lo.

– Essas coisas de papel que você faz são lindas – disse ele.

– Foi minha avó Rose quem me ensinou. O nome é *Scherenschnitte*. Ela cresceu na Suíça, onde eu acho que fazem isso o tempo todo.

– Ela deve estar preocupada com você.

– Ela morreu. Morreu no ano passado.

Fez uma pausa, concentrada nos recortes, e acrescentou:

– Gosto de fazer isso. Me ajuda a lembrar dela.

David balançou a cabeça.

– Você começa com uma idéia? – perguntou.

– Está no papel. Eu não a invento, eu a encontro.

– Você a encontra. Certo. Entendo isso. Quando tiro fotografias, é assim. Elas já estão lá, eu só as descubro.

– Isso mesmo – disse Rosemary, virando o papel. – É exatamente assim.

– O que você vai fazer comigo?

Ela não respondeu, continuou recortando.

– Preciso urinar.

David tivera a esperança de fazê-la falar, com o susto, mas era também a dolorosa verdade. Rosemary o estudou por um momento. Depois, largou a tesoura e o papel e desapareceu sem tecer comentários. Ele a ouviu andando do lado de fora, no escuro. Ela voltou com um pote vazio de pasta de amendoim.

– Escute, Rosemary. Por favor, desamarre-me.

Ela pôs o pote no chão e tornou a pegar a tesoura.

– Como é que você pôde dá-la? – perguntou.

A luz refletiu nas lâminas da tesoura. David lembrou-se do brilho do bisturi ao fazer a episiotomia, lembrou-se de como havia flutuado para fora de si, para assistir à cena do alto, de como os acontecimentos daquela noite haviam desencadeado o rumo de sua vida, uma coisa levando a outra, portas se abrindo onde não havia nenhuma, enquanto outras se fechavam, até ele chegar a esse momento específico, com uma estranha procurando o desenho intricado que se escondia no papel e esperando a resposta dele, e não havia nada que ele pudesse fazer nem qualquer lugar para onde pudesse ir.

– É isso que a preocupa? Que você dê o seu bebê?

– Nunca. Eu nunca farei isso – respondeu ela ferozmente, com o rosto decidido. Portanto, alguém tinha feito aquilo com ela, de um modo ou de outro, e a jogara fora como uma carga alijada, para afundar ou nadar. Aos 16 anos, grávida e sozinha, sentada àquela mesa.

– Eu percebi que tinha sido um erro – disse David. – Mas já era tarde demais.

– Nunca é tarde demais.

– Você tem 16 anos. Às vezes, acredite, é tarde demais.

A expressão de Rosemary contraiu-se por um momento e ela não respondeu, apenas continuou a recortar; e, no silêncio, David recomeçou a falar, primeiro tentando explicar a neve e o choque, e o bisturi brilhando na luz ofuscante. Como ele se postara fora de si mesmo e se observara movendo-se no mundo. Como havia acordado todas as manhãs, durante 18 anos de sua vida, achando que talvez esse fosse o dia em que conseguiria consertar as coisas. Mas Phoebe se fora e ele não conseguia encontrá-la, portanto, como contar a Norah? O segredo se havia infiltrado no casamento deles como uma videira insidiosa e retorcida; ela bebia demais, e depois começara a ter aventuras românticas, primeiro com aquele corretor sórdido na praia, depois com outros; ele havia tentado não notar, perdoá-la, por saber que, num sentido muito real, a culpa era sua. Uma fotografia após outra, como se ele pudesse deter o tempo, ou fazer uma imagem tão perfeita que obscurecesse o momento em que se virara para Caroline Gill e lhe entregara sua filha.

Sua voz subindo e descendo. Depois que começou, David não conseguiu parar, assim como não conseguiria deter a chuva, o riacho que descia a encosta da montanha ou os peixes, persistentes e esquivos, que deslizavam céleres na correnteza sob o gelo. *Corpos em movimento*, pensou, aquele velho retalho de física do científico. Ele havia entregado sua filha a Caroline Gill e fora isso que o trouxera para esse lugar, anos depois, para essa menina com seu moto próprio, essa menina que resolvera que *sim*, por um breve instante de descarga no banco traseiro de um carro, ou no quarto de uma casa silenciosa, essa menina que depois se levantara, ajeitando a roupa, sem saber que aquele momento já estava moldando sua vida.

Rosemary recortava e ouvia. O silêncio dela o libertou. David falou como um rio, como uma enxurrada, com as palavras se precipitando pela velha casa com uma força e uma vitalidade que ele não conseguia deter. Em algum momento, recomeçou a chorar, e também não pôde impedir isso. Rosemary não teceu nenhum comentário. Ele falou até as palavras ficarem mais lentas, minguarem, finalmente cessarem.

O silêncio avolumou-se.

Rosemary não falou. A tesoura reluziu. O papel parcialmente recortado caiu da mesa no chão quando ela se levantou. David fechou os olhos, com o medo aumentando, porque vira a raiva nos olhos da menina e porque tudo que havia acontecido fora culpa sua.

Os passos de Rosemary, depois o metal, frio e brilhante como gelo, deslizando em sua pele.

A tensão nos pulsos relaxou. David abriu os olhos e a viu recuando, os olhos brilhantes e desconfiados fixados nos dele.

– Está bem. Você está livre – disse ela.

# III

— PAUL – CHAMOU NORAH. SEUS SALTOS SOARAM NUM CLARO STACCATO nos degraus encerados e ela parou à porta, esguia e elegante em seu costume azul-marinho de saia justa e ombreiras volumosas. Pelos olhos entreabertos, Paul viu o que ela estava vendo: roupas espalhadas no chão, uma cascata de discos e partituras, seu velho violão encostado num canto. Norah abanou a cabeça e deu um suspiro. – Levante, Paul. Agora mesmo.

– Estou doente – resmungou ele, puxando a coberta sobre a cabeça e fingindo estar rouco. Pela trama frouxa do cobertor fino ainda podia vê-la, com as mãos nos quadris. A luz matinal incidia sobre seu cabelo, no qual ela fizera reflexos na véspera e que brilhava com toques de vermelho e dourado. Paul a ouvira ao telefone com Bree, descrevendo as pequenas mechas embrulhadas em papel laminado e aquecidas.

Ela estivera refogando carne moída enquanto falava, com a voz serena e os olhos vermelhos de tanto chorar. O pai passara três dias sumido, sem que ninguém soubesse se estava vivo ou morto. E então, na noite anterior, chegara em casa e entrara pela porta como se nunca houvesse desaparecido, e as vozes tensas dos dois haviam passado horas enchendo a casa.

– Escute – disse-lhe a mãe nesse momento, olhando para o relógio. – Sei que você está tão pouco doente quanto eu. Eu gostaria de dormir o dia inteiro. Deus *sabe* como eu gostaria! Mas não posso, nem você. Portanto, trate de sair dessa cama e se vestir. Eu o deixo na escola.

– Minha garganta está queimando – ele insistiu, com a voz mais rouca que conseguiu fabricar.

Norah hesitou, fechou os olhos e deu outro suspiro, e Paul soube que tinha vencido.

– Se você vai ficar em casa, trate de ficar em casa – advertiu-o. – Nada de zanzar por aí com aquele seu quarteto. E, escute bem, você tem que limpar este chiqueiro. Estou falando sério, Paul. Já estou encarando tudo que eu agüento encarar neste momento.

– Certo – resmungou ele. – Tá. Eu limpo.

Norah ficou mais um instante parada, sem falar.

– É difícil – disse, finalmente. – Também é difícil para mim. Eu ficaria com você, Paul, mas prometi levar Bree ao médico.

Nessa hora ele se apoiou nos cotovelos, alertado pelo tom sombrio da mãe.

– Ela está legal?

Norah fez que sim, mas tinha o rosto voltado para a janela e não o fitou nos olhos.

– Acho que está. Mas ela tem feito uns exames e anda meio preocupada. É natural. Na semana passada prometi que iria com ela. Antes de toda essa história com o seu pai.

– Tudo bem – disse Paul, lembrando-se de fazer a voz ficar rouca. – Você deve ir com ela. Vou ficar legal.

Falou em tom seguro, mas parte dele esperava que a mãe não prestasse atenção, que quisesse ficar em casa.

– Não deve demorar muito. Eu volto direto para casa.

– Cadê o papai?

Ela abanou a cabeça.

– Não faço a menor idéia. Não está aqui. Mas o que é que isso tem de incomum?

Paul não respondeu, apenas tornou a deitar e fechou os olhos. *Não muita coisa*, pensou com seus botões. *Não tem nada de incomum.*

A mãe tocou-o de leve no rosto, mas Paul não se mexeu, e então ela se foi, deixando uma sensação fria no lugar em que pousara a mão em sua face. Lá embaixo houve um bater de portas; a voz de Bree elevou-se no vestíbulo. Nos últimos anos, as duas tinham ficado muito unidas, sua mãe e Bree, tão unidas que até começaram a se parecer, Bree com reflexos no cabelo também e uma pasta balançando na mão. Ela ainda era uma pessoa muito maneira e equilibrada, ainda era a que se dispunha a correr riscos, a que lhe dissera para seguir seu coração e se candidatar à Juilliard, como ele queria fazer. Todo mundo gostava de Bree, de seu espírito de aventura, sua exuberância. Ela arranjava muitos negócios. Bree e sua mãe eram forças complementares, Paul a ouvira dizer. E percebia isso. As duas seguiam pela vida como ponto e contraponto, uma impossível sem a outra, uma sempre puxando pela outra. O mesmo com as vozes delas, misturando-se para lá e para cá, e depois o riso tristonho de Norah, a porta batendo. Paul sentou-se e se espreguiçou. Livre.

A casa estava silenciosa, o boiler fazendo cliques. Paul desceu e parou diante da luz fria da geladeira, comendo com as mãos macarrão com queijo guardado num pirex e examinando as prateleiras. Não havia grande coisa. No congelador, encontrou seis pacotes de biscoitos de chocolate com menta. Comeu um punhado, enxaguando-os com leite bebido diretamente na garrafa de plástico. Depois, outro punhado, balançando a garrafa de leite na mão, e voltou a passar pela sala, onde as cobertas do pai estavam arrumadas numa pilha sobre o sofá, a caminho da sala íntima.

A garota continuava lá, dormindo. Paul enfiou outro biscoito na boca, deixando o chocolate e a menta derreterem devagar, enquanto a examinava. Na noite anterior, as vozes conhecidas e irritadas dos pais haviam chegado até seu quarto e, embora estivessem discutindo, o bolo que ele sentira na garganta ao pensar no pai morto em algum lugar, no pai desaparecido para sempre, esse bolo se desfizera no mesmo instante. Paul tinha levantado da cama e começado a descer a escada, mas havia parado no patamar para observar a cena: o pai com uma camisa branca que passara dias sem ser lavada, a calça social manchada de lama por toda parte, amarrotada e suja, a barba por fazer e o cabelo mal penteado; a mãe de chinelos e robe de cetim cor de pêssego, que fazia dobras suaves em seus braços cruzados, os olhos espremidos, e aquela garota, aquela estranha parada no vão da porta, com um casaco preto grande demais, segurando a extremidade das mangas com as pontas dos dedos. As vozes de seus pais misturadas, elevando-se. A garota havia olhado para cima, para além dos turbilhões de raiva. Os olhos dos dois tinham se encontrado. Paul a fitara, examinando-a: a palidez e o olhar inseguro, as orelhas delicadamente esculpidas. Os olhos eram de um castanho muito claro, muito cansados. Ele sentira vontade de descer a escada e segurar o rosto da menina entre as mãos.

– Três dias – dizia Norah –, e depois você volta para casa como... meu Deus do céu, David, olhe para você... *desse jeito*, e com essa moça. Grávida, você disse? E eu devo recebê-la sem fazer nenhuma pergunta?

A garota se encolhera nessa hora e desviara o rosto, e os olhos de Paul tinham descido até sua barriga, bastante chata embaixo do casaco, só que a moça havia descansado protetoramente uma das mãos no estômago e ele tinha percebido a ligeira protuberância por baixo do suéter. Paul ficara muito quieto. A discussão havia continuado; parecera durar muito tempo. Por fim, calada e espremendo os lábios, sua mãe tinha tirado lençóis, cobertores e travesseiros do armário da roupa de cama e os jogara pela escada para seu pai, que havia segurado a menina muito formalmente pelo cotovelo e a conduzira até a sala íntima.

Agora ela dormia no sofá-cama, com a cabeça virada de lado e uma das mãos descansando perto do rosto. Paul a estudou, observou como suas pálpebras se moviam, o lento subir e descer do peito. Ela estava deitada de costas e sua barriga se elevava como uma pequena onda. Paul sentiu-se excitado e ficou com medo. Tivera relações com Lauren Lobeglio seis vezes, desde março. Ela passara semanas rondando os ensaios do quarteto, a observá-lo sem dizer nada, uma garota bonita, largada, esquisita. Uma tarde, ela havia ficado depois de o resto da banda ir embora, e eram só os dois no silêncio da garagem, com a luz a se mover pelas folhas do lado de fora e a criar desenhos com sombras no piso de concreto. Lauren era estranha, mas sensual, com sua cabeleira cheia e longa e os olhos negros. Paul tinha se sentado na cadeira velha do jardim, afinando as cordas do violão e pensando se deveria ir até onde ela estava, parada junto à parede das ferramentas, e beijá-la.

Mas Lauren é que tinha atravessado a garagem. Parara um instante diante dele, depois sentara em seu colo, levantando a saia, revelando as pernas esguias e brancas. Era como as pessoas diziam: Lauren Lobeglio transava, se gostasse de você. Paul nunca havia acreditado que fosse mesmo verdade, mas ali estava ele, apalpando-a por baixo da camiseta, tocando a pele morna, os seios macios sob suas mãos.

Aquilo não estava certo. Ele sabia, mas era como levar um tombo: depois de começar, a gente não conseguia parar, até alguma coisa nos deter. Lauren tinha continuado a rondar como antes, só que agora o ar ficava carregado e, quando os dois se viam sozinhos, Paul atravessava a garagem e a beijava, deslizando as mãos pela pele lisa e acetinada das costas dela.

A garota na cama suspirou, mexendo os lábios. *Chave de cadeia*, seus amigos o haviam alertado a respeito de Lauren. Especialmente Duke Madison, que tinha abandonado a escola para se casar com a namorada no ano anterior, que já quase não tocava piano e que, quando o fazia, ficava com uma cara abatida, olhando para o relógio. *Se você a engravidar, está mais do que ferrado.*

Paul examinou a garota, sua palidez e seu cabelo comprido e escuro, as sardas dispersas. Quem era ela? Seu pai, metódico e previsível como o tiquetaque de um relógio, simplesmente desaparecera. No segundo dia, sua mãe havia chamado a polícia, que fora evasiva e irônica, até a maleta de David ser encontrada na chapelaria do museu em Pittsburgh e a mala e a máquina fotográfica no hotel. Depois disso haviam levado a queixa a sério. Seu pai tinha sido visto na recepção, discutindo com uma mulher de cabelo preto. Descobrira-se que ela era crítica de arte; sua crítica sobre a exposição havia saído nos jornais de Pittsburgh, e não fora nada boa.

Nada pessoal, ela dissera à polícia.

E então, na noite da véspera, a chave tinha girado na fechadura e seu pai havia entrado em casa com essa garota grávida, que ele dizia ter acabado de conhecer, uma garota cuja presença não conseguia explicar. *Ela precisa de ajuda,* dissera ele, tenso.

*Existem muitas maneiras de ajudar*, sua mãe havia assinalado, falando da garota como se ela não estivesse parada no vestíbulo, com seu casaco grande demais. *Você pode dar dinheiro. Pode levá-la a um lugar para mães solteiras. Uma pessoa não desaparece por dias seguidos, sem dizer uma palavra, e depois aparece com uma estranha grávida. Pelo amor de Deus, David, será que você não faz a menor idéia? Nós chamamos a polícia! Achamos que você estava morto!*

*Talvez eu estivesse*, disse ele, e a estranheza dessa resposta sufocara os protestos de Norah, deixando Paul paralisado na escada.

E agora ali estava ela, dormindo, alheia, e dentro dela um bebê crescia em seu mar escuro. Paul estendeu a mão, tocou de leve o cabelo da garota e deixou a mão pender. Sentiu uma ânsia repentina de se deitar ao lado dela, de abraçá-la. De algum modo, não era como com a Lauren, não tinha a ver com sexo; era só uma vontade de senti-la perto, de sentir sua pele e seu calor. Teve vontade de acordar ao lado da garota, de passar a mão sobre a curva ascendente de sua barriga, de afagar seu rosto e segurar sua mão.

De descobrir o que ela sabia sobre seu pai.

Os olhos da garota se abriram com uma piscadela e, por um momento, ela o fitou sem vê-lo. Depois, sentou-se depressa, passando as mãos no cabelo. Usava uma das camisetas velhas e surradas de Paul, azul e com a logomarca dos Kentucky Wildcats na frente, uma camiseta que ele costumava usar uns dois anos antes, quando corria na pista. Os braços dela eram compridos e magros. Paul vislumbrou-lhe a axila, macia e coberta de pêlos curtos, e a suave curva ascendente de seu seio.

– O que é que está olhando? – fez ela, e pôs os pés no chão.

Ele abanou a cabeça, sem conseguir falar.

– Você é o Paul. Seu pai me falou de você.

– Falou? – perguntou ele, odiando a carência em sua voz. – E disse o quê?

A garota deu de ombros, empurrando o cabelo para trás das orelhas, e se pôs de pé.

– Vamos ver. Você é voluntarioso. Você o detesta. Você é um gênio no violão.

Paul sentiu o rubor subir-lhe pelo rosto. Em geral, achava que o pai nem sequer o via, ou só via os pontos em que ele não atendia às suas expectativas.

– Não o detesto. Ele é que me detesta.

A garota se inclinou para recolher a roupa de cama, depois sentou-se com ela no colo, olhando em volta.

– É bonito aqui – disse. – Um dia eu vou ter um lugar assim.

Paul deu uma risada assustada.

– Você está grávida – disse. Era seu próprio medo aparecendo no cômodo, o medo que aumentava toda vez que ele atravessava a garagem até chegar a Lauren Lobeglio, trêmulo, atraído pela força irresistível de seu próprio desejo.

– Certo. E daí? Estou grávida, não morta.

Ela falou num tom de desafio, mas soou assustada, tão assustada quanto Paul às vezes se sentia, ao acordar no meio da noite sonhando com Lauren, toda quente e sedosa, sussurrando em seu ouvido, e saber que jamais conseguiria parar, embora os dois estivessem a caminho da desgraça.

– Mas bem que poderia estar – disse ele.

A garota o fitou bruscamente, com lágrimas de verdade nos olhos, como se ele a houvesse esbofeteado.

– Desculpe, eu não tive intenção de dizer isso – fez Paul.

Ela continuou a chorar.

– O que você está fazendo aqui, afinal? – perguntou ele, com raiva das lágrimas da garota, de sua própria presença. – Quer dizer, quem você pensa que é, pra se grudar no meu pai e aparecer aqui?

– Acho que não sou ninguém – disse a moça, mas o tom de Paul a havia assustado, de modo que ela enxugou as lágrimas e ficou mais dura, mais distante. – E não pedi para vir para cá. Foi idéia do seu pai.

– Não faz sentido – objetou Paul. – Por que ele faria isso?

Ela deu de ombros.

– Como é que eu vou saber? Eu estava morando naquela casa velha onde ele cresceu e ele disse que eu não podia mais ficar lá. E a casa é dele, certo? O que é que eu poderia dizer? De manhã, andamos até a cidade e ele comprou passagens de ônibus, e aqui estamos. O ônibus foi um porre. Levou a vida inteira para fazer todas aquelas conexões malucas.

Ela puxou o cabelo comprido para trás e o prendeu num rabo-de-cavalo, e Paul ficou observando, pensando em como as orelhas dela eram bonitas, perguntando a si mesmo se seu pai também a achava bonita.

– Que casa velha? – indagou, sentindo alguma coisa afiada e quente no peito.

– Eu já disse. Aquela onde ele cresceu. Eu estava morando lá. Não tinha outro lugar para ir – acrescentou, olhando para o chão.

Foi quando Paul sentiu-se invadir por alguma coisa, uma emoção que não sabia denominar. Inveja, talvez, pelo fato de aquela garota, aquela estranha magra e pálida de orelhas bonitas, ter estado num lugar que era importante para o pai dele, um lugar que ele próprio nunca tinha visto. *Um dia eu o levo lá*, prometera seu pai, mas os anos tinham passado e ele nunca mais voltara a mencioná-lo. Só que Paul nunca havia esquecido o modo como o pai se sentara em meio à desordem da câmara escura, recolhendo as fotos uma a uma, com todo o cuidado. *Minha mãe, Paul, sua avó. Ela levava uma vida dura. Eu tinha uma irmã, sabia? O nome dela era June. June tinha talento para cantar, para a música, assim como você.* Até hoje ele se lembrava do cheiro do pai naquela manhã, limpo, já vestido para ir para o hospital, mas sentado no chão da câmara escura, conversando, como se dispusesse de todo o tempo do mundo. Contando uma história que Paul nunca tinha ouvido.

– Meu pai é médico – fez Paul. – Ele gosta de ajudar as pessoas, só isso.

A garota acenou com a cabeça e o olhou de frente, com a expressão carregada de alguma coisa... pena dele, foi o que Paul pensou entender, e uma pontada fina e quente o percorreu até a ponta dos dedos.

– O que foi? – perguntou.

Ela abanou a cabeça.

– Nada. Você tem razão. Eu precisava de ajuda. Só isso.

Uma mecha de cabelo soltou-se do rabo-de-cavalo e caiu sobre o rosto dela, muito escura, com toques avermelhados, e Paul se lembrou de como o achara macio ao tocá-lo enquanto a garota dormia, macio e quente, e resistiu à ânsia de estender a mão e lhe ajeitar a mecha atrás da orelha.

– Meu pai teve uma irmã – disse Paul, relembrando a história e a voz suave e firme do pai, jogando verde para ver se era verdade, se ela estivera mesmo na casa.

– Eu sei. June. Ela está enterrada numa encosta do morro, mais acima da casa. Também fomos lá.

A fisgada fina alargou-se, deixando a respiração de Paul fraca e arfante. Que importância tinha ela saber disso? Que diferença fazia? No entanto, não conseguia parar de imaginá-la lá, subindo uma encosta, seguindo seu pai até aquele lugar onde ele nunca estivera.

– E daí? E daí se você esteve lá, o que é que tem isso?

Por um instante, a menina pareceu prestes a responder, depois virou-se e começou a cruzar a sala em direção à cozinha. O cabelo escuro, feito uma corda comprida, balançava em suas costas. Os ombros eram magros e delicados, e ela andava devagar, com uma graça cuidadosa, feito uma bailarina.

– Espere – chamou Paul, mas, quando ela parou, não soube o que lhe dizer.

– Eu precisava de um lugar para ficar – disse a garota, baixinho, olhando para trás por cima do ombro. – É só isso que deve saber sobre mim, Paul.

Ele a viu entrar na cozinha, ouviu a porta da geladeira abrir e fechar. Depois, subiu e pegou a pasta de arquivo que havia escondido na gaveta de baixo, cheia de fotos que havia guardado da noite em que tinha conversado com o pai.

Pegou as fotografias e o violão e foi para a varanda, sem camisa e descalço. Sentou-se no balanço e tocou, de olho na garota que andava pelos cômodos lá dentro: a cozinha, a sala de estar, a sala de jantar. Mas ela não fez quase nada, só tomou um pouco de iogurte e passou muito tempo parada em frente à estante de livros de Norah, até pegar um romance e se sentar no sofá.

Paul continuou a tocar. A música o acalmava. Ele entrava num outro plano, no qual suas mãos pareciam mover-se automaticamente. A nota seguinte estava bem ali, e depois a seguinte, e mais outra. Ele chegou ao fim da música e parou, de olhos fechados, deixando as notas morrerem lentamente no ar.

Nunca mais. Aquela melodia, aquele momento, nunca mais.

– Uau!

Paul abriu os olhos e a viu encostada no batente da porta. Ela abriu a porta de tela e entrou na varanda, segurando um copo d'água, e se sentou.

– Puxa, o seu pai tinha razão – comentou. – Isso foi incrível.

– Obrigado – disse Paul, baixando a cabeça para esconder seu prazer e tocando um acorde. A música o havia libertado; ele já não estava com tanta raiva. – E você? Você sabe tocar?

– Não. Antigamente eu estudava piano.

– Nós temos um piano – disse ele, fazendo um sinal com a cabeça em direção à porta. – Vá em frente.

Ela sorriu, embora os olhos continuassem sérios.

– Tudo bem. Obrigada. Não estou com vontade. Depois, você toca mesmo muito, muito bem. Que nem um profissional. Eu ficaria sem jeito de martelar *Pour Elise*, ou coisa parecida.

Paul também sorriu.

– *Pour Elise.* Eu conheço essa. Podíamos fazer um dueto.

– Um dueto – repetiu ela, balançando a cabeça, franzindo o cenho de leve. Depois, levantou os olhos. – Você é filho único? – perguntou.

Paul levou um susto.

– Sim e não. Quero dizer, eu tive uma irmã. Gêmea. Ela morreu.

Rosemary balançou a cabeça.

– Você pensa nela?

– É claro – disse Paul, que se sentiu constrangido e desviou o olhar. – Não *nela*, propriamente. Quero dizer, nunca a conheci. Mas penso em como ela poderia ter sido.

Enrubesceu, chocado por ter revelado tanto àquela menina, àquela estranha que havia transtornado a vida deles todos, àquela garota de quem nem ao menos gostava.

– Então, tá. Agora é sua vez – recompôs-se Paul. – Diga-me alguma coisa pessoal. Diga-me uma coisa que o meu pai não saiba.

Rosemary lançou-lhe um olhar curioso.

– Não gosto de banana – respondeu enfim, e Paul riu, e ela também. – Não, é verdade, não gosto. O que mais? Quando eu tinha cinco anos, caí da bicicleta e quebrei o braço.

– Eu também. Também quebrei o braço quando tinha seis anos. Caí de uma árvore – disse Paul. Lembrou-se então de como o pai o havia carregado, de como o céu tinha se iluminado, cheio de sol e de folhas, enquanto ele era levado para o carro. Lembrou-se das mãos do pai, muito concentradas e delicadas enquanto reduzia a fratura, e de voltar outra vez para casa, na luz luminosa e dourada da tarde.

– Ei, quero lhe mostrar uma coisa – disse a Rosemary.

Deitou o violão no balanço e pegou as fotos granulosas em preto-e-branco.

– Era esse o lugar? – perguntou, entregando-lhe uma foto. – Onde você encontrou o meu pai?

Ela pegou a fotografia e a examinou, depois assentiu com a cabeça.

– É. Agora está diferente. Por essa foto, com essas cortinas bonitas nas janelas e as flores crescendo, estou vendo que um dia foi uma boa casa. Mas agora ninguém mora lá. Está vazia. O vento passa por dentro, porque as janelas estão quebradas. Quando eu era pequena, a gente costumava brincar lá. Corríamos soltos por esses morros e eu brincava de casinha com minhas primas. Diziam que a casa era mal-assombrada, mas sempre gostei dela. Não sei muito bem por quê. Era o meu lugar secreto. Às vezes, eu ficava sentada lá dentro sonhando com o que eu seria.

Paul fez que sim com a cabeça, pegando a fotografia de volta e examinando as imagens, como fizera tantas vezes antes, como se elas pudessem responder a todas as suas perguntas sobre o pai.

– Você não sonhou com isso – disse ele por fim, erguendo os olhos.

– Não, nunca – ela repetiu baixinho.

Nenhum dos dois falou por alguns minutos. A luz do sol enviesava-se pelas árvores e derramava sombras no piso pintado da varanda.

– Certo. É sua vez de novo – disse Rosemary, tornando a se virar para ele.

– Minha vez?

– Diga-me alguma coisa que o seu pai não saiba.

– Vou para a Juilliard – respondeu Paul, com as palavras saindo apressadas, animadas como música na sala. Ele ainda não havia contado a ninguém, exceto à mãe. – Eu era o primeiro da lista de espera e fui aceito na semana passada. Quando ele estava sumido.

– Uau! – exclamou Rosemary, com um sorriso meio triste. – Eu estava pensando mais em termos do seu legume favorito. Mas isso é ótimo, Paul. Sempre achei que ir à faculdade seria genial.

– Você pretendia ir – falou, compreendendo de repente o que ela havia perdido.

– Eu vou. Definitivamente, eu vou.

– É provável que eu mesmo tenha que pagar a anuidade – disse Paul, reconhecendo a determinação feroz da garota tentando encobrir o medo. – Meu pai está decidido a fazer com que eu tenha um projeto de uma carreira segura. Detesta a idéia da música.

– Disso você não sabe – contrapôs ela, lançando-lhe um olhar rápido. – Na verdade, você não sabe mesmo de toda a história do seu pai.

Paul não soube o que responder e os dois passaram vários minutos calados. Estavam protegidos da rua por uma treliça toda coberta de trepadeiras, com as flores roxas e brancas desabrochando, de modo que quando dois carros entraram na garagem, um atrás do outro – seu pai e sua mãe em casa, tão estranhamente, no meio do dia –, Paul os vislumbrou em lampejos de cor e de cromados brilhantes. Ele e Rosemary se entreolharam. As portas dos carros bateram, ecoando na casa vizinha. Depois houve passos e as vozes baixas e decididas dos pais, para lá e para cá, logo adiante da beira da varanda. Rosemary abriu a boca como se fosse chamá-los, mas Paul levantou uma das mãos e abanou a cabeça, e os dois se sentaram juntos em silêncio, escutando.

– Hoje mesmo – disse a mãe. – Esta semana. Ah, se você soubesse o sofrimento que nos causou, David!

– Desculpe. Você tem razão. Eu devia ter telefonado. Pretendia ligar.

– E isso deve bastar? Quem sabe *eu mesma* vá embora. Assim, de repente. Talvez eu suma e depois volte com um rapaz bonito, sem nenhuma explicação. O que você acharia disso?

Houve um silêncio e Paul se lembrou da pilha de roupas coloridas largada na praia. Pensou nas muitas noites em que sua mãe não conseguira chegar em casa antes de meia-noite. Negócios, ela sempre suspirava, tirando os sapatos no vestíbulo e indo direto para a cama. Olhou para Rosemary, que examinava as próprias mãos, e ficou imóvel, observando-a, ouvindo, aguardando para ver o que aconteceria.

– Ela é só uma menina – disse David, finalmente. – Tem 16 anos, está grávida e morava numa casa abandonada, sozinha. Eu não podia deixá-la lá.

Norah suspirou. Paul imaginou-a passando a mão pelo cabelo.

– Isso é uma crise da meia-idade? – perguntou ela, baixinho. – É isso que está acontecendo?

– Crise da meia-idade? – repetiu o pai. Sua voz era firme, pensativa, como se ele considerasse cuidadosamente os indícios. – Acho que talvez seja. Sei que eu bati numa espécie de muro, Norah. Em Pittsburgh. Eu era muito obcecado quando rapaz. Não podia me dar ao luxo de ser outra coisa. Voltei lá para tentar compreender umas coisas. E lá estava a Rosemary, na minha casa antiga. Aquilo não me pareceu uma coincidência. Não sei, não consigo explicar sem que a coisa pareça meio maluca. Mas, por favor, confie em mim. Não estou apaixonado por ela. Não é nada disso. Nunca será.

Paul olhou para Rosemary. Ela estava de cabeça baixa, de modo que não lhe foi possível ver sua expressão, mas suas bochechas enrubesceram vivamente. A garota ficou mexendo numa unha quebrada e não enfrentou seu olhar.

– Não sei em que acreditar – disse Norah, lentamente. – Esta semana, David, logo esta semana. Sabe de onde eu acabei de voltar? Eu estava com a Bree, no consultório do oncologista. Ela fez uma biópsia na semana passada no seio esquerdo. É um caroço muito miúdo, o prognóstico é bom, mas é maligno.

– Eu não sabia, Norah. Sinto muito.

– Não, não me toque, David.

– Quem é o cirurgião?

– Ed Jones.

– O Ed é muito bom.

– É melhor que seja. David, essa sua crise da meia-idade é a última coisa de que eu preciso.

Escutando, Paul sentiu o mundo ficar um pouco mais lento. Pensou em Bree, com seu riso fácil, capaz de passar uma hora ouvindo-o tocar, a música deslocando-se entre eles, sem que houvesse necessidade de palavras. Ela fechava os olhos e se espreguiçava no balanço, escutando. Paul não conseguia imaginar o mundo sem Bree.

– O que é que você quer? – perguntou seu pai. – O que você quer de mim, Norah? Eu fico, se você quiser, ou então me mudo. Mas não posso mandar a Rosemary embora. Ela não tem para onde ir.

Fez-se silêncio, e Paul aguardou, mal se atrevendo a respirar, esperando para saber o que a mãe diria e querendo que ela nunca respondesse.

– E quanto a mim? – perguntou, assustando-se com a própria voz. – E quanto ao que *eu* quero?

– Paul? – fez a voz de sua mãe.

– Aqui – disse ele, pegando o violão. – Na varanda. Eu e Rosemary.

– Ai, meu Deus – disse o pai. Passados alguns segundos, aproximou-se da escada. Depois da noite anterior, tinha tomado banho, feito a barba e vestido um terno limpo. Estava magro e parecia cansado. Norah também, parando ao lado dele.

Paul levantou-se e o encarou.

– Eu vou para a Juilliard, papai. Eles telefonaram na semana passada: eu entrei. E vou para lá.

Esperou que o pai recomeçasse sua arenga de praxe: a carreira musical não era confiável, nem mesmo na música clássica. Paul tinha inúmeras opções a seu dispor; poderia continuar tocando e sempre se comprazendo em tocar, mesmo que ganhasse a vida de outra maneira. Paul esperou que o pai fosse firme, sensato e resistente, para que ele pudesse dar vazão a sua raiva. Estava tenso, pronto, mas, para sua surpresa, o pai apenas balançou a cabeça.

– Que bom para você – disse, e seu rosto se abrandou de prazer por um momento, com a ruga de preocupação desaparecendo da testa. Quando ele falou, tinha a voz calma e segura: – Paul, se é isso que você quer, vá. Vá e trabalhe com afinco, seja feliz.

Paul continuou na varanda, sem graça. Durante todos aqueles anos, toda vez que ele e o pai haviam conversado sentira-se batendo num muro. E, agora, o muro havia desaparecido misteriosamente, mas Paul continuava a correr, aturdido e inseguro, no meio de um descampado.

– Paul, eu me orgulho de você, filho – disse David.

Agora todos o fitavam e ele tinha lágrimas nos olhos. Não sabia o que dizer, por isso começou a andar, primeiro só para sair dali, para não dar um vexame, e depois começou a correr de verdade, ainda com o violão na mão.

– Paul! – Norah o chamou, e, ao se virar, recuando alguns passos, ele percebeu como a mãe estava pálida, com os braços cruzados no peito, tensos, e o cabelo de reflexos recém-criados balançando na brisa. Ele pensou em Bree, no que a mãe tinha dito e em como as duas tinham se tornado parecidas, a mãe e a tia, e sentiu medo. Lembrou-se do pai no vestíbulo, com a roupa imunda, o desenho escuro da barba por fazer, o cabelo desgrenhado. E depois, agora de manhã, limpo e calmo, mas bastante mudado. Seu pai, impecável, preciso, seguro de tudo, transformara-se em outra pessoa. Lá atrás, meio encoberta pelas trepadeiras, Rosemary escutava, de braços cruzados, com o cabelo agora solto caindo nos ombros, e Paul a imaginou naquela casa da montanha conversando com seu pai, andando de ônibus com ele durante tantas horas, fazendo parte, de algum modo, daquela mudança em seu pai, e tornou a sentir medo do que estava acontecendo com todos.

E, por isso, correu.

Era um dia ensolarado, já quente. O Sr. Ferry e a Sra. Pool deram adeusinho de suas varandas. Paul ergueu o violão num cumprimento e continuou a correr. Estava a três quarteirões de casa, cinco, dez. Do outro lado da rua, em frente a um bangalô baixo, havia um carro vazio com o motor ligado. O dono provavelmente esquecera alguma coisa, dera uma corrida lá dentro para buscar uma maleta ou um paletó. Paul parou. Era um Gremlin ocre, o carro mais feio do universo, pontilhado de ferrugem. Ele atravessou a rua, abriu a porta do motorista e entrou. Ninguém gritou, ninguém saiu correndo da casa. Paul bateu a porta e ajeitou o banco, aumentando o espaço para as pernas. O carro era automático, cheio de papéis de bala e maços de cigarro vazios espalhados. O dono daquele carro era um completo fiasco, pensou ele, uma daquelas mulheres que se maquiavam demais e trabalhavam como secretárias em algum lugar morto e paralisado, feito plástico, como a lavanderia, talvez, ou o banco. Moveu a alavanca e deu marcha a ré.

Nada ainda: nenhum grito, nenhuma sirene. Ele pôs a alavanca em DRIVE e se afastou.

Não tinha dirigido muitas vezes, mas aquilo era muito parecido com o sexo: se a gente fingisse saber o que estava acontecendo, logo, logo a gente sabia, e aí vinha tudo naturalmente. Perto da escola, Ned Stone e Randy Delaney estavam parados na esquina, jogando pontas de cigarro na grama antes de entrar, e Paul procurou Lauren Lobeglio – que às vezes ficava por ali com eles –, cujo hálito muitas vezes era carregado e fumacento quando ele a beijava.

O violão escorregou. Paul encostou o carro e o prendeu com o cinto de segurança. Um Gremlin, droga. Agora, cruzar o centro da cidade, parando cuidadosamente em todos os sinais, no dia vibrante e azul. Pensou nos olhos de Rosemary enchendo-se de lágrimas. Não tivera intenção de magoá-la, mas o fizera. E alguma coisa tinha acontecido, alguma coisa havia mudado. Rosemary fazia parte daquilo e ele não, embora o rosto de seu pai, por um breve instante, houvesse se enchido de felicidade ao ouvir a notícia.

Paul foi dirigindo. Não queria estar naquela casa quando acontecesse o que viria depois. Chegou à rodovia interestadual, onde a estrada se bifurcava, e virou à esquerda, em direção a Louisville. Ele vislumbrava a Califórnia em sua mente: lá havia música e uma praia interminável. Lauren Lobeglio arranjaria alguém novo. Não o amava e ele não a amava; ela era uma espécie de vício, e o que os dois faziam tinha qualquer coisa de obscuro, pesado. Califórnia. Logo ele estaria na praia, tocando numa banda e vivendo com pouco dinheiro e sem preocupações o verão inteiro. No outono daria um jeito de ir para a Juilliard. Cruzaria o país pegando carona, talvez. Desceu o vidro todo da janela e deixou entrar o ar primaveril. O Gremlin mal atingia 90 quilômetros, mesmo quando ele apertava o pedal até o fundo. Ainda assim, era como se estivesse voando.

Paul já andara por ali, em ordeiras visitas escolares ao zoológico de Louisville, e antes até, naquelas corridas loucas que sua mãe dava quando ele era pequeno, quando ele sentava no banco de trás e via as folhas, os galhos e os cabos telefônicos passarem zunindo pela janela. Ela costumava cantar alto junto com o rádio, com a voz oscilante, e prometia parar para lhe dar um sorvete, uma coisa gostosa, se ele fosse bonzinho, se ficasse quieto. Durante todos esses anos, Paul fora bonzinho, mas isso não tinha feito a menor diferença. Havia descoberto a música e tocado do fundo da alma no silêncio daquela casa, no vazio deixado pela morte de sua irmã na vida de todos, mas isso também não tivera importância. Ele havia tentado, com toda a força possível, fazer os pais levantarem os olhos de sua própria vida e ouvirem a beleza, a alegria que ele havia descoberto. Tocara muito e se tornara muito bom. Mesmo assim, em todo aquele tempo, seus pais nunca tinham levantado os olhos, nem uma única vez, até Rosemary cruzar aquela porta e alterar tudo. Ou talvez ela não tivesse modificado coisa alguma. Talvez fosse apenas o fato de que sua presença lançava uma luz nova e reveladora sobre a vida deles, mudando a composição. Afinal, uma imagem podia ser mil coisas diferentes.

Pôs a mão no violão e alisou a madeira cálida, sentindo-se reconfortado. Apertou o pedal até o fundo, subindo por entre os muros de pedra onde a estrada cortava o morro, e depois desceu em direção à curva do rio Kentucky, voando. A ponte cantou sob os pneus. Paul continuou dirigindo sem parar, procurando fazer qualquer coisa, menos pensar.

# IV

POR TRÁS DA PORTA ENVIDRAÇADA DE NORAH, O ESCRITÓRIO FERVILHAVA de atividade. Neil Simms, o gerente de pessoal da IBM, cruzou a porta externa, um vislumbre de terno escuro e sapatos engraxados. Bree, que dera uma parada na recepção para buscar os faxes, voltou-se para cumprimentá-lo. Usava um tailleur de linho amarelo e sapatos amarelo-escuros; uma bela pulseira de ouro deslizou por seu pulso quando ela estendeu a mão para apertar a de Simms. Por baixo da elegância, Bree havia emagrecido e ficara com os ossos pontudos. Mesmo assim, seu riso era leve e atravessou o vidro, chegando até Norah, que se sentava com o telefone numa das mãos, diante da escrivaninha onde descansava a pasta reluzente que ela passara semanas preparando, com as letras IBM gravadas em negrito na capa.

– Escute, Sam, eu lhe disse para não me telefonar, e falei sério – disse Norah.

Um silêncio frio e denso inundou-lhe o ouvido. Ela imaginou Sam em casa, trabalhando junto à parede das janelas que davam para o lago. Era analista de investimentos e Norah o conhecera seis meses antes, no edifício-garagem, sob a iluminação fosca do concreto junto ao elevador. As chaves dela haviam escorregado e o homem as apanhara no ar, rápido e desenvolto, com as mãos zunindo feito peixes. *São suas?*, tinha perguntado, com um sorriso pronto e fácil – uma brincadeira, já que os dois eram os únicos presentes. Norah, tomada por uma excitação conhecida, uma espécie de mergulho sombrio e delicioso, acenara que sim. Os dedos dele lhe haviam roçado a pele; as chaves tinham produzido uma sensação fria na palma de sua mão.

Naquela noite, ele havia deixado um recado em sua secretária eletrônica. O coração de Norah se acelerara, alvoroçado com a voz de Sam. Apesar disso, terminada a gravação, ela havia se obrigado a sentar e contar suas aventuras amorosas – curtas e longas, passionais e neutras, ressentidas e amistosas – no correr dos anos.

Quatro. Ela escrevera o número em riscos toscos e escuros de grafite na borda do jornal matutino. No andar de cima, a água pingava na banheira. Paul estava em seu quarto, repetindo no violão o mesmo acorde, vez após outra. David estava lá fora, trabalhando em sua câmara escura – sempre um imenso espaço entre eles. Norah havia iniciado cada um de seus romances com uma sensação de esperança e de um novo começo, arrebatada pela excitação dos encontros secretos, da novidade e da surpresa. Depois de Howard, mais dois, transitórios e doces, seguidos por outro mais longo. Todos haviam começado em momentos em que ela achara que o rugir do silêncio em sua casa a deixaria louca, em que o universo misterioso de uma outra presença, qualquer presença, tinha lhe parecido um alívio.

– Norah, por favor, escute – dizia Sam nesse momento: um homem poderoso, uma espécie de tirano nos negócios, uma pessoa de quem ela nem chegava a gostar particularmente. Na recepção, Bree virou-se para olhá-la, com ar questionador, impaciente. Sim, Norah gesticulou pelo vidro, ela andaria depressa. As duas tinham passado quase um ano namorando aquela conta da IBM; é claro que ela se apressaria. – Só estou querendo saber do Paul – insistia Sam. – Se você já teve alguma notícia. Porque eu estou aqui à sua disposição, certo? Ouviu o que eu disse, Norah? Estou completamente, inteiramente à sua disposição.

– Eu ouvi – respondeu ela, irritada consigo mesma; não queria Sam falando de seu filho. Fazia 24 horas que Paul tinha sumido; um carro, a poucos quarteirões de sua casa, também havia desaparecido. Ela o vira sair depois daquela cena tensa na varanda, tentando lembrar o que tinha dito, o que Paul teria entreouvido, sofrendo ao ver a confusão no rosto do filho. David fizera bem em dar sua bênção a Paul, mas, de algum modo, até aquilo, a própria estranheza da coisa, havia piorado o momento. Norah vira Paul sair correndo, carregando o violão, e por pouco não correra atrás dele. Mas sua cabeça doía e ela se permitira pensar que talvez o filho precisasse de um tempo para pensar naquilo sozinho. E, depois, ele não iria longe, com certeza: para onde poderia ir, afinal?

– Norah? Norah, você está bem? – perguntou Sam.

Ela fechou os olhos por um instante. A luz comum do sol lhe aquecia o rosto. As janelas do quarto de Sam eram cheias de prismas e, naquela manhã luminosa, as luzes e cores estariam mudando, vivas, em todas as superfícies. *É como fazer amor numa discoteca*, ela lhe dissera uma vez, meio reclamando, meio encantada, com os longos fachos de cores deslizando pelos braços dele, por sua própria pele alva.

Naquele dia, como em todos os outros desde que se haviam conhecido, Norah tivera a intenção de terminar tudo. E, então, Sam tinha desenhado o facho de luzes coloridas em sua coxa, com o dedo, e aos poucos ela sentira suas arestas começarem a se suavizar, a se embotar, as emoções fundindo-se umas nas outras numa seqüência misteriosa, do azul mais escuro para o dourado, e a relutância se transformara misteriosamente em desejo.

Mas o prazer nunca durava mais do que seu trajeto para casa.

– Neste momento eu estou concentrada no Paul – disse ela, e acrescentou com rispidez: – Escute, Sam, para mim chega, realmente. Falei sério no outro dia. Não me telefone de novo.

– Você está nervosa.

– Estou. Mas falo sério. Não me telefone. Nunca mais.

E desligou. Sua mão estava trêmula; ela a espalmou com força sobre a mesa. Sentia o desaparecimento de Paul como um castigo: pela raiva prolongada de David, pela dela própria. O carro furtado por ele fora encontrado abandonado numa ruazinha de Louisville, na noite anterior, mas nem sinal de Paul. E, assim, ela e David continuavam esperando, movendo-se desamparados pelas camadas de silêncio de sua casa. A garota da Virgínia Ocidental continuava a dormir no sofá-cama da sala íntima. David nunca a tocava, raras vezes sequer lhe dirigia a palavra, a não ser para lhe perguntar se precisava de alguma coisa. Mesmo assim, Norah intuía alguma coisa entre os dois, uma ligação emocional viva e carregada de afetos positivos que a feria tanto ou talvez mais do que qualquer romance físico.

Bree bateu no vidro e entreabriu a porta alguns centímetros.

– Tudo bem? É que o Neil está aqui, da IBM.

– Tudo ótimo – disse Norah. – Como vai você? Está se sentindo bem?

– É bom para mim estar aqui – respondeu Bree, animada, firme. – Especialmente com todas as outras coisas que andam acontecendo.

Norah assentiu com a cabeça. Tinha ligado para os amigos de Paul, e David havia chamado a polícia. A noite inteira e durante a manhã, ela andara pela casa de robe, tomando café e imaginando todas as desgraças possíveis. A possibilidade de ir para o trabalho, de desviar ao menos parte da cabeça para outra coisa, tinha sido uma bênção.

O telefone recomeçou a tocar quando ela se levantou, mas Norah deixou que uma onda de raiva cansada a empurrasse porta afora. Não deixaria Sam confundi-la, não o deixaria estragar aquela reunião, não mesmo. Suas outras aventuras haviam terminado de formas diferentes, depressa ou devagar, amigavelmente ou não, mas nenhuma com esse toque de mal-estar. *Nunca mais*, pensou com seus botões.

Ia cruzando o saguão, apressada, mas Sally a deteve na recepção, estendendo-lhe o telefone:

– É melhor você atender, Norah.

Ela compreendeu no mesmo instante; pegou o fone, trêmula.

– Eles o acharam – disse David, com voz calma. – A polícia acabou de ligar. Encontraram-no em Louisville, furtando uma loja. Nosso filho foi apanhado roubando queijo.

– Então ele está bem – fez Norah, soltando um suspiro que não se dera conta de estar prendendo o tempo todo e sentindo o sangue voltar a fluir para a ponta dos dedos. Ah, ela estivera semimorta e nem havia notado.

– Está, ele está bem. Com fome, ao que parece. Estou saindo para buscá-lo. Você quer ir?

– Talvez seja melhor eu ir. Não sei, David. Pode ser que você diga a coisa errada. *Fique aí com a sua namorada*, quase acrescentou.

David deu um suspiro.

– E o que é que seria a coisa certa a dizer, Norah? Eu gostaria muito de saber. Eu me orgulho dele e lhe disse isso. Ele fugiu e roubou um carro. Então, eu me pergunto: qual seria a coisa certa a dizer?

*É muito pouco, é tarde demais*, Norah sentiu vontade de responder. *E quanto à sua namorada?* Mas não falou nada.

– Norah, ele tem 18 anos. Roubou um carro. Tem que assumir a responsabilidade.

– Você tem 51 – retrucou ela. – Também tem que assumi-la.

Fez-se silêncio; ela o imaginou parado no consultório, tão tranqüilizador em seu jaleco branco, com os fios prateados a lhe avivar o cabelo. Ninguém que o visse imaginaria como ele tinha voltado para casa: a barba por fazer, a roupa rasgada e imunda, uma garota grávida a seu lado, metida num capote preto surrado.

– Escute, só me dê o endereço – disse Norah. – Encontro você lá.

– Ele está na delegacia, Norah. Na central de autuações. Onde você acha que estaria, no zoológico? Mas, claro, espere um instante. Vou lhe dar o endereço.

Enquanto o anotava, Norah levantou os olhos e viu a irmã fechando a porta da entrada depois de Neil Simms sair.

– O Paul está bem? – perguntou Bree.

Norah balançou a cabeça, emocionada demais, aliviada demais para falar. Ouvir o nome do filho tornava a notícia real. Paul estava em segurança, talvez algemado, mas a salvo. Vivo. O pessoal do escritório, parado na recepção, começou a aplaudir, e Bree cruzou o cômodo para abraçá-la. *Tão magrinha,* pensou Norah, com lágrimas nos olhos; as escápulas da irmã eram delicadas e finas como asas.

– Eu dirijo – disse Bree, segurando-a pelo braço. – Vamos. No caminho você me conta.

Norah deixou-se conduzir pelo corredor e pelo elevador até o carro na garagem. Bree seguiu pelas ruas movimentadas do centro, enquanto Norah falava, com o alívio atravessando-a como um vento.

– Mal consigo acreditar – disse. – Passei a noite inteira em claro. Sei que o Paul já é adulto. Sei que irá para a faculdade em poucos meses e não terei a menor idéia de onde ele está, nessa ou naquela hora. Mas não consegui parar de me preocupar.

– Ele ainda é o seu neném.

– Sempre. É difícil soltá-lo. Mais difícil do que eu tinha imaginado.

Estavam passando pelos prédios baixos e sem graça da IBM. Bree deu um adeusinho para eles. – Olá, Neil. Logo nos veremos.

– Toda aquela trabalheira – suspirou Norah.

– Ah, não se preocupe. Não vamos perder a conta. Eu fui muito, muito sedutora. E o Neil é um homem de família. Desconfio que também é do tipo que gosta de donzelas em perigo.

– Você está prejudicando a causa – retrucou Norah, lembrando-se de Bree sob a luz filtrada da sala de jantar, muitos anos antes, agitando panfletos sobre o aleitamento.

Bree riu:

– Nem um pouco. Apenas aprendi a trabalhar com o que tenho. Vamos conseguir a conta, não se preocupe.

Norah não respondeu. As cercas brancas passavam em borrões, tendo por fundo os gramados viçosos. Havia cavalos calmamente parados nos campos; celeiros de tabaco, acinzentados pelo tempo, contrastavam com uma encosta, depois outra. Começo de primavera, aproximando-se o dia do Derby, árvores-de-judas explodindo em flor. Elas atravessaram o rio Kentucky, lodoso e cintilante. Numa campina logo depois da ponte, um narciso solitário apareceu, como um clarão luminoso de beleza, e se foi. Quantas vezes Norah percorrera essa estrada, com o vento no cabelo e o rio Ohio a seduzi-la com suas promessas, sua beleza ágil e ondulante? Ela havia abandonado o gim e as corridas com o vento no rosto; comprara a agência de viagens e a fizera crescer; modificara sua vida. Mas de repente se deu conta de uma realidade, com a clareza de uma luz nova e ofuscante que inunda uma sala: nunca tinha parado de correr. Para San Juan e Bangkok, Londres e Alasca. Para os braços de Howard e dos outros, até chegar a Sam e a este momento.

– Não posso perder você, Bree – disse à irmã. – Não sei como você consegue estar tão calma com tudo isso, porque eu me sinto como se houvesse batido num muro.

Lembrou-se de David dizendo a mesma coisa na véspera, parado na entrada da garagem, tentando explicar por que tinha levado a jovem Rosemary para casa. O que teria acontecido com ele em Pittsburgh, para deixá-lo tão mudado?

– Eu estou calma porque você não vai me perder – disse Bree.

– Ótimo. Fico feliz por você ter tanta certeza. Porque eu não suportaria.

As duas prosseguiram em silêncio por alguns quilômetros.

– Lembra daquele sofá azul surrado que eu tinha? – perguntou Bree, enfim.

– Vagamente – disse Norah, enxugando os olhos. – O que é que tem ele?

– Sempre achei que aquele sofá era muito bonito. E aí, um dia, numa época muito deprimente da minha vida, a luz entrou na sala de um jeito diferente, talvez por haver neve do lado de fora, ou sei lá o quê, e percebi que o velho sofá estava completamente decrépito e que só a poeira o mantinha de pé. Compreendi que eu tinha que fazer umas mudanças – explicou, e deu uma olhada para o lado, sorrindo. – E, aí, fui trabalhar com você.

– Uma época deprimente? – repetiu Norah. – Sempre imaginei que a sua vida era muito glamourosa. Perto da minha, pelo menos. Não sabia que você tinha passado por um período de depressão, Bree. O que aconteceu?

– Não tem importância. São águas passadas há muito tempo. Mas ontem à noite também fiquei acordada. Tive o mesmo tipo de sensação: há alguma coisa mudando. É engraçado como as coisas parecem diferentes de uma hora para outra. Hoje de manhã eu estava olhando para a luz que entrava pela janela da cozinha. Ela formava um retângulo comprido no piso, e nele as folhas novas se mexiam, criando desenhos de todas as formas. Uma coisa muito simples, mas bonita.

Norah estudou o perfil da irmã, lembrando-se de como fora Bree, um dia, despreocupada, atrevida e segura em sua intrepidez, parada na escadaria do prédio da universidade. Para onde tinha ido aquela mocinha? Como se transformara nessa mulher tão magra e decidida, tão forte e tão solitária?

– Ah, Bree – conseguiu dizer, finalmente.

– Não é uma sentença de morte, Norah – declarou Bree, agora falando com firmeza, concentrada e decidida, como quem fizesse uma exposição geral das contas a receber. – É mais como uma espécie de alerta. Andei lendo umas coisas, e minhas chances são realmente muito boas. E hoje de manhã me ocorreu que, se não existir um grupo de apoio para mulheres como eu, eu mesma vou criar um.

Norah sorriu.

– Isso é bem típico de você. É a coisa mais animadora que você já disse até agora.

Passaram mais alguns minutos caladas, depois Norah acrescentou:

– Mas você não me contou. Todos esses anos, quando você estava infeliz. Você nunca me disse nada.

– Pois é. Estou dizendo agora.

Norah pôs a mão no joelho da irmã, sentindo seu calor e sua magreza.

– O que é que eu posso fazer?

– É só ir levando, um dia atrás do outro. Estou na lista de orações da igreja, e isso ajuda.

Norah olhou para a irmã, para seu cabelo curto e elegante, o perfil bem desenhado, pensando no que responder. Fazia cerca de um ano que Bree começara a freqüentar uma pequena igreja episcopal perto de casa. Norah a havia acompanhado uma vez, mas o ofício religioso, com seu ritual complexo de ajoelhar e ficar de pé, rezar e guardar silêncio, deixara nela uma sensação de inépcia, como se fosse uma forasteira. Ela havia olhado de relance para as outras pessoas nos bancos, perguntando-se o que estariam sentindo, o que as teria feito levantar da cama e ir para a igreja naquela bela manhã de domingo. Era difícil discernir algum mistério, difícil ver qualquer coisa além da luz clara e de um grupo de pessoas cansadas, esperançosas e obedientes. Norah nunca mais voltara lá, mas nesse momento sentiu-se intensamente grata por qualquer consolo que a irmã tivesse recebido, pelo que quer que houvesse encontrado, e que ela própria não tinha visto naquela igrejinha sossegada.

O mundo continuou a passar com rapidez pela janela: grama, árvores, céu. Depois, aos poucos, construções. Elas haviam entrado em Louisville e Bree confluiu com o trânsito pesado da Interestadual 71, cujas pistas velozes fervilhavam de carros. O estacionamento da delegacia policial estava quase lotado, tremeluzindo de leve sob o sol do meio-dia. As duas desceram do carro, batendo as portas em eco, percorreram uma calçada de concreto ladeada por uma série de arbustos pequenos, passaram pela porta giratória e entraram na tênue luz do lado de dentro.

Paul estava sentado num banco do outro lado da sala, recurvado, com os cotovelos nos joelhos e as mãos pendendo soltas entre eles. O coração de Norah parou. Ela passou pelo balcão e pelos policiais, avançando pelo denso ar verde-água em direção ao filho. Fazia calor na sala. Um ventilador dava giros quase imperceptíveis junto às placas do isolamento acústico do teto, todas manchadas. Norah sentou-se no banco ao lado do filho. Paul não tinha tomado banho, estava com o cabelo grosso e engordurado, e o forte cheiro de suor, cigarro e roupa suja grudara-se à sua pele. Odores acres, marcantes, cheiros de homem. Havia calos nos dedos dele, endurecidos pelo violão. Agora ele tinha sua própria vida, sua vida secreta. Norah experimentou uma súbita sensação de humildade, ao constatar como ele era independente. Seu filho, sim, isso sempre, mas já não lhe pertencia.

– É bom ver você – disse baixinho. – Fiquei preocupada, Paul. Todos ficamos.

Ele a fitou, com olhos ameaçadoramente aborrecidos e desconfiados, depois desviou o rosto subitamente, prendendo o choro.

– Estou fedendo – disse.

– É – concordou Norah. – Está mesmo.

Paul examinou o saguão, pousando os olhos em Bree, parada junto ao balcão, e depois no rodopio e no clarão da porta giratória.

– Bom. Acho que é sorte minha ele não ter se incomodado em vir.

Referia-se a David. Tanta dor em sua voz! Tanta raiva!

– Ele está a caminho – disse Norah, mantendo a voz firme. – Chegará a qualquer momento. A Bree me trouxe. Veio voando, na verdade.

Tivera a intenção de fazê-lo sorrir, mas ele apenas assentiu com a cabeça.

– Ela está bem?

– Está – fez Norah, pensando na conversa no carro. – Está bem.

Paul tornou a balançar a cabeça.

– Bom. Isso é ótimo. Aposto que papai está fulo da vida.

– Pode contar com isso.

– Eu vou para a cadeia? – perguntou Paul, com a voz muito baixa.

Norah respirou fundo.

– Não sei. Espero que não. Mas não sei.

Ficaram sentados em silêncio. Bree conversava com um policial, balançando a cabeça, gesticulando. Mais adiante, a porta girava e girava, piscando luz e sombras, cuspindo estranhos para dentro ou para fora, um a um, e de repente lá estava David, caminhando pelo piso de mármore, com os sapatos pretos rangendo e uma expressão séria e impassível, indecifrável. Norah ficou tensa e sentiu Paul retesar-se a seu lado. Para seu espanto, David dirigiu-se diretamente ao filho e o agarrou num abraço vigoroso, mudo.

– Você está a salvo. Graças a Deus – disse.

Norah respirou fundo, grata por esse momento. Um policial de cabelo branco à escovinha e olhos de um azul surpreendente atravessou a sala, com uma prancheta embaixo do braço. Apertou a mão de Norah, a de David. Depois, virou-se para Paul.

– O que eu gostaria de fazer era deixá-lo em cana – disse, em tom coloquial. – Um garoto metido a espertinho como você. Não sei quantos já vi ao longo dos anos, garotos que se acham muito durões, garotos cuja cara é livrada uma vez atrás da outra, até que acabam se metendo numa encrenca de verdade. Aí passam um bom tempo na cadeia e descobrem que não têm nada de durões. É uma pena. Mas parece que os seus vizinhos acham que estão lhe fazendo um favor e não querem prestar queixa sobre o carro. Portanto, como não posso prendê-lo, estou liberando você sob a guarda de seus pais.

Paul fez que sim com a cabeça. Tinha as mãos trêmulas; enfiou-as nos bolsos. Todos viram o policial arrancar um papel de sua prancheta, entregá-lo a David e voltar lentamente para o balcão.

– Telefonei para os Boland – explicou David, dobrando o papel e guardando-o no bolso do paletó. – Eles foram razoáveis. Isso podia ter sido muito pior, Paul. Mas não pense que você não vai pagar cada centavo do que custar o conserto do carro. E não pense que a sua vida será muito feliz por um bom tempo. Nada de amigos. Nada de vida social.

Paul balançou a cabeça, engolindo em seco.

– Tenho que ensaiar – disse. – Não posso abandonar o quarteto.

– Não – retrucou David. – O que você não pode é roubar o carro dos vizinhos e esperar que a sua vida continue a mesma.

Norah sentiu a tensão do filho a seu lado, sua raiva. *Deixe para lá*, descobriu-se pensando, ao ver o músculo pulsar no maxilar de David. *Deixem isso para lá, vocês dois. Já chega.*

– Ótimo – fez Paul. – Nesse caso, não vou para casa. Prefiro ir para a cadeia.

– Bem, eu posso providenciar isso, com certeza – respondeu David, num tom perigosamente frio.

– Vá em frente. Providencie. Porque eu sou músico. E sou bom. E prefiro dormir na rua a desistir disso. Droga, eu prefiro morrer.

Houve um momento, uma pulsação. Quando David não respondeu, os olhos de Paul se espremeram.

– Minha irmã não sabe a sorte que teve – provocou.

Norah, que até então estivera muito quieta, sentiu as palavras como lascas de gelo, uma dor aguda, viva, lancinante. Antes que soubesse o que estava fazendo, esbofeteou o filho no rosto. Sentiu na palma da mão a aspereza da barba crescida de Paul – ele era um homem, já não era um menino, e ela havia batido com força. O rapaz se virou, chocado, com a marca vermelha já lhe aparecendo na pele.

– Paul – disse David –, não torne as coisas piores do que já estão. Não diga coisas de que venha a se arrepender pelo resto da vida.

A mão de Norah ainda ardia e o sangue lhe pulsava forte nas veias.

– Nós vamos para casa – disse ela. – Vamos resolver isso em casa.

– Não sei. Talvez uma noite na delegacia fizesse bem a ele – replicou David.

– Já perdi uma filha – disse Norah, virando-se para o marido. – Não vou perder outro filho.

Nesse momento foi David quem ficou perplexo, como se ela também o tivesse esbofeteado. O ventilador de teto clicava e a porta giratória rodopiava em movimentos monótonos.

– Está certo – concordou ele. – Talvez isso esteja certo. Talvez você tenha razão em não prestar a menor atenção em mim. Deus sabe o quanto lamento as coisas que fiz, falhando com vocês dois.

– David – chamou Norah quando ele se virou, mas o marido não respondeu. Ela o viu atravessar a sala e cruzar a porta giratória. Lá fora, ficou visível por um instante, um homem de meia-idade com um paletó escuro, parte da multidão, e depois sumiu. O ventilador de teto continuou a estalar, em meio ao cheiro de corpos suados, batatas fritas e desinfetante.

– Eu não queria... – começou Paul.

Norah ergueu a mão.

– Não. Por favor. Não diga nem mais uma palavra.

Foi Bree, calma e eficiente, quem os levou para o carro. Abriram as janelas, por causa do mau cheiro de Paul, e Bree dirigiu, com os dedos finos firmemente plantados no volante. Norah, pensativa, prestou pouca atenção, e quase meia hora se passou até perceber que já não estavam na rodovia interestadual, porém indo mais devagar por estradas vicinais, cruzando a vívida zona rural primaveril. Campinas que mal haviam começado a verdejar e galhos cheios de novos rebentos passavam céleres pelas janelas.

– Para onde você está indo? – perguntou Norah.

– Para uma aventurazinha. Você vai ver – disse Bree.

Norah não queria olhar para as mãos da irmã, tão ossudas e com as veias azuis visíveis. Olhou para Paul pelo espelho retrovisor. Lá estava ele, pálido e taciturno, de braços cruzados, esparramado no banco, claramente furioso, claramente sofrendo. Ela agira mal ao agredir David daquele jeito, ao esbofetear Paul; só fizera piorar a situação. Os olhos enraivecidos do filho cruzaram com os dela no espelho, e Norah se lembrou de sua mãozinha rechonchuda de bebê a lhe apertar a bochecha, de seu riso alegre pelos cômodos da casa. Era completamente diferente aquele menino. Para onde teria ido?

– Que tipo de aventura? – indagou Paul.

– Bem, na verdade, estou tentando encontrar a Abadia de Getsêmani.

– Para quê? – perguntou Norah. – É perto daqui?

Bree confirmou com um gesto.

– Dizem que sim. Sempre tive vontade de vê-la e, no caminho, percebi que estávamos muito perto. E aí pensei: por que não? Está um dia muito bonito.

Bonito mesmo: céu de um azul límpido, mais claro na linha do horizonte, árvores coloridas e cheias de vida, farfalhando na brisa. Seguiram mais 10 minutos pelas estradinhas, e então Bree parou o carro no acostamento e começou a procurar alguma coisa embaixo do banco.

– Acho que eu não trouxe um mapa – comentou, reerguendo o corpo.

– Você nunca anda com mapas – ratificou Norah, percebendo nesse momento que isso se aplicara a Bree durante a vida inteira. No entanto, não parecia ter importância. Ela e David tinham começado com toda sorte de mapas e olhe só onde haviam chegado.

Bree tinha parado perto de duas casas de fazenda, modestas e brancas, com as portas trancadas e ninguém à vista, e os celeiros de tabaco, prateados pelo tempo, escancaravam-se nas colinas distantes. Era época de plantio. Ao longe ouviam-se tratores a se arrastar pelos campos recém-arados, e atrás deles iam pessoas que se abaixavam para plantar as mudas verde-claras de tabaco na terra preta. Mais adiante, na estrada, no outro extremo da campina, havia uma igrejinha branca à sombra de velhos sicômoros, cercada por uma fileira de amores-perfeitos arroxeados. Ao lado da igreja havia um cemitério cujas velhas lápides se inclinavam atrás de uma cerca de ferro batido. Era tão parecido com o lugar em que sua filha fora sepultada que Norah prendeu a respiração, relembrando aquele dia remoto de março, com a relva úmida sob os pés, as nuvens baixas e pesadas, e David a seu lado, calado e distante. *Das cinzas às cinzas, do pó ao pó*, e o mundo que eles conheciam havia desaparecido sob seus pés.

– Vamos até a igreja – disse. – Pode ser que alguém lá saiba onde é.

Desceram a estrada e ela e Bree saltaram do carro junto à igreja, sentindo-se urbanas e deslocadas com suas roupas de trabalho. Era um dia muito parado, quase quente, e a luz do sol brilhava intermitente por entre a folhagem. A grama sob os sapatos amarelos de Bree era verde-escura e viçosa. Norah pôs a mão no braço fino da irmã, sentindo o linho amarelo macio e fresco.

– Você vai estragar os sapatos – comentou.

Bree olhou para baixo, assentiu com a cabeça e tirou-os.

– Vou perguntar no presbitério – disse. – A porta da frente está aberta.

– Vá. Nós esperamos aqui – fez Norah.

Bree se abaixou para pegar os sapatos e seguiu pelo gramado verde-vivo, com algo de pueril e vulnerável nas pernas alvas e nos pés cobertos pelas meias de nylon. Os sapatos amarelos balançavam numa de suas mãos. Súbito, Norah lembrou-se dela correndo num campo atrás da casa em que haviam morado na infância, do riso flutuando no ar ensolarado. *Fique boa*, pensou, observando-a. *Ah, minha irmã, fique boa.*

– Vou dar uma volta – disse a Paul, que continuava desabado no banco de trás. Deixou-o lá e seguiu a trilha de cascalho até o cemitério. O portão de ferro se abriu sem dificuldade e Norah perambulou entre as lápides cinzentas e desgastadas. Havia muito tempo que não ia à sepultura na fazenda de Bentley. Virou-se para trás e olhou para Paul. Ele estava saindo do carro, espreguiçando-se, com os olhos mascarados pelos óculos escuros.

A porta da igreja era vermelha. Abriu-se silenciosamente quando Norah a tocou. O templo era sombrio e fresco, e os vitrais iluminavam-se com imagens de santos e cenas bíblicas, pombos e fogo. Norah pensou no quarto de Sam, na balbúrdia de cores que havia lá, e em como a cena de agora parecia tranqüila, em contraste, com suas cores estáveis e fixas descendo pelo ar. Havia um livro de visitas aberto e Norah o assinou com sua letra fluente, lembrando-se da ex-freira que lhe ensinara a escrita cursiva. Talvez tenha sido o simples silêncio que a fez dar alguns passos pela nave central deserta: o silêncio e aquela sensação de paz e vazio, o modo como a luz incidia pelas janelas de vitrais, o ar poeirento. Norah caminhou por essa luz: vermelho, azul-escuro, dourado.

Os bancos cheiravam a polidor de móveis. Norah sentou-se num deles. Havia almofadas de veludo azul para ajoelhar, meio empoeiradas. Ela pensou no velho sofá de Bree e, de repente, veio-lhe a lembrança das mulheres de seu antigo círculo noturno, as mulheres que tinham ido a sua casa levar presentes para Paul. Lembrou-se de um dia tê-las ajudado a limpar a igreja e de como haviam polido os bancos, sentando-se nos trapos e deslizando de traseiro pelas tábuas longas e lisas. *Assim faz mais peso*, elas haviam brincado, enchendo o templo de riso. Em sua tristeza, Norah se afastara delas e nunca mais tinha voltado, mas nesse momento lhe ocorreu que elas também haviam sofrido, perdido entes queridos, vivenciado doenças, sentido que haviam falhado com elas mesmas e com outras pessoas. Norah não quisera ser uma delas nem aceitar seu consolo; por isso havia se afastado. Ao recordar, seus olhos se encheram de lágrimas. Ora, que bobagem, fazia quase duas décadas que sua perda havia acontecido. É claro que essa tristeza não devia estar aflorando, fresca como água da fonte.

Aquilo era loucura. Ela estava em prantos. Tinha corrido muito, e muito depressa, para evitar esse momento, e no entanto ele continuava a acontecer: havia uma estranha dormindo no sofá-cama, sonhando, carregando uma misteriosa vida nova em seu ventre, como um segredo, e David dava de ombros e virava as costas. Ela sabia que voltaria para casa e descobriria que ele tinha ido embora, talvez carregando uma mala, nada mais. Chorou ao saber disso e chorou por Paul, pela raiva e pelo ar perdido que ele estampava nos olhos. Pela filha que jamais conhecera. Pelas mãos finas de Bree. Pelas mil maneiras como o amor falhara a todos eles, e eles ao amor. O luto parecia ser um lugar físico. Norah chorou, inconsciente de qualquer outra coisa senão uma espécie de alívio cuja lembrança guardava da infância; soluçou até ficar dolorida, sem fôlego, acabada.

Havia pássaros, pardais, aninhados nos caibros abertos do telhado. Ao voltar a si, pouco a pouco, Norah se deu conta dos sons suaves que eles emitiam, do bater das asas. Estava ajoelhada, com os braços apoiados no encosto do banco à sua frente. A luz continuava a descer pelos vitrais em feixes angulosos, juntando-se em poças no chão. Sem jeito, ela se sentou e enxugou as lágrimas do rosto. Algumas penas cinzentas estavam caídas nos degraus de pedra do altar. Ao erguer os olhos, Norah avistou um pardal que adejava de leve no alto, uma sombra em meio às sombras maiores. Ao longo dos anos, muitas outras pessoas teriam sentado ali, com seus segredos e seus sonhos, sua luz e suas trevas. Ela se perguntou se a insana tristeza delas, como a sua, teria diminuído. Não fazia o menor sentido que esse lugar lhe houvesse trazido tamanha paz, mas trouxera.

Quando Norah saiu da igreja, piscando os olhos sob a luz do sol, Paul estava sentado numa pedra em frente ao portão de ferro batido.

Ao longe, Bree caminhava pela grama, balançando os sapatos.

Paul fez sinal com a cabeça para as lápides dispersas do cemitério.

– Desculpe o que eu disse. Não falei sério. Estava tentando deixar o papai com raiva, para que eu pudesse sentir raiva também.

– Nunca mais diga aquilo. Que a sua vida não vale a pena. Nunca, nunca mais me faça ouvir isso de novo. Nem pense nisso.

– Não vou dizer. Sinto muito mesmo.

– Eu sei que você está aborrecido – disse Norah. – Tem o direito de levar a vida que quiser levar. Mas seu pai também tem razão. Haverá algumas condições. Se você as desrespeitar, ficará por sua própria conta.

Disse tudo isso sem olhar para o filho e, quando se virou, levou um susto ao ver o rosto dele fechado, as lágrimas rolando. Ah, o menino que ele tinha sido não estava tão longe, afinal. Norah o abraçou da melhor maneira que pôde. Paul era muito alto; a cabeça dela mal atingia seu peito.

– Escute, eu amo você – disse, encostada na camisa malcheirosa. – Fico muito contente por você ter voltado. E você está realmente, realmente fedendo – acrescentou, rindo, e Paul também riu.

Norah protegeu os olhos da luz e avistou Bree vindo pelo campo, já mais perto.

– Não é longe daqui – ela gritou de lá. – Um pouquinho adiante na estrada. Ela disse que não temos como errar.

Os três tornaram a entrar no carro e percorreram mais um trecho da estrada estreita, pelas colinas ondulantes. Poucos quilômetros à frente, começaram a vislumbrar os prédios brancos por entre os ciprestes. E então, subitamente, revelou-se a Abadia de Getsêmani, magnífica, nítida e simples contra a paisagem ondulada e verdejante. Bree parou no estacionamento, sob uma fileira de árvores. Quando eles iam descendo do carro, os sinos começaram a repicar, chamando os monges para a oração. Os três pararam para ouvir, enquanto o som límpido esmaecia no ar cristalino, o gado pastava a meia distância e as nuvens flutuavam ociosas no céu.

– É lindo – comentou Bree. – Thomas Merton morou aqui, vocês sabiam? Ele foi ao Tibete conhecer o Dalai-Lama. Adoro imaginar aquele momento. Adoro imaginar todos os monges lá dentro fazendo as mesmas coisas, dia após dia.

Paul havia tirado os óculos escuros. Seus olhos estavam límpidos. Ele enfiou a mão no bolso e espalhou algumas pedrinhas sobre o capô do carro.

– Lembra disso? – perguntou, quando Norah pegou uma das pedras, apalpando o disco branco e liso, com um furo no meio. – Crinóides. De lírios-do-mar. Papai me ensinou sobre eles naquele dia em que quebrei o braço. Dei uma volta enquanto você estava na igreja. Há uma porção deles por aqui.

– Eu tinha esquecido – disse Norah devagar, mas então a cena precipitou-se em sua memória: o colar que Paul fizera e o medo que ela havia sentido de que ele se enroscasse em seu pescoço e o sufocasse. O som dos sinos desfez-se no ar. Do tamanho de um botão de camisa, o fóssil era leve e morno na palma de sua mão. Norah lembrou-se de David levantando Paul e levando-o da festa, depois engessando seu braço quebrado. Com que empenho David trabalhara para tornar as coisas boas para todos eles, para consertar tudo! De algum modo, porém, sempre fora muito difícil para todos, como se eles nadassem nas águas rasas do mar que um dia havia coberto toda essa terra.

# 1988

# JULHO DE 1988

## I

DAVID HENRY ESTAVA SENTADO EM SEU ESCRITÓRIO DE CASA, NO SEGUNDO andar. Pela janela, ligeiramente empenada e coberta por uma película deixada por anos de intempéries, a vista da rua oscilava, ondulante e meio distorcida. Ele viu um esquilo pegar uma noz e subir correndo o sicômoro cujas folhas encostavam na janela. Rosemary estava ajoelhada junto à varanda, com o cabelo comprido balançando, inclinada para plantar bulbos e plantas sazonais nos canteiros que tinha feito. Ela havia transformado os jardins, trazendo lírios dos jardins de amigos e plantando linheiros perto da garagem, onde haviam florescido numa profusão de azul-claro que lembrava uma névoa. Jack estava sentado perto dela, brincando com um caminhão basculante. Era um menino parrudo, agora com cinco anos, alegre e bem-humorado, de olhos castanho-escuros e vestígios de vermelho nos cabelos louros. Tinha um traço de teimosia. Nas noites em que David cuidava dele, enquanto Rosemary saía para trabalhar, Jack insistia em fazer tudo sozinho. *Sou um menino grande*, anunciava várias vezes por dia, orgulhoso e cheio de si.

David o deixava fazer o que queria, dentro dos limites da segurança e da razão. A verdade é que adorava cuidar do garoto. Adorava ler histórias para Jack, sentindo o peso e o calor dele em seu colo, a cabecinha caindo em seu ombro quando ele começava a pegar no sono. Adorava segurar-lhe a mãozinha confiante quando os dois andavam pela calçada até o armazém. Era doloroso para David que suas lembranças de Paul nessa idade fossem muito esparsas, muito fugazes. Na época, ele estava procurando firmar-se na carreira, é claro, atarefado com sua clínica – e também com a fotografia. Na verdade, porém, a culpa é que o mantivera distante. Agora, os padrões de sua vida estavam dolorosamente claros. Havia entregado a filha a

Caroline Gill e o segredo criara raízes; tinha crescido e desabrochado bem no centro de sua família. Durante anos, ele tinha voltado para casa, observado Norah preparando coquetéis, ou amarrando o avental, e pensado no quanto ela era encantadora e em quão pouco a conhecia.

David nunca havia conseguido dizer-lhe a verdade, sabendo que a perderia por completo – e talvez a Paul também – se o fizesse. Assim, tinha se dedicado ao trabalho e, nas áreas da vida que lhe era possível controlar, fora muito bem-sucedido. Infelizmente, porém, daqueles anos da infância de Paul lembrava-se apenas de alguns momentos breves e isolados, com a nitidez de fotografias: Paul dormindo no sofá, com uma das mãos pendurada e o cabelo preto desgrenhado. Paul em pé na beira da água, gritando de medo e alegria quando as ondas rolavam em torno de seus joelhos. Paul sentado à mesinha da sala de recreação, colorindo a sério, tão absorto em sua tarefa que não notava o pai no vão da porta a observá-lo. Paul jogando o anzol nas águas paradas e permanecendo imóvel, quase sem respirar, enquanto os dois aguardavam ao cair da noite que um peixe mordesse a isca.

Lembranças curtas, de uma beleza quase insuportável. E depois tinham vindo os anos da adolescência, nos quais Paul havia percorrido uma distância ainda maior do que Norah, abalando a casa com sua música e sua raiva.

David tamborilou na janela e acenou para Jack e Rosemary. Havia comprado essa residência geminada com muita pressa, vendo-a apenas uma vez e voltando a sua casa para fazer as malas enquanto Norah estava no trabalho. Era uma residência antiga de dois andares, dividida quase exatamente ao meio, com divisórias finas separando o que tinham sido cômodos espaçosos; até a escadaria, antes larga e elegante, fora cortada em duas. David havia ocupado o apartamento maior e entregado a Rosemary a chave do outro; havia seis anos que moravam lado a lado, separados por paredes finas, mas encontrando-se todos os dias. Em diferentes ocasiões, Rosemary havia tentado pagar-lhe um aluguel, mas David recusara, dizendo-lhe que voltasse para a escola e se formasse; mais tarde ela poderia pagar-lhe. Ele sabia que seus motivos não eram inteiramente altruístas, mas não conseguia explicar nem a si mesmo por que a moça lhe era tão importante. *Eu ocupo aquele lugar deixado pela filha que você deu*, dissera Rosemary uma vez. David tinha concordado, achando que o assunto estava encerrado, mas também não era isso, não exatamente. Era mais pelo fato de Rosemary conhecer seu segredo, ele suspeitava. David tinha despejado sua história nela num rompante, na primeira e única vez que a havia contado a alguém, e ela o escutara sem julgá-lo. Havia uma certa liberdade nisso; David podia ser completamente verdadeiro com Rosemary, que escutara o que ele tinha feito sem rejeitá-lo e sem contar a ninguém. Estranhamente, no correr dos anos, Rosemary e Paul tinham feito amizade, a princípio meio a contragosto, depois com uma espécie de discussão constante e séria sobre os assuntos que interessavam aos dois – política, música e justiça social –, discussões que começavam no jantar, nas raras visitas de Paul, e se estendiam pela madrugada.

Às vezes David suspeitava que esse era o jeito de Paul manter distância dele, um jeito de estar em sua casa sem ter que falar de nada que fosse profundamente pessoal. De quando em quando, David insinuava um assunto, mas Paul sempre escolhia esse momento para ir embora, empurrando a cadeira para trás e bocejando, subitamente cansado.

Rosemary olhou para cima, afastando com o pulso uma mecha de cabelo caída no rosto, e acenou de volta. David guardou suas pastas de arquivo e desceu o corredor estreito. No caminho, passou pela porta que dava para o quarto de Jack. Deveriam têla lacrado quando a casa fora convertida numa residência geminada, mas uma noite, por impulso, David tinha experimentado a maçaneta e descoberto que isso não fora feito. Nesse momento, abriu a porta de mansinho. Rosemary tinha pintado o quarto de Jack de azul-claro, e a cama e o roupeiro, achados abandonados junto ao meio-fio, de um branco puro. Toda uma série de *Scherenschnitte* – intricados recortes de papel mostrando mães e filhos, crianças brincando sob árvores frondosas, delicados e cheios de movimento – fora montada contra um fundo azul-marinho, emoldurada e pendurada na parede oposta. Rosemary havia exibido essas peças numa exposição de arte, um ano antes, e, para sua surpresa, haviam começado a chegar encomendas, uma atrás da outra. À noite era comum ela se sentar à mesa da cozinha, sob uma luz forte, recortando cena após cena, todas diferentes entre si. Ela não podia prometer às pessoas o que faria; recusava-se a ficar presa a qualquer conjunto de imagens. É que a imagem já estava lá, explicava, escondida no papel e nos movimentos de suas mãos, e nunca podia ser a mesma duas vezes.

David parou, ouvindo os sons da casa: um leve gotejar de água e o zumbido da geladeira velha. O cheiro de perfume e talco infantil era forte; havia uma camisola caída sobre a cadeira do canto. Ele aspirou o aroma da moça e de Jack, depois fechou a porta com firmeza e continuou a andar pelo corredor. Nunca havia falado com Rosemary sobre a porta destrancada, mas também nunca a tinha cruzado. Para ele, era um ponto de honra, apesar do escândalo, nunca ter tirado proveito da moça, nunca ter invadido sua vida pessoal.

Mesmo assim, gostava de saber que a porta existia.

Havia mais trabalho burocrático para fazer, mas David desceu. Seus tênis de corrida estavam na varanda dos fundos. Calçou-os, amarrando os cadarços sem apertar, e deu a volta até a frente. Jack estava parado junto à treliça, arrancando botões de rosa. David agachou-se a seu lado e o puxou para perto, sentindo seu peso delicado e sua respiração compassada. Jack tinha nascido em setembro, num fim de tarde, quando a noite começava a cair. David levara Rosemary para o hospital e se sentara com ela durante as primeiras seis horas do trabalho de parto, jogando xadrez e lhe dando gelo picado. Ao contrário de Norah, Rosemary não tinha o menor interesse num parto natural; assim que foi possível, tomou uma anestesia epidural e, quando o trabalho de parto ficou mais lento, tomou Pitocin para acelerar o processo. David segurou-lhe a mão quando as contrações ficaram mais fortes, porém, quando ela foi levada para a sala de parto, deixou-se ficar para trás. Aquilo era muito particular, não era o lugar dele. Apesar disso, depois de Rosemary ele fora o primeiro a segurar Jack, e passara a amar o menino como se fosse seu filho.

– Você tá com um cheiro engraçado – disse Jack, empurrando o peito de David.

– É a minha camisa velha e fedida – respondeu David.

– Vai correr? – perguntou Rosemary. Agachou-se sobre os calcanhares, sacudindo a terra das mãos. Andava magra ultimamente, quase ossuda, e David se preocupava com o ritmo que ela mantinha, com o esforço que se impunha na escola e no trabalho. Ela secou o suor da testa com o pulso e deixou um risco de terra.

– Vou. Não agüento mais olhar para aquelas apólices de seguro nem por um minuto.

– Pensei que você tivesse contratado alguém.

– Contratei. Acho que ela será útil, mas só pode começar na semana que vem.

Rosemary balançou a cabeça, pensativa. Ela era jovem, tinha apenas 22 anos, mas era resoluta e objetiva, e se portava com a segurança de uma mulher muito mais velha.

– Tem aula hoje à noite? – indagou David, e ela fez que sim.

– A última de todas. Dia 12 de julho.

– É mesmo. Eu tinha esquecido.

– Você anda ocupado.

David concordou, com um vago sentimento de culpa, perturbado pela data. Doze de julho; era difícil entender como o tempo havia passado tão depressa. Rosemary tinha voltado para a escola depois de Jack nascer, no mesmo janeiro cinzento em que David abandonara sua clínica anterior porque um homem que tinha sido seu paciente durante 20 anos fora mandado embora por não ter seguro de saúde. David tinha iniciado sua própria clínica e atendia qualquer um que aparecesse, com ou sem seguro. Já não trabalhava pelo dinheiro. Paul havia terminado a faculdade e fazia muito tempo que suas próprias dívidas estavam pagas; ele podia fazer o que quisesse. Nos últimos tempos, como os médicos de antigamente, às vezes era pago com frutas e legumes, ou com trabalhos no jardim, ou o que quer que as pessoas pudessem oferecer. Imaginava continuar assim por mais uns 10 anos, atendendo pacientes todos os dias, mas reduzindo o horário aos poucos, até que os parâmetros de sua vida física não ultrapassassem o tamanho dessa casa e desse jardim e de suas idas à mercearia e à barbearia. Norah talvez ainda continuasse a viajar pelo globo feito uma libélula, mas aquela vida não era para ele. David estava criando raízes, e elas vinham se aprofundando.

– Hoje tenho prova final de química – disse Rosemary, tirando as luvas – e, depois, viva!, acabou-se.

As abelhas zumbiam em torno das madressilvas.

– Há uma coisa que preciso lhe dizer – ela continuou, puxando o short para baixo e sentando ao lado de David nos degraus quentes de concreto.

– Parece sério.

Ela acenou com a cabeça.

– E é. Ontem me ofereceram um emprego. Um bom emprego.

– Aqui?

Rosemary abanou a cabeça, sorrindo e dando adeusinho para Jack, que tentava saltar fazendo uma estrela e aterrissou esparramado na grama.

– Aí é que está. Fica em Harrisburg.

– Perto de sua mãe – comentou David, com o coração pesado. Sabia que ela vinha procurando emprego e tinha esperado que ficasse por ali. Mas a mudança sempre fora uma possibilidade muito real. Dois anos antes, depois da morte repentina do pai, Rosemary tinha se reconciliado com a mãe e a irmã mais velha, e as duas estavam ansiosas para que ela voltasse e criasse Jack perto delas.

– Isso mesmo. É o emprego perfeito para mim: quatro jornadas de 10 horas por semana. E eles também pagarão para eu freqüentar a faculdade. Posso trabalhar para conseguir meu diploma de fisioterapia. Mas, acima de tudo, eu teria mais tempo para passar com o Jack.

– E mais ajuda – disse David. – Sua mãe ajudaria. E sua irmã.

– É. Isso seria bom mesmo. E, por mais que eu goste do Kentucky, nunca foi um lar para mim, não de verdade.

David balançou a cabeça, contente por ela, mas não confiando em sua capacidade de falar. Algumas vezes havia imaginado, em tese, a possibilidade de ter a casa toda para si: as paredes que poderiam ser derrubadas, o espaço que se abriria, a casa reconvertendo-se lentamente na elegante residência familiar que um dia tinha sido. Mas todas as suas conjecturas haviam sido deixadas de lado em troca do prazer de ouvir os passos e os movimentos delicados dela na porta ao lado, de acordar de madrugada com o choro distante de Jack.

Havia lágrimas em seus olhos, e ele riu.

– Bem – disse, tirando os óculos –, acho que isso estava fadado a acontecer. Meus parabéns, é claro.

– Nós viremos visitá-lo. Você nos visitará.

– Isso mesmo. Tenho certeza de que nos veremos muito.

– É, sim – ela confirmou. Pôs a mão no joelho de David. – Olhe, eu sei que nunca falamos disso. Nem sei como tocar no assunto, na verdade. Mas o que isso significou para mim... o modo como você me ajudou... eu sou muito grata. Serei grata para sempre.

– Já fui acusado de me empenhar demais em salvar as pessoas – disse David.

Ela abanou a cabeça:

– Você salvou minha vida, em muitos sentidos.

– Bem, se isso é verdade, fico contente. Deus sabe que fiz muitos estragos noutro lugar. Parece que nunca pude fazer muito bem à Norah.

Houve um silêncio entre eles e o zumbir distante de um cortador de grama.

– Você tem que contar a ela – disse Rosemary, baixinho. – E ao Paul também. Você devia, mesmo.

Agora Jack estava agachado na aléia, fazendo montinhos de cascalho, deixando as pedrinhas se escoarem e cascatearem de seus dedos.

– Não é meu papel dizer nada, eu sei disso – continuou Rosemary. – Mas a Norah precisa saber da Phoebe. Não está certo ela não saber. Também não está certo o que ela foi obrigada a pensar de nós dois esse tempo todo.

– Eu disse a verdade a ela. Que nós somos amigos.

– É. E somos. Mas como é que ela poderia acreditar?

David deu de ombros.

– É a verdade.

– Não é a verdade toda. David, de um jeito esquisito, nós estamos ligados, você e eu, por causa da Phoebe. Porque eu conheço esse segredo. O negócio é que eu gostava disso: de me sentir especial por saber uma coisa que ninguém mais sabia. Saber um segredo é uma espécie de poder, não é? Mas, ultimamente, não gosto tanto de saber disso. Não é realmente a mim que cabe saber, não é?

– Não – fez David. Pegou um grumo de terra e o esmagou entre os dedos. Pensou nas cartas de Caroline, que havia queimado cuidadosamente ao se mudar para essa casa. – Acho que não.

– Pois é. Entende? Você vai? Quero dizer, vai contar a ela?

– Não sei, Rosemary. Não posso prometer.

Sentaram-se calados ao sol por alguns minutos, vendo Jack tentar novamente fazer estrelas na grama. Ele era um lourinho ágil, naturalmente atlético, que gostava de correr e trepar em árvores. David tinha voltado da Virgínia Ocidental livre do luto e da tristeza que mantivera isolados durante todos aqueles anos. Quando da morte de June, não tivera como dar voz ao que se havia perdido, não tivera realmente nenhum meio de seguir em frente. Chegava a ser indecoroso falar dos mortos naqueles tempos, de modo que eles não falavam. E tinham deixado todo aquele luto inacabado. De algum modo, voltar lá permitira a David resolver esse assunto. Ele retornara a Lexington exaurido, é verdade, mas também calmo e seguro. Depois de tantos anos, finalmente havia encontrado forças para dar a Norah a liberdade de refazer sua vida.

• • •

No nascimento de Jack, David tinha aberto uma conta para ele no nome de Rosemary, assim como uma para Phoebe, no nome de Caroline. Tinha sido bem simples: ele havia guardado o número de Caroline na previdência social e também dispunha de seu endereço. Um investigador particular levara menos de uma semana para encontrar Caroline e Phoebe morando em Pittsburgh, numa casa alta e estreita perto da via expressa. David tinha ido até lá e estacionado o carro na rua, com a intenção de subir a escada e bater na porta. O que queria era contar a Norah o que havia acontecido, e não poderia fazê-lo sem lhe dizer onde estava Phoebe. Norah quereria ver a filha, ele tinha certeza, de modo que não era apenas a sua vida que poderia mudar. Ele tinha ido a Pittsburgh para dizer a Caroline o que esperava fazer.

Seria a coisa certa? Ele não sabia. Ficou sentado no carro. Anoitecia, e os faróis lançavam clarões nas folhas dos sicômoros. Phoebe havia crescido ali, naquela rua conhecida que ela tomava por uma realidade comum, naquela calçada levantada pelas raízes de uma árvore, com a placa de advertência balançando de leve ao vento, com a correria do trânsito – tudo aquilo seriam emblemas de casa para sua filha. Passou um casal empurrando um carrinho de bebê, depois uma luz se acendeu na sala da casa de Caroline. David desceu do carro e ficou parado no ponto de ônibus, tentando não chamar atenção, apesar de estar olhando para a janela diante do gramado ensombrecido. Lá dentro, movendo-se no quadrado de luz, Caroline ajeitava a sala, recolhendo jornais e dobrando um cobertor. Estava de avental. Seus movimentos eram desenvoltos e objetivos. Ela parou, espreguiçou-se, olhou por cima do ombro e disse alguma coisa.

E então David a viu: Phoebe, sua filha. Estava na sala de jantar, pondo a mesa. Tinha o cabelo preto de Paul e o mesmo perfil, e, por um instante, até ela se virar para apanhar o saleiro, David teve a sensação de estar observando o filho. Deu alguns passos à frente e Phoebe sumiu de seu campo visual, depois reapareceu com três pratos. Era baixa e atarracada, e tinha o cabelo fino, fixado com prendedores. Usava óculos. Mesmo assim, a semelhança ainda era visível para David: lá estavam o sorriso de Paul, seu nariz, sua expressão de concentração no rosto de Phoebe, quando ela pôs as mãos nas cadeiras e examinou a mesa. Caroline entrou na sala e parou a seu lado, depois passou o braço em volta dela, num abraço rápido e afetuoso, e as duas riram.

Já então havia escurecido por completo. David ficou imóvel, feliz por haver pouco trânsito de pedestres. As folhas eram arrastadas pelo vento na calçada e ele fechou mais o paletó. Lembrou-se de como se sentira na noite do parto, como se estivesse fora de sua própria vida e observasse seus movimentos nela. Nesse momento, compreendeu que não controlava a situação atual, que estava tão completamente excluído dela quanto se não existisse. Phoebe lhe fora invisível durante todos aqueles anos: uma abstração, não uma menina. No entanto, ali estava, pondo copos de água na mesa. Ela ergueu os olhos e um homem de cabelo preto e eriçado entrou e disse alguma coisa que a fez sorrir. Depois, os três sentaram-se à mesa e começaram a jantar.

David voltou para o carro. Imaginou Norah parada a seu lado no escuro, observando a filha mover-se em sua vida, inconsciente da presença dos pais. Ele causara dor a Norah; sua mentira a fizera sofrer de uma maneira que ele nunca havia imaginado nem pretendido. Mas disso ele poderia poupá-la. Poderia afastar-se dali e deixar o passado em paz. E foi o que acabou fazendo, dirigindo a noite inteira pelas terras planas de Ohio.

• • •

– Não entendo – dizia Rosemary, fitando-o. – Por que você não pode prometer? É a coisa certa.

– Causaria sofrimento demais.

– Você não sabe o que vai acontecer enquanto não o fizer.

– Posso fazer uma idéia muito boa.

– Mas, David, prometa que vai pensar nisso, sim?

– Penso nisso todo santo dia.

Rosemary abanou a cabeça, confusa, depois deu um sorrisinho triste.

– Então, está bem. Há mais uma coisa.

– Ah, é?

– Stuart e eu vamos nos casar.

– Você é jovem demais para se casar – disse David na mesma hora, e os dois caíram na risada.

– Sou velha como as montanhas. É assim que me sinto, metade do tempo.

– Bem, parabéns de novo. Não é surpresa, mas é uma boa notícia, de qualquer jeito.

Pensou em Stuart Wells, alto e atlético. *Fortão*, era essa a palavra que vinha à mente. Era fisioterapeuta, especializado em pneumoterapia. Fazia anos que estava apaixonado por Rosemary, mas ela o obrigara a esperar até o término de seus estudos.

– Fico feliz por você, Rosemary – prosseguiu. – O Stuart é um bom rapaz. E adora o Jack. Ele já tem emprego em Harrisburg?

– Ainda não. Está procurando. O contrato dele aqui termina este mês.

– Como é o mercado de trabalho em Harrisburg?

– Mais ou menos. Mas não estou preocupada. Stuart é muito competente.

– Tenho certeza que sim.

– Você está aborrecido.

– Não. Não, de jeito nenhum. Mas a sua notícia me deixou triste. Eu me sinto triste e velho.

Ela riu.

– Velho como as montanhas?

Foi a vez de David rir também.

– Ah, muito, muito mais velho.

Calaram-se por um momento.

– Aconteceu, só isso – disse Rosemary. – Tudo se juntou na semana passada. Eu não queria falar nada do emprego até ter certeza. E aí, quando consegui o emprego, Stuart e eu resolvemos casar. Sei que deve parecer repentino.

– Gosto do Stuart. Espero poder dar os parabéns a ele também.

Rosemary sorriu.

– Na verdade, andei pensando se você me levaria ao altar.

David fitou-a nesse momento, a pele alva, a felicidade que ela já não conseguia conter transparecendo no sorriso.

– Seria uma honra para mim – disse em tom grave.

– Vai ser aqui mesmo. Uma coisa muito pequena, simples e particular. Daqui a duas semanas.

– Você não perde tempo.

– Nem preciso pensar nisso. Sinto que está tudo perfeitamente certo – disse Rosemary. Olhou para o relógio e deu um suspiro. – É melhor eu ir andando. – E se levantou, esfregando as mãos. – Vamos, Jack.

– Dou uma olhada nele enquanto você se arruma, se você quiser.

– Seria uma mão na roda. Obrigada.

– Rosemary.

– Sim?

– Você me manda umas fotos, de vez em quando? Do Jack, à medida que ele for crescendo? De vocês dois, na casa nova?

– Com certeza. É claro – fez ela, cruzando os braços e chutando a borda do degrau.

– Obrigado – disse David, simplesmente, de novo perturbado pelo modo como tinha conseguido perder sua própria vida, absorto em suas lentes e seu luto. As pessoas imaginavam que ele havia parado de fotografar por causa da mulher morena de Pittsburgh e de sua crítica pouco elogiosa. Ele tinha caído em desgraça, especulavam, e perdera o ânimo. Ninguém acreditaria que simplesmente deixara de se importar, mas era verdade. David não havia pegado uma câmera desde o dia em que se postara na confluência daqueles dois rios. Tinha desistido da arte e do ofício, da tarefa complexa e estafante de tentar transformar o mundo noutra coisa, de converter o corpo no mundo e o mundo no corpo. Às vezes ele deparava com fotografias suas em livros didáticos ou penduradas nas paredes de escritórios particulares ou residências e ficava chocado com sua beleza fria, sua precisão técnica; vez por outra, até com a busca sedenta que o vazio delas implicava.

– Não se pode deter o tempo – disse nesse momento. – Não se pode captar a luz. Tudo que a gente pode fazer é virar o rosto para cima e deixar a chuva cair. Mas, assim mesmo, Rosemary, eu gostaria de receber umas fotografias. Suas e do Jack. Pelo menos elas me dariam um vislumbre. E me dariam enorme prazer.

– Mandarei uma porção – disse ela, tocando-o no ombro. – Vou inundar você de fotos.

David ficou sentado na escada enquanto ela se vestia, lagarteando ao sol. Jack brincava com seu caminhão. *Você deve contar a ela.* Abanou a cabeça. Depois de observar a casa de Caroline como um voyeur, ele havia telefonado para um advogado em Pittsburgh e abrira as tais contas de poupança. Quando morresse, elas prescindiriam da homologação do inventário. Jack e Phoebe ficariam garantidos, e Norah nunca precisaria saber.

Rosemary voltou, cheirando a sabonete, de saia e sapatos baixos. Pegou a mão de Jack e pendurou uma mochila turquesa no ombro. Parecia muito jovem, forte e esguia, com o cabelo molhado e o rosto concentrado, de cenho franzido. Deixaria Jack na casa da babá a caminho da escola.

– Ah, com todas as outras coisas, quase me esqueci – disse. – O Paul telefonou.

O coração de David bateu mais forte.

– Foi?

– Foi, hoje de manhã. Para ele era o meio da madrugada; tinha acabado de voltar de um concerto. Estava em Sevilha, disse. Faz três semanas que está lá, estudando guitarra flamenga com alguém... não me lembro quem, mas parecia famoso.

– E ele está se divertindo?

– Está. Pareceu que sim. Ele não deixou o telefone. Disse que vai ligar de novo.

David assentiu com a cabeça, feliz por Paul estar a salvo. Feliz por ele ter telefonado.

– Boa sorte na sua prova – disse, levantando-se.

– Obrigada. Desde que eu passe, é só o que importa.

Rosemary sorriu, depois acenou e saiu andando com o filho pela estreita trilha de pedra até a calçada. David a viu afastar-se, tentando gravar aquele momento na memória para sempre – a mochila de cor viva, o cabelo dela balançando às suas costas, a mão solta de Jack estendendo-se para agarrar as folhas e gravetos. Era inútil, é claro; ele se esquecia das coisas a cada passo dado por Rosemary. Às vezes, suas fotografias o deixavam admirado: imagens com que se deparava, guardadas em velhas caixas ou pastas, momentos de que não conseguia recordar-se nem mesmo ao vê-los – ele mesmo, rindo com pessoas cujos nomes havia esquecido, Paul exibindo uma expressão que ele nunca vira ao vivo. E o que guardaria ele desse momento dentro de um ou de cinco anos? O sol no cabelo de Rosemary, a sujeira sob as unhas dela e o aroma vago e limpo do sabonete.

E, de algum modo, isso bastaria.

David levantou-se, espreguiçou-se e começou a correr em passadas ritmadas em direção ao parque. Depois de quase dois quilômetros de corrida, lembrou-se da outra coisa que o havia importunado a manhã inteira, da importância desse dia, afora a prova de Rosemary: 12 de julho. Aniversário de Norah. Ela estava fazendo 46 anos.

Difícil de acreditar. David continuou a correr, com passadas largas, ritmadas, lembrando-se de Norah no dia do casamento. Os dois tinham ido para o lado de fora, para o sol frio de final de inverno, e pararam na calçada, recebendo os cumprimentos dos convidados. O vento levantara o véu de Norah, batendo com ele no rosto de David, e a neve tardia sobre as cerejeiras descera como uma chuva de pétalas.

David correu, desviando-se do parque e rumando para seu antigo bairro. Rosemary tinha razão. Norah precisava saber. Ele lhe contaria hoje. Iria à antiga casa dos dois, onde Norah ainda morava, esperaria ela chegar e então lhe contaria, embora não conseguisse imaginar a reação dela.

*É claro que você não pode*, dissera Rosemary. *A vida é assim, David. Por acaso você se imaginaria, anos atrás, morando nesta casinha geminada furreca? Será que, em um milhão de anos, teria imaginado me encontrar?*

Bem, Rosemary tinha razão: a vida que ele estava levando não era a que havia imaginado para si. Chegara a esta cidade como um estranho, mas agora as ruas que passavam eram muito conhecidas; não havia um passo ou uma imagem que não estivessem ligados a uma lembrança. Ele vira aquelas árvores serem plantadas, acompanhara seu crescimento. Passou por casas que conhecia, casas em que estivera em jantares ou coquetéis, aonde fora atender chamados de emergência, parado em corredores ou vestíbulos tarde da noite, escrevendo receitas, chamando a ambulância. Camada após camada de dias e imagens densos e complexos e singularmente seus. Norah poderia andar por ali, ou Paul, e ver algo completamente diferente, mas igualmente real.

David virou em sua antiga rua. Havia meses que não passava por lá, e ficou surpreso ao ver as colunas da varanda da antiga casa derrubadas, o telhado sustentado por pares de tábuas grossas. Apodrecimento do piso da varanda, era o que parecia, mas não havia nenhum operário à vista. Também não havia nenhum carro na entrada; Norah não estava em casa. Ele andou pelo jardim algumas vezes, para recobrar o fôlego, depois foi até onde a chave continuava escondida, sob um tijolo ao lado dos rododendros. Entrou e tomou um copo d'água. A casa cheirava a mofo. David abriu uma janela e o vento levantou as cortinas brancas. Essas eram novas, assim como o piso de lajotas e a geladeira. Bebeu mais um copo d'água. Depois, perambulou pela casa, curioso para ver o que mais teria mudado. Pequenas coisas em toda parte: um espelho novo na sala de jantar, os móveis da sala de estar reestofados e rearrumados.

No segundo andar, os quartos continuavam os mesmos: o de Paul, um santuário da angústia adolescente, com cartazes de quartetos obscuros colados na parede com durex, canhotos de ingressos espetados no quadro de avisos, paredes pintadas de um azul-escuro pavoroso, feito uma caverna. Paul fora para a Juilliard e, embora David lhe tivesse dado sua bênção e pago metade das contas, o que Paul ainda recordava era o passado mais profundo, da época em que o pai não acreditava que o talento dele bastasse para sustentá-lo na vida. Estava sempre enviando programas de concertos e críticas, além de postais de todas as cidades onde se apresentava, como quem dissesse: *Ei, olhe só, eu sou um sucesso*. Como se ele mesmo mal pudesse acreditar. Às vezes, David viajava 150 quilômetros ou mais, até Cincinnati, Pittsburgh, Atlanta ou Memphis, para se sentar no fundo de um auditório escuro e ver o filho tocar. A cabeça de Paul curvada sobre o violão, seus dedos ágeis e a música, uma linguagem bela e misteriosa, comoviam-no até as lágrimas. Havia ocasiões em que tudo que David queria fazer era sair andando pelos corredores escuros da platéia e tomar o filho nos braços. Mas é claro que nunca o fazia; às vezes, saía de fininho sem ser visto.

O quarto de casal estava em perfeita ordem, sem uso. Norah tinha se mudado para o quarto menor da frente; nesse, a colcha estava amarrotada. David estendeu a mão para alisá-la, mas puxou-a de volta no último minuto, como se aquilo fosse uma intromissão grande demais. Em seguida, voltou para o térreo.

Não compreendia: já era fim de tarde e Norah deveria estar em casa. Se não chegasse logo, ele simplesmente iria embora.

Havia um bloco amarelo na escrivaninha, ao lado do telefone, cheio de anotações enigmáticas. *Telefonar Jan antes das 8h, remarcar*; *Tim não tem certeza*; *entrega antes das 10h. Não esquecer Dunfree e ingressos*. David arrancou cuidadosamente essa página, sem rasgá-la, arrumou-a no centro da escrivaninha e levou o bloco para a mesa da copa, onde se sentou e começou a escrever.

*Nossa filhinha não morreu. Caroline Gill a levou e a criou em outra cidade.*

Riscou esse trecho.

*Dei nossa filha.*

Suspirou e pousou a caneta. Não podia fazer isso; já nem conseguia imaginar como seria sua vida sem o peso desse conhecimento oculto. Passara a pensar nele como uma espécie de penitência. Era autodestrutivo, ele percebia, mas a vida era assim. As pessoas fumavam, saltavam de pára-quedas, bebiam demais e entravam no carro e dirigiam sem o cinto de segurança. Para ele havia esse segredo. As cortinas novas balançaram, roçando em seu braço. Ao longe, a torneira do banheiro do térreo pingava, coisa que o levara à loucura durante anos, coisa que sempre havia pretendido consertar. Picou em pedacinhos a página do bloco e os guardou no bolso, para jogar fora depois. Em seguida, foi até a garagem e vasculhou as ferramentas que havia deixado, até encontrar uma chave inglesa e um par de carrapetas. Era provável que as tivesse comprado num sábado qualquer, exatamente por essa razão.

Levou mais de uma hora para consertar as torneiras do banheiro. Desmontou-as, lavou o sedimento dos filtros, substituiu as carrapetas e atarraxou as peças. O metal estava manchado. David o poliu, usando uma velha escova de dentes que encontrou enfiada numa lata de café embaixo da pia. Eram seis horas quando terminou, o começo de uma noite de meados de verão em que a luz do sol ainda se derramava pelas janelas, só que agora mais baixa, inclinando-se no piso. Ficou um instante parado no banheiro, profundamente satisfeito com o brilho dos metais e com o silêncio. O telefone tocou na cozinha e uma voz desconhecida começou a falar com urgência sobre passagens para Montreal, interrompendo-se para dizer: *Ah, droga, é isso mesmo, esqueci que você está na Europa com o Frederic.* E então David também se lembrou de que ela viajara para Paris, em férias – Norah lhe dissera, mas ele tinha deixado a informação escapar, ou melhor, afastara a idéia da cabeça. A idéia de que ela havia conhecido alguém, um canadense de Quebec, um homem que trabalhava nos prédios quadrados da IBM e falava francês. A voz de Norah tinha mudado ao falar dele, como que enternecida, uma voz que David nunca a ouvira usar. Ele a imaginou segurando o fone com o ombro, enquanto digitava informações no computador, levantando os olhos e percebendo que havia passado muito da hora do jantar. Norah, caminhando pelos corredores de aeroportos, conduzindo seus grupos a ônibus, restaurantes, hotéis, aventuras, todos os quais ela mesma providenciara confiantemente.

Bem, pelo menos ela ficaria contente com as torneiras. E David também estava: tinha feito um trabalho cuidadoso, meticuloso. Parou na cozinha, alongando bem os braços, nos preparativos para terminar sua corrida, e tornou a pegar o bloco amarelo.

*Consertei a pia do banheiro*, escreveu. *Feliz aniversário*.

Em seguida, saiu, trancando a porta, e recomeçou a correr.

# II

NORAH ESTAVA SENTADA NUM BANCO DE PEDRA NOS JARDINS DO LOUVRE, com um livro aberto no colo, vendo as folhas dos choupos balançarem contra o céu. Perto de seus pés havia pombos movendo-se com seu andar gingado, bicando a grama e arrufando as asas.

– Ele está atrasado – disse Bree, que se sentara junto dela, com as longas pernas cruzadas nos tornozelos, folheando uma revista. Agora com 44 anos, Bree ainda era muito bonita, alta e esbelta, com seus brincos turquesa roçando a pele morena e o cabelo transformado num branco prateado e puro. Durante a radioterapia, ela o cortara bem curto, dizendo que não pretendia gastar nem mais um minuto da vida para andar na moda. Tivera sorte, e sabia disso: eles haviam descoberto o tumor precocemente, e fazia cinco anos que ela estava livre do câncer. Mas a experiência a havia modificado, em aspectos grandes e pequenos. Ela ria mais e tirava mais folgas do trabalho. Nos fins de semana, começara a trabalhar como voluntária na construção de casas da organização Habitat for Humanity; ao construir uma delas no leste do Kentucky, tinha conhecido um homem caloroso, corado e que gostava de se divertir, um pastor que era viúvo recente. Chamava-se Ben. Os dois tinham tornado a se encontrar num projeto na Flórida e outra vez no México. Nessa última viagem, sem maior alarde, tinham se casado.

– O Paul virá – disse Bree, erguendo os olhos. – Afinal, foi idéia dele.

– É verdade – concordou Norah. – Mas ele está apaixonado. Só espero que se lembre.

O ar estava quente e seco. Norah fechou os olhos, relembrando aquele dia do final de abril em que Paul a surpreendera no escritório, de volta por algumas horas entre uma apresentação e outra. Alto e ainda magricela, sentara-se na beirada da escrivaninha, jogando o peso de papel de uma das mãos para a outra, enquanto descrevia seus planos para uma turnê de verão na Europa, com seis semanas inteiras na Espanha, para estudar com os violonistas de lá. Norah e Frederic haviam programado uma viagem à França e, ao descobrir que estariam em Paris no mesmo dia, Paul havia apanhado uma caneta na escrivaninha da mãe e rabiscado LOUVRE no calendário da parede do escritório de Norah: cinco horas, 21 de julho. *Encontre-me no jardim, que eu a levo para jantar*.

Paul tinha viajado para a Europa semanas depois, ligando para Norah de vez em quando, de pensões rústicas ou hoteizinhos à beira-mar. Estava apaixonado por uma flautista, o tempo estava maravilhoso, a cerveja da Alemanha era espetacular. Norah escutava; procurava não se preocupar nem fazer perguntas demais. Afinal, Paul era um adulto de 1,83m, moreno como David. Ela o imaginava andando descalço pela praia, inclinando-se para segredar alguma coisa à namorada, seu hálito parecendo roçar-lhe o ouvido.

Norah era tão discreta que nunca chegava sequer a lhe pedir seu itinerário, de modo que, quando Bree lhe havia telefonado do hospital em Lexington, ela não soubera como entrar em contato com o filho para lhe dar a notícia chocante: quando corria no jardim botânico, David havia sofrido um infarto fulminante e morrera.

Ela abriu os olhos. O mundo parecia vívido e preguiçoso no calor de fim de tarde em que as folhas reluziam intermitentemente contra o céu azul. Norah tinha voltado para casa imediatamente, acordando no avião depois de sonhos irrequietos em que procurava Paul. Bree a havia ajudado em todo o processo do sepultamento e se recusara a deixar que ela regressasse sozinha a Paris.

– Não se preocupe. Ele virá – repetiu Bree.

– Ele perdeu o enterro – fez Norah. – Sempre me sentirei péssima por isso. Eles nunca resolveram direito as coisas, o David e o Paul. Acho que Paul nunca se refez da partida do David.

– E você?

Norah olhou para a irmã, para o cabelo espetado e curto, a pele alva, os olhos verdes, calmos e penetrantes. Virou o rosto para o outro lado.

– Isso parece o tipo de coisa que o Ben perguntaria. Acho que talvez você ande passando tempo demais com pastores.

Bree deu uma risada, mas não desistiu do assunto.

– Não é o Ben que está perguntando. Sou eu.

– Não sei – respondeu Norah, devagar, pensando na última vez que vira David, sentado na varanda com um copo de chá gelado, depois de uma corrida. Fazia seis anos que estavam divorciados e, antes disso, tinham sido casados por outros 18: fazia 25 anos que ela o conhecia, um quarto de século, mais da metade de sua vida. Quando Bree lhe telefonara com a notícia da morte dele, Norah simplesmente não tinha conseguido acreditar. Era impossível imaginar o mundo sem David. Só muito depois, passado o funeral, é que o luto a havia alcançado. – Há muitas coisas que eu gostaria de ter dito a ele. Mas, pelo menos, nós conversávamos. Às vezes ele dava só uma passada: para consertar alguma coisa, para dizer olá. Era solitário, eu acho.

– Ele sabia do Frederic?

– Não. Tentei contar-lhe uma vez, mas ele não pareceu assimilar a idéia.

– Isso é bem coisa do David – observou Bree. – Ele e o Frederic são muito diferentes.

– É. São, sim.

Uma imagem de Frederic em Lexington, do lado de fora, na penumbra do crepúsculo, batendo cinza na terra em volta dos rododendros, passou por sua cabeça. Os dois tinham se conhecido pouco mais de um ano antes, em mais um dia abafado, em outro jardim. A conta da IBM, obtida com enorme esforço, ainda era uma das mais lucrativas de Norah, de modo que ela havia comparecido ao piquenique anual, apesar da dor de cabeça e do rugir distante da trovoada. Frederic estava sentado sozinho, com um ar vagamente mal-humorado e pouco comunicativo. Norah servira-se de um prato e se sentara ao lado dele. Se o homem não quisesse conversar, tudo bem com ela. Mas ele sorrira e a cumprimentara calorosamente, abandonando seus pensamentos e falando inglês com um leve sotaque francês; era de Quebec. Tinham passado horas conversando, enquanto a tempestade se aproximava, enquanto os outros participantes do piquenique arrumavam suas coisas e iam embora. Ao começar a chuva, ele a havia convidado para jantar.

– E onde está o Frederic, afinal? – perguntou Bree. – Você não disse que ele viria?

– Ele queria vir, mas foi chamado a Orléans a trabalho. Tem laços de família por lá, de muito tempo atrás. Um primo distante em segundo grau, que mora num lugar chamado Châteauneuf. Você não gostaria de morar num lugar com esse nome?

– É provável que mesmo lá eles tenham engarrafamentos e dias em que o cabelo fica horroroso.

– Espero que não. Espero que façam feira todas as manhãs e voltem para casa com pão fresquinho e vasos cheios de flores. Seja como for, eu disse ao Frederic que fosse. Ele e Paul são muito amigos, mas é melhor eu dar essa notícia a ele sozinha.

– É. Também estou planejando sair de fininho quando ele chegar.

– Obrigada – disse Norah, segurando-lhe a mão. – Obrigada por tudo. Por me ajudar tanto no enterro. Eu não teria conseguido atravessar esta última semana sem você.

– Você está com uma dívida e tanto comigo – retrucou Bree, sorridente. Depois, ficou pensativa. – Achei que foi um belo funeral, se é que se pode dizer isso. Havia muita gente. Fiquei surpresa ao ver quantas vidas o David afetou.

Norah assentiu com a cabeça. Também ficara surpresa ao ver a igrejinha de Bree repleta de gente, tão cheia que, quando o ofício começou, havia três filas de pessoas em pé nos fundos. Os dias anteriores tinham sido um borrão, durante o qual Ben a guiara delicadamente pela escolha da música e dos trechos das Escrituras, do caixão e das flores, e a ajudara a escrever o obituário. Mesmo assim, fora um alívio ter essas coisas concretas para fazer, e Norah havia se deslocado por entre as tarefas numa nuvem protetora de eficiência entorpecida – até começar o ofício religioso. As pessoas deviam ter estranhado a intensidade com que ela havia chorado naquele momento, dando um novo sentido às belas e velhas palavras, mas seu luto não tinha sido apenas por David. Eles tinham estado juntos no funeral da filha, todos aqueles anos antes, com o luto já então crescendo entre os dois.

– Foi a clínica – disse Norah. – A clínica que ele dirigiu por todos aqueles anos. A maioria das pessoas tinha sido paciente dele.

– Eu sei. Foi impressionante. As pessoas pareciam achar que ele era um santo.

– Não eram casadas com ele – comentou Norah.

As folhas se agitavam contra o céu azul e quente. Norah tornou a percorrer o jardim com os olhos, à procura de Paul, mas ele não estava em parte alguma.

– Ah, não consigo acreditar que o David esteja morto de verdade – suspirou Norah. Mesmo nesse momento, passados dias, as palavras fizeram um pequeno choque perpassar-lhe o corpo. – Eu me sinto muito velha, por algum motivo.

Bree segurou-lhe a mão e as duas ficaram vários minutos em silêncio. A palma da mão dela era lisa e quente contra a sua, e Norah sentiu aqueles instantes se alongarem, crescerem, como se pudessem abarcar o mundo inteiro. Ela se lembrou de uma sensação similar, já se iam muitos anos, quando Paul era bebê e ela ficava sentada a amamentá-lo, nas noites quietas e escuras. Agora, crescido, ele parava numa estação ferroviária ou na calçada, sob as árvores, ou atravessava uma rua. Parava diante de vitrines ou tirava um ingresso do bolso, ou protegia os olhos contra a luz do sol. Ele saíra do seu corpo e crescera, e agora, espantosamente, andava pelo mundo sem ela. Norah também pensou em Frederic, sentado numa sala de reuniões, balançando a cabeça ao examinar papéis, espalmando as mãos sobre a mesa ao se preparar para falar. Ele tinha pêlos escuros nos braços e unhas grandes, de formato quadrado. Barbeava-se duas vezes por dia, e, se esquecesse de fazê-lo, a barba nova a arranhava no pescoço quando ele a puxava para si durante a noite, beijando-a atrás da orelha para excitá-la. Frederic não comia pão nem doces; quando o jornal matutino se atrasava, isso o deixava excepcionalmente contrariado. Todos esses pequenos hábitos, alternadamente cativantes e irritantes, faziam parte de Frederic. Nessa noite, Norah o encontraria na pensão em que estavam hospedados, à beira do rio. Os dois tomariam vinho e ela acordaria de madrugada, com o luar inundando o quarto e a respiração regular e suave dele. Frederic queria casar, e essa era mais uma decisão em que pensar.

O livro de Norah escorregou de seu colo e ela se inclinou para pegá-lo. *A noite estrelada*, de Van Gogh, rodopiou no folheto que ela vinha usando como marcador. Quando reergueu o corpo, Paul estava atravessando o jardim.

– Ah – exclamou ela, com a onda súbita de prazer que sempre sentia ao vê-lo: aquela pessoa, o filho dela, ali no mundo. Levantou-se. – Ali vem ele, Bree. Paul chegou!

– Está muito bonito – comentou Bree, levantando-se também. – Deve ter saído a mim.

– Deve – concordou Norah. – Mas ninguém sabe de onde ele tirou o talento, já que nenhuma de nós nem o David seria capaz de entoar uma melodia.

É, o talento de Paul. Norah o observou cruzar o jardim. Aquilo era um mistério, um dom.

Ele levantou uma das mãos num aceno, abrindo um sorriso largo, e Norah começou a andar em sua direção, deixando o livro no banco. Seu coração batia de animação e alegria, assim como de tristeza e inquietação; ela estava trêmula. Como o mundo se modificava por ele estar ali! Finalmente, chegou junto do filho e lhe deu um abraço apertado. Ele usava uma camisa branca com as mangas arregaçadas e bermuda cáqui. Cheirava a limpeza, como se tivesse saído do chuveiro. Norah sentiu os músculos do filho através do tecido, os ossos fortes, o simples calor dele, e, por um breve instante, compreendeu o desejo de David de fixar o mundo num dado momento. Não se podia culpá-lo, não, não se podia censurá-lo por querer aprofundar-se mais em cada instante fugaz, estudar seu mistério, gritar contra a perda, a mudança e o movimento.

– Oi, mãe – disse Paul, chegando para trás para olhá-la. Tinha os dentes brancos, regulares, perfeitos; deixara crescer uma barba preta. – Imagine só, encontrá-la aqui – disse, rindo.

– Pois é, imagine só.

Bree já estava ao lado deles. Deu um passo à frente e também abraçou Paul.

– Tenho que ir embora – disse. – Só estava esperando para dizer oi. Você está bonito, Paul. Essa vida nômade lhe faz bem.

Ele sorriu e perguntou:

– Você não pode ficar?

Bree olhou de relance para Norah e disse:

– Não, mas vejo você em breve, está bem?

– Está bem, eu acho – fez Paul, inclinando-se para beijá-la no rosto.

Norah passou o dorso da mão nos olhos enquanto Bree se virava e ia embora.

– O que foi? – perguntou o rapaz, e insistiu, subitamente sério: – O que há de errado?

– Venha sentar-se – disse Norah, pegando-o pelo braço.

Voltaram juntos para o banco, fazendo um bando de pombos levantar vôo, num impulso repentino. Norah apanhou o livro e alisou o marcador.

– Paul, tenho uma notícia ruim. Seu pai morreu há nove dias. Infarto.

Os olhos de Paul se arregalaram de susto e tristeza, e ele desviou o rosto, fitando sem falar o caminho que percorrera para chegar até ali.

– Quando foi o enterro? – perguntou, por fim.

– Na semana passada. Sinto muito mesmo, Paul. Não houve tempo para encontrá-lo. Pensei em entrar em contato com a embaixada para me ajudar a localizá-lo, mas eu não sabia por onde começar. E, assim, vim aqui hoje na esperança de que você aparecesse.

– Eu quase perdi o trem – disse ele, pensativo. – Quase não consegui chegar.

– Mas chegou. Está aqui.

Ele balançou a cabeça e inclinou-se para a frente, com os cotovelos nos joelhos e as mãos cruzadas entre eles. Norah lembrou-se de tê-lo visto sentado exatamente assim quando menino, lutando para esconder a tristeza. Paul cerrou os punhos, tornou a abri-los. Norah segurou uma de suas mãos. As pontas dos dedos do filho tinham calos, dos muitos anos tocando violão. Os dois permaneceram ali por muito tempo, ouvindo o vento sussurrar nas folhas.

– Não há nada de errado em ficar triste – disse Norah, por fim. – Ele era seu pai.

Paul assentiu com a cabeça, mas seu rosto continuou tenso como um punho. Quando finalmente falou, tinha a voz embargada, à beira do choro.

– Nunca achei que ele fosse morrer. Nunca achei que me importaria. Não é como se algum dia tivéssemos conversado de verdade.

– Eu sei.

E sabia mesmo. Depois do telefonema de Bree, Norah tinha andado pela rua, onde as copas frondosas formavam uma abóbada, chorando desbragadamente, zangada com David por ele ter morrido antes que os dois tivessem a chance de acertar as coisas de uma vez por todas.

– Mas antes, pelo menos, sempre havia a opção de conversar – completou.

– É. Eu ficava esperando que ele desse o primeiro passo – disse Paul.

– Acho que ele esperava a mesma coisa.

– Ele era meu pai. Devia saber o que fazer.

– Ele amava você – disse Norah. – Nunca pense que não o amava.

Paul deu um risinho curto e amargo.

– Não. Isso é bonito de dizer, mas não é verdade. Eu ia à casa dele e tentava; ficava rondando por lá e conversava com papai sobre uma coisa e outra, mas nunca íamos adiante. Com ele, eu nunca conseguia fazer nada direito. Ele teria sido mais feliz com um filho completamente diferente.

A voz de Paul continuava calma, porém as lágrimas se haviam acumulado em seus olhos e começavam a rolar pelo rosto.

– Meu bem, ele amava você. Amava mesmo. Achava você o filho mais incrível do mundo.

Paul enxugou as lágrimas com um gesto brusco. Norah sentiu sua própria tristeza e seu luto apertarem-lhe a garganta, e levou um momento para conseguir falar.

– Seu pai – disse, por fim – tinha uma dificuldade enorme de se abrir com quem quer que fosse. Não sei por quê. Cresceu pobre e sempre se envergonhou disso. Eu gostaria que ele pudesse ter visto quantas pessoas foram ao enterro, Paul. Centenas. Foi todo aquele trabalho clínico que ele fez. Tenho o livro de presenças, você mesmo pode ver. Uma porção de gente gostava dele.

– A Rosemary foi ao enterro? – perguntou Paul, virando-se para a mãe.

– A Rosemary? Foi – respondeu. Fez uma pausa, deixando a brisa morna afagar-lhe o rosto. Ela avistara Rosemary no fim da cerimônia, sentada no último banco, com um vestido cinza simples. O cabelo ainda era comprido, mas ela parecia mais velha, mais estabilizada. David sempre insistira em que nunca tinha havido nada entre eles; no fundo, Norah sabia que era verdade. – Eles não estavam apaixonados. Seu pai e Rosemary. Não era o que você pensava.

– Eu sei – disse Paul, endireitando o corpo. – Eu sei. A Rosemary me disse. Acreditei nela.

– Ela disse? Quando?

– Quando o papai a levou lá para casa. Naquele primeiro dia – disse Paul. Parecia pouco à vontade, mas prosseguiu: – Às vezes eu a encontrava na casa dele. Quando dava uma passada para visitar o papai. Às vezes jantávamos todos juntos. Às vezes papai não estava, e então eu ficava um pouco por lá com a Rosemary e o Jack. Dava para ver que não havia nada entre eles. Às vezes ela recebia um namorado. Não sei.

Era meio esquisito, eu acho. Mas eu me acostumei. Ela é boa gente, a Rosemary. Não era a razão de eu não conseguir conversar de verdade com o papai.

Norah balançou a cabeça.

– Mas, Paul, você era importante para ele. Olhe, eu sei do que você está falando, porque também senti isso. Aquela distância. Aquela reserva. Aquela sensação de um muro alto demais para transpor. Depois de algum tempo, desisti de tentar e, depois de um tempo ainda maior, desisti de esperar que uma porta se abrisse nele. Mas, por trás daquele muro, ele amava a nós dois. Não sei como eu sei disso, mas sei.

Paul calou-se. De quando em quando, enxugava as lágrimas dos olhos.

O ar estava mais fresco e as pessoas haviam começado a passear pelo jardim: namorados de mãos dadas, casais com filhos, caminhantes solitários. Um casal idoso se aproximou. A mulher era alta, com a cabeleira branca, e o homem andava devagar, meio curvado, com uma bengala. Ela estava com a mão enfiada no braço do marido, inclinando-se para falar com ele, e o homem balançava a cabeça, pensativo, de cenho franzido, olhando para o outro lado do jardim, para além dos portões, para o que quer que ela quisesse fazê-lo observar. Norah sentiu uma fisgada de dor ao ver aquela intimidade. Houvera um tempo em que tinha imaginado envelhecer assim com David, a história dos dois entremeada como um vinhedo, as gavinhas enroscadas nos brotos, as folhas misturadas. Ah, ela fora tão antiquada! Até sua tristeza tinha sido antiquada. Ela havia imaginado que, casada, seria uma espécie de botão encantador, envolto no cálice mais resistente e mais flexível da flor. Envolto e protegido, com as camadas de sua própria vida contidas umas nas outras.

Em vez disso, tinha encontrado seu caminho, construído uma empresa, criado Paul, viajado pelo mundo. Era pétala, cálice, haste e folha; era a longa raiz branca que se aprofunda na terra. E estava contente.

Ao passar por eles, o casal estava falando, discutindo onde jantar. Os dois tinham um sotaque sulista – do Texas, Norah supôs. O homem queria achar um lugar onde houvesse filés, uma comida que fosse conhecida.

– Estou farto dos americanos – comentou Paul, depois que os dois saíram do raio de alcance de sua voz. – Sempre todos contentes por encontrarem outro americano. É como se não houvesse 250 milhões de nós. Seria de se esperar que eles quisessem conhecer os franceses, já que estão na França.

– Você andou conversando com o Frederic.

– É claro. Por que não? O Frederic acerta bem na mosca em matéria de arrogância americana. Aliás, cadê ele?

– Viajando a negócios. Chega hoje à noite.

A sensação tornou a atravessá-la: a imagem de Frederic entrando pela porta do quarto do hotel, jogando as chaves na cômoda e apalpando os bolsos para se certificar de que estava com a carteira. Ele usava camisas branquíssimas, que refletiam até o último raio de luz, com o colarinho engomado e abotoado, e toda noite chegava e atirava a gravata numa cadeira, enquanto sua voz grave formava o nome de Norah. A voz talvez fosse o que ela havia amado primeiro. Os dois tinham muitas coisas em comum – filhos crescidos, divórcios, trabalhos desgastantes –, mas, como a vida de Frederic havia acontecido em outro país, metade dela em outra língua, afigurava-se exótica a Norah, ao mesmo tempo conhecida e desconhecida. Um país antigo e um novo.

– Sua viagem tem sido boa? – perguntou Paul. – Está gostando da França?

– Tenho sido feliz aqui – respondeu Norah, e era verdade. Frederic achava que a superpopulação tinha destruído Paris, mas, para Norah, o encanto era infinito, com as confeitarias e as *pâtisseries*, os crepes vendidos em barraquinhas de rua, as torres dos prédios antigos, os sinos. E também os sons da língua, fluindo como uma correnteza, com uma palavra emergindo aqui e ali como um seixo. – E quanto a você? Como vai a turnê? Você ainda está apaixonado?

– Ah, sim – fez ele, com o rosto relaxando um pouco. Olhou diretamente para a mãe. – Você vai se casar com o Frederic?

Norah correu o dedo pela borda do folheto. Essa era a pergunta, é claro, que se imiscuía em todos os seus momentos: deveria mudar de vida? Ela amava Frederic e nunca se sentira mais feliz, mas podia vislumbrar através dessa felicidade uma época em que os hábitos cativantes dele poderiam lhe dar nos nervos, assim como os seus nos dele. Frederic gostava das coisas perfeitas: era meticuloso em tudo, desde esquadrias até formulários de impostos. Nesse aspecto, embora em nenhum outro, ele a fazia lembrar de David. Agora Norah tinha idade e experiência suficientes para saber que nada era perfeito. Nada se mantinha inalterado, inclusive ela própria. Mas também era verdade que, quando Frederic entrava num cômodo, o ar parecia mudar, ficar eletrizado, pulsar diretamente em seu corpo. Ela sentia vontade de ver o que aconteceria depois.

– Não sei – respondeu devagar. – A Bree está disposta a comprar a agência. Frederic tem mais dois anos de contrato, de modo que não temos que tomar nenhuma decisão por enquanto. Mas posso me imaginar vivendo com ele. Acho que esse é o primeiro passo.

Paul balançou a cabeça.

– Foi assim que aconteceu da última vez? Sabe, com papai?

Norah o fitou, pensando em como responder.

– Sim e não – disse, por fim. – Agora sou muito mais pragmática. Naquela época, só queria que alguém cuidasse de mim. Não me conhecia muito bem.

– Papai gostava de cuidar das coisas.

– É, ele gostava.

Paul deu um risinho curto, agudo.

– Não consigo acreditar que ele esteja morto.

– Eu sei – concordou Norah. – Nem eu.

Sentaram-se calados por algum tempo, enquanto a brisa circulava de leve a seu redor. Norah virou seu folheto, relembrando o frio do museu, o eco de passos. Ficara quase uma hora diante daquele quadro, estudando os remoinhos de cor, as pinceladas seguras e vívidas. Em que Van Gogh teria tocado? Em alguma coisa tremeluzente, alguma coisa esquiva. David deslocara-se pelo mundo focalizando sua câmera nos mais ínfimos detalhes, obcecado com a luz e a sombra, tentando fixar as coisas. Agora ele se fora, e seu jeito de ver o mundo também.

Paul estava se levantando, acenando para alguém no jardim, e a tristeza em seu rosto deu lugar a um sorriso alegre, intenso, claramente focado e exclusivo. Norah acompanhou seu olhar por sobre a grama ressequida, até uma moça de rosto longo e delicado, pele corada e cabelo preto descendo em trancinhas rastafári até a cintura. Era esguia e usava um vestido de estampa delicada; andava com a graça e a reserva de uma bailarina.

– É a Michelle – disse Paul, já de pé. – Eu volto já. É a Michelle.

Norah o viu caminhar em direção à moça, como que atraído pela gravidade, e o rosto dela se iluminou ao vê-lo. Paul segurou-lhe de leve o rosto entre as mãos ao beijá-la e, em seguida, Michelle ergueu uma das mãos e as palmas dos dois se tocaram por um instante, bem de leve, num gesto tão íntimo que Norah desviou o olhar. Os dois cruzaram o jardim com a cabeça inclinada, conversando. A certa altura, pararam e Michelle pousou a mão no braço de Paul, e Norah compreendeu que ele lhe havia contado.

– Sra. Henry – disse a moça, apertando-lhe a mão quando os dois chegaram ao banco. Seus dedos eram longos e frios. – Sinto muito pelo pai de Paul.

A pronúncia dela também tinha um tom estranho: Michelle havia passado muitos anos em Londres. Por alguns minutos, ficaram todos parados no jardim, conversando. Paul sugeriu que fossem jantar e Norah sentiu-se tentada a dizer sim. Tinha vontade de conversar longamente com o filho, pela noite adentro, mas hesitou, consciente de que havia entre Paul e Michelle um calor, uma radiância, uma ânsia de estarem a sós. Tornou a pensar em Frederic, talvez já de volta à pensão, e na gravata caída no encosto da cadeira.

– Que tal amanhã? – perguntou. – Que tal nos encontrarmos para o café da manhã? Quero ouvir tudo sobre sua viagem. Quero saber tudo sobre os guitarristas de flamenco de Sevilha.

Na rua, a caminho do metrô, Michelle segurou o braço de Norah. Paul ia andando logo à frente, ombros largos, esguio.

– Você criou um filho maravilhoso – disse ela. – É uma pena eu não ter conhecido o pai dele.

– Isso seria difícil, de qualquer jeito: *conhecê-lo*. Mas, sim, eu também lamento – disse Norah. Deram mais alguns passos. – Você gostou da sua turnê?

– Ah, viajar é uma liberdade maravilhosa – comentou Michelle.

Era um anoitecer suave e as luzes fortes da estação de metrô foram um choque quando os três desceram. Um trem moveu-se com estardalhaço ao longe, ecoando pelo túnel. Havia uma mistura de aromas: perfume e, por baixo, o cheiro mais ativo de metal e óleo.

– Venham amanhã, aí pelas nove horas – Norah disse a Paul, elevando a voz acima do barulho. E, quando o trem se aproximou, inclinou-se para a frente, perto do ouvido dele, e gritou: – Ele amava você! Era seu pai e amava você!

O rosto de Paul deixou transparecer as emoções por um instante: luto e tristeza. Ele assentiu com a cabeça. Não havia tempo para mais nada. Agora o trem corria, disparava em direção a eles, e, no súbito vento produzido, Norah sentiu o coração inundado. Seu filho, ali no mundo. E David, misteriosamente morto. O trem parou com um rangido e as portas automáticas abriram-se com um suspiro. Norah entrou e se sentou à janela, tendo um lampejo, um vislumbre final de Paul, andando com as mãos nos bolsos e a cabeça baixa. Visível, depois sumiu.

Quando ela chegou à sua estação, o ar se enchera da luz do crepúsculo. Norah andou pelos paralelepípedos até a pensão, pintada de amarelo-claro, com uma luminosidade tênue e as jardineiras das janelas carregadas de flores. O quarto estava silencioso, e as coisas dela, espalhadas, não tinham sido mexidas; Frederic não havia chegado. Norah foi até a janela que dava para o rio e ali se deteve por um instante, pensando em David carregando Paul nos ombros pelos cômodos de sua primeira casa, pensando no dia em que ele lhe propusera casamento, gritando por cima do fragor da correnteza, e no anel frio deslizando em seu dedo. Pensando nas mãos de Paul e Michelle, palma contra palma.

Foi até a mesinha e escreveu um bilhete: *Frederic, estou no pátio.*

O pátio, com sua fileira de vasos de palmeiras, dava para o Sena. Havia lâmpadas minúsculas entrelaçadas nas árvores e nas grades de ferro. Norah sentou-se onde podia ver o rio e pediu uma taça de vinho. Deixara seu livro em algum lugar. Provavelmente, no jardim do Louvre. Perdê-lo deixou-a com um vago sentimento de pesar. Não era o tipo de livro que se comprasse duas vezes, apenas uma coisa leve, algo para passar o tempo. Alguma coisa sobre duas irmãs. Agora, nunca saberia como terminava a história.

Duas irmãs. Um dia, talvez ela e Bree escrevessem um livro. A idéia a fez sorrir, e o homem sentado a uma mesa próxima, de terno branco e com um cálice de aperitivo junto à mão, retribuiu o sorriso. Era assim que essas coisas começavam. Houvera época em que ela teria cruzado as pernas ou jogado o cabelo para trás: pequenos gestos convidativos, até que o homem se levantasse, saísse de sua mesa e viesse perguntar se poderia acompanhá-la. Norah havia adorado o poder dessa dança e a sensação de descoberta. Mas, nessa noite, desviou o olhar. O homem acendeu um cigarro e, ao terminá-lo, pagou a conta e saiu.

Norah ficou observando o fluxo dos transeuntes, que tinha por fundo o tremeluzir escuro do rio. Não viu Frederic chegar. Mas sentiu a mão dele em seu ombro, virou-se e ele a beijou, primeiro numa face, depois na outra, depois nos lábios.

– Olá – fez ele, sentando-se do outro lado da mesa. Não era um homem alto, mas estava em excelente forma, com os ombros fortes de quem nadou durante muitos anos. Era analista de sistemas, e Norah gostava de sua segurança, sua capacidade de captar e discutir o panorama geral, sem se preocupar com detalhes. No entanto, era exatamente isso que às vezes também a irritava – a idéia que ele tinha do mundo como um lugar estável e previsível.

– Esperou muito? Já jantou? – perguntou Frederic.

– Não, quase nada – ela gesticulou com a cabeça para a taça de vinho mal tocada. – E estou faminta.

Ele balançou a cabeça.

– Ótimo. Desculpe eu ter demorado. O trem atrasou.

– Tudo bem. Como foi o seu dia em Orléans?

– O de sempre. Mas o almoço com meu primo foi agradável.

Ele começou a falar e Norah reclinou-se na cadeira, deixando-se inundar pelas palavras. As mãos de Frederic eram fortes e habilidosas. Ela se lembrou do dia em que ele lhe construíra uma estante de livros, trabalhando na garagem durante todo o fim de semana, com as espirais de madeira caindo de sua plaina. Frederic não tinha medo de trabalhar nem de interrompê-la na cozinha enquanto ela cozinhava, deslizando as mãos por sua cintura e beijando-a na nuca até ela se virar e beijá-lo. Ele fumava cachimbo, o que não agradava a Norah, trabalhava demais e corria demais na estrada.

– Você contou ao Paul? Está tudo bem com ele?

– Não sei. Espero que sim. Ele vem se encontrar conosco no café da manhã. Quer reclamar com você sobre os americanos arrogantes.

Frederic riu.

– Ótimo. Gosto do seu filho.

– Ele está apaixonado. E ela é um encanto, essa moça que ele adora: Michelle. Também virá amanhã.

– Ótimo – repetiu Frederic, entrelaçando os dedos nos de Norah. – É bom estar apaixonado.

Pediram o jantar: brochetes de carne com arroz pilafe, e vinho. O rio deslizava lá embaixo, escuro e silencioso, e, enquanto os dois conversavam, Norah pensou em como era bom sentar-se calmamente, ancorada num lugar. Sentar-se tomando vinho em Paris, vendo os pássaros levantarem vôo da silhueta das árvores, o rio a escoar serenamente. Lembrou-se de suas corridas desvairadas ao rio Ohio quando moça, da superfície estranhamente iridescente da água, das margens escarpadas de calcário, do vento a levantar seu cabelo.

Mas agora estava sentada quieta, e os pássaros escuros alçavam vôo pelo céu azul-marinho. Norah sentiu os aromas da água, dos canos de descarga, da carne assando e do lodo úmido do rio. Frederic acendeu o cachimbo, serviu mais vinho, e as pessoas deslocaram-se pela calçada, passeando pela tarde que cedia lugar à noite e na qual os prédios próximos esmaeciam aos poucos nas sombras. Uma a uma, iluminaram-se as janelas. Norah dobrou o guardanapo e se levantou. O mundo girou; ela estava tonta com o vinho, a altura, o aroma da comida, depois daquele longo dia de luto e alegria.

– Você está bem? – perguntou Frederic, soando muito distante.

Norah tocou a mesa com uma das mãos, recobrou o fôlego. Balançou afirmativamente a cabeça, incapaz de falar acima do burburinho do rio, do cheiro de suas margens sombrias, das estrelas que fulgiam por toda parte, rodopiando, vivas.

# NOVEMBRO DE 1988

ELE SE CHAMAVA ROBERT E ERA BONITO, COM UMA CABELEIRA PRETA QUE LHE descia sobre a testa. Subiu e desceu o corredor do ônibus, apresentando-se a todos e tecendo comentários sobre o trajeto, o motorista, o dia. Chegou ao fim do corredor, virou-se e recomeçou todo o processo.

– Estou me divertindo muito aqui – anunciou, apertando a mão de Caroline ao passar. Ela sorriu, paciente; o aperto de mão de Robert era confiante e firme. As outras pessoas não o fitavam nos olhos. Examinavam seus livros, seus jornais, as cenas que corriam fora da janela. Mas Robert continuou, sem se deixar abater, como se os passageiros do ônibus devessem ser tão notados e se mostrar tão pouco receptivos quanto as árvores, as pedras ou as nuvens. Na persistência dele, pensou Caroline, observando do último banco e de novo decidindo, a cada segundo, não intervir, havia um desejo profundo de encontrar alguém que realmente o visse.

Essa pessoa, ao que tudo indicava, era Phoebe, que parecia iluminar-se, inundada por uma luz interna, quando Robert estava por perto, e que o contemplava subindo e descendo do ônibus como se ele fosse uma nova e maravilhosa criatura, talvez um pavão, belo, chamativo e orgulhoso. Quando Robert enfim se acomodou no assento ao lado dela, ainda falando, Phoebe simplesmente lhe sorriu. Era um sorriso radiante; ela não refreava nada. Nenhuma reserva, nenhuma cautela, nenhuma espera para se certificar de que o rapaz sentia a mesma onda de amor. Caroline fechou os olhos ao ver a expressão escancarada de emoção da filha – a inocência impetuosa, o risco! Quando os reabriu, porém, Robert estava retribuindo o sorriso, tão encantado com Phoebe, tão deslumbrado quanto se uma árvore tivesse dito seu nome.

Bem, pois é, pensou Caroline, e por que não? Esse amor já não era raro o bastante no mundo? Olhou de relance para Al, sentado a seu lado, cabeceando, com o cabelo grisalho a se levantar no ar quando o ônibus dava solavancos ou fazia curvas. Ele chegara tarde na noite anterior e tornaria a viajar na manhã seguinte, fazendo hora extra para pagar o telhado e as calhas novas. Nos últimos meses, os dias que passavam juntos eram quase todos consumidos em tarefas de ordem prática. Às vezes, a lembrança dos primeiros tempos de casados – os lábios dele nos seus, o toque das mãos dele em sua cintura – inundava Caroline como uma saudade agridoce. Como é que eles tinham ficado tão atarefados e cheios de preocupações? Como é que tantos dias se haviam escoado, um atrás do outro, até levá-los a esse momento?

O ônibus avançou veloz pelo desfiladeiro, subiu a ladeira da serra dos Esquilos. Já havia faróis acesos no entardecer de princípio de inverno. Phoebe e Robert estavam calados, sentados de frente para o corredor, vestidos para o baile anual da Sociedade Upside Down. Os sapatos de Robert brilhavam de tão polidos, e ele usava seu melhor terno. Sob o casaco de inverno, Phoebe usava um vestido florido vermelho e branco, e um delicado crucifixo branco, de sua cerimônia de crisma, pendia de uma corrente fina em seu pescoço. Seu cabelo havia escurecido e afinado, e exibia um corte arredondado, solto e curto, enfeitado com prendedores vermelhos aqui e ali. Phoebe era pálida, com sardas claras nos braços e no rosto. Olhava pela janela com um vago sorriso, perdida em seus pensamentos. Robert examinava os cartazes acima da cabeça de Caroline, anúncios de clínicas e dentistas, mapas do trajeto. Era um bom rapaz, sempre disposto a se encantar com o mundo, embora esquecesse as conversas quase no instante em que elas terminavam e pedisse a Caroline o número de seu telefone toda vez que os dois se encontravam.

Apesar disso, sempre se lembrava de Phoebe. Sempre se lembrava do amor.

– Estamos quase chegando – disse Phoebe, puxando o braço de Robert quando o ônibus se aproximou do alto da ladeira. O centro ficava a meio quarteirão de distância e suas luzes suaves derramavam-se sobre a grama queimada, sobre as crostas de neve. – Contei sete pontos de ônibus.

– Al – disse Caroline, sacudindo-o pelo ombro. – Al, meu bem, é o nosso ponto.

Desceram do ônibus para a friagem úmida do anoitecer de novembro e caminharam aos pares pela luz crepuscular. Caroline enfiou o braço no de Al.

– Você está cansado – comentou, procurando romper o silêncio que se vinha tornando um hábito entre os dois, cada vez mais. – Foram duas semanas pesadas.

– Eu estou bem – disse ele.

– Eu queria que você não tivesse que passar tanto tempo fora.

Arrependeu-se das palavras no instante em que as disse. Essa já era uma velha discussão, um ponto sensível em carne viva no casamento dos dois, e até a seus próprios ouvidos sua voz soou áspera, esganiçada, como se ela estivesse procurando briga de propósito.

A neve estalava sob seus pés. Al deu um grande suspiro e sua respiração formou uma nuvem tênue no ar frio.

– Escute, estou fazendo o melhor que posso, Caroline. O dinheiro anda bom e já estou beirando os 60. Tenho que dar duro enquanto é possível.

Caroline assentiu com a cabeça. O braço dele sob o seu era sólido e firme. Ela estava muito contente por tê-lo por perto, e muito cansada do estranho ritmo de vida que o mantinha longe por dias a fio. O que ela queria, mais do que qualquer outra coisa, era tomar o café com Al todas as manhãs e jantar com ele todas as noites; acordar com ele a seu lado na cama, e não saber que estava num quarto de hotel anônimo, a 200 ou 800 quilômetros de distância.

– É só que eu sinto saudade de você – disse baixinho. – Foi só o que eu quis dizer. É só o que estou dizendo.

Phoebe e Robert caminhavam adiante deles, de mãos dadas. Caroline observou a filha, com suas luvas escuras e a echarpe que Robert lhe dera, frouxamente enrolada no pescoço. Phoebe queria casar-se com Robert, dividir sua vida com ele; nos últimos tempos, era só disso que falava. Linda, a diretora do centro de atividades, havia alertado: *A Phoebe está apaixonada. Tem 24 anos, desabrochando um pouquinho tarde, e está começando a descobrir a sexualidade. Precisamos conversar sobre isso, Caroline.* Mas Caroline, não querendo admitir que algo houvesse mudado, vinha adiando a conversa.

Phoebe caminhava com a cabeça meio inclinada, escutando com atenção; vez por outra, seu riso repentino flutuava pela noite. Caroline aspirou o ar frio e cortante, sentindo uma onda de prazer pela felicidade da filha, e foi instantaneamente remetida à sala de espera da clínica, com suas samambaias murchas e sua porta barulhenta, e Norah Henry, em pé junto ao balcão, tirando as luvas para mostrar à recepcionista a aliança de casamento, rindo daquele mesmo jeito.

Aquilo tinha sido quase que uma vida atrás. Caroline havia tirado aqueles dias da cabeça quase por completo. E então, na semana anterior, quando Al ainda estava fora, chegara uma carta de um escritório de advocacia no centro da cidade. Intrigada, ela o abrira e lera na varanda, na friagem de novembro.

*Queira ter a gentileza de entrar em contato com nosso escritório, a propósito de uma conta aberta em seu nome.*

Havia telefonado prontamente, parada junto à janela, observando os carros em alta velocidade enquanto o advogado lhe dava a notícia: David Henry tinha falecido. Na verdade, fazia três meses que havia morrido. A firma estava entrando em contato com ela a propósito de uma conta bancária que David deixara em seu nome. Caroline apertara o fone no ouvido, sentindo alguma coisa despencar dentro dela num poço escuro e profundo, ao ouvir a notícia, e estudando as raras folhas que restavam nos sicômoros, balançando sob a luz fria da manhã. O advogado, a quilômetros dali, continuara a falar. Era uma poupança que David tinha aberto em conjunto no nome dos dois, de modo que estava fora do testamento e do inventário. O escritório se recusara a dizer por telefone quanto havia na conta. Caroline teria que ir até lá.

Ao desligar, ela voltara para a varanda, onde tinha passado muito tempo sentada no balanço, tentando assimilar a notícia. Sentia-se chocada por David ter se lembrado dela dessa maneira. Mais chocada ainda por ele ter morrido. O que é que ela havia imaginado: que ela e David viveriam para sempre, de algum modo, levando suas vidas separadas, mas ainda ligados àquele momento no consultório em que ele se levantara e pusera Phoebe em seus braços? Que, de algum modo, um dia, quando lhe fosse conveniente, ela o procuraria e o deixaria conhecer a filha? Os carros corriam ladeira abaixo, num fluxo contínuo. Caroline não conseguira pensar no que fazer e, no final, simplesmente tornara a entrar em casa e se aprontara para o trabalho, enfiando a carta na gaveta de cima da escrivaninha, junto com as sobras de elásticos e os clipes, à espera de que Al voltasse e a ajudasse a pensar. Ela ainda não a havia mencionado – Al andava cansadíssimo –, mas a notícia não verbalizada continuava pairando no ar entre os dois, junto com a preocupação de Linda a respeito de Phoebe.

A luz do centro de atividades derramava-se na calçada e nos tufos marrons do capim. Eles entraram no salão pela porta de vidro. Uma pista de dança tinha sido montada na outra extremidade e um globo de discoteca girava no alto, espalhando feixes de luz colorida pelo teto, pelas paredes e pelos rostos levantados. Havia música, mas ninguém estava dançando. Phoebe e Robert pararam junto às pessoas aglomeradas, observando a luz se movendo sobre a pista vazia.

Al pendurou os casacos e, para surpresa de Caroline, pegou-a pela mão.

– Lembra-se daquele dia no jardim, o dia em que resolvemos nos casar? Vamos ensinar essa turma a dançar, o que é que você acha?

Caroline sentiu as lágrimas subirem depressa, ao pensar nas folhas flutuando feito moedas naquela tarde distante, no brilho do sol e no zumbir das abelhas ao longe. Eles haviam dançado na relva e, horas depois, ela segurara a mão de Al no hospital e dissera: *Sim, eu me caso com você, sim.*

Al enlaçou-a pela cintura e os dois entraram na pista de dança. Caroline havia esquecido – fazia muito tempo – com que facilidade e fluidez seus corpos se moviam juntos, a liberdade que ela sentia ao dançar. Deixou a cabeça descansar no ombro dele, aspirando a fragrância de sua loção após barba e o cheiro limpo de óleo de motor que persistia por baixo. Al exercia uma pressão firme em suas costas, o rosto colado no dela. Os dois começaram a girar e, aos poucos, outros casais foram entrando na pista de dança, sorrindo em sua direção. Caroline conhecia quase todos os presentes, a equipe do centro de atividades, os outros pais da Upside Down, os moradores do centro residencial vizinho. Phoebe estava na lista de espera para conseguir um quarto lá, um lugar em que pudesse morar com vários outros adultos e um responsável residente. Parecia ideal, sob certos aspectos – mais independência e autonomia para Phoebe, uma resposta ao menos parcial para seu futuro –, mas a verdade era que Caroline não conseguia imaginar a filha morando longe dela. A lista de espera parecera muito longa quando elas fizeram a inscrição, mas, no ano anterior, o nome de Phoebe tinha subido depressa. Em pouco tempo, Caroline teria que tomar uma decisão. Avistou a filha nesse momento, com seu sorriso radiante e o cabelo fino, atado pelos vivos prendedores vermelhos, entrando timidamente na pista de dança com Robert.

Dançou mais três músicas com Al, de olhos fechados, deixando-se deslizar, seguindo os passos dele. Al era um bom dançarino, leve e seguro, e a música parecia atravessar o corpo de Caroline. A voz de Phoebe também tinha esse efeito sobre ela, quando os tons puros de seu canto vagavam pelos cômodos, levando a mãe a parar o que estivesse fazendo e ficar imóvel, sentindo o mundo derramar-se feito luz sobre ela. *Que gostoso*, murmurou Al, puxando-a para mais perto e colando o rosto no dela. Quando a música passou para um rock acelerado, ele manteve o braço em volta dela ao saírem da pista.

Meio zonza, Caroline percorreu o salão com os olhos à procura de Phoebe, obedecendo a um velho hábito, e sentiu as primeiras pontadas de inquietação quando não a viu.

– Eu mandei que ela fosse buscar mais ponche – disse Linda, atrás da mesa. Fez um gesto para apontar os refrescos e bebidas que diminuíam na mesa. – Dá para acreditar numa afluência destas, Caroline? Os biscoitinhos também estão acabando.

– Vou buscar mais – ofereceu-se Caroline, feliz por ter um pretexto para procurar Phoebe.

– Ela vai ficar bem – disse Al, segurando-a pela mão e apontando para a cadeira a seu lado.

– Só vou dar uma olhada. Não demoro um minuto.

Cruzou os corredores vazios, muito iluminados e quietos, ainda sentindo na pele o toque de Al. Desceu a escada e entrou na cozinha, abrindo com uma das mãos as portas metálicas de vaivém e estendendo a outra para o interruptor. A fluorescência repentina flagrou-os como uma fotografia: Phoebe, com seu vestido florido, de costas para a bancada, e Robert bem junto, com os braços em volta dela e uma das mãos subindo por sua perna. Um instante antes de os dois se virarem, Caroline percebeu que ele ia beijá-la e que Phoebe queria ser beijada, pronta para retribuir o beijo: Robert, seu primeiro amor de verdade. Estava com os olhos fechados, o rosto banhado de prazer.

– Phoebe – chamou Caroline, em tom ríspido. – Phoebe e Robert, já chega.

Os dois se afastaram, assustados, mas não arrependidos.

– Está tudo bem – disse Robert. – Phoebe é minha namorada.

– Vamos nos casar – acrescentou Phoebe.

Trêmula, Caroline procurou manter a calma. Afinal, Phoebe era uma mulher adulta.

– Robert, preciso falar com a Phoebe um minuto. A sós, por favor.

Robert hesitou, depois passou por Caroline, com todo o seu entusiasmo arrefecido.

– Não é feio – disse, parando junto à porta. – Eu e a Phoebe, a gente se ama.

– Eu sei – retrucou Caroline, e a porta se fechou atrás dele.

Phoebe continuou parada sob a luz intensa, torcendo o colar.

– A gente pode beijar a pessoa que a gente ama, mamãe. Você beija o Al.

Caroline assentiu com a cabeça, lembrando-se da mão do marido em sua cintura.

– Tem razão. Mas, meu bem, isso parecia mais do que um beijo.

– Mamãe! – exclamou Phoebe, exasperada. – O Robert e eu vamos *casar!*

Sem pensar, Caroline respondeu:

– Você não pode se casar, querida.

Phoebe olhou para cima, com uma expressão obstinada que Caroline conhecia bem. A luz fluorescente passava por uma peneira e formava um desenho em seu rosto.

– Por que não?

– Benzinho, o casamento... – começou Caroline, e fez uma pausa, pensando em Al, no cansaço dele nos últimos tempos, na distância que ele introduzia entre os dois toda vez que viajava. – Olhe, é complicado, meu bem. Você pode amar o Robert sem se casar.

– Não. Eu e o Robert vamos casar.

Caroline deu um suspiro.

– Está bem. Digamos que vocês se casem. Onde vão morar?

– Vamos comprar uma casa – respondeu Phoebe, já com uma expressão intensa, séria. – Vamos morar lá, mamãe. Vamos ter bebês.

– Bebês dão uma trabalheira enorme. Será que você e Robert sabem o trabalho que dão os bebês? E eles custam caro. Como vocês vão pagar por essa casa? E pela comida?

– O Robert trabalha. Eu também. Temos *muito* dinheiro.

– Mas você não poderá trabalhar, se estiver cuidando do bebê.

Phoebe considerou isso, franzindo o cenho, e Caroline sentiu um aperto no coração. Eram sonhos tão profundos e simples, e não podiam se tornar realidade, e o que é que isso tinha de justo?

– Eu amo o Robert – insistiu Phoebe. – O Robert me ama. Depois, a Avery teve um neném.

– Ah, querida! – exclamou Caroline. Lembrou-se de Avery Swan empurrando um carrinho de bebê na calçada, parando para que Phoebe pudesse inclinar-se e afagar de leve o rosto de seu bebê recém-nascido. – Ah, meu amor!

Cruzou o espaço que a separava da filha e pôs as mãos em seus ombros:

– Lembra-se de quando você e a Avery salvaram o Chuvisco? E nós gostamos do Chuvisco, mas ele dá um trabalho danado. Você tem que esvaziar a caixa de areia e escovar o pêlo dele, tem que arrumar a bagunça que ele faz e abrir a porta para ele entrar e sair, e fica muito preocupada quando ele não volta para casa. Ter um bebê é ainda mais do que isso, Phoebe. Ter um bebê é como ter 20 Chuviscos.

O rosto de Phoebe murchou, e havia lágrimas descendo em seu rosto.

– Não é justo – ela murmurou.

– Não é justo – concordou Caroline.

Calaram-se por um momento, paradas sob a luz ofuscante.

– Escute, Phoebe, será que você pode me ajudar? – perguntou Caroline, por fim. – A Linda também está precisando de biscoitinhos.

Phoebe balançou a cabeça e enxugou os olhos. As duas voltaram pela escada e pelo corredor, levando caixas e garrafas, sem falar.

Mais tarde, à noite, Caroline contou a Al o que havia acontecido. Ele estava sentado a seu lado no sofá, de braços cruzados, já semi-adormecido. Ainda estava com o pescoço avermelhado, da barba feita mais cedo, e tinha olheiras fundas. No dia seguinte levantaria com o sol e iria embora.

– Ela quer tanto ter sua própria vida, Al! E devia ser tão simples!

– Hum – fez ele, levantando-se. – Bom, talvez *seja* simples, Caroline. Outras pessoas moram no centro residencial e parecem se arranjar bem. Nós estaríamos logo aqui.

Caroline abanou a cabeça.

– Não consigo imaginá-la no mundo lá fora. E, com certeza, ela não pode se casar, Al. E se engravidasse? Não estou disposta a criar outra criança, e é isso o que aconteceria.

– Também não quero criar outro bebê.

– Talvez devamos impedir que ela veja o Robert por algum tempo.

Al virou-se para ela, surpreso.

– Você acha que isso seria bom?

– Não sei – suspirou Caroline. – Simplesmente não sei.

– Escute só – disse Al, delicadamente. – Desde o minuto em que eu a conheci, Caroline, você tem exigido que o mundo não feche nenhuma porta para a Phoebe. *Não a subestimem.* Quantas vezes ouvi você dizer isso? Então, por que não deixa ela seguir em frente? Por que não a deixa tentar? Talvez ela goste de lá. Talvez você goste da liberdade.

Caroline fixou os olhos na sanca ornamentada, pensando que ela precisava de pintura, enquanto uma verdade difícil lutava para vir à tona.

– Não consigo imaginar minha vida sem ela – disse, baixinho.

– Ninguém está lhe pedindo para fazer isso. Mas ela cresceu, Caroline. Aí é que está. Não foi para isso que você trabalhou a vida inteira, para que a Phoebe tivesse algum tipo de vida independente?

– Imagino que você gostaria de ficar livre. Gostaria de partir, de viajar.

– E você, não?

– É claro que eu gostaria! – exclamou ela, surpresa com a intensidade de sua resposta. – Mas, Al, mesmo que um dia venha a mudar, Phoebe nunca será completamente independente. E tenho medo de que você se sinta infeliz com isso. Tenho medo de que você nos deixe. Meu bem, você tem estado cada vez mais distante nesses últimos anos.

Al passou muito tempo calado. Por fim, perguntou:

– Por que você está tão zangada? O que foi que eu fiz para lhe dar a impressão de que vou embora?

– Não estou zangada – ela se apressou a dizer, pois percebeu na voz dele que o havia magoado. – Al, espere aqui um segundo – e se levantou, indo buscar a carta na gaveta, do outro lado da sala. – É por isso que eu estou perturbada. Não sei o que fazer.

Al pegou a carta e a estudou por um longo tempo, virando-a uma vez, como se o mistério pudesse ser esclarecido por alguma coisa escrita no verso, e tornou a relê-la.

– Quanto dinheiro há nessa conta? – perguntou, erguendo os olhos.

Ela abanou a cabeça.

– Ainda não sei. Tenho que ir lá pessoalmente para descobrir.

Al acenou afirmativamente, tornando a examinar a carta.

– É estranho o modo como ele fez isso: uma conta secreta.

– Eu sei. Talvez tivesse medo de que eu contasse a Norah. Talvez tenha querido certificar-se de que ela tivesse tempo para se acostumar com sua morte. É só o que eu consigo imaginar.

Pensou em Norah circulando pelo mundo, sem jamais suspeitar de que sua filha ainda estava viva. E Paul, o que teria acontecido com ele? Era difícil imaginar quem ele seria agora, aquele bebê de cabelos pretos que ela só vira uma vez.

– O que você acha que devemos fazer? – indagou.

– Bem, primeiro descubra os detalhes. Vamos lá juntos ver esse tal advogado, quando eu voltar. Posso tirar um ou dois dias de folga. Depois disso, não sei, Caroline. Vamos deixar a decisão para depois, eu acho. Não temos que fazer nada neste momento.

– Está bem – fez ela, sentindo toda a consternação da semana anterior desaparecer. Al fazia tudo parecer fácil. – Estou contente por você estar aqui.

– Sinceramente, Caroline – disse ele, segurando-lhe a mão. – Não vou a lugar nenhum. A não ser a Toledo, às seis horas da manhã. Por isso, acho que vou me levantar daqui e cair na cama.

E então beijou-a na boca e a abraçou apertado. Caroline encostou o rosto no dele, absorvendo seu aroma e seu calor e pensando no dia em que o conhecera, no estacionamento perto de Louisville, o dia que definira sua vida.

Al levantou-se, ainda segurando a mão dela.

– Vamos subir? – convidou.

Caroline fez que sim e se levantou, com a mão na do marido.

• • •

De manhã, levantou cedo e preparou o café, decorando os pratos de bacon com ovos e batatas coradas com raminhos de salsa.

– Isso está com um cheiro ótimo – disse Al ao entrar, beijando-a no rosto e jogando o jornal na mesa, junto com a correspondência da véspera. As cartas deixaram uma sensação fria e ligeiramente úmida nas mãos de Caroline. Havia duas contas, além de um postal luminoso do mar Egeu, com uma notinha de Dorothy no verso.

Caroline passou os dedos pela fotografia e leu a mensagem curta: "Trace torceu o tornozelo em Paris."

– Isso é péssimo – comentou Al, abrindo o jornal e abanando a cabeça diante das notícias sobre a eleição. – Escute, Caroline – disse, um minuto depois, baixando o jornal. – Estive pensando, ontem à noite. Por que você não vem comigo? Aposto que a Linda ficaria com a Phoebe no fim de semana. Podíamos viajar, você e eu. E você teria uma chance de ver como a Phoebe se sai, passando um tempo sozinha. O que acha?

– Agora? Sair assim, você diz?

– É. Aproveitar o dia. Por que não?

– Ah! – exclamou ela, alvoroçada, satisfeita, embora não gostasse das longas horas na estrada. – Não sei. Tenho muito que fazer esta semana. Quem sabe, da próxima vez – apressou-se a acrescentar, sem querer rejeitá-lo.

– Podíamos fazer umas viagens por fora, desta vez – insistiu Al. – Tornar as coisas mais interessantes para você.

– A idéia é ótima mesmo – disse Caroline, pensando com surpresa que era.

Al sorriu, desapontado, e se inclinou para beijá-la, com os lábios frios e rápidos nos dela.

Depois que ele se foi, Caroline pendurou o postal de Dorothy na geladeira. Fazia um dia frio de novembro, úmido, cinzento e prestes a nevar, e ela gostou de olhar para aquele mar brilhante e sedutor, para a orla de areia quente. Durante toda a semana, enquanto atendia os pacientes, preparava o jantar ou dobrava a roupa lavada, Caroline lembrou-se do convite do marido. Pensou no beijo apaixonado que havia interrompido entre Robert e sua filha e na instituição residencial em que Phoebe queria morar. Al tinha razão. Um dia, eles dois já não estariam presentes, e Phoebe tinha o direito de ter sua própria vida.

Mas o mundo continuava cruel como sempre. Na terça-feira, enquanto as duas comiam bolo de carne, purê de batatas e vagem à mesa do jantar, Phoebe enfiou a mão no bolso e tirou um quebra-cabeça de plástico, do tipo que tem números impressos em quadradinhos móveis. A idéia era ordenar os números em seqüência e, entre uma garfada e outra, ela os ia empurrando.

– Isso é legal – comentou Caroline, despreocupada, tomando seu leite. – Onde você o arranjou, querida?

– Com o Mike.

– Ele trabalha com você? – perguntou à filha. – É novo lá?

– Não – respondeu Phoebe. – Conheci ele no ônibus.

– No ônibus?

– A-hã. Ontem. Ele é legal.

– Sei.

Caroline sentiu o tempo diminuir o compasso e todos os seus sentidos se alertarem. Teve que se obrigar a falar com calma e naturalidade.

– O Mike lhe deu esse quebra-cabeça?

– A-hã. Ele foi bonzinho. E tem um passarinho novo. Quer me mostrar.

– É mesmo? – fez Caroline, sentindo-se perpassar por um vento frio. – Phoebe, meu bem, você não pode nem pensar em sair com estranhos. Já conversamos sobre isso.

– Eu sei. Eu disse a ele.

Phoebe afastou o quebra-cabeça e espremeu mais ketchup no bolo de carne.

– Ele disse: "Vamos lá em casa comigo, Phoebe." E eu falei: "Está bem, mas primeiro tenho que falar com a minha mãe."

– Que ótima idéia – Caroline conseguiu dizer.

– Então, posso ir? Posso ir à casa do Mike amanhã?

– Onde é que mora o Mike?

Phoebe encolheu os ombros.

– Não sei. Eu encontro ele no ônibus.

– Todos os dias?

– A-hã. Posso ir? Quero ver o passarinho dele.

– Bem, e se eu também for? – indagou Caroline, com cuidado. – E se pegarmos o ônibus juntas amanhã? Assim, eu posso conhecer o Mike e irei com você ver o passarinho. Que tal?

– Está bem – disse Phoebe, satisfeita, e terminou o leite.

Nos dois dias seguintes, Caroline foi e voltou do trabalho de ônibus com Phoebe, porém Mike não apareceu.

– Querida, receio que ele estivesse mentindo – disse a Phoebe na quinta-feira, quando as duas lavavam a louça. Phoebe usava um suéter amarelo e suas mãos exibiam uns cortezinhos feitos pelo papel no trabalho. Caroline a observou apanhar cada prato e enxugá-lo cuidadosamente, sentindo-se grata por ela estar a salvo, apavorada com a possibilidade de que um dia não estivesse. Quem era esse estranho, esse Mike, e o que teria feito com Phoebe se ela o tivesse acompanhado? Caroline deu queixa à polícia, mas não tinha muita esperança de que o encontrassem. Afinal, realmente não havia acontecido nada, e Phoebe não sabia descrever o homem, a não ser para dizer que ele usava um anel de ouro e tênis azuis.

– O Mike é bonzinho – insistia ela. – Ele não ia mentir.

– Meu bem, nem todas as pessoas são boas nem querem o melhor para você. Ele não voltou ao ônibus, como tinha prometido. Estava tentando enganá-la, Phoebe. Você precisa ter cuidado.

– Você sempre diz isso – retrucou Phoebe, jogando o pano de prato na bancada. – Você fala isso do Robert.

– É diferente. O Robert não está tentando magoar você.

– Eu amo o Robert.

– Eu sei.

Caroline fechou os olhos e respirou fundo.

– Escute, Phoebe, eu amo você. Não quero que você se machuque. Às vezes, o mundo é traiçoeiro. Eu acho que esse homem é perigoso.

– Mas eu não fui com ele – disse Phoebe, captando a severidade e o medo na voz da mãe. Pôs o último prato na bancada, quase chorando. – Eu não fui.

– Você foi esperta. Fez o que era certo. Nunca acompanhe ninguém.

– A não ser que eles saibam a palavra.

– Isso mesmo. E a palavra é um segredo que você não conta a ninguém.

– Estelar! – sussurrou Phoebe bem alto, com um riso radiante. – É segredo.

– É – suspirou Caroline. – Sim, é segredo.

• • •

Na manhã de sexta-feira, Caroline deu carona a Phoebe até seu trabalho. À tardinha, sentada no carro, esperou, olhando pela vitrine enquanto a filha se movimentava atrás do balcão, encadernando documentos ou brincando com Max, sua colega de trabalho, uma moça de rabo-de-cavalo que almoçava fora com ela todas as sextas-feiras e não tinha medo de repreendê-la quando ela errava uma encomenda. Fazia três anos que Phoebe trabalhava lá. Adorava o emprego e era eficiente. Caroline, vendo-a mover-se atrás da vidraça, relembrou as longas horas de organização, todas as apresentações e as lutas e a papelada que tinham sido necessárias para possibilitar à filha aquele momento. E ainda faltava muita coisa. O incidente no ônibus era apenas uma das preocupações. Phoebe não ganhava o bastante para se sustentar e simplesmente não podia ficar sozinha, nem mesmo por um fim de semana. Se houvesse um incêndio ou faltasse energia, ela ficaria assustada e não saberia o que fazer.

E, além disso, havia Robert. No caminho para casa, Phoebe tagarelou sobre o trabalho, sobre Max e sobre Robert, Robert, Robert. No dia seguinte ele iria à casa delas fazer uma torta com Phoebe. Caroline ouvia, contente por já ser quase sábado e Al estar prestes a voltar. Uma coisa boa sobre o estranho do ônibus é que ele lhe dera uma desculpa para levar Phoebe para lá e para cá, com isso limitando o tempo que ela passava com Robert.

Quando as duas cruzaram a porta de casa, o telefone estava tocando. Caroline suspirou. Seria um vendedor, ou um vizinho pedindo contribuições para o fundo dos doentes cardíacos, ou então engano. Chuvisco miou suas boas-vindas, enroscando-se em seu tornozelo. – Sai, sai! – disse ela, e atendeu o telefone.

Era da polícia, e o policial do outro lado da linha pigarreou, pedindo para falar com ela. Caroline ficou surpresa, depois satisfeita. Talvez eles houvessem encontrado o homem do ônibus, afinal.

– Sim, é Caroline Simpson – disse, vendo Phoebe pegar Chuvisco no colo e abraçá-lo.

O homem tornou a limpar a garganta e começou a falar.

Mais tarde, Caroline se lembraria desse momento como muito longo, com o tempo se expandindo até encher a sala toda e afundá-la numa cadeira, embora a notícia fosse bem simples e não tivesse levado muito tempo para ser transmitida. O caminhão de Al havia derrapado numa curva da estrada, quebrara uma mureta de proteção e caíra num barranco baixo. Al estava no hospital, com a perna quebrada; o centro de traumatologia era o mesmo em que, muitos anos antes, Caroline havia aceitado seu pedido de casamento.

Phoebe estava cantarolando para Chuvisco, mas pareceu intuir que havia algo errado e levantou os olhos, intrigada, no instante em que a mãe desligou. No caminho, Caroline lhe explicou o que tinha acontecido. Nos corredores azulejados do hospital, descobriu-se imersa nas lembranças daquela ocasião anterior: os lábios de Phoebe inchando, a respiração arfante, a intervenção de Al quando ela ficara furiosa com a enfermeira. Agora Phoebe era uma mulher adulta, caminhando a seu lado com seu colete de trabalho; Caroline e Al estavam casados havia 18 anos.

Dezoito anos.

Ele estava acordado, com o cabelo grisalho destacando-se contra a brancura do travesseiro. Tentou sentar-se quando as duas entraram, mas fez uma careta de dor e tornou a se deitar lentamente.

– Ah, Al – fez Caroline, atravessando o quarto e segurando a mão do marido.

– Eu estou bem – disse ele. Fechou os olhos por um instante e respirou fundo. Caroline sentiu-se congelar por dentro, porque nunca o tinha visto daquele jeito, tão abalado que chegava a tremer um pouco, com um músculo pulsando no maxilar perto da orelha.

– Ei, você está começando a me assustar – disse ela, tentando manter um tom descontraído.

Al abriu os olhos e, por um instante, os dois se fitaram frontalmente, fazendo tudo o mais desaparecer. Ele estendeu o braço e a tocou de leve no rosto. Caroline apertou-lhe a própria mão, enquanto seus olhos se enchiam de lágrimas.

– O que aconteceu? – murmurou.

Ele deu um suspiro.

– Não sei. Era uma tarde muito ensolarada. Luminosa, clara. Eu estava correndo bem, cantando junto com o rádio. Pensando em como seria bom se você estivesse lá comigo, como tínhamos conversado. Quando dei por mim, o caminhão tinha saído voando pela mureta. E, depois disso, não me lembro de nada. Até acordar aqui. Acabei com o caminhão. Os guardas disseram que, uns 12 metros adiante na estrada, eu teria virado farelo.

Caroline inclinou-se e o abraçou, sentindo seus cheiros conhecidos. O coração dele batia firme no peito. Poucos dias antes, os dois haviam rodopiado juntos na pista de dança, preocupados com o telhado e as calhas. Ela alisou o cabelo do marido, já comprido demais na nuca.

– Ah, Al.

– Eu sei. Eu sei, Caroline.

Ao lado deles, de olhos arregalados, Phoebe começou a chorar, sufocando os soluços com a mão. Caroline reergueu o corpo e enlaçou a cintura da filha. Afagou seu cabelo e sentiu o calor robusto de seu corpo.

– Phoebe – disse Al –, olhe só para você, mal saída do trabalho. Você passou um bom dia, fofinha? Eu não cheguei até Cleveland, de modo que não trouxe aqueles pãezinhos de que você gosta tanto, desculpe. Fica para a próxima, está bem?

Phoebe assentiu com a cabeça, secando o rosto com as mãos.

– Cadê seu caminhão? – perguntou, e Caroline se lembrou das vezes em que Al levara as duas para dar uma volta, Phoebe sentada bem alto na cabine e puxando o punho para baixo ao cruzar com outros caminhões, para que eles tocassem a buzina.

– Está quebrado, meu bem – respondeu Al. – Sinto muito, mas está estraçalhado.

Al passou dois dias no hospital e foi para casa. O tempo passou num borrão para Caroline, levando Phoebe ao trabalho e indo ela mesma trabalhar, cuidando do marido, preparando as refeições, tentando dar um jeitinho na roupa. Toda noite, caía na cama exausta, acordava de manhã e começava tudo outra vez. Não ajudou muito o fato de Al ser um paciente terrível, irritado por ter tantas restrições, mal-humorado e exigente. Caroline teve uma lembrança infeliz dos primeiros tempos com Leo naquela mesma casa, como se o tempo não estivesse andando para a frente, mas se fechando em círculos.

Passou-se uma semana. No sábado, exausta, ela pôs uma trouxa de roupa na lavadora e foi à cozinha preparar alguma coisa para o jantar. Tirou meio quilo de cenoura da geladeira, para fazer uma salada, e vasculhou o congelador em busca de inspiração. Nada. Bem, Al não gostaria disso, mas talvez ela encomendasse uma pizza. Já eram cinco horas e, em poucos minutos, teria que sair para buscar Phoebe no trabalho. Parou de descascar a cenoura e, através de seu próprio reflexo na janela, olhou para o painel luminoso da Foodland, que piscava em vermelho por entre os galhos desnudos das árvores, e pensou em David Henry. Também pensou em Norah, tão transformada em objeto nas fotos do marido, com o corpo se elevando em dunas e o cabelo enchendo a moldura com uma luz inesperada. A carta do advogado continuava na gaveta da escrivaninha. Caroline havia mantido o compromisso marcado antes do acidente de Al, fora ao escritório imponente, de paredes revestidas de carvalho, e lá ficara conhecendo os detalhes do legado de David Henry. A conversa tinha estado a semana inteira em sua cabeça, mas ela não tivera tempo para pensar no assunto nem para conversar com Al.

Houve um ruído do lado de fora. Caroline virou-se, assustada. Pela janela da porta dos fundos, vislumbrou Phoebe na varanda. Largou o descascador e foi até a porta, enxugando as mãos no avental. E ali viu o que ficara escondido pelo lado de dentro: Robert, parado ao lado de Phoebe, com a mão em seus ombros.

– O que vocês estão fazendo aqui? – perguntou em tom ríspido, passando para o lado de fora.

– Tirei um dia de folga – respondeu Phoebe.

– Tirou? E o seu trabalho?

– A Max está lá. Vou cobrir o horário dela na segunda-feira.

Caroline balançou a cabeça devagar.

– Mas como você veio para casa? Eu estava quase saindo para buscá-la.

– Pegamos o ônibus – disse Robert.

– Sim – riu Caroline, mas, ao falar, tinha a voz tensa de preocupação. – Certo. É claro. Vocês pegaram o ônibus. Ah, Phoebe, eu lhe disse para não fazer isso. Não é seguro.

– Eu e o Robert estamos seguros – retrucou Phoebe, projetando ligeiramente o lábio inferior, como fazia quando se zangava. – Eu e o Robert vamos casar.

– Ah, pelo amor de Deus! – exclamou Caroline, levada ao limite da paciência. – Como é que vocês podem se casar? Vocês não sabem nada do casamento, nenhum dos dois.

– Sabemos – afirmou Robert. – Sabemos do casamento.

Caroline deu um suspiro.

– Escute, Robert, você precisa ir para casa. Você veio de ônibus para cá, então pode pegá-lo de volta para casa. Não tenho tempo para levá-lo a lugar nenhum. É demais. Você precisa ir embora.

Para sua surpresa, Robert sorriu. Olhou para Phoebe, depois foi até a parte escura da varanda dos fundos e apanhou alguma coisa embaixo do balanço. Voltou carregando uma braçada de rosas vermelhas e brancas que pareciam brilhar de leve sob a luz crepuscular. Entregou-as a Caroline, roçando-lhe a pele com as pétalas delicadas.

– Robert, o que é isso? – disse ela, surpresa, enquanto o vago perfume inundava o ar frio.

– Comprei no depósito – disse ele. – Na liquidação.

Caroline abanou a cabeça.

– Não estou entendendo.

– Hoje é sábado – recordou-lhe Phoebe.

Sábado: o dia em que Al chegava de suas viagens, sempre com um presente para Phoebe e um ramo de flores para sua mulher. Caroline imaginou os dois, Robert e Phoebe, pegando o ônibus até o armazém onde Robert trabalhava no estoque, estudando os preços das flores, contando o troco exato. Parte dela ainda queria gritar, pôr Robert de volta no ônibus e tirá-lo da vida deles, e parte queria dizer: *Isso é demais para mim. Não me importo.*

Lá dentro, a sineta que ela deixara com Al tocava com insistência. Caroline suspirou e deu um passo atrás, fazendo um gesto para a cozinha, a luz e o calor.

– Está bem. Entrem, vocês dois. Entrem antes de congelar.

Subiu correndo a escada, tentando se recompor. Quanto é que uma mulher tinha que fazer?

– Espera-se que você seja paciente – disse, ao entrar no quarto do casal, onde Al estava sentado com a perna apoiada numa banqueta, com um livro no colo. – *Paciente.* De onde você acha que vem essa palavra, Al? Sei que é exasperante, mas ficar bom demora, pelo amor de Deus.

– Era você quem me queria mais tempo em casa – retrucou ele. – Tome cuidado com as coisas que deseja.

Caroline abanou a cabeça e se sentou na beirada da cama.

– Não foi isso que eu desejei.

Ele olhou pela janela por alguns segundos.

– Tem razão – disse, por fim. – Desculpe.

– Você está bem? Como está a dor?

– Dá para levar.

Do lado de fora, o vento agitava as últimas folhas do sicômoro contra o céu violeta. Havia saquinhos com bulbos de tulipas embaixo da árvore esperando para ser plantados. No mês anterior, Caroline e Phoebe tinham plantado crisântemos, vivas explosões de laranja, creme e roxo. Ela se sentara sobre os calcanhares para admirá-los, sacudindo a terra das mãos e relembrando ocasiões em que havia trabalhado assim no jardim com a mãe, as duas unidas por suas tarefas, se bem que não pelas palavras. Raramente conversavam sobre alguma coisa pessoal. E agora havia muito que Caroline gostaria de ter dito.

– Não vou mais fazer isso – disse Al, soltando as palavras abruptamente, sem olhar para a mulher. – Dirigir caminhão, quero dizer.

– Está bem – concordou ela, tentando imaginar o que aquilo significaria para a vida dos dois. Sentiu-se contente, pois alguma coisa em seu peito se contraía toda vez que o imaginava voltando a dirigir, mas também meio apreensiva, de repente. Desde que haviam se casado, eles nunca tinham passado mais de uma semana juntos.

– Vou azucrinar o seu juízo o tempo todo – disse ele, como quem lesse seus pensamentos.

– Vai? – fez ela, fitando-o atentamente e observando sua palidez, seus olhos sérios. – Então, está planejando se aposentar de vez?

Al abanou a cabeça, examinando as próprias mãos.

– Estou novo demais para isso. Andei pensando que poderia fazer outra coisa. Como me transferir para o escritório, talvez; conheço o sistema de fio a pavio. Ou dirigir um ônibus municipal. Não sei... qualquer coisa, na verdade. Mas não posso pegar a estrada de novo.

Caroline assentiu com a cabeça. Estivera no local do acidente, vira o rombo na mureta de proteção, as marcas no pedaço de terra em que o caminhão tinha caído.

– Sempre tive uma sensação de que, mais dia, menos dia, isso estava fadado a acontecer. E agora aconteceu – comentou Al, ainda olhando para as mãos. Estava deixando a barba crescer, e os pêlos curtos lhe marcavam o rosto.

– Eu não sabia – retrucou Caroline. – Você nunca disse que tinha medo.

– Medo, não. Era só uma sensação. É diferente.

– Mesmo assim, você nunca disse nada.

Ele deu de ombros.

– Não teria feito diferença. Era só uma sensação, Caroline.

Ela balançou a cabeça. Mais alguns metros e Al teria morrido, como disseram os policiais, mais de uma vez. A semana toda ela se impedira de imaginar o que não havia acontecido. Mas a verdade é que poderia estar viúva, enfrentando o resto da vida sozinha.

– Talvez você deva se aposentar – disse, lentamente. – Estive no escritório do advogado, Al. Já tinha marcado hora e fui lá. Foi muito o dinheiro que David Henry deixou para a Phoebe.

– Bom, não é meu. Mesmo que seja um milhão de dólares, não é meu.

E então Caroline lembrou-se de como ele havia reagido quando Dorothy lhes doara a casa: a mesma relutância em aceitar qualquer coisa que não tivesse ganho com as próprias mãos.

– É verdade. O dinheiro é para a Phoebe. Mas você e eu a criamos. Se ela estiver financeiramente garantida, podemos nos preocupar menos. Podemos ter mais liberdade. Al, nós demos um duro danado. Talvez seja hora de nos aposentarmos.

– Que quer dizer? Você quer que a Phoebe se mude?

– Não, não é isso que eu quero. Mas é o que a Phoebe quer. Ela e Robert estão lá embaixo.

Caroline deu um sorrisinho, lembrando-se da braçada de rosas que deixara na bancada da cozinha, ao lado da pilha de cenouras semidescascadas.

– Eles foram juntos ao armazém – explicou. – De ônibus. Compraram flores para mim, porque hoje é sábado. Por isso, não sei, Al. Quem sou eu para dizer? Pode ser que eles *fiquem* bem juntos, mais ou menos.

Al balançou a cabeça, pensativo, e Caroline admirou-se ao ver como parecia cansado, como era frágil a vida deles todos, no fim das contas. Durante todos aqueles anos, ela tentara imaginar todas as possibilidades, manter todos em segurança e, no entanto, ali estava Al, um pouco mais envelhecido e com uma perna quebrada – um desfecho que nunca lhe havia passado pela cabeça.

– Amanhã vou fazer bife de panela – disse Caroline, referindo-se ao prato favorito do marido. – Que tal uma pizza hoje?

– Pizza está ótimo – respondeu ele. – Mas peça daquele lugar na Rua Braddock.

Caroline afagou-lhe o ombro e começou a descer a escada para telefonar. No patamar, fez uma pausa, ouvindo Robert e Phoebe na cozinha, as vozes baixas pontilhadas por explosões de riso. O mundo era um lugar vasto e imprevisível, às vezes assustador. Mas, nesse exato momento, sua filha estava na cozinha, rindo com o namorado, e seu marido cochilava com um livro no colo, e ela não precisava preparar o jantar. Respirou fundo. O ar tinha o aroma distante de rosas – um aroma limpo e fresco como a neve.

# 1989

# 1.º DE JULHO DE 1989

O ESTÚDIO ACIMA DA GARAGEM, COM SEU QUARTO ESCURO OCULTO, NÃO fora aberto desde a mudança de David, sete anos antes, mas, agora que a casa estava à venda, Norah não tinha alternativa senão enfrentá-lo. A obra de David voltara a ser requisitada e valia muito dinheiro; no dia seguinte haveria uma visita de curadores para examinar a coleção. Assim, Norah estivera sentada no piso decorado desde as primeiras horas da manhã, abrindo caixas com um estilete, tirando pastas cheias de fotografias, negativos e anotações, decidida a se manter neutra e a ser implacável nesse processo de seleção. Não deveria levar muito tempo: David tinha sido muito meticuloso e tudo estava cuidadosamente rotulado. Um dia só, ela havia pensado, nada mais.

Mas não tinha levado em conta a memória, a lenta atração do passado. Já era o começo da tarde, estava ficando mais quente e ela só havia terminado uma caixa. Um ventilador zumbia na janela e o suor fino se acumulava na pele; as fotos brilhantes grudavam nas pontas dos dedos. Aqueles anos da juventude pareciam, a um só tempo, muito próximos e totalmente impossíveis. Ali estava ela, com um lenço alegremente amarrado no cabelo, penteado com esmero, tendo a seu lado Bree, que usava brincos enormes e uma saia esvoaçante de retalhos coloridos. E ali estava uma rara foto de David, muito sério, com o cabelo à escovinha, segurando Paul no colo, ainda bebê. As lembranças também tomavam conta, enchendo o aposento e mantendo Norah encerrada nele: os aromas de lilases e desinfetante e da pele infantil de Paul; o toque das mãos de David, seu jeito de pigarrear; o sol de uma tarde perdida, formando desenhos nas tábuas do piso. O que significava, perguntou-se Norah, eles terem vivido aqueles momentos daquela forma particular? O que significava o fato de as fotos não combinarem nem um pouco com a mulher que ela se recordava de ter sido? Se examinasse com atenção, ela os veria: a distância e a saudade em seu olhar, seu jeito de sempre parecer fitar um ponto logo adiante das bordas da fotografia. Mas um estranho não notaria; Paul também não. A julgar apenas por aquelas imagens, ninguém poderia suspeitar dos intricados mistérios de seu coração.

Uma vespa entrou a esmo e esvoaçou perto do teto. Todo ano elas voltavam e construíam um vespeiro em algum ponto do beiral. Agora que Paul estava criado, Norah desistira de se preocupar com elas. Levantou-se, estendeu a mão e tirou uma Coca-Cola da geladeira em que antes David costumava guardar produtos químicos e pacotes finos de filme. Bebeu o refrigerante, olhando pela janela para as íris silvestres e as madressilvas do quintal. Norah sempre tivera a intenção de fazer alguma coisa com elas, de fazer mais do que apenas pendurar comedouros para passarinhos nos ramos das madressilvas, mas não o fizera em todos aqueles anos e agora jamais o faria. Dali a dois meses estaria casada com Frederic e teria deixado esse lugar para sempre.

Ele fora transferido para a França. Por duas vezes a transferência havia gorado, e eles tinham falado em morar juntos em Lexington, vendendo suas respectivas casas e recomeçando do zero: um lugar novo em folha, onde ninguém jamais tivesse vivido. Suas conversas eram preguiçosas, lânguidas, desabrochando nos jantares a dois ou quando eles ficavam deitados juntos na penumbra, com taças de vinho nas mesinhas-de-cabeceira e a lua desenhando um disco pálido na janela, acima das árvores. Lexington, França, Taiwan, isso não tinha importância para Norah, que sentia já haver descoberto em Frederic um outro país. Às vezes, à noite, fechava os olhos e ficava acordada, ouvindo a respiração regular dele, tomada por uma profunda sensação de contentamento. Era-lhe doloroso reconhecer o quanto ela e David haviam se distanciado do amor. Culpa dele, com certeza, mas dela também. Norah se mantivera muito fechada e tensa, com medo de tudo depois da morte de Phoebe. Mas agora aqueles anos eram coisa do passado; haviam escoado para longe, sem deixar nada além de lembranças.

Por isso, a França estava ótima. Ao chegar a notícia de que a colocação os faria morar nos arredores de Paris, ela ficara contente. Os dois já tinham alugado um chalezinho à beira do rio em Châteauneuf. Frederic estava lá nesse momento montando uma estufa para suas orquídeas. A simples idéia da estufa enchia a imaginação de Norah: as lajotas lisas e vermelhas do pátio, a brisa leve do rio na árvore ao lado da porta e o sol se derramando sobre os ombros e os braços de Frederic, enquanto ele trabalhava na montagem das paredes de vidro. Norah poderia ir a pé até a estação ferroviária e estar em Paris em duas horas, ou andar até o vilarejo para comprar pão e queijo frescos e garrafas escuras e reluzentes de vinho, com as sacolas penduradas a tiracolo ficando mais pesadas a cada parada. Ela poderia refogar cebolas e fazer uma pausa para olhar o rio deslizando devagar, mais além da cerca. No pátio, nas noites que ela havia passado lá, as margaridas-do-campo tinham se aberto, com sua fragrância de limão, e Norah e Frederic haviam sentado para tomar vinho e conversar. Eram coisas realmente muito simples. Tanta felicidade! Norah olhou de relance para as caixas de fotografias, com vontade de segurar pelo braço a jovem que ela fora e sacudi-la de leve. *Vá em frente*, sentiu vontade de lhe dizer. *Não desista. No fim, sua vida será ótima.*

Acabou a Coca-Cola e voltou ao trabalho, deixando de lado a caixa em que se fixara por tanto tempo e abrindo outra. Dentro dessa havia pastas de arquivo dispostas com esmero, organizadas por ano. A primeira tinha fotos de bebês anônimos, dormindo em seus carrinhos, sentados na grama ou em varandas, segurados nos braços mornos de suas mães. Todas as fotos eram 20 x 25 cm, em preto-e-branco lustroso; até Norah era capaz de perceber que tinham sido as primeiras experiências de David com a luz. Os curadores ficariam satisfeitos. Algumas fotos eram tão escuras que as figuras mal se mostravam visíveis; outras eram quase brancas de claridade. David provavelmente estivera testando o alcance de sua máquina fotográfica, mantendo idêntico o tema e variando o foco, a abertura e a luz disponível.

A segunda pasta era muito parecida, assim como a terceira e a quarta. Fotos de meninas, não mais bebês, porém de dois, três, quatro anos. Meninas com seus vestidos de Páscoa na igreja, meninas correndo no parquinho, meninas tomando sorvete ou aglomeradas na parte externa da escola, na hora do recreio. Meninas dançando, jogando bola, rindo, chorando. Norah franziu a testa, percorrendo as imagens mais depressa. Não havia uma só criança que reconhecesse. As fotos tinham sido cuidadosamente dispostas conforme a idade. Ao pular para o fim do conjunto, ela já não encontrou meninas, porém moças andando, fazendo compras, conversando entre si. A última era de uma jovem na biblioteca, com o queixo apoiado numa das mãos, olhando pela janela, trazendo nos olhos uma expressão distante que Norah conhecia.

Ela deixou a pasta cair em seu colo, espalhando as fotos. O que seria aquilo? Todas aquelas meninas e moças: podia ter sido uma fixação sexual, mas Norah soube instintivamente que não era isso. O que havia em comum entre as fotografias não era um traço sinistro, e sim inocência. Crianças brincando no parque do outro lado da rua com o vento a lhes levantar o cabelo e a roupa. Até as mais velhas, as moças crescidas, tinham essa qualidade: dirigiam ao mundo um olhar distraído, como que arregalado, e questionador. A idéia de perda pairava nos jogos de luz e sombra; eram fotografias repletas de anseio. De saudade, sim, não de lascívia.

Norah repôs a tampa na caixa para ler a etiqueta: LEVANTAMENTO, era tudo o que dizia.

Depressa, sem se preocupar com a bagunça que estava fazendo, ela percorreu as demais caixas, puxando uma após outra. No meio da sala, encontrou mais uma que trazia em negrito a mesma palavra, LEVANTAMENTO. Abriu-a e tirou as pastas.

Não eram meninas, dessa vez, nem estranhos, mas Paul. Uma pasta após outra com fotos de Paul em todas as idades, suas transformações e seu crescimento, sua fúria rechaçadora. Sua concentração e seu espantoso talento musical, os dedos a voar sobre o violão.

Durante um longo tempo, Norah sentou-se muito quieta, tensa, à beira da compreensão. E então, de repente, entendeu, de maneira irrevogável, contundente: durante aqueles anos de silêncio em que se recusara a falar da filha morta, David estivera guardando o registro da ausência dela. Paul e mil outras meninas, todos crescendo.

Paul, mas não Phoebe.

Por pouco Norah não chorou. Teve uma súbita ânsia de conversar com David. Durante aqueles anos, ele também sentira falta da filha. Todas aquelas fotografias, toda aquela saudade secreta, silenciosa. Norah percorreu as imagens mais uma vez, estudando Paul quando menino: agarrando uma bola de beisebol, tocando piano, fazendo uma pose apatetada sob a árvore do quintal. Lembranças que David tinha colecionado, momentos que Norah nunca vira. Ela as estudou de novo e de novo, tentando imaginar-se no mundo que o marido tinha vivenciado, em seu jeito de vê-lo.

Passaram-se duas horas. Norah se deu conta de estar com fome, mas não conseguiu sair ou sequer levantar do lugar em que estava no chão. Tantas fotografias, aquelas imagens de Paul, as meninas e moças anônimas, espelhando a idade dele! Em todos aqueles anos, ela sempre havia sentido a presença da filha, como uma sombra parada logo adiante de cada foto tirada. Phoebe, morta ao nascer, pairava pouco além do campo visual, como se houvesse levantado minutos antes e saído da sala, como se o seu perfume e a lufada de ar à sua passagem ainda se movessem nos espaços que ela havia deixado. Norah tivera que guardar esse sentimento dentro de si, temendo que quem a ouvisse pudesse achá-la sentimental ou até louca. E, nesse momento, espantou-a e lhe trouxe lágrimas aos olhos perceber a intensidade com que David também sentira a ausência da filha. Parecia haver procurado por ela em toda parte – em cada menina, em cada moça –, sem jamais encontrá-la.

Por fim, nos crescentes anéis de silêncio em que Norah se instalara, houve um estalar leve de cascalho: um carro na entrada da garagem. Havia alguém chegando.

Ao longe, ela escutou uma porta de automóvel bater, passos e a campainha da casa tocando. Abanou a cabeça e engoliu em seco, mas não se levantou. Fosse quem fosse, a pessoa iria embora e voltaria depois, ou não. Enxugou as lágrimas dos olhos; quem quisesse vê-la poderia esperar. Mas não. O avaliador dos móveis prometera dar uma passada na parte da tarde. E, assim, Norah levou as mãos ao rosto e entrou na casa pelos fundos, parando para salpicar água na face e passar um pente no cabelo. "Já vou", gritou sobre o barulho da água corrente, quando a campainha tornou a soar. Cruzou os cômodos, onde toda a mobília estava acumulada no centro e coberta por oleados; os pintores chegariam no dia seguinte. Fez as contas dos dias que restavam, considerando se teria alguma possibilidade de terminar tudo. E recordou por um instante as noites passadas em Châteauneuf, onde parecia possível que sua vida fosse sempre serena, expandindo-se na calma como uma flor que desabrocha no ar.

Abriu a porta, ainda enxugando as mãos.

A mulher na varanda tinha um jeito vagamente familiar. Usava uma roupa funcional – calças azul-marinho bem passadas e blusa branca de algodão, de mangas curtas –, e sua cabeleira farta era grisalha, com um corte bem curtinho. Mesmo à primeira vista, ela dava a impressão de ser organizada e eficiente, o tipo de pessoa que não perdia tempo com bobagens, o tipo de pessoa que enfrentava o mundo e fazia o que tinha que ser feito. Mas ela não falou. Pareceu assustada ao ver Norah, fitando-a de forma tão intensa que ela cruzou os braços, num gesto defensivo, subitamente cônscia de seu short riscado de poeira e da camiseta encharcada de suor. Norah olhou para o outro lado da rua e tornou a fitar a mulher em sua varanda. Contemplou-a, concentrando-se nos olhos grandes e muito azuis, e então soube.

Sentiu a respiração presa.

– Caroline? Caroline Gill?

A mulher assentiu com a cabeça, os olhos azuis momentaneamente fechados, como se algo se houvesse resolvido entre as duas. Mas Norah não sabia o quê. A presença dessa mulher de um passado há muito perdido tinha desencadeado uma palpitação no fundo de seu peito, levando-a de volta àquela noite de ar onírico em que ela e David tinham ido para a clínica pelas ruas silenciosas e cobertas de neve, a noite em que Caroline Gill lhe ministrara o anestésico e segurara sua mão durante as contrações, dizendo: *Olhe para mim, olhe para mim, Sra. Henry, eu estou bem aqui do seu lado e a senhora está indo muito bem.* Aqueles olhos azuis, o aperto firme da mão, entremeados tão a fundo no tecido daqueles momentos quanto a lembrança do jeito metódico de David dirigir, ou do primeiro choro de Paul.

– O que está fazendo aqui? – perguntou Norah. – David morreu há um ano.

– Eu sei – fez Caroline, balançando a cabeça. – Eu sei, sinto muito. Escute, Norah... Sra. Henry..., tenho uma coisa que preciso lhe falar, uma coisa bastante difícil. Será que pode me dar alguns minutos? Quando for conveniente? Eu posso voltar depois, se agora não for uma boa hora.

Havia na voz dela premência e firmeza e, a despeito de si mesma, Norah viu-se dando um passo atrás e deixando Caroline Gill entrar no vestíbulo. Empilhadas junto às paredes havia caixas cuidadosamente embaladas e fechadas com fita adesiva.

– Você terá que desculpar a desarrumação da casa – disse, fazendo um gesto em direção à sala de estar, onde toda a mobília foram empurrada para o meio do cômodo. – Os pintores virão fazer orçamentos amanhã. E um avaliador dos móveis. Vou me casar outra vez – acrescentou. – Estou de mudança.

– Nesse caso, que bom que eu a alcancei – retrucou Caroline. – Fico feliz por não ter esperado.

*Alcançou por quê?*, pensou Norah, mas, pela força do hábito, convidou-a a entrar na cozinha, o único lugar em que poderiam sentar-se comodamente. Quando atravessavam a sala de jantar, sem dizer nada, Norah lembrou-se de como foi súbito o desaparecimento de Caroline, e do escândalo. Olhou para trás duas vezes, sem conseguir livrar-se da estranha sensação que a presença dela havia desencadeado. Os óculos escuros pendiam de uma corrente no pescoço de Caroline. Suas feições tinham-se tornado mais fortes com o correr dos anos, o nariz e o queixo mais pronunciados. Não era alguém a quem se pudesse tratar com descaso. Mas Norah percebeu que sua inquietação tinha outra origem. Caroline a conhecera como uma pessoa diferente – uma mulher jovem e insegura, inserida numa vida e num passado que ela não se orgulhava particularmente de relembrar.

Caroline sentou-se à mesa da copa, enquanto Norah enchia dois copos com água e gelo. O último bilhete de David – *Consertei a pia do banheiro. Feliz aniversário* – estava preso no quadro de avisos, bem atrás do ombro da enfermeira. Norah pensou com impaciência nas fotos que a esperavam na garagem, em tudo o que tinha para fazer e que não podia esperar.

– Você tem azulões – comentou Caroline, fazendo sinal para o jardim mal cuidado, caótico.

– É. Levei anos para atraí-los. Espero que os novos moradores os alimentem.

– Deve ser estranho estar de mudança.

– Está na hora – disse Norah, pegando dois descansos e pondo os copos na mesa. Sentou-se. – Mas você não veio aqui para falar disso.

– Não.

Caroline bebeu um gole, depois espalmou as mãos sobre a mesa, como que para firmá-las, intuiu Norah. Ao falar, porém, soou calma, decidida.

– Norah... posso chamá-la de Norah? É assim que tenho pensado em você, durante todos esses anos.

Norah assentiu com um gesto, ainda perplexa e cada vez mais apreensiva. Quando fora a última vez que Caroline Gill lhe havia passado pela cabeça? Fazia séculos, e nunca acontecera senão como parte da trama da noite em que Paul havia nascido.

– Norah – disse Caroline, como que se preparando mentalmente –, que lembrança você tem da noite em que seu filho nasceu?

– Por que está perguntando? – retrucou Norah. Falou com voz firme, mas já começava a se inclinar para trás, afastando-se da intensidade dos olhos de Caroline, de uma corrente profunda e revolta, de seu próprio medo do que estava por vir. – Por que você está aqui e por que me pergunta isso?

Caroline Gill não respondeu de imediato. O canto alegre e ritmado dos azulões cruzou o aposento como partículas de luz.

– Olhe, desculpe-me – fez Caroline. – Não sei como dizer isso. Acho que não há nenhuma forma fácil, de modo que vou falar de uma vez. Norah, naquela noite em que seus gêmeos nasceram, a Phoebe e o Paul, houve um problema.

– Sim – fez Norah em tom cortante, pensando na tristeza que sentira depois do parto, alegria e tristeza entremeadas, e no longo e árduo caminho que havia percorrido para chegar a esse momento de calma inabalável. – Minha filha morreu. Foi esse o problema.

– A Phoebe não morreu – retrucou Caroline, sem alterar a voz, fitando-a diretamente, e Norah sentiu-se capturada nesse momento como ficara tantos anos antes, agarrada àquele olhar, enquanto o mundo conhecido rodopiava a seu redor. – A Phoebe nasceu com síndrome de Down. O David achou que o prognóstico não era bom. Pediu que eu a levasse a Louisville, a uma clínica para onde essas crianças eram rotineiramente mandadas. Em 1964, não era incomum fazer isso. A maioria dos médicos teria recomendado a mesma coisa. Mas não consegui deixá-la lá. Levei-a comigo e me mudei para Pittsburgh. Criei-a durante todos esses anos. Norah – acrescentou, em tom delicado –, a Phoebe está viva. Está muito bem.

Norah permaneceu sentada, imóvel. Os pássaros no jardim esvoaçavam, cantando. Por alguma razão, ela se lembrou da ocasião em que caíra num bueiro sem placa de aviso na Espanha. Ia andando despreocupada por uma rua banhada de sol. De repente, um movimento brusco, e ela se vira enfiada até a cintura numa vala, com um tornozelo torcido e longos arranhões ensangüentados nas panturrilhas. *Eu estou bem, estou bem*, ficara repetindo para as pessoas que a tinham ajudado a sair e levado para o médico. Animada, despreocupada, enquanto o sangue brotava dos cortes: *Estou bem*. Só depois, sozinha e segura em seu quarto, ao fechar os olhos e sentir de novo aquele tranco brusco, aquela perda de controle, é que havia chorado. Foi como se sentiu nesse momento. Trêmula, agarrou-se à borda da mesa.

– Como? O que foi que você disse?

Caroline repetiu: Phoebe, não morta, mas levada para longe. Todos aqueles anos. Phoebe, crescendo em outra cidade. A salvo, Caroline continuava a dizer. Segura, bem cuidada, amada. Phoebe, sua filha, a gêmea de Paul. Nascida com síndrome de Down, mandada embora.

David a mandara embora.

– Você deve estar louca – disse Norah, ainda que, no instante mesmo em que falou, tantas fossem as peças soltas de sua vida a se encaixar que ela compreendeu que o que Caroline dizia devia ser verdade.

Caroline tirou da bolsa duas fotos Polaroid e as deslizou sobre a madeira polida. Norah não conseguiu pegá-las, porque tremia demais, porém se inclinou para examiná-las: uma garotinha de vestido branco, rechonchuda, com um sorriso a lhe iluminar o rosto e os olhos amendoados fechados de prazer. Outra foto da mesma menina, anos depois, prestes a lançar uma bola de basquete, captada um instante antes de saltar. Numa das fotos era meio parecida com Paul, na outra lembrava Norah um pouco, mas, basicamente, era apenas ela mesma: Phoebe. Não uma das imagens tão cuidadosamente arquivadas nas pastas de David, mas apenas ela mesma. Viva, em algum lugar do mundo.

– Mas por quê? – a angústia era audível em sua voz. – Por que ele faria isso? Por que você faria uma coisa dessas?

Caroline abanou a cabeça e tornou a olhar para o jardim.

– Passei anos acreditando na minha inocência – respondeu. – Achei que tinha feito o que era certo. A instituição era um lugar terrível. David não a tinha visto, não sabia como era ruim. Por isso levei Phoebe e a criei, e travei muitas, muitas batalhas para lhe dar instrução e acesso a assistência médica. Para me certificar de que ela tivesse uma vida boa. Era fácil eu me ver como uma heroína. Mas acho que, no fundo, eu sempre soube que meus motivos não eram inteiramente puros. Eu queria um filho e não o tinha. E estava apaixonada pelo David, ou julgava estar. À distância, quero dizer – apressou-se a acrescentar. – Era tudo na minha cabeça. O David nunca sequer me notou. Mas, quando vi o anúncio do funeral, eu soube que tinha que levá-la. Que tinha de ir embora, de qualquer maneira, e não podia deixá-la para trás.

Apanhada numa violenta turbulência, Norah voltou mentalmente àqueles dias confusos de tristeza e alegria, com Paul no colo e Bree a lhe entregar o telefone, dizendo: *Você tem que acabar com isso*. Norah havia planejado todo o ofício fúnebre sem contar a David, cada providência ajudando-a a voltar à vida, e, quando David chegara em casa naquela noite, ela havia enfrentado sua resistência.

Como teria sido aquilo para ele, aquela noite, a cerimônia?

Mesmo assim, David deixara tudo acontecer.

– Mas por que ele não me contou? – perguntou Norah num sussurro. – Todos aqueles anos, e ele nunca me contou.

Caroline abanou a cabeça.

– Não posso falar pelo David. Ele sempre foi um mistério para mim. Sei que amava você e acredito, por mais monstruoso que isso tudo pareça, que as intenções iniciais dele foram boas. Uma vez ele me falou da irmã. Contou que ela sofria de um problema cardíaco e tinha morrido na infância, e que a mãe dele não havia se recuperado do luto. Não posso garantir, mas acho que ele tentou proteger você.

– Ela é minha filha – disse Norah, arrancando as palavras de algum ponto profundo no corpo, de uma antiga mágoa há muito enterrada. – Nasceu da minha carne. Proteger-me? Dizendo que minha filha tinha morrido?

Caroline não respondeu e as duas permaneceram muito tempo sentadas, com o silêncio crescendo à sua volta. Norah pensou em David, em todas aquelas fotografias e todos os momentos da vida conjugal, carregando consigo aquele segredo. Ela não sabia, não tinha imaginado. Mas, agora, tudo fazia uma espécie terrível de sentido.

Por fim, Caroline abriu a bolsa e tirou um pedaço de papel com seu endereço e telefone.

– É nesse endereço que moramos. Meu marido, Al, Phoebe e eu. Foi lá que a Phoebe cresceu. Ela tem levado uma vida feliz, Norah. Sei que não é muito para lhe oferecer, mas é verdade. Ela é uma moça encantadora. No mês que vem, vai se mudar para uma instituição residencial. É o que ela quer. Tem um bom emprego numa loja de fotocópias. Gosta de lá e as pessoas gostam dela.

– Uma loja de fotocópias?

– É. Ela tem se saído muito bem, Norah.

– Ela sabe? Ela sabe de mim? Do Paul?

Caroline baixou os olhos para a mesa, correndo o dedo pela borda de uma das fotos.

– Não. Eu não quis contar a ela antes de falar com você. Não sabia o que você ia querer fazer, se gostaria de conhecê-la. Espero que sim. Mas é claro que não vou culpá-la, se não quiser. São tantos anos... ah, eu sinto muito. Mas, se você quiser ir lá, estaremos esperando. É só telefonar. Na semana que vem ou daqui a um ano.

– Não sei – disse Norah, devagar. – Acho que estou em choque.

– É claro que está – disse Caroline, levantando-se.

– Posso ficar com as fotos?

– São suas. Sempre foram suas.

Na varanda, Caroline parou e encarou Norah.

– Ele a amava muito. David sempre amou você, Norah.

Norah assentiu com a cabeça, lembrando-se de ter dito a mesma coisa a Paul, em Paris. Da varanda, viu Caroline caminhar em direção ao carro e se perguntou sobre a vida para a qual ela estaria voltando, sobre as complexidades e mistérios que conteria.

Ficou muito tempo na varanda. Phoebe estava viva, no mundo. Saber disso era como um poço interminável abrindo-se em seu coração. Amada, Caroline dissera. Bem cuidada. Mas não por Norah, que tanto se esforçara por esquecê-la. Os sonhos que tivera, toda aquela busca pela relva congelada e quebradiça, tudo lhe voltou à lembrança, contundente.

Norah tornou a entrar em casa, já então chorando, e passou pela mobília coberta. O avaliador iria lá. Paul também chegaria, hoje ou amanhã; tinha prometido telefonar antes, mas às vezes simplesmente aparecia. Ela lavou e enxugou os copos, depois ficou parada na cozinha silenciosa, pensando em David, em todas as noites de todos aqueles anos em que ele se levantara no escuro e fora para o hospital para remendar alguém de ossos quebrados. Boa pessoa, o David. Dirigia uma clínica, cuidava dos necessitados.

Mandara embora a própria filha e lhe dissera que ela havia morrido.

Norah deu um soco na bancada, fazendo os copos saltarem. Preparou um gim-tônica e vagou até o segundo andar. Deitou-se, levantou-se, telefonou para Frederic e desligou quando a secretária eletrônica atendeu. Passado algum tempo, voltou ao estúdio de David. Estava tudo igual, o ar quente e parado, as fotografias e caixas espalhadas pelo chão, tal como as havia deixado. Pelo menos 50 mil dólares, tinham avaliado os curadores. Mais até, se houvesse anotações manuscritas por David sobre seu processo.

Estava tudo igual, mas não era a mesma coisa.

Norah pegou o primeiro caixote e o arrastou pelo cômodo. Içou-o para a bancada, equilibrou-o no parapeito da janela que dava para o quintal. Parou para recobrar o fôlego, antes de abrir a tela e empurrar o caixote para fora, com firmeza, usando as duas mãos, e de ouvi-lo cair com um baque no chão, lá embaixo. Voltou para buscar outro, depois o seguinte. Ela era tudo que havia desejado ser mais cedo: decidida, enérgica – sim, implacável. Em menos de uma hora, o estúdio estava vazio. Norah tornou a entrar em casa, passando pelos caixotes quebrados na entrada da garagem, pelas fotos que saltavam e se precipitavam pela grama, ao sol de fim de tarde.

Lá dentro, tomou um banho de chuveiro, de pé sob a água corrente até ela ficar fria. Pôs um vestido solto, preparou outro drinque e se sentou no sofá. Os músculos dos braços estavam doídos, de tanto levantar caixotes. Ela buscou outro drinque e voltou. Horas depois, quando já estava escuro, ainda continuava lá. O telefone tocou e ela ouviu sua voz na gravação, depois a de Frederic, ligando da França. A voz dele era suave e serena como uma praia distante. Norah sentiu vontade de estar lá, de estar naquele lugar onde sua vida fizera sentido, mas não atendeu o telefone e não ligou de volta. Ao longe, soou o apito de um trem. Ela se cobriu com a manta e se deixou deslizar para a escuridão da noite.

Tirou vários cochilos, mas não dormiu. Levantou-se algumas vezes para buscar mais uma bebida, percorrendo os cômodos enluarados e vazios, cheios de sombras, enchendo o copo pelo tato. Sem se incomodar, depois de algum tempo, com a tônica, o limão ou o gelo. A certa altura, sonhou que Phoebe estava na sala, emergindo de algum modo da parede em que estivera durante todos aqueles anos e pela qual Norah passava dia após dia, sem vê-la. Acordou chorando. Derramou o resto do gim na pia e tomou um copo d'água.

Finalmente adormeceu, ao amanhecer. Ao meio-dia, quando acordou, a porta da frente estava escancarada e, no quintal, havia fotografias por toda parte: presas nos rododendros, coladas nas pilastras, grudadas no balanço velho e enferrujado de Paul. Lampejos de braços e olhos, de pele semelhante à areia da praia, um vislumbre de cabelos, de hemácias dispersas feito óleo sobre a água. Vislumbres da vida deles tal como David os vira, tal como David tentara moldá-los. Negativos, celulóide preto, espalhados pela grama. Norah imaginou as vozes chocadas e escandalizadas dos curadores, dos amigos, do filho, até de uma parte dela mesma; imaginou-as exclamando: *Mas você está destruindo a história!*

*Não*, respondeu consigo mesma, *eu a estou resgatando*.

Bebeu mais dois copos d'água, tomou uma aspirina e começou a arrastar os caixotes para o fundo do quintal cheio de plantas. Um deles, o que estava repleto de imagens de Paul durante sua vida inteira, ela empurrou de volta para a garagem, para guardá-lo. Fazia calor e a cabeça de Norah doía; centelhas rodopiaram diante de seus olhos quando ela ergueu o corpo depressa demais. Isso lhe trouxe à lembrança aquele dia longínquo na praia, a água cintilante, a sensação de vertigem e a imagem de Howard entrando em seu campo visual.

Havia pedras empilhadas atrás da garagem. Uma a uma, Norah as arrastou e as dispôs num amplo círculo. Nele derrubou o primeiro caixote, as lustrosas imagens em preto-e-branco estremecendo à luz do sol, todos aqueles rostos desconhecidos de moças a fitá-la da grama. Agachando-se sob o sol forte do meio-dia, acendeu o isqueiro junto à borda de uma brilhante foto 20 x 25 cm. Quando a chama se inflamou e subiu, ela empurrou a foto para a pilha rasa no círculo de pedras. No começo, o fogo pareceu não pegar. Mas logo apareceram uma ondulação de calor e uma espiral de fumaça.

Norah entrou em casa para buscar mais um copo d'água. Sentou-se no degrau da varanda dos fundos, bebericando e observando as chamas. Um decreto municipal recente havia proibido qualquer tipo de incineração, e ela sentiu medo de que os vizinhos chamassem a polícia. Mas o ar continuou calmo; até as labaredas eram silenciosas, elevando-se no ar quente, soltando uma fumaça fina e azulada, da cor da bruma. Pedacinhos de papel enegrecido flutuaram pelo quintal, esvoaçando nas ondas de calor feito borboletas. À medida que o fogo no círculo de pedras firmou-se e começou a crepitar, Norah o alimentou com mais fotos. Queimou a luz, queimou as sombras, queimou aquelas lembranças de David, cuidadosamente capturadas e preservadas. *Seu patife*, murmurou, vendo as fotografias acenderem-se em chamas altas, antes de escurecerem, se enroscarem e sumirem.

Da luz para a luz, pensou consigo mesma, afastando-se do calor, do crepitar, dos resíduos pulverizados que rodopiavam no ar.

Das cinzas às cinzas.

Do pó, finalmente, ao pó.

# 2-4 DE JULHO DE 1989

— OLHE, PARA VOCÊ É FÁCIL DIZER ISSO AGORA, PAUL.

Michelle estava de pé junto à janela, de braços cruzados, e ao se virar tinha os olhos carregados de emoção e também velados pela raiva.

– Você pode dizer o que quiser no plano abstrato – prosseguiu –, mas a verdade é que um filho mudaria tudo, principalmente para mim.

Paul estava sentado no sofá vermelho-escuro, que era quente e incômodo naquela manhã de verão. Ele e Michelle o haviam achado na rua, ao começarem a morar juntos ali em Cincinnati, naqueles tempos em que não significava nada puxá-lo para cima por três lances de escada. Ou então significava cansaço, vinho, risos e o amor feito devagar, mais tarde, sobre sua superfície áspera de veludo. Michelle virou o rosto para olhar pela janela, balançando os cabelos pretos. Um vazio etéreo, uma palpitação, encheu o coração de Paul. Nos últimos tempos, o mundo dava uma sensação de fragilidade, como um ovo que pudesse estilhaçar-se a um toque descuidado. A conversa entre eles havia começado de modo bastante amigável, uma simples discussão sobre quem cuidaria do gato quando os dois estivessem fora: ela em Indianápolis, num concerto, ele em Lexington, ajudando a mãe. E agora, de repente, ali estavam eles nesse território sombrio do coração, num lugar para o qual pareciam vir sendo constantemente arrastados nos últimos tempos.

Paul sabia que era melhor mudar de assunto.

Mas disse, ao contrário, teimoso:

– Casar não se traduz diretamente em ter filhos.

– Ah, Paul, seja franco. Ter um filho é o seu maior desejo. Não é nem a mim que você quer. É a esse filho mítico.

– Nosso filho mítico – fez ele. – Um dia, Michelle. Não já. Olhe, eu só queria levantar o assunto do casamento. Não é tão grande coisa.

Ela emitiu um som exasperado. O *loft* tinha piso de pinho, paredes brancas e respingos das cores primárias nas garrafas, nos travesseiros, nas almofadas. Michelle também usava branco, a pele e o cabelo tão quentes quanto as tábuas do piso. Paul sentiu uma pontada de dor ao olhá-la, sabendo que, num sentido importante, ela já tinha tomado sua decisão. Iria deixá-lo muito em breve, levando consigo sua beleza agreste e sua música.

– É interessante – disse Michelle. – Eu, pelo menos, acho muito interessante. Que isso tudo esteja vindo à tona justo na hora em que a minha carreira está para decolar. Não antes, agora. É estranho, mas acho que você está tentando provocar um rompimento entre nós.

– Isso é ridículo. O momento não tem nada a ver com isso.

– Não?

– Não.

Os dois passaram vários minutos sem falar, e o silêncio cresceu no cômodo branco, encheu o espaço e fez pressão nas paredes. Paul tinha medo de falar e mais medo ainda de calar, mas, no fim, não pôde mais se conter.

– Faz dois anos que estamos juntos. Ou as coisas crescem e mudam, ou então morrem. Quero que continuemos a crescer.

Michelle deu um suspiro.

– Tudo muda, de qualquer maneira, com ou sem um pedaço de papel. É isso que você não está levando em conta. E, não importa o que você diga, *é* uma coisa importante. Não importa o que você diga, o casamento muda tudo, e é *sempre* a mulher que faz os sacrifícios, digam o que disserem.

– Isso é teoria. Não é a vida real.

– Ah, você é irritante, Paul! Com toda essa sua certeza de tudo!

O sol estava alto, roçando o rio e inundando o quarto com uma luz prateada que formava desenhos ondulantes no teto. Michelle entrou no banheiro e fechou a porta. Houve um barulho de gavetas remexidas, água correndo. Paul cruzou o cômodo até onde ela estivera e olhou a paisagem, como se isso pudesse ajudá-lo a compreendê-la. Depois, bateu de leve na porta.

– Estou indo – disse.

Silêncio. Depois, ela falou lá de dentro:

– Você volta amanhã à noite?

– O seu concerto é às seis, não é?

– É.

Michelle abriu a porta do banheiro e ficou parada ali, enrolada numa toalha branca e felpuda, esfregando loção no rosto.

– Então, está bem – disse Paul. Beijou-a, aspirou seu perfume, sentiu a maciez de sua pele. – Amo você – disse, dando um passo atrás.

Ela o fitou por um instante.

– Eu sei. A gente se vê amanhã.

*Eu sei.* Paul remoeu as palavras em todo o trajeto para Lexington. A viagem levou duas horas, cruzando o rio Ohio, passando pelo trânsito pesado nas imediações do aeroporto e enfim entrando nas lindas colinas onduladas. Depois disso, ele passou pelas ruas calmas do centro da cidade, por prédios desertos, relembrando a época em que a Avenida Central ainda era o centro de sua vida, o lugar onde as pessoas iam fazer compras, comer e se enturmar. Lembrou-se de entrar na lanchonete e sentar diante do balcão de sorvetes nos fundos. Bolas de chocolate num copo de metal salpicado de gelo e o zumbir do liquidificador; a mistura dos cheiros de carne grelhada e anti-séptico. Seus pais tinham se conhecido no centro da cidade. Sua mãe estava numa escada rolante e se elevara sobre a multidão como um sol, e seu pai a havia seguido.

Paul passou pelo novo prédio do banco e pelo velho tribunal, pelo local deserto onde um dia ficara o teatro. Uma mulher magra andava pela calçada, de cabeça baixa e braços cruzados, com o cabelo escuro balançando ao vento. Pela primeira vez em 10 anos, Paul pensou em Lauren Lobeglio, no jeito determinado e silencioso com que ela cruzava a garagem vazia em direção a ele, semana após semana. Ele a havia buscado uma vez, depois outra e mais outra; acordara no meio de muitas madrugadas escuras temendo ter com Lauren o que agora tanto desejava com Michelle: casamento, filhos, um entrelaçar de vidas.

Continuou dirigindo, cantarolando baixinho sua mais nova melodia. *Uma árvore no coração*, era assim que se chamava; talvez ele a tocasse essa noite no bar do Lynagh. Michelle ficaria chocada com isso, mas Paul não se importava. Nos últimos tempos, desde a morte do pai, ele andava tocando mais em lugares informais, além de salões de concerto: pegava um violão e tocava em bares ou restaurantes, executando peças clássicas, mas também obras mais populares, que no passado sempre havia desdenhado. Não conseguia explicar essa mudança de atitude, porém tinha algo a ver com a intimidade daqueles lugares, com a ligação que ele sentia com o público, tão perto que era possível estender a mão e tocá-lo. Michelle não aprovava; achava que era conseqüência do luto e queria que Paul superasse isso. Mas ele não conseguia desistir. Em todos os anos da adolescência havia tocado por raiva e pela ânsia de uma ligação, como se, através da música, pudesse introduzir em sua família uma ordem, uma beleza invisível. E, agora que o pai se fora, não havia mais ninguém contra quem tocar. Daí ele ter essa nova liberdade.

Paul rumou para o antigo bairro, passando pelas casas imponentes e seus grandes jardins frontais, pelas calçadas e pela eterna quietude. Na casa de sua mãe, a porta da frente estava fechada. Desligou o motor e ficou sentado um instante, ouvindo os pássaros e o som longínquo dos cortadores de grama.

*Uma árvore no coração*. Fazia um ano que seu pai tinha morrido, sua mãe ia se casar com Frederic e se mudar para a França por algum tempo e ele não estava ali como filho nem como visita, mas como um curador do passado. Era sua a decisão sobre o que conservar e o que descartar. Tentara conversar com Michelle a esse respeito, sobre seu sentimento profundo de responsabilidade, sobre como o que ele preservasse dessa sua casa da infância se tornaria, com o tempo, aquilo que um dia transmitiria aos próprios filhos – tudo o que estes conheceriam, tangivelmente, daquilo que o havia moldado. Paul andara pensando no pai, cujo passado ainda era um mistério, mas Michelle havia entendido mal; ficara tensa diante da referência casual que ele fizera aos filhos. *Não foi isso que eu quis dizer*, ele tinha protestado, aborrecido, e ela também se zangara. *Saiba você ou não, foi isso que você quis dizer*.

Reclinou-se no banco, procurando no bolso a chave da casa. Depois de compreender que o trabalho do marido era valioso, sua mãe passara a manter as portas trancadas, embora os caixotes continuassem fechados no estúdio.

Bem, ele também não queria examinar aquele troço.

Quando finalmente saiu do carro, Paul se deteve por um instante no meio-fio, olhando para o bairro em volta. Fazia calor; uma brisa leve e alta movia-se por entre a copa das árvores. As folhas de carvalho mergulhavam na luz, criando um jogo de sombras no chão. Estranhamente, o ar também parecia carregado de neve, de uma substância branco-acinzentada e penugenta que esvoaçava pelo céu azul. Paul estendeu as mãos para o ar quente e úmido, sentindo-se como se estivesse numa das fotografias do pai, onde floresciam árvores no pulsar de um coração, onde o mundo, de repente, não era o que parecia ser. Pegou um floco na palma de uma das mãos; ao fechar o punho e tornar a abri-lo, viu a pele manchada de preto. Havia cinzas caindo feito neve no denso calor de julho.

Deixou pegadas na calçada ao subir os degraus. A porta da frente não estava trancada, mas a casa parecia deserta. *Olá!*, fez Paul, enquanto cruzava os cômodos com móveis empurrados para o meio e cobertos por encerados, as paredes nuas, prontas para receber a pintura. Fazia anos que ele não morava ali, mas se viu parado na sala de estar, despojada de tudo que um dia lhe dera sentido. Quantas vezes sua mãe havia decorado aquele cômodo? No entanto, era só uma sala, no final das contas. *Mamãe?*, chamou, mas não obteve resposta. No segundo andar, parou à porta de seu antigo quarto. Ali também havia caixotes empilhados, cheios de coisas velhas que ele precisaria examinar. A mãe não se desfizera de nada; até seus pôsteres estavam cuidadosamente enrolados e presos com elásticos. Nas paredes havia vagos retângulos onde eles um dia estiveram pendurados.

– Mamãe? – tornou a chamar. Desceu e foi para a varanda dos fundos.

Lá estava ela, sentada na escada, usando um short azul velho e uma camiseta branca molenga. Paul se deteve, sem fala, absorvendo a estranha cena. Ainda havia brasas ardendo num círculo de pedras, e as cinzas e fiapos de papel queimado que tinham caído ao redor dele no jardim da frente também estavam ali, presas nas moitas e no cabelo de sua mãe. Havia papéis espalhados por toda a grama, grudados às bases das árvores e às pernas enferrujadas do antigo balanço. Horrorizado, Paul se deu conta de que a mãe estivera queimando as fotografias de seu pai. Ela ergueu os olhos, com o rosto banhado em cinzas e lágrimas.

– Está tudo bem – disse, com voz calma. – Parei de queimá-las. Estava com muita raiva do seu pai, Paul, mas aí me ocorreu que isso também é sua herança. Só queimei uma caixa. Era aquela com todas as meninas, de modo que imagino que não valesse grande coisa.

– Do que você está falando? – ele perguntou, sentando-se ao lado da mãe.

Ela entregou ao filho uma fotografia dele, uma foto que Paul nunca vira. Ele teria uns 14 anos, sentado no balanço da varanda, debruçado sobre o violão, concentrado, desligado de tudo a seu redor, capturado em plena música. Paul assustou-se com a idéia de o pai haver captado aquele momento – um momento particular, completamente descontraído, um dos momentos em que ele se sentia mais vivo.

– Certo. Mas não estou entendendo. Por que você está tão aborrecida?

Norah apertou o rosto com as mãos por um instante e deu um suspiro.

– Lembra-se da história da noite em que você nasceu, Paul? Da nevasca, de como mal conseguimos chegar à clínica a tempo?

– É claro.

Ele esperou que a mãe continuasse, sem saber o que dizer, mas entendendo, num nível instintivo, que aquilo tinha a ver com sua irmã gêmea que havia morrido.

– Lembra-se da enfermeira, Caroline Gill? Alguma vez nós lhe falamos dela?

– Falaram. Não do nome dela. Você contou que ela tinha olhos azuis.

– E tem. Muito azuis. Ela veio aqui ontem, Paul. Caroline Gill. Eu não a via desde aquela noite. Ela trouxe uma notícia, uma notícia chocante. Vou lhe contar de uma vez, já que não sei o que mais fazer.

Norah pegou a mão do filho. Paul não a retirou. A irmã dele, disse-lhe, calmamente, não havia morrido no parto, afinal. Nascera com síndrome de Down, e o pai tinha pedido que Caroline Gill a levasse para uma instituição em Louisville.

– Para nos poupar – acrescentou Norah, e sua voz se embargou. – Foi o que ela disse. Mas ela não conseguiu ir até o fim. Caroline Gill levou sua irmã, Paul. Levou Phoebe. Durante todos esses anos, sua irmã gêmea está viva e com saúde, crescendo em Pittsburgh.

– Minha irmã? Em Pittsburgh? Fui a Pittsburgh na semana passada!

Não era uma resposta apropriada, mas ele não sabia que outra coisa dizer; sentia-se tomado de um vazio estranho, uma espécie de desapego aturdido. Ele tinha uma irmã: já era uma notícia e tanto. Ela era retardada, não perfeita, e seu pai a mandara embora. Estranhamente, o que veio em seguida não foi raiva, mas medo, um antigo temor nascido da pressão que o pai tinha exercido sobre ele como filho único. Nascido também da necessidade de Paul construir seu próprio rumo, mesmo que o pai o desaprovasse a ponto de ir embora. Um medo que, ao longo de todos aqueles anos, como um alquimista talentoso, Paul havia transformado em raiva e rebeldia.

– A Caroline foi para Pittsburgh e começou vida nova – disse-lhe a mãe. – Criou sua irmã. Fico tentando me sentir grata por ela ter sido boa para a Phoebe, mas há uma parte de mim que está furiosa.

Paul fechou os olhos por um instante, tentando juntar todas essas idéias. O mundo parecia plano, estranho e desconhecido. Em todos aqueles anos, ele havia tentado imaginar como seria sua irmã, mas agora não conseguia fazer a menor idéia dela.

– Como é que ele pôde fazer isso? – acabou perguntando. – Como pôde guardar segredo disso?

– Não sei. Estou me perguntando a mesma coisa. Como é que ele pôde? E como é que se atreveu a morrer e a deixar que descobríssemos isso sozinhos?

Ficaram sentados em silêncio. Paul lembrou-se da tarde em que revelara fotos com o pai, um dia depois de ter destroçado o quarto escuro, quando estava cheio de culpa, e o pai também, quando o próprio ar ficara carregado com o que eles diziam e com o que calavam. "Câmera", dissera-lhe o pai, vinha do francês *chambre*, quarto. Estar *in camera* era agir em sigilo. Era nisso que seu pai havia acreditado: que toda pessoa era um universo isolado. Árvores sombrias no coração, um punhado de ossos: fora esse o mundo de seu pai, e ele nunca o deixara mais amargurado do que nesse momento.

– Fico surpreso por ele não ter-se livrado *de mim* – comentou, pensando na intensidade com que sempre havia combatido a visão que seu pai tinha do mundo. Paul saíra de casa para tocar seu violão, deixando a música emergir de dentro dele e penetrar no mundo, e as pessoas tinham se virado, pousado os drinques e escutado, e salas cheias de estranhos haviam feito contato, ligando-se uns aos outros. – Aposto que era o que ele queria.

– Não, Paul! – exclamou a mãe, franzindo o cenho. – No mínimo, ele queria ainda mais coisas para você, por causa disso tudo. Esperava ainda mais. Exigia a perfeição dele mesmo. Essa é uma das coisas que ficaram claras para mim. Na verdade, esse é o pedaço terrível. Agora que sei da Phoebe, os mistérios sobre o seu pai fazem sentido. Aquela muralha que eu sempre senti, aquilo era real.

Norah levantou-se, entrou em casa e voltou com duas fotos Polaroid.

– Esta é ela. É sua irmã, Phoebe.

Paul pegou as fotos e olhou de uma para a outra: uma foto posada de uma menina risonha, depois um instantâneo em que ela lançava uma bola de basquete. Ainda estava tentando assimilar o que a mãe lhe dissera: que aquela estranha de olhos amendoados e pernas grossas era sua irmã gêmea.

– Vocês têm o mesmo cabelo – disse Norah, baixinho, tornando a se sentar ao lado do filho. – Ela gosta de cantar, Paul. Não é incrível? – comentou. Riu e disse mais: – E adivinhe só: é fã de basquete.

A risada de Paul foi estridente e carregada de dor.

– Bom, acho que o papai escolheu o filho errado.

Norah segurou as fotos nas mãos sujas de cinzas.

– Não seja rancoroso, Paul. A Phoebe tem síndrome de Down. Não sou muito entendida no assunto, mas a Caroline tinha muita coisa a dizer. Tanta, na verdade, que mal pude assimilar tudo.

Paul estivera esfregando o dedo na borda do degrau de concreto e, nesse momento, parou, vendo o sangue brotar no ponto em que o arranhara até deixá-lo em carne viva.

– Não ser rancoroso? Nós visitamos o túmulo dela! – protestou, lembrando-se da mãe cruzando o portão de ferro com os braços carregados de flores e mandando que ele esperasse no carro. Lembrando-se dela ajoelhada na terra, plantando sementes de lírios-do-vale. – O que você acha disso?

– Não sei. O terreno era do Dr. Bentley, de modo que ele também devia saber. Seu pai nunca se dispunha a me levar lá. Eu tinha que brigar muito. Na época, eu achava que ele tinha medo de que eu tivesse um colapso nervoso. Ah, aquilo me dava muita raiva, o jeito de ele estar sempre com a razão!

Paul assustou-se com a veemência na voz da mãe, relembrando sua conversa daquela manhã com Michelle. Pressionou a ponta do polegar contra os lábios e sugou as gotículas de sangue, contente com o gosto acentuado de cobre. Os dois passaram algum tempo calados, olhando para o quintal com os fiapos de cinzas, as fotos espalhadas e as caixas úmidas.

Por fim, Paul perguntou:

– O que é que isso significa, ela ser retardada? No dia-a-dia, quero dizer.

A mãe voltou a olhar para as fotografias.

– Não sei. A Caroline disse que ela tem um alto grau de competência, o que quer que isso signifique. Ela trabalha. Tem namorado. Freqüentou a escola. Mas, ao que parece, não é realmente capaz de ter uma vida independente.

– Essa enfermeira, a Caroline Gill, por que ela veio aqui agora, depois de tantos anos? O que ela queria?

– Ela só queria me contar – disse Norah, baixinho. – Só isso. Não pediu nada. Ela veio abrir uma porta, Paul. Acredito realmente nisso. Foi um convite. Mas, o que quer que aconteça, vai depender de nós.

– E isso é o quê? O que vai acontecer agora?

– Vou a Pittsburgh. Sei que tenho que vê-la. Mas, depois disso, não sei mais nada. Devo trazê-la para cá? Nós seríamos estranhos para ela. E preciso conversar com o Frederic; ele tem que saber.

Norah cobriu o rosto com as mãos por um momento.

– Ah, Paul, como é que eu posso ir passar dois anos na França e deixá-la aqui? Não sei o que fazer. É demais para mim, tudo ao mesmo tempo.

Uma brisa balançou as fotografias espalhadas pela grama. Paul calou-se, lutando com muitas emoções confusas: raiva do pai, surpresa e tristeza pelo que havia perdido. E preocupação também; era terrível preocupar-se com isso, mas e se ele tivesse que cuidar da irmã, que não podia levar uma vida independente? Como poderia fazer isso? Nunca havia sequer conhecido uma pessoa retardada, e achava que todas as imagens que tinha delas eram negativas. Nenhuma combinava com a menina de sorriso meigo da fotografia, e isso também era desconcertante.

– Isso eu também não sei – disse, enfim. – Talvez a primeira coisa seja arrumar essa bagunça.

– A sua herança – disse Norah.

– Não é só minha – retrucou ele, pensativo, testando as palavras. – É da minha irmã também.

Os dois trabalharam durante o resto do dia e no dia seguinte, separando as fotos, recolocando-as nos caixotes, arrastando-os para as profundezas frescas da garagem. Enquanto Norah se reunia com os curadores, Paul telefonou para Michelle, para explicar o que havia acontecido e dizer que não iria ao concerto, afinal. Esperava que ela ficasse zangada, mas Michelle ouviu sem fazer comentários e desligou. Quando ele tentou ligar outra vez, a secretária eletrônica atendeu; foi assim o dia inteiro. Mais de uma vez, ele pensou em entrar no carro e correr feito um louco para casa, em Cincinnati, mas sabia que não adiantaria. Sabia também que, na verdade, não queria continuar daquele jeito, sempre amando Michelle mais do que ela era capaz de retribuir. Por isso, obrigou-se a ficar. Voltou-se para o trabalho físico de empacotar as coisas de casa e, à noitinha, foi a pé até a biblioteca, no centro da cidade, para consultar livros sobre a síndrome de Down.

Na manhã de terça-feira, calados, confusos e cheios de apreensão, ele e a mãe entraram no carro de Norah, cruzaram o rio e seguiram por entre a exuberante vegetação de Ohio de alto verão. Fazia muito calor e as folhas dos milharais tremeluziam sob o vasto céu azul. Chegaram a Pittsburgh em meio ao trânsito de volta do feriado da Independência e atravessaram o túnel que levava à ponte, oferecendo uma paisagem arrebatadora da fusão dos dois rios. Arrastaram-se pelo tráfico do centro da cidade e margearam o rio Monongahela, atravessando mais um longo túnel. Por fim, pararam diante da casa de tijolos de Caroline Gill, numa rua movimentada e arborizada.

Ela lhes dissera para estacionarem no beco, e foi o que fizeram, descendo do carro e esticando o corpo. Passada uma faixa de grama, uma escada descia para um terreno estreito e para a casa alta de tijolos em que a irmã de Paul havia crescido. Ele observou a casa, tão parecida com Cincinnati, tão diferente de sua infância tranqüila, na opulência e no conforto dos subúrbios residenciais. O trânsito fluía célere pela rua, passando pelos jardinzinhos que pareciam selos postais e avançando para a cidade que se derramava ao redor, quente e densa.

Os jardins ao longo da ruela estavam carregados de flores, malvas e íris de todas as cores, com suas pétalas brancas e roxas fazendo um vívido contraste com a relva. No jardim mais próximo havia uma mulher cuidando de uma fila de tomateiros viçosos. Uma cerca de lilases erguia-se atrás dela, com o verde pálido das folhas luzidias balançando na brisa que empurrava o ar quente, sem refrescá-lo. A mulher, que usava um short azul-marinho e camiseta branca, com floridas luvas de algodão de cores vivas, sentou-se onde estivera ajoelhada e passou as costas da mão pela testa. O trânsito estava pesado; ela não os ouvira chegar. Arrancou uma folha de um tomateiro e a encostou no nariz.

– É ela? – perguntou Paul. – Aquela é a enfermeira?

Norah fez que sim com a cabeça. Tinha cruzado os braços, apertando-os contra o peito num gesto protetor. Os óculos escuros lhe mascaravam os olhos, porém, mesmo assim, Paul pôde perceber o quanto ela estava nervosa, pálida e tensa.

– Sim. Aquela é Caroline Gill. Paul, agora que está na hora, não sei ao certo se consigo fazer isso. Talvez a gente devesse ir para casa.

– Fizemos todo o percurso até aqui. E eles estão à nossa espera.

Norah deu um sorrisinho cansado. Fazia dias que mal conseguia dormir; até seus lábios estavam pálidos.

– Não é possível que estejam nos esperando. Não mesmo.

Paul assentiu com a cabeça. A porta dos fundos escancarou-se, mas a figura na varanda permaneceu oculta nas sombras. Caroline pôs-se de pé, limpando as mãos no short.

– Oi, Phoebe! – disse. – Aí está você.

Paul sentiu a mãe ficar tensa a seu lado, mas não olhou para ela. Preferiu olhar para a varanda. O momento se estendeu, alongou-se, e o sol pareceu oprimi-los. Por fim, a figura emergiu, carregando dois copos de água.

Paul firmou a vista. A moça era baixa, muito menor do que ele, e tinha o cabelo mais escuro, mais fino e esvoaçante, com um corte simples e arredondado que lhe emoldurava o rosto. A tez era alva como a de Norah e, àquela distância, as feições dela pareciam delicadas num rosto largo, um rosto que parecia meio achatado, como se tivesse passado tempo demais encostado na parede. Os olhos eram ligeiramente puxados para cima, e os membros, curtos. Ela já não era uma menina, como nas fotografias, mas uma mulher adulta, da idade dele, com um ou outro fio grisalho no cabelo. Alguns fios grisalhos também prateavam a barba de Paul, quando ele a deixava crescer. A moça usava um short florido e era pesada, meio gorducha, roçando um joelho no outro ao andar.

– Ah! – fez Norah. Tinha levado uma das mãos ao peito. Seus olhos estavam escondidos sob os óculos escuros, e Paul ficou contente; era um momento muito particular.

– Está tudo bem – disse ele. – Vamos só ficar aqui um pouco.

O sol estava muito quente e o trânsito corria. Caroline e Phoebe sentaram-se lado a lado na escadinha da varanda, bebendo água.

– Estou pronta – disse Norah, finalmente, e os dois desceram os degraus até a faixa estreita de grama entre a horta e as flores. Caroline Gill foi a primeira a vê-los; protegeu os olhos com a mão, espremendo-os contra o sol, e se levantou. Phoebe levantou-se também e, por alguns segundos, eles se entreolharam no jardim. Depois, Caroline pegou Phoebe pela mão. Encontraram-se junto aos tomateiros, onde os frutos pesados já começavam a amadurecer, enchendo o ar de um aroma limpo e acre. Ninguém falou. Phoebe olhava para Paul e, depois de um longo momento, estendeu a mão no espaço que os separava e o tocou de leve no rosto, delicadamente, como que para ver se ele era real. Paul balançou a cabeça sem falar, fitando-a com ar grave; o gesto dela lhe pareceu certo, por alguma razão. Phoebe queria conhecê-lo, só isso. Ele também queria conhecê-la, mas não fazia idéia do que dizer a essa irmã repentina, tão intimamente ligada a ele e, ao mesmo tempo, tão completamente estranha. Paul também se sentia terrivelmente inibido, com medo de cometer um erro. Como é que se falava com uma pessoa retardada? Os livros que ele lera no fim de semana, todas aquelas descrições clínicas, nada o havia preparado para o ser humano cuja mão roçara seu rosto tão de leve.

Foi Phoebe quem se recuperou primeiro.

– Olá – disse, estendendo-lhe a mão formalmente. Paul a segurou, sentindo seus dedos muito miúdos, ainda sem conseguir dizer palavra. – Eu sou a Phoebe. Prazer em conhecê-lo.

A fala era enrolada, difícil de entender. Depois, Phoebe virou-se para a mãe dele e fez a mesma coisa.

– Olá – disse Norah, apertando a mão dela, depois segurando-a entre as suas. Tinha a voz carregada de emoção. – Olá, Phoebe. Também sinto muito prazer em conhecê-la.

– Está muito quente – disse Caroline. – Por que não entramos? Os ventiladores estão ligados. E a Phoebe fez chá gelado hoje de manhã. Estava empolgada com a visita de vocês, não foi, querida?

Phoebe sorriu e acenou com a cabeça, subitamente tímida. Todos a seguiram para o ar fresco do interior da casa. Os cômodos eram pequenos, mas imaculados, com lindos trabalhos de marcenaria e uma porta dupla envidraçada separando a sala de visitas da de jantar. A sala de visitas estava inundada de sol e de móveis surrados, de tonalidade vinho. No canto mais distante havia um enorme tear.

– Estou fazendo uma echarpe – disse Phoebe.

– É linda – comentou Norah, atravessando a sala para alisar os fios, rosa-escuro, pérola, amarelo e verde-água. Havia tirado os óculos escuros e ergueu os olhos marejados de lágrimas, com a voz ainda embargada de emoção. – Você mesma escolheu essas cores, Phoebe?

– Minhas cores favoritas – respondeu Phoebe.

– As minhas também – disse Norah. – Quando eu tinha a sua idade, essas também eram as minhas cores favoritas. As minhas damas de honra usaram rosa-escuro e pérola, e seguraram rosas amarelas.

Paul ficou perplexo ao saber disso; todas as fotos que vira eram em preto-e-branco.

– Você pode ficar com essa echarpe – disse Phoebe, sentando-se diante do tear. – Eu fiz para você.

– Ah! – exclamou Norah, fechando brevemente os olhos. – Que amor, Phoebe!

Caroline trouxe o chá gelado e os quatro se sentaram na sala de visitas, meio sem jeito, conversando sobre amenidades: o clima, o renascimento incipiente de Pittsburgh depois do colapso da indústria siderúrgica. Phoebe continuou diante do tear, calada, movendo a lançadeira de um lado para outro e erguendo os olhos de vez em quando, sempre que seu nome era mencionado. Paul lhe dirigia olhares furtivos. As mãos de Phoebe eram pequenas e gorduchas. Ela estava concentrada na lançadeira, mordendo o lábio inferior. Por fim, Norah terminou seu chá e disse:

– Bem, aqui estamos. E agora eu não sei qual é o próximo passo.

– Phoebe – chamou Caroline –, por que não vem ficar aqui conosco?

Em silêncio, Phoebe se aproximou e se sentou ao lado de Caroline no sofá.

Norah começou, falando muito depressa e apertando as mãos, nervosa.

– Não sei o que é melhor. Não existe mapa neste lugar em que estamos, não é? Mas quero oferecer minha casa a Phoebe. Ela pode vir morar conosco, se quiser. Pensei muito nisso, nestes últimos dias. Temos muito assunto para colocar em dia.

Nesse ponto, fez uma pausa para respirar e se voltou para Phoebe, que a fitava com os olhos arregalados, desconfiada.

– Você é minha filha, Phoebe, está entendendo? Esse é seu irmão, Paul.

Phoebe segurou a mão de Caroline.

– Essa é a minha mãe – disse.

– Sim – concordou Norah, que olhou de relance para Caroline e tentou de novo: – Essa é a sua mãe. Mas eu também sou sua mãe. Você cresceu dentro do meu corpo, Phoebe – e deu um tapinha na barriga. – Cresceu bem aqui. Mas, depois, você nasceu e a sua mãe Caroline a criou.

– Vou me casar com o Robert – disse Phoebe. – Não quero morar com você.

Paul, que vira a mãe debater-se num conflito durante todo o fim de semana, sentiu o impacto das palavras de Phoebe, como se ela o houvesse chutado. E percebeu que a mãe as sentira do mesmo jeito.

– Está tudo bem, Phoebe – interveio Caroline. – Ninguém vai fazer você ir embora.

– Eu não quis dizer... Eu só queria oferecer... – começou Norah, que parou e tornou a respirar fundo. Seus olhos verdes haviam assumido um tom escuro, perturbados. Ela tentou mais uma vez: – Phoebe, o Paul e eu gostaríamos de conhecer você. Só isso. Por favor, não tenha medo de nós, sim? O que estou dizendo, o que eu quero dizer, é que a minha casa está aberta para você. Sempre. Não importa aonde eu vá no mundo, você também poderá ir lá. E espero que vá. Espero que você vá me visitar um dia, só isso. Assim ficaria bom para você?

– Pode ser – admitiu Phoebe.

– Phoebe – disse Caroline –, por que você não leva o Paul para conhecer um pouco a casa? Dê uma chance para que a Sra. Henry e eu conversemos um pouquinho. E não se preocupe, fofinha – acrescentou, pousando de leve a mão no braço da filha. – Ninguém vai a lugar nenhum. Está tudo bem.

Phoebe acenou com a cabeça e se levantou.

– Quer conhecer o meu quarto? – perguntou a Paul. – Eu tenho um toca-discos novo.

Paul olhou para mãe de relance e ela balançou a cabeça, observando os dois atravessarem juntos a sala. Ele subiu a escada atrás de Phoebe.

– Quem é Robert? – perguntou à irmã.

– É o meu namorado. Nós vamos casar. Você é casado?

Tocado pela lembrança de Michelle, Paul abanou a cabeça.

– Não.

– Você tem namorada?

– Não. Eu tinha uma namorada, mas ela foi embora.

Phoebe parou no degrau mais alto e se virou. Os dois ficaram cara a cara, tão perto que Paul se sentiu constrangido com a invasão de seu espaço pessoal. Desviou os olhos, depois tornou a dirigi-los à irmã, que continuava a fitá-lo diretamente.

– Não é bonito encarar as pessoas – disse Paul.

– Bom, você está parecendo triste.

– Eu estou triste. Na verdade, estou muito, muito triste.

Phoebe balançou a cabeça e, por um instante, pareceu juntar-se a ele em sua tristeza, nublando a expressão do rosto; no instante seguinte, desanuviou-a.

– Venha – disse, conduzindo-o pelo corredor. – Também tenho uns discos novos.

Sentaram-se no chão do quarto. As paredes eram cor-de-rosa, com cortinas xadrez rosa e branco nas janelas. Era um quarto de menina, cheio de bichos de pelúcia e gravuras coloridas nas paredes. Paul pensou em Robert e se perguntou se era verdade que Phoebe ia se casar. Depois, sentiu-se mal por se intrigar com isso; por que não deveria ela casar-se ou fazer qualquer outra coisa? Pensou no quarto extra que havia na casa de seus pais, onde sua avó às vezes se hospedava, quando ele era menino. Aquele teria sido o quarto de Phoebe; ela o teria enchido com sua música e seus objetos. Phoebe pôs um disco para tocar, aumentou bem o volume da vitrolinha, que berrava *Love, Love Me Do,* e pôs-se a cantar junto, com os olhos semicerrados. Tinha a voz bonita, percebeu Paul, diminuindo um pouquinho o volume e examinando os outros discos. Phoebe tinha muita música popular, mas também tinha sinfonias.

– Gosto de trombone – disse ela, fingindo puxar uma vara comprida, e, quando Paul riu, ela riu também. – Gosto mesmo de trombone – repetiu, e deu um suspiro.

– Eu toco violão. Você sabia?

Ela fez que sim.

– Mamãe me disse. Feito o John Lennon.

Paul sorriu.

– Um pouquinho – comentou, surpreso por se apanhar no meio de uma conversa. Tinha se acostumado com a fala dela e, quanto mais conversava com a irmã, mais Phoebe era simplesmente ela mesma, impossível de rotular. – Já ouviu falar de Andrés Segovia?

– A-hã.

– Ele é bom mesmo. É o meu favorito. Um dia eu toco a música dele para você, está bem?

– Eu gosto de você, Paul. Você é legal.

Ele se apanhou sorrindo, encantado e envaidecido.

– Obrigado. Também gosto de você.

– Mas não quero morar com você.

– Tudo bem. Eu também não moro com a minha mãe. Moro em Cincinnati.

O rosto de Phoebe se iluminou.

– Sozinho?

– É – ele respondeu, sabendo que, quando voltasse, Michelle teria ido embora. – Sozinho.

– Que sorte!

– Acho que sim – disse ele num tom grave, subitamente consciente da sorte que tinha. As coisas que ele via como corriqueiras na vida eram a matéria dos sonhos de Phoebe. – Tenho sorte, sim. É verdade.

– Eu também tenho sorte – comentou ela, surpreendendo-o. – O Robert tem um bom emprego, e eu também.

– Em quê você trabalha?

– Eu tiro cópias – ela respondeu com um orgulho sereno. – Muitas, muitas cópias.

– E você gosta disso?

Ela sorriu.

– Max trabalha lá. Ela é minha amiga. Temos 23 cores diferentes de papel.

Cantarolou um pouco, satisfeita, enquanto guardava cuidadosamente o primeiro disco e escolhia outro. Seus gestos não eram rápidos, mas eram eficientes e concentrados. Paul pôde imaginá-la na copiadora, fazendo seu trabalho, brincando com a amiga, parando de vez em quando para admirar o arco-íris de papéis ou algum trabalho encerrado. No térreo, ouviu o murmúrio de vozes, à medida que sua mãe e Caroline Gill elaboravam o que fazer. Com profunda vergonha, ele se deu conta de que a pena que sentira de Phoebe, assim como a suposição que sua mãe fizera da dependência dela tinham sido tolas e desnecessárias. Phoebe gostava de si mesma e gostava de sua vida; era feliz. Todos os esforços que ele tinha feito, todos os concursos e prêmios, a luta longa e fútil para agradar a si mesmo e impressionar o pai, tudo aquilo, comparado à vida de Phoebe, também parecia meio bobo.

– Onde está o seu pai? – ele perguntou.

– No trabalho. Ele dirige um ônibus. Você gosta de *Yellow Submarine*?

– Sim. Sim, gosto.

Phoebe deu um sorriso largo e pôs o disco na vitrola.

# 1.º DE SETEMBRO DE 1989

As notas transbordaram da igreja e invadiram o ar ensolarado. Para Paul, parado do lado de fora, bem junto às portas de tom vermelho vivo, a música era quase visível, deslocando-se por entre as folhas dos álamos, dispersando-se pela relva feito partículas de luz. A organista era amiga dele, uma peruana chamada Alejandra, que usava o cabelo castanho-avermelhado bem puxado para trás, preso num longo rabo-de-cavalo, e que, nos dias sombrios que se seguiram à partida de Michelle, havia aparecido em seu apartamento, levando sopa, chá gelado e conselhos. *Levante-se*, dissera-lhe com firmeza, abrindo cortinas e janelas, limpando os pratos e pondo a louça suja na pia. *Levante-se, não adianta nada ficar na fossa, ainda mais por causa de uma flautista. Elas são sempre volúveis, você não sabia? Fico surpresa por ela ter passado tanto tempo aqui. Dois anos. Sinceramente, deve ser um recorde.*

Agora, as notas de Alejandra cascateavam como água cristalina, seguidas por um crescendo animado, que subiu e parou por um instante no ar, suspenso sob a luz do sol. A mãe de Paul apareceu no vão da porta, risonha, com uma das mãos pousada de leve no braço de Frederic. Os dois saíram juntos para o sol, sob uma chuva luminosa de arroz e pétalas.

– Bonito – comentou Phoebe, ao lado de Paul.

Ela usava um vestido verde de tecido brilhante e segurava despreocupada, na mão direita, os narcisos que havia carregado durante a cerimônia de casamento. Estava sorrindo, com os olhos espremidos de prazer e covinhas fundas nas bochechas rechonchudas. As pétalas e os grãos descreveram um arco contra o céu luminoso e, quando caíram, Phoebe riu, encantada. Paul fitou-a atentamente: essa estranha, sua irmã gêmea. Os dois haviam percorrido juntos a nave da igrejinha minúscula, até chegarem ao lugar em que sua mãe e Frederic esperavam no altar. Paul tinha andado devagar, com Phoebe atenta e séria a seu lado, decidida a fazer tudo certo, pousando a mão no cotovelo dele. Algumas andorinhas haviam voejado por entre os caibros na hora da troca dos votos, mas sua mãe tivera certeza daquela igreja desde o começo, assim como havia insistido, durante todas as discussões estranhas, inesperadas e lacrimosas sobre Phoebe e seu futuro, que os dois filhos ficassem a seu lado na cerimônia de casamento.

Outra rajada, dessa vez de confete, e uma onda de risadas se alastrando. Sua mãe e Frederic inclinaram a cabeça, e Bree lhes sacudiu dos ombros e do cabelo os pedacinhos luminosos de papel. O confete colorido espalhou-se por toda parte, fazendo a grama parecer um mosaico.

– Você tem razão – ele disse a Phoebe. – É bonito.

Ela balançou a cabeça, agora com ar pensativo, e alisou a saia com as duas mãos.

– A sua mãe vai para a França.

– Vai – concordou Paul, embora ficasse tenso ante a escolha de palavras da irmã: *sua mãe*. Era uma expressão que se usaria com estranhos, e todos eles eram estranhos, é claro. Isso, no fim das contas, fora o que mais havia doído em sua mãe: os anos perdidos que os separavam, as palavras hesitantes e formais onde deveria haver descontração e amor. – E você e eu também, daqui a uns dois meses – completou, lembrando a Phoebe os planos com que finalmente haviam concordado. – Vamos visitá-los na França.

Uma expressão de preocupação, fugaz como uma nuvem, cruzou o rosto de Phoebe.

– Nós voltaremos – acrescentou Paul, com delicadeza, lembrando-se de como a irmã ficara assustada com a sugestão de Norah de que se mudasse com ela para a França.

Phoebe assentiu com a cabeça, mas continuou com ar apreensivo.

– O que foi? – perguntou Paul. – Qual é o problema?

– Comer caracol.

Paul a olhou, surpreso. Andara brincando com a mãe e com Bree no vestíbulo, antes da cerimônia, sobre o banquete que elas fariam em Châteauneuf. Phoebe havia assistido calada, à margem da conversa; não lhe ocorrera que ela estivesse escutando. Aquilo também era um mistério: a presença de Phoebe no mundo, o que ela via, sentia e compreendia. Tudo o que Paul realmente sabia a respeito da irmã poderia ser posto numa ficha de arquivo: ela gostava de gatos, de tecelagem, de ouvir música no rádio e cantar na igreja. Sorria muito, era propensa a dar abraços e, como ele, era alérgica a picadas de abelha.

– Caracol não é assim tão ruim – fez ele. – É meio puxa-puxa. Feito chiclete de alho.

Phoebe fez uma careta, depois riu.

– Que nojo – comentou. – Isso é nojento, Paul.

A brisa lhe balançou de leve o cabelo, e Phoebe continuou fixada na cena diante deles: os convidados em movimento, o sol, as folhas, tudo entremeado de música. As faces dela eram salpicadas de sardas, como as dele. Do outro lado do jardim, sua mãe e Frederic ergueram uma espátula de prata para cortar o bolo.

– Eu e o Robert também vamos casar – disse Phoebe.

Paul sorriu. Havia conhecido Robert naquela primeira viagem a Pittsburgh; ele e a irmã tinham ido vê-lo no armazém, alto e atencioso, usando um uniforme marrom e um crachá. Quando Phoebe os apresentara, tímida, Robert havia apertado prontamente a mão de Paul e lhe dera um tapinha no ombro, como se os dois se estivessem reencontrando depois de uma longa ausência. *Prazer em vê-lo, Paul. A Phoebe e eu vamos casar, de modo que, logo, logo, você e eu seremos irmãos, que tal?* E então, satisfeito, sem esperar resposta, confiante em que o mundo era bom e em que Paul compartilhava seu prazer, ele se voltara para Phoebe, pusera o braço em volta dela e os dois ficaram lá, sorridentes.

– É uma pena o Robert não ter podido vir.

Phoebe assentiu com a cabeça.

– O Robert gosta de festas – disse.

– Isso não me surpreende – fez Paul.

Ele viu a mãe pôr um pedacinho de bolo na boca de Frederic, tocando o canto do lábio dele com o polegar. Norah usava um vestido creme e o cabelo curto, de um louro chegado ao grisalho, que fazia seus olhos verdes parecerem maiores. Paul pensou no pai, perguntando-se como teria sido a cerimônia de casamento dos dois. Vira as fotografias, é claro, mas aquilo era só a superfície. Ele gostaria de saber como tinha sido a luz, como havia soado o riso; queria saber se seu pai se havia inclinado, como fez Frederic nesse momento, para beijar sua mãe, depois de ela haver lambido um pedacinho de cobertura de bolo de sua boca.

– Eu gosto de flores cor-de-rosa – comentou Phoebe. – Quero uma porção de flores cor-de-rosa no meu casamento – acrescentou. Depois, ficou séria, franziu o cenho e encolheu os ombros, fazendo o vestido verde escorregar um pouco sobre a clavícula. – Mas, primeiro, eu e o Robert temos que juntar o dinheiro.

A brisa soprou e Paul pensou em Caroline Gill, alta e resoluta, parada no saguão do hotel no centro de Lexington com o marido, Al, e Phoebe. Todos se haviam encontrado lá na véspera, em campo neutro. A casa de Norah estava vazia, com uma placa de VENDE-SE no jardim. Nessa noite, ela e Frederic viajariam para a França. Caroline e Al tinham vindo de Pittsburgh e, depois de um brunch cordial, embora meio encabulado, os dois tinham deixado Phoebe ficar para o casamento, enquanto seguiam de férias para Nashville. Era a primeira viagem de férias que fariam sozinhos, e pareciam contentes com isso. Mesmo assim, Caroline tinha abraçado Phoebe duas vezes, depois parado na calçada para olhar para trás, pela janela, e acenar.

– Você gosta de Pittsburgh? – perguntou Paul. Tinham lhe oferecido um emprego lá, um bom emprego numa orquestra; ele também recebera uma proposta de uma orquestra de Santa Fé.

– Gosto de Pittsburgh – respondeu Phoebe. – Mamãe diz que tem escadas demais, mas eu gosto.

– Talvez eu me mude para lá. O que você acha?

– Seria bom. Você poderia ir ao meu casamento – disse Phoebe. Depois, deu um suspiro. – Casamento custa muito caro. Não é justo.

Paul assentiu com a cabeça. Não, não era justo. Nada daquilo era justo. Nem os desafios enfrentados por Phoebe, num mundo que não a acolhia de bom grado, nem a relativa facilidade da vida dele, nem o que o pai de ambos tinha feito – nada daquilo. Súbito, Paul sentiu uma vontade premente de oferecer a Phoebe o casamento que ela quisesse. Ou um bolo, pelo menos. Seria um gesto muito pequeno diante de todo o resto.

– Vocês poderiam fugir – sugeriu.

Phoebe considerou a idéia, girando uma pulseira de plástico verde no pulso.

– Não. Aí a gente não teria bolo.

– Ah, não sei. Será que não? Quero dizer, por que não?

Franzindo a testa, Phoebe o olhou, para ver se Paul estava fazendo troça dela.

– Não – disse com firmeza. – Não é assim que a gente faz uma cerimônia de casamento, Paul.

Ele sorriu, comovido com a certeza da irmã sobre como funcionava o mundo.

– Sabe de uma coisa, Phoebe? Você tem razão.

Risadas e aplausos vieram voando pelo jardim ensolarado quando Frederic e Norah terminaram de partir o bolo. Bree, sorridente, ergueu a câmera para tirar uma última foto. Paul acenou com a cabeça para a mesa onde os pratinhos estavam sendo servidos, passando de mão em mão.

– O bolo tem seis camadas. Com recheio de framboesa e creme chantilly. Que tal, Phoebe? Quer provar?

Phoebe acentuou o sorriso e fez que sim com a cabeça.

– Meu bolo terá *oito* camadas – disse, enquanto os dois atravessavam o jardim, passando por entre as vozes, o riso e a música.

Paul deu uma risada.

– Só oito? Por que não dez?

– Bobo. Você é um sujeito bobo, Paul.

Chegaram à mesa. Havia confetes coloridos espalhados nos ombros de Norah. Ela estava sorrindo, delicada em seus gestos, e tocou o cabelo de Phoebe, alisando-o para trás, como se a filha ainda fosse uma garotinha. Phoebe afastou-se e Paul sentiu um aperto no peito; não havia finais simples para essa história. Haveria visitas e telefonemas de um lado a outro do Atlântico, mas nunca a descontração comum da vida cotidiana.

– Você se saiu bem – disse-lhe a mãe. – Estou muito contente por você ter vindo ao casamento, Phoebe. Você e o Paul. Isso significa muito para mim. Nem sei como lhe dizer.

– Gosto de casamentos – respondeu Phoebe, apanhando um prato de bolo.

Norah deu um sorriso meio tristonho. Paul observou a irmã, pensando em como Phoebe entenderia o que estava acontecendo. Ela não parecia se preocupar muito com as coisas, mas aceitar o mundo como um lugar fascinante e inusitado, onde qualquer coisa podia acontecer. Onde, um dia, uma mãe e um irmão que a gente nunca soubera ter tido podiam aparecer na porta de casa e nos convidar para um casamento.

– Estou contente porque você vai nos visitar na França, Phoebe – continuou Norah. – Frederic e eu estamos muito contentes.

Phoebe ergueu os olhos outra vez, sem jeito.

– São os caracóis – explicou Paul. – Ela não gosta de caracóis.

Norah riu.

– Não se preocupe. Também não gosto deles.

– E eu vou voltar para casa – acrescentou Phoebe.

– Está certo – disse Norah, delicadamente. – Sim. Foi isso que combinamos.

Paul observou, sentindo-se desamparado diante da dor que se instalara em seu corpo feito uma pedra. Sob a luz crua, impressionou-se com a idade da mãe, com uma certa finura na pele dela, com o cabelo louro dando lugar ao grisalho. E com sua beleza. Ela parecia encantadora e vulnerável, e Paul se perguntou, como se perguntara tantas vezes nas semanas anteriores, como seu pai podia havê-la traído, como pudera trair todos eles.

– Como? – perguntou baixinho. – Como ele pôde nunca nos contar?

Norah voltou-se para o filho, séria.

– Não sei. Jamais entenderei. Mas pense no que deve ter sido a vida dele, Paul. Guardando esse segredo durante tantos anos.

Paul olhou para o outro lado da mesa. Phoebe estava parada perto de uma árvore cujas folhas mal começavam a amarelecer, usando o garfo para tirar o creme chantilly de sua fatia de bolo.

– Nossa vida poderia ter sido muito diferente.

– Sim. É verdade. Mas não foi, Paul. Foi assim que aconteceu.

– Você está defendendo o papai – disse ele, devagar.

– Não. Estou perdoando. Tentando, pelo menos. Há uma diferença.

– Ele não merece perdão – retrucou Paul, surpreso por ainda estar tão ressentido.

– Pode ser que não. Mas você, a Phoebe e eu temos uma escolha. Podemos ficar ressentidos e com raiva ou tentar ir em frente. Abrir mão de toda essa raiva justificada é o que há de mais difícil para mim. Ainda estou lutando. Mas é o que eu quero fazer.

Paul pensou no assunto.

– Recebi uma oferta de emprego em Pittsburgh – disse.

– É mesmo? – fez Norah, agora com os olhos atentos, de um verde muito escuro àquela luz. – E vai aceitar?

– Acho que sim – respondeu ele, percebendo que já havia tomado a decisão. – É uma oferta muito boa.

– Você não tem como consertar as coisas – disse Norah, baixinho. – Não pode consertar o passado, Paul.

– Eu sei.

E sabia. Ele fora a Pittsburgh naquela primeira vez achando que estava em condições de oferecer ajuda, ou talvez não. Preocupara-se com a responsabilidade que teria de assumir, com o modo como sua vida se modificaria com o fardo de uma irmã retardada, e ficara surpreso – atônito, na verdade – ao ouvir essa própria irmã dizer *Não, eu gosto da minha vida como está, não, obrigada.*

– A sua vida é sua – prosseguiu Norah, agora com mais premência. – Você não é responsável pelo que aconteceu. A Phoebe está bem, em termos financeiros.

Paul balançou a cabeça.

– Eu sei. Não me sinto responsável por ela. Não mesmo, de verdade. É só que... acho que eu gostaria de conhecê-la. Dia a dia. Afinal, ela é minha irmã. O emprego é bom, e eu preciso *mesmo* de uma mudança. Pittsburgh é uma cidade bonita. Então, fico pensando: por que não?

– Ah, Paul – suspirou Norah, passando a mão pelo cabelo curto. – O emprego é bom mesmo?

– É. É, sim.

Ela assentiu com a cabeça.

– Seria bom ter vocês dois no mesmo lugar – admitiu, lentamente. – É preciso considerar tudo. Você é muito moço e mal está começando a encontrar seu caminho. Mas saiba que certamente irá encontrá-lo.

Antes que Paul pudesse responder, lá estava Frederic, dando um tapinha no relógio e dizendo que eles teriam que sair logo, para pegar o avião. Depois de um minuto de conversa, Frederic foi buscar o carro e Norah tornou a se virar para o filho, pôs uma das mãos em seu braço e o beijou no rosto.

– Acho que estamos quase saindo. Você vai levar a Phoebe para casa?

– Vou. A Caroline e o Al disseram que eu posso ficar na casa deles.

Norah assentiu com a cabeça.

– Obrigada por ter vindo – disse, baixinho. – Não deve ter sido fácil para você, por todas as razões do mundo. Mas significou muito para mim.

– Eu gosto do Frederic. Espero que vocês sejam felizes.

Norah sorriu e pôs a mão no braço do filho.

– Eu me orgulho muito de você, Paul. Faz alguma idéia do orgulho que sinto? Do quanto amo você? – acrescentou. Virou-se para contemplar Phoebe, do outro lado da mesa; ela pusera o ramo de narcisos embaixo do braço, e a brisa balançava sua saia brilhosa. – Eu me orgulho de vocês dois.

– O Frederic está acenando – disse Paul, falando depressa para disfarçar a emoção. – Acho que está na hora. Acho que ele está pronto. Vá e seja feliz, mamãe.

Norah o fitou demoradamente, com lágrimas nos olhos, e lhe deu um beijo no rosto.

Frederic atravessou o jardim e apertou a mão de Paul. O rapaz viu a mãe abraçar Phoebe e lhe dar seu buquê, e percebeu a hesitação com que a irmã retribuiu o abraço. Norah e Frederic entraram no carro, sorrindo e acenando, em meio a outra chuva de confetes. O carro desapareceu depois da curva e Paul refez o percurso até a mesa, parando para cumprimentar um convidado após outro, sempre de olho na figura de Phoebe. Ao se aproximar, ouviu-a falando alegremente com outro convidado sobre Robert e seu próprio casamento. A voz dela era alta, a fala, meio enrolada e sem jeito, e o entusiasmo, incontido. Ele percebeu a reação do convidado – um sorriso forçado, inseguro, paciente – e estremeceu de embaraço. Porque Phoebe só queria conversar. Porque ele próprio havia reagido àquelas conversas da mesma maneira, poucas semanas antes.

– E então, Phoebe? – perguntou, aproximando-se e interrompendo. – Quer ir embora?

– Está bem – disse ela.

No carro, os dois cruzaram a zona rural exuberante. Era um dia quente. Paul desligou o ar-refrigerado e baixou os vidros das janelas, lembrando-se de como a mãe costumava dirigir desvairadamente por aquelas mesmas paisagens, para fugir da solidão e da tristeza, com o vento batendo no cabelo. Ele devia ter percorrido milhares de quilômetros com ela, de um lado para outro do estado, deitado de costas, tentando adivinhar onde os dois estavam por vislumbres de folhas, cabos telefônicos, céu. Lembrou-se de ter observado uma barcaça a vapor deslocar-se pelas águas barrentas do Mississípi, com suas rodas claras soltando jatos de luz e de água. Ele nunca havia compreendido a tristeza da mãe, embora mais tarde houvesse passado a carregá-la consigo, para onde quer que fosse.

Agora, toda aquela tristeza havia desaparecido: aquela vida tinha terminado, desaparecera também.

Paul dirigiu depressa, vendo os resquícios do outono em toda parte. As cerejeiras já começavam a mudar de cor, nuvens de um vermelho brilhante contra as montanhas. O pólen fez seus olhos comicharem e Paul deu vários espirros, mas continuou com as janelas abertas. Sua mãe teria deixado o ar-refrigerado ligado, o carro mais frio que uma vitrine de florista. Seu pai teria aberto a maleta e procurado o anti-histamínico. Phoebe, ereta no assento a seu lado, com a pele muito alva, quase translúcida, tirou um lenço de papel de um pacotinho, em sua enorme bolsa de plástico preto, e o ofereceu ao irmão. As veias azul-claras desenhavam-se logo abaixo da superfície de sua pele. Paul pôde ver a pulsação em seu pescoço, calma, regular.

Sua irmã. Sua irmã gêmea. E se ela não tivesse nascido com a síndrome de Down? Ou, então, se tivesse nascido do jeito que era, simplesmente ela mesma, e seu pai não houvesse erguido os olhos para Caroline Gill, enquanto a neve caía no mundo lá fora e o colega dele atolava numa vala? Paul imaginou os pais, muito jovens e muito felizes, aninhando os dois no carro e dirigindo devagar pelas ruas molhadas de Lexington, no degelo de março que se seguira a seu nascimento. A ensolarada sala de recreação contígua a seu quarto teria sido o quarto de Phoebe. Ela o teria perseguido escada abaixo, passado pela cozinha e entrado no jardim silvestre, com o rosto sempre junto dele, o riso de um ecoando o do outro. Quem teria sido Paul, nesse caso?

Mas sua mãe tinha razão: ele nunca poderia saber o que teria acontecido. Tudo de que dispunha eram os fatos. Seu pai fizera o parto dos próprios filhos gêmeos, em meio a uma nevasca inesperada, seguindo os passos que sabia de cor, de olho na pressão e nos batimentos cardíacos da mulher deitada na mesa, na pele esticada, na cabeça surgindo. Respiração, tom da pele, dedos das mãos e dos pés. Um menino. À primeira vista, perfeito, e uma musiquinha havia começado no fundo da mente do pai. Um instante depois, o segundo bebê. E então o canto do pai havia cessado para sempre.

Agora os dois se aproximavam da cidade. Paul esperou uma pausa no trânsito, virou para o cemitério de Lexington e cruzou a entrada de pedra. Estacionou embaixo de um olmo que sobrevivera a 100 anos de secas e doenças e desceu do carro. Deu a volta e abriu a porta de Phoebe, oferecendo-lhe a mão. Ela a fitou, surpresa, depois ergueu os olhos para o irmão. Em seguida, saiu sozinha do carro, ainda segurando os narcisos, cujas hastes já estavam amassadas e molengas. Os dois seguiram a trilha por algum tempo, passando pelos monumentos e pelos chafarizes com patos, e Paul guiou Phoebe pela grama até a pedra que marcava a sepultura de seu pai.

Phoebe passou os dedos pelos nomes e datas gravados no granito preto. Paul tornou a se perguntar no que ela estaria pensando. Al Simpson era o homem a quem ela chamava de pai. Ele fazia quebra-cabeças com a filha à noite e, ao voltar de suas viagens, levava-lhe seus discos favoritos; no passado, costumava carregá-la no ombro para que a menina pudesse tocar nas folhas altas dos sicômoros. Essa laje de granito e esse nome não podiam significar nada para ela.

David Henry McCallister. Phoebe leu as palavras em voz alta, devagar. Elas lhe encheram a boca e caíram pesadamente no mundo.

– Nosso pai – disse Paul.

– Pai Nosso que estais no céu – fez Phoebe –, santificado seja o vosso nome.

– Não – interrompeu Paul, surpreso. – *Nosso* pai. Meu pai. Seu pai.

– Nosso pai – Phoebe repetiu, e Paul sentiu uma onda de frustração, porque as palavras dela eram agradáveis, mecânicas, sem nenhum significado em sua vida.

– Você está triste – observou Phoebe nesse momento. – Se o meu pai morresse, eu também ficaria triste.

Paul levou um susto. Sim, era isso: estava triste. Sua raiva tinha passado e, de repente, ele podia ver o pai de outra maneira. Sua própria presença devia ter lembrado ao pai, a cada olhar, a cada respiração, a escolha que ele fizera e não podia desfazer. Aquelas fotos Polaroid de Phoebe que Caroline tinha enviado ao longo dos anos, encontradas escondidas no fundo de uma gaveta do quarto escuro, depois que os curadores se foram; e também a única fotografia da família de seu pai, a que Paul ainda tinha, com todos parados na varanda da casa perdida. E mais os outros milhares de fotos, uma após outra, com que o pai superpusera imagens infindáveis, tentando apagar o momento que nunca mais poderia alterar, e mesmo assim o passado ressurgia, persistente como a memória, poderoso como os sonhos.

Phoebe, a irmã de Paul, um segredo guardado por um quarto de século.

Paul retrocedeu alguns passos na trilha de cascalho. Parou, com as mãos nos bolsos, enquanto as folhas rodopiavam nos remoinhos de vento e um pedaço de jornal voejava sobre as fileiras de lajes brancas. Passaram nuvens pelo sol, desenhando figuras na terra, e os fachos de luz brilharam sobre as lápides, a relva, as árvores. As folhas se agitaram de leve na brisa e a grama alta farfalhou.

No começo, as notas foram suaves, quase uma corrente sob a brisa, tão sutis que ele teve que se esforçar para ouvi-las. Virou-se. Phoebe, ainda parada junto à lápide, com a mão apoiada em sua borda escura de granito, tinha começado a cantar. A grama sobre as sepulturas se movia e as folhas balançavam. Era um hino, algo vagamente conhecido. As palavras eram indistintas, mas a voz era pura e doce, e outros visitantes do cemitério olhavam na direção dela, de Phoebe, com seu cabelo salpicado de prata e seu vestido de dama de honra, a postura desajeitada, as palavras obscuras, a voz descontraída de flauta. Paul engoliu em seco, fixou os olhos nos sapatos. Pelo resto da vida, percebeu, haveria de sentir-se dilacerado assim, consciente da inconveniência de Phoebe, das dificuldades enfrentadas por ela pelo simples fato de ser diferente no mundo, e, no entanto, impelido para além de tudo isso pelo amor direto e franco que ela era capaz de sentir.

Sim, pelo amor dela. E também, como percebeu, inundado por aquelas notas, por seu próprio amor por ela, um amor novo e estranhamente descomplicado.

A voz de Phoebe, aguda e clara, correu por entre as folhas, pela luz do sol. Respingou no cascalho, na grama. Paul imaginou as notas caindo no ar feito pedras na água, gerando ondas na superfície invisível do mundo. Ondas sonoras, ondas de luz. Seu pai tinha tentado fixar tudo, mas o mundo era fluido e impossível de conter.

As palavras do antigo hino lhe voltaram à lembrança, e Paul entrou na harmonia. Phoebe não pareceu notar. Continuou cantando, acolhendo a voz dele como acolheria o vento. O canto dos dois fundiu-se e a música o perpassou por dentro, como um cantarolar de carne e osso, e também estava do lado de fora, onde a voz dela era gêmea da sua. Terminada a canção, os dois ficaram onde estavam, na luz clara e pálida da tarde. O vento virou, pressionando o cabelo de Phoebe contra a nuca, espalhando folhas mortas pela base da velha cerca de pedra.

Tudo ficou mais lento, até que o mundo inteiro foi captado naquele momento único de suspensão. Paul ficou absolutamente imóvel, à espera do que aconteceria a seguir.

Por alguns segundos, nada.

Depois, Phoebe virou-se devagar e alisou a saia amarrotada.

Um gesto simples, mas que repôs o mundo em movimento.

Paul notou quão rentes eram cortadas as unhas dela, quão delicado era seu pulso junto à lápide de granito. As mãos de sua irmã eram pequenas, como as da mãe de ambos. Paul atravessou o gramado e tocou no ombro de Phoebe, para levá-la para casa.

## CONHEÇA OUTROS TÍTULOS DA EDITORA SEXTANTE

DE MITCH ALBOM

# POR MAIS UM DIA

*Por mais um dia* é uma comovente história sobre vida e morte, amor e família, perdão e redenção. O livro conta a trajetória de Charles Benetto, um ex-jogador de beisebol arrasado pelo destino e por seus fantasmas interiores.

Desiludido e tomado por uma profunda tristeza, Charles decide morrer para dar fim ao sofrimento, mas acaba tendo uma incrível surpresa: sua mãe, já falecida, reaparece agindo como se nada tivesse acontecido.

Como num passe de mágica, ele tem a oportunidade de reencontrar pessoas que já se foram, explicar segredos do passado, repensar suas escolhas e, mais do que tudo, perdoar e ser perdoado.

Com sensibilidade e delicadeza, Mitch fala neste livro sobre o poder do amor, fazendo-nos viajar nas memórias de Charles, um filho como qualquer um de nós – ocupado demais, cansado demais, ausente demais – que se vê diante da única chance de salvar a si mesmo.

# AS CINCO PESSOAS QUE VOCÊ ENCONTRA NO CÉU

*As cinco pessoas que você encontra no céu* conta a história de Eddie, mecânico de um parque de diversões que morre tentando salvar uma garotinha. Imerso numa rotina de trabalho e solidão, ele passou a vida se considerando um fracassado. Ao acordar no céu, encontra cinco personagens inesperados que lhe mostram como ele foi importante.

Esse livro foi escrito para cada um de nós, pois freqüentemente nos sentimos por não termos realizado nossos sonhos. Ele nos faz lembrar que vivemos numa ampla teia de ligações e que temos o poder de mudar o destino dos outros com um pequeno gesto, nos fazendo descobrir a importância da lealdade e do amor em nossas vidas.

# A ÚLTIMA GRANDE LIÇÃO

Cada um de nós teve na juventude uma figura especial que nos ajudou a escolher caminhos e olhar o mundo por uma perspectiva diferente. Para Mitch Albom, essa pessoa foi Morrie Schwartz, seu professor na universidade. Vinte anos depois, eles se reencontraram quando o velho mestre estava à beira da morte.

Mitch passa a visitar Morrie todas as terças-feiras, tentando sorver seus últimos ensinamentos. Durante quatorze encontros, eles tratam de temas fundamentais para a felicidade e a realização humana. Através das ágeis mãos de Mitch e do bondoso coração de Morrie nasceu este livro, que nos transmite maravilhosas reflexões sobre amor, amizade, medo, perdão e morte.

DE ESTHER E JERRY HICKS

## PEÇA E SERÁ ATENDIDO

Quando desejamos alguma coisa, é comum ficarmos mais concentrados na idéia de que *não a temos* do que na *vontade de tê-la*. Embora essa seja uma atitude inconsciente, ela é a principal responsável pela nossa dificuldade de alcançar os objetivos. Como os pensamentos deveriam ser a expressão de nossos desejos, essa negatividade acaba atraindo o oposto do que queremos.

Essa é a idéia principal de **Peça e será atendido**, livro que nos estimula a identificar nossos verdadeiros sonhos e a criar as condições para realizá-los. A fonte dessas revelações é Abraham, o guia espiritual que inspirou Esther e Jerry Hicks a compartilhar conosco valiosas lições.

Com sensibilidade e clareza, os autores mostram o que devemos fazer para atrair aquilo que queremos – melhorar a saúde, equilibrar as finanças, redefinir nossas prioridades, aumentar a auto-estima ou aprimorar os relacionamentos.

DE IYANLA VANZANT

# ENQUANTO O AMOR NÃO VEM

"Haverá um momento em sua vida em que o amor vai chegar. Antes disso, você terá feito tudo o que podia, tentado tudo o que podia, sofrido o quanto podia e desistido muitas vezes.

Mas, com certeza, posso lhe garantir que esse dia virá. Nesse meio tempo, esse livro vai lhe contar muitas histórias e lhe ensinar algumas coisas que você pode fazer para se preparar para o dia mais feliz de sua vida: o dia em que experimentar o amor verdadeiro."

IYANLA VANZANT

# POSSO CONSEGUIR O QUE DESEJO

"Esse livro reúne orações que elaborei ao longo dos anos. Como descobri que escrever as preces me ajuda a fixá-las, resolvi criar um Diário de Orações. Algumas são baseadas ou inspiradas nas Escrituras; outras são idéias minhas, frutos dos meus diálogos íntimos com Deus. As preces aqui apresentadas abrangem uma variedade de tópicos e necessidades.

Rogo a Deus que esse livro acenda uma luz em seu coração – e quem sabe até o inspire a escrever algumas preces de sua própria autoria. Acredito que, assim, consolidaremos a presença da paz, alegria, equilíbrio, harmonia e do próprio Deus no planeta."

IYANLA VANZANT

DE ALLAN E BARBARA PEASE

# POR QUE OS HOMENS FAZEM SEXO E AS MULHERES FAZEM AMOR?

Homens e mulheres são e reagem de forma diferente, o que torna seu convívio difícil, muitas vezes áspero e gerador de ressentimentos. Mas quais são as razões dessas diferenças e até que ponto elas podem ser superadas? Como aprender a lidar com elas e administrá-las para sermos felizes em nossos relacionamentos?

Com base em anos de pesquisa, os autores escreveram um livro sobre essas diferenças e o resultado é um importante instrumento para estabelecer uma relação harmoniosa entre o relacionamento com o outro sexo, seja no casamento, na vida profissional, na forma de educar os filhos ou em qualquer campo do relacionamento humano.

# DESVENDANDO OS SEGREDOS DA LINGUAGEM CORPORAL

Nesse livro, Allan e Barbara Pease mostram que 93% da comunicação humana é feita através de expressões faciais e movimentos do corpo. Quando aprendemos a prestar atenção em nossa linguagem corporal e a interpretar corretamente a dos outros, passamos a ter maior controle sobre as situações, identificando sinais de abertura, de tédio, de atração ou de rivalidade e agindo de forma adequada aos nossos objetivos.

Você vai aprender aqui o significado real de gestos que usamos no dia-a-dia, como cruzar os braços, coçar o nariz e balançar a cabeça, evitando os habituais mal-entendidos causados pela contradição entre o que dizem nossas palavras e nosso corpo.

DE AUGUSTO CURY

# NUNCA DESISTA DE SEUS SONHOS

Com mais de 3 milhões de livros vendidos sobre temas como crescimento pessoal, inteligência e qualidade de vida, o psiquiatra Augusto Cury debruça-se aqui sobre nossa capacidade de sonhar e o quanto ela é fundamental na realização de nossos projetos de vida.

Analisando a trajetória de personalidades importantes de nossa história, pessoas que acreditaram em seus sonhos, lutaram por eles e tornaram-se vencedoras, o autor nos convida a seguir o mesmo caminho, mantendo a persistência e a esperança, sem jamais deixar de sonhar.

# VOCÊ É INSUBSTITUÍVEL

Esse livro fala do amor pela vida que habita em cada ser humano. Você descobrirá alguns fatos relevantes que o tornaram o maior vencedor do mundo, o mais corajoso dos seres, o que mais cometeu loucuras de amor para poder estar vivo.

Não é tão simples viver a vida. Às vezes, ela contém capítulos imprevisíveis e inevitáveis. Mas é possível escrever os principais textos de nossas vidas nos momentos mais difíceis de nossa existência.

# INFORMAÇÕES SOBRE OS PRÓXIMOS LANÇAMENTOS

Para receber informações sobre os lançamentos da EDITORA SEXTANTE, basta cadastrar-se diretamente no site www.sextante.com.br

Para saber mais sobre nossos títulos e autores, e enviar seus comentários sobre este livro, visite o nosso site www.sextante.com.br ou mande um e-mail para atendimento@esextante.com.br


EDITORA SEXTANTE

Rua Voluntários da Pátria, 45 / 1.404 – Botafogo
Rio de Janeiro – RJ – 22270-000 – Brasil
Telefone (21) 2286-9944 – Fax (21) 2286-9244
E-mail: atendimento@esextante.com.br